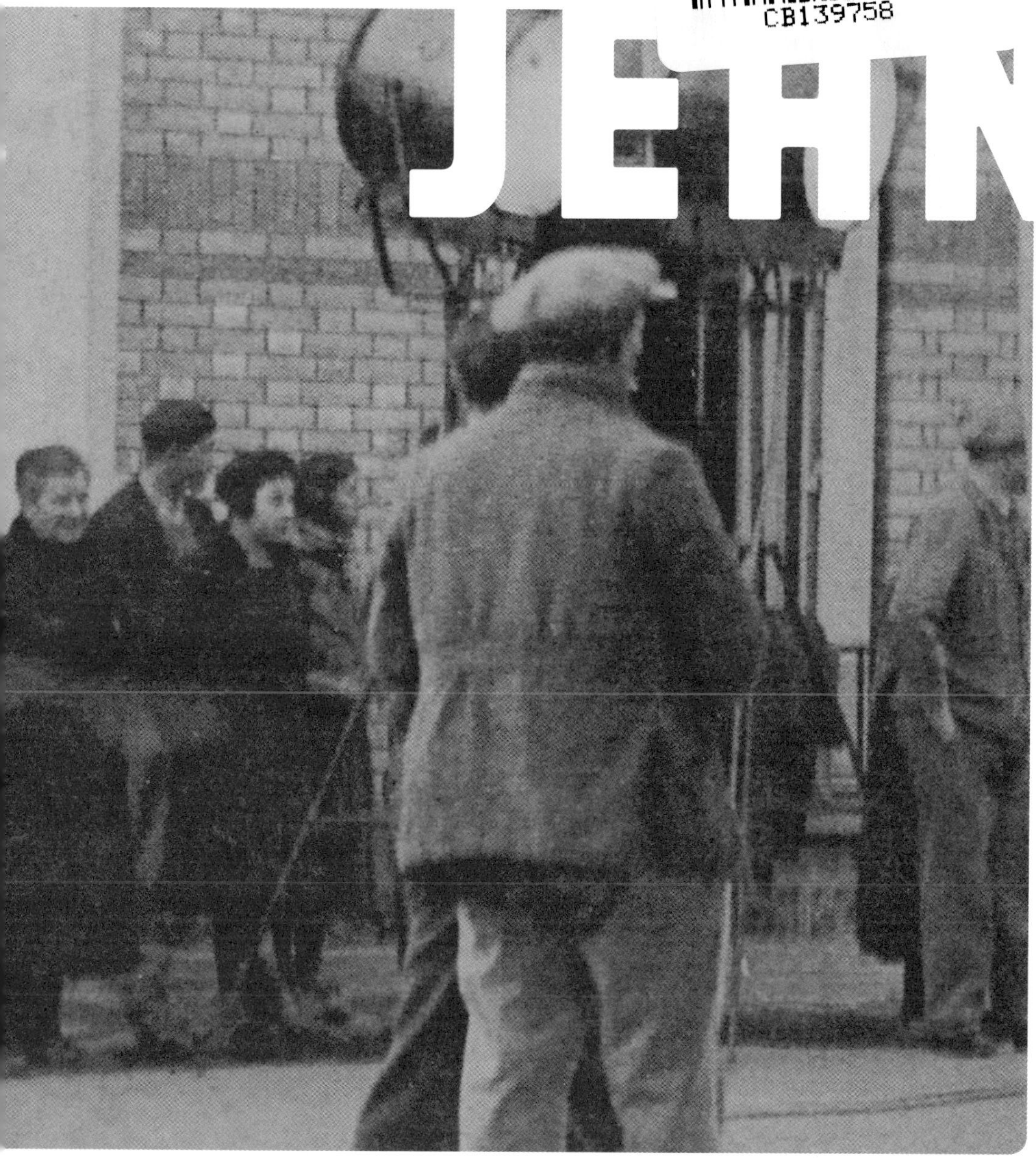

JEAN

VIGO

PAULO EMÍLIO

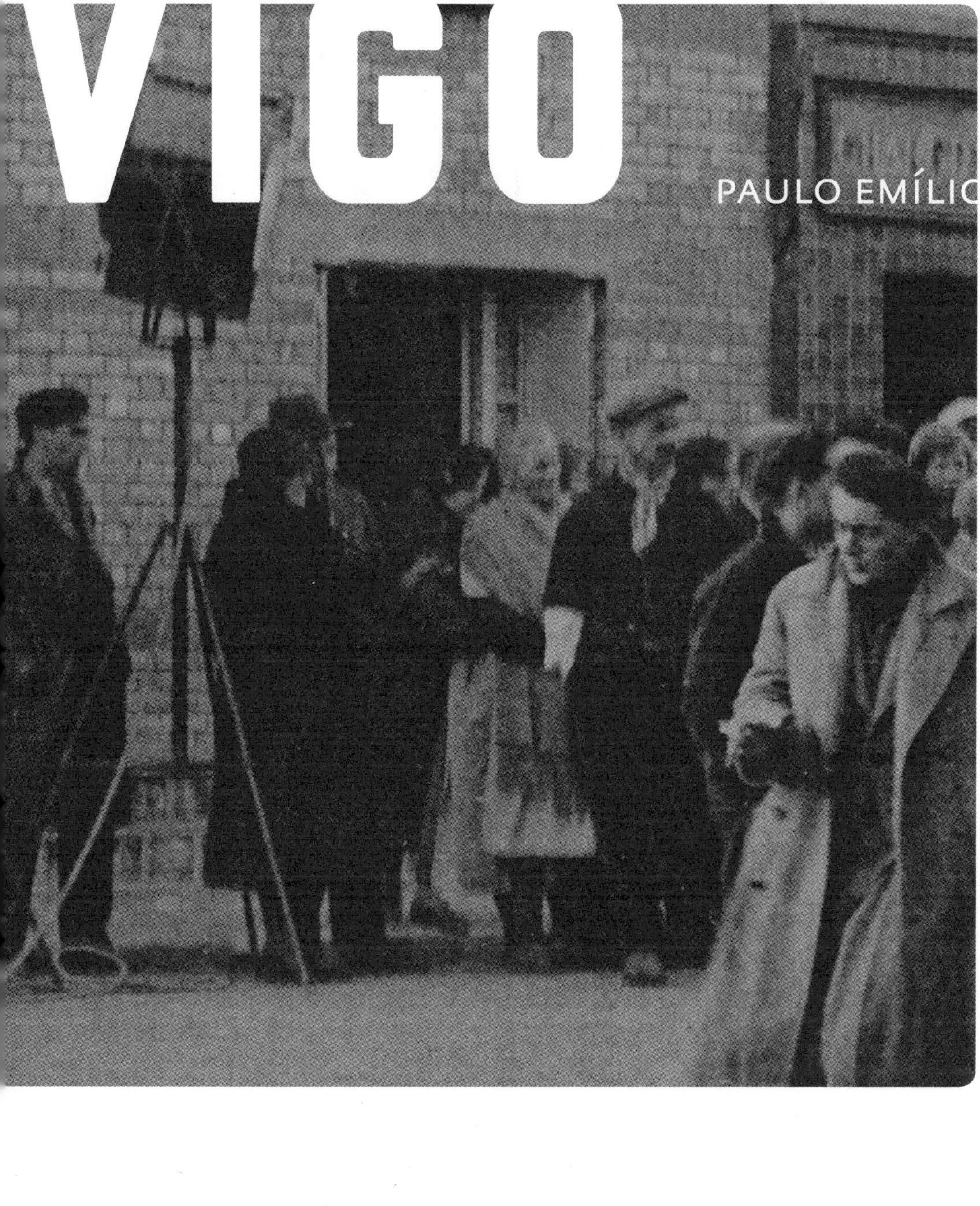

N VIGO

PAULO EMÍLIO SALES GOMES

COSACNAIFY

edições SESCSP

organização CARLOS AUGUSTO CALIL

tradução DOROTHÉE DE BRUCHARD

A Henri Langlois, Ernest Lindgren e Plínio Sussekind Rocha

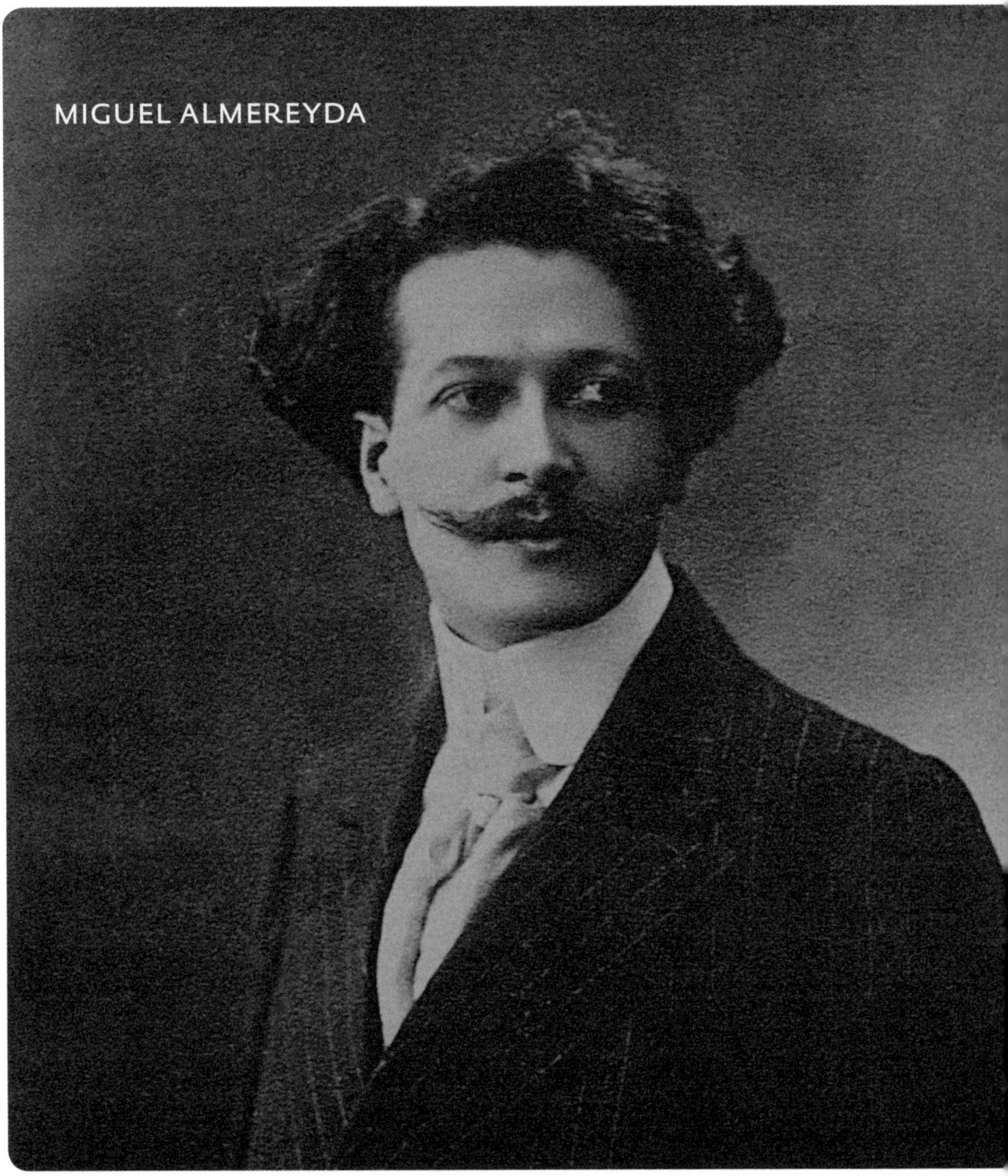

MIGUEL ALMEREYDA

Eugène Bonaventure de Vigo era filho de Eugène e neto de Bonaventure de Vigo, *viguier* [magistrado] de Andorra em 1882.[1] Este último, orgulhoso de sua pequena nobreza de província, nunca aceitara o caso do seu filho com Aimée Salles, que era plebeia, embora conhecida por sua beleza em toda a região de Perpignan. O nascimento de um filho, em 1883, não fez com que mudasse de ideia. Pouco depois, Eugène, tuberculoso, morreu em Tour de Carol. Tinha vinte anos. Aimée Salles voltou com o menino para a casa dos seus pais, em Perpignan. Lá conheceu, um ano mais tarde, Gabriel Aubès, jovem fotógrafo de Sète, que se casou com ela assim que se estabeleceu. O menino ficou com os pais de Aimée, enquanto o jovem casal foi para a região da Dordonha antes de migrar para Paris. Aimée era nervosa e instável, de modo que não foram felizes. Eugène Bonaventure tinha cerca de quinze anos quando foi juntar-se a eles. A pesada atmosfera da casa, o nervosismo de Aimée não contribuíram para um bom relacionamento entre ele e aqueles a quem tratava por "minha tia" e "meu tio". Aubès o

1. Os Vigo eram originários da Sardenha, mas viviam desde o século XIX na Catalunha francesa. A divisa de suas armas era: "Protejo o mais fraco".

encaminhou como aprendiz de fotógrafo e logo o adolescente estava vivendo sozinho na capital.

Conheceu o desemprego, a fome e a solidão, que era temperada pela presença nos círculos anarquistas, e seu nome veio juntar-se ao arquivo de Fouquet, delegado da 3ª Brigada de Investigações, a chamada Brigada dos Anarquistas. Entre os libertários, tornou-se muito amigo de Fernand Desprès, que era um pouco mais velho que ele.

Após um longo período sem trabalho, Vigo arranjou um emprego de fotógrafo no estúdio Manhès, na rua du Faubourg Saint-Honoré. Conseguiu que lhe pagassem todo sábado, e começou sua primeira semana sem nenhum tostão. Na hora do almoço, ia passear no jardim das Tulherias onde ficava vendo os pássaros ciscarem. Antes de chegar ao fim da semana, seu senhorio ameaçou não lhe dar a chave se não pagasse os atrasados. O filho do patrão, um garoto de treze anos, surpreendeu-o aos prantos no estúdio, Vigo confessou-lhe seu infortúnio. O filho de Manhès encontrou uma solução: pegou vinte francos no caixa do pai. Só restava esperar o sábado para colocá-los de volta no lugar. Por azar, a sra. Manhès conferiu o caixa, inquiriu o filho e deu queixa. A queixa foi retirada após as explicações de Vigo, que teve que procurar outro emprego. Certo dia, pelo final de maio de 1900, vieram prendê-lo: fora indiciado *ex officio* pela Promotoria por cumplicidade em furto e receptação. A medida devia-se à sua ficha como anarquista, e ele foi condenado a dois meses de prisão, que cumpriu na Petite Roquette. Respondeu, primeiro, com um desafio, e substituiu o nome "Vigo" por outro, que tem merda [*y a de la merde*], Almereyda. A escolha do anagrama se explica pela crença de certos meios libertários nas virtudes revolucionárias do "palavrão", e "merde", no início do século, ainda era um palavrão. O conjunto, Miguel Almereyda, soava espanhol e anarquista.

Ao sair da prisão, Vigo-Almereyda encontrou um trabalho com o sr. Gallay, fotógrafo no bulevar Saint-Denis, fabricou uma bomba para se vingar e publicou, no *Le Libertaire*,[2] seu primeiro artigo, mencionando a ação que estava preparando. Hesitava ante a reação da opinião pública, que estava encarnada, para ele, nos conselhos de prudência que lhe davam sua mãe e Gabriel Aubès. Esses conselhos o exasperavam, o que motiva o seu segundo artigo, "Calma" ["Du Calme"],[3] dedicado "À minha tia", ou seja, sua mãe, e "Ao sr. Aubès", que ele já não queria chamar de "meu tio". O panfletário de dezessete anos se mostra um tanto grosseiro: lembra à sua mãe e a Aubès suas aventuras juvenis e conclui o texto com o elogio do "orgulho do Indivíduo, afirmando-se brutal e altivo".

Fabricou a bomba: um pouco de pó de magnésio, enxofre para ativar a explosão, tudo numa latinha de graxa para sapato enrolada num fio de arame, e com um furo pelo qual enfiou um pavio.

A vítima escolhida foi o juiz que o enviara para o Correcional, mas, temendo atingir pessoas inocentes, Almereyda abandonou a bomba, acesa, num mictório da praça Voltaire, e ficou montando guarda a vinte metros. Ela nem chegou a explodir, e o jovem anarquista foi-se embora vexado.

Certo dia, Fouquet convocou-o para depor sobre um amigo que fora detido num caso de explosivos. Pelo sim, pelo não, o inspetor o interrogou acerca de uma coleção de bombas que ele tinha num armário. À vista da latinha de graxa para sapatos, o olhar experimentado do policial flagrou uma hesitação de Almereyda e o ameaçou até obter sua confissão.

No Tribunal Correcional, em 26 de junho de 1901, um químico oficial, o sr. Girard, declarou que o explosivo contido na caixa era desconhecido e tinha uma potência incomparável. Almereyda, engasgado

---

2. 27 jan. 1901.
3. *Le Libertaire*, 9 mar. 1901.

de emoção e repleto de orgulho infantil, nada disse, nada explicou, e viu-se condenado a um ano de prisão, que ele cumpriu quase até o fim em absoluto isolamento, numa cela, na semiobscuridade e no silêncio. Almereyda jamais esqueceria os guardas, que fingiam se afastar a fim de flagrar os meninos que tentavam falar um com outro, e batiam neles com seus enormes molhos de chaves, usados como socos-ingleses. Um guarda chamado Cornua passava silenciosamente frente aos postigos abertos das portas das celas e cuspia no rosto dos meninos que se aproximavam.

A mãe de Almereyda e Gabriel Aubès tinham até então se esforçado para ajudar o jovem revoltado, um tanto desastradamente talvez, mas agora até esse frágil apoio sumira. Aimée enlouquecera e precisou ser internada, Aubès voltou a exercer seu ofício em Sète.

O encarceramento de Almereyda não passou despercebido. Laurent Tailhade o mencionara num artigo. Fernand Desprès pediu ajuda a um jovem pintor anarquista, Francis Jourdain, que, por sua vez, alertou Séverine, viúva de Jules Vallès, e, juntos, conduziram uma campanha de artigos e iniciativas a fim de obter o indulto de Almereyda. Conseguiram, a um mês somente da expiração legal da pena, e foram até a prisão buscar o rapaz, que lhes pareceu "um pequeno revoltado pobre, generoso, inteligente, cheio de coragem e bom humor".[4] Contudo, escreve ainda Jourdain,

> o garoto esquelético que, depois de ficar andando para lá e para cá frente à prisão, vimos, Fernand (Desprès) e eu, sair afinal, tinha uma aparência abatida. Estava tão pálido como o alvorecer que nos fazia companhia... Chegando a Montmartre e tranquilizados pela firmeza dos seus passos, deixamos que nosso amigo nos seguisse até a casa de um companheiro

---

4. Francis Jourdain, "Une Enfance", *Ciné-Club*, Paris, n. 5, fev. 1949.

que íamos ajudar a se mudar. Miguel desabou sob o peso de um armário, foi acometido por uma espécie de síncope, voltou a si para descobrir, diante de um café creme, um Fargue cintilante que lhe apontou, com a maior seriedade, a Kodak de que nunca se separava e que nunca estava carregada com filme.[5]

Séverine levou Almereyda para o campo, de onde ele voltou revigorado um mês mais tarde. Conseguiu um emprego junto ao fotógrafo Gershell, no bulevar des Capucines, e logo tornavam a ver seu nome no *Libertaire*[6] assinando um manifesto antimilitarista ao lado de Sébastien Faure, Pierre Monatte, Fernand Desprès, Victor Méric, Francis Jourdain e outros mais.

No início de outubro, Almereyda testemunhou a fúria de alguns homens para com um menino flagrado roubando tocos de lenha. Com os nervos ainda à flor da pele devido à sua recente experiência do poder dos adultos, interveio brutalmente, e este mesmo impulso o incitou a escrever um pequeno artigo, que foi do agrado de Matha, do *Libertaire*. A partir de então, passou a colaborar regularmente no jornal e, no início de 1903, Almereyda se tornara um dos mais ativos colaboradores do veículo anarquista. Em março, abandonou o estúdio Gershell e o ofício de fotógrafo a fim de dedicar-se integralmente à agitação e ao jornalismo.

Conheceu então a mais negra miséria. Um dia, quando vinha se desdobrando para organizar uma reunião na Sociétés Savantes [Sociedades Científicas], desmaiou de fome na Bolsa do Trabalho, embora há vários dias carregasse no bolso a quantia necessária para o aluguel da sala.

Na primavera de 1903, aos vinte anos, Almereyda conheceu o amor ao encontrar Emily Cléro, jovem militante alguns anos mais velha que,

---

5. *Les Lettres Nouvelles*, n. 1, 1953.
6. 19 set. 1902.

por ele, abandonou seu companheiro Philippe Auguste, escultor em madeira, com quem tivera vários filhos, quase todos mortos em tenra idade. Um dos sobreviventes fora vítima de um acidente horrível e estúpido: ela o deixara cair de uma janela. Francis Jourdain lembra-se de Emily como uma mulher bastante fechada, de rara firmeza, e provavelmente pouco sensível. Com um eterno sorriso apenas esboçado, único sinal de vaidade, para esconder dentinhos ruins pouco evoluídos, que mal ultrapassavam o nível das gengivas, Emily tinha por Almereyda e pela causa uma dedicação discreta, nunca espetacular, mas segura.

Almereyda estava, nessa época, fortemente impregnado pela tendência anarcoindividualista. O pensamento de um Jean Grave, ou mesmo de um Kropótkin, parecia-lhe acadêmico.

Pouco se deteve nas discussões de ideias e logo a ação antimilitarista tornou-se sua preocupação exclusiva. O anarquista holandês Domela Nieuwenhuis organizou, em junho de 1904, o Congresso Internacional Antimilitarista em Amsterdã. Graças à subscrição pública,[7] uma delegação francesa de peso, que incluía Almereyda, conseguiu ir até a Holanda. A proposta de Almereyda, uma das principais figuras do congresso, serviu de base para a proclamação da nova Associação Internacional Antimilitarista, a AIA.

Almereyda julgava ter encontrado aí o instrumento da revolução, e tornou-se a alma da seção francesa da AIA, composta sobretudo de anarquistas e sindicalistas, que ainda eram muito próximos, mas que incluía também escritores de espírito libertário e alguns socialistas. Em breve, um primeiro congresso nacional aconteceria em Saint-Étienne.

---

7. A subscrição alcançou 1003,20 francos. As duas maiores remessas, de cinco francos, foram de Élie Faure e Léon Blum, "Comptabilité sur la campagne préparatoire du Congrès d'Amsterdam", *Le Libertaire*, 17 jul. 1904.

Numa noite de abril, depois de uma das incontáveis reuniões de propaganda do congresso, Almereyda e alguns amigos, dentre os quais Francis Jourdain, demoraram-se ainda em discussão, continuando a conversa pela rua, enquanto acompanhavam Miguel até a porta de sua casa.

"Vocês não querem subir e conhecer o meu caçula?", perguntou Almereyda aos amigos, que retrucaram, em tom de jocosa reprimenda:

"Mais um?".

Almereyda tinha mania de gatos. Sua água-furtada, de um cômodo só, vivia abarrotada de gatos vira-latas esfomeados e fedidos. Francis Jourdain não raro o criticava por empestear o ar do seu quartinho com aqueles bichos e, principalmente, sacrificar-lhes parte das magras rações de que dispunha para Emily e ele. Reclamando com Almereyda, subiram todos para ver o novo hóspede.

Petrificados de espanto, depararam com um bebê nos braços de uma Emily meio pálida. Ainda na véspera, ela havia saído com eles. Como de costume, tinha voltado para casa depois das compridas discussões nos cafés. O bebê nascera poucas horas depois, sem que um grito sequer da mãe chegasse a acordar os vizinhos. Não mais que os amigos, ninguém no prédio, nem a zeladora, percebera que ela estava grávida. Passado o efeito da surpresa, o acontecimento pareceu tão engraçado que caíram todos na gargalhada. A discreta chegada ao mundo de Jean Vigo, a 26 de abril de 1905, em Paris, filho de pais subnutridos, numa pequena mansarda suja e repleta de gatos esqueléticos, foi tida como um "milagre do tipo cômico".[8]

Almereyda ficou muito feliz por ser pai. Quanto a Emily, estava resolvida a acompanhar Miguel, como sempre, por toda parte. Durante as viagens que ele fazia para preparar o congresso, Emily se conformava em ficar em casa com o recém-nascido, mas não agia assim quando Almereyda estava em Paris.

---

8. Francis Jourdain, "Une Enfance", *Ciné-Club*, fev. 1949.

Vigo (ao centro), em Sète, 1910 | Sète, 1910 | Montpellier, c. 1918 | Com sua mãe, set. 1919

O menino fora apelidado Nonô, nome do herói de uma história infantil de Jean Grave. Acharam para ele uma ama-de-leite voluntária, Janine Champol, uma revolucionária cheia de recordações da Comuna e admiradora de Almereyda. A sra. Blanc, zeladora e parteira, esposa de um militante sindicalista, também cuidava um pouco de Nonô. Nem ela nem Janine, contudo, dispunham de tempo integral, e o casal Almereyda, como não pudesse deixar o menino sozinho em casa com os gatos, carregava-o junto aonde quer que fosse. Conta Francis Jourdain:

> Muitas vezes, nos comícios ouviam-se os gritos do bebê faminto. Prosseguindo sua análise da situação política, ou refutando os argumentos de um opositor, Miguel, na tribuna, puxava uma mamadeira do bolso, passava-a para um amigo que a fazia chegar ao interessado...
>
> Outras noites, em meio à fumaça conscienciosamente alimentada pelos cachimbos dos ruidosos propagandistas é que o pobre Jean 'descansava', na rua Polonceau. Quando acordava com a nossa gritaria, seu pai, sem cessar de gesticular, encostava-se no berço, imprimindo-lhe com o traseiro um movimento de vaivém que devolvia a criança ao sono. À meia-noite, estávamos com muita sede. Íamos tomar um chope no bar Pioch, no bulevar Barbès. Debaixo de chuva ou neve, Nonô era tirado da cama, enrolado num cobertor e levado nos braços da mãe. Ela estava extremamente cansada e não deixava transparecer, esperando pacientemente que encontrássemos a solução para a questão social.[9]

No Congresso de Saint-Étienne, realizado em julho de 1905, Almereyda conheceu Gustave Hervé, jovem professor de história do liceu de Sens e militante antimilitarista ardoroso. Três meses mais tarde, mandavam afixar nos muros de Paris o "cartaz vermelho", assinado por membros do comitê

---

9. F. Jourdain, ibid.

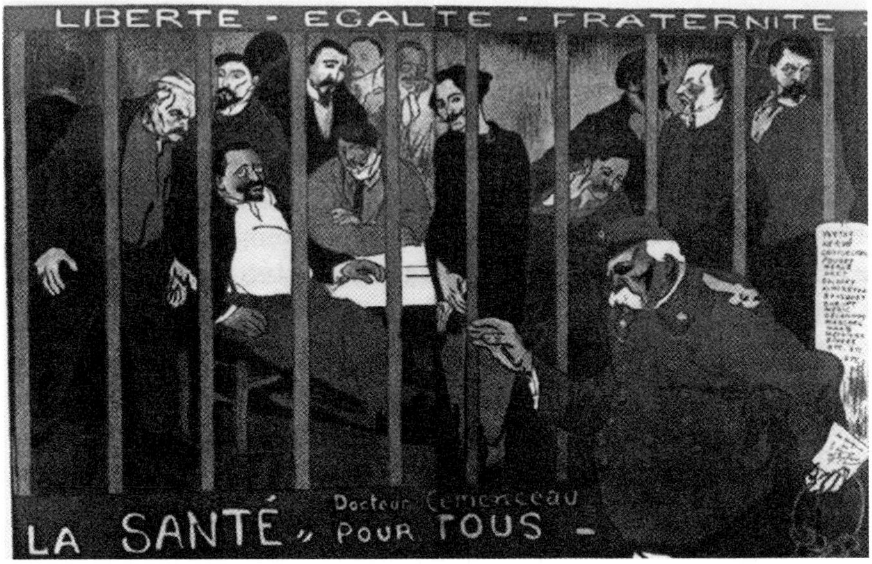

Desenho de A. Delannoy, Almereyda e companheiros presos. *L'Assiette au Beurre,* 1908

diretor da AIA, eleito em Saint-Étienne, que dizia aos futuros soldados para responderem à mobilização com a insurreição. Levados ao tribunal, foram condenados em 30 de dezembro. Junto com o discurso socialista revolucionário de Hervé, uma declaração muito corajosa de Almereyda não conseguia disfarçar uma evidente confusão e pobreza ideológicas.

Decapitada, a AIA estava em vias de extinção. Alguns militantes atribuíam essa decadência ao fato de "os anarquistas terem se corrompido nas seções da AIA no contato com as coletividades".

Na prisão de Clairvaux, o anarquista Almereyda e o coletivista Hervé vinham se entendendo cada vez melhor. A cultura histórica de Hervé descortinava para Almereyda, autodidata um tanto ignorante, perspectivas desconhecidas. Hervé, por sua vez, descobria em Almereyda um ardor revolucionário que, aos seus olhos, estava terrivelmente ausente no Partido Socialista.

Foram todos libertados por uma anistia em 14 de julho de 1906 e no final desse mesmo ano fundava-se, por iniciativa de Almereyda e do seu colega Eugène Merle, o hebdomadário *La Guerre Sociale.* A pedido de ambos, Gustave Hervé se tornou, de certa forma, seu diretor. Os outros redatores formavam uma sábia mistura de anarquia, socialismo e sindicalismo.

Não é o caso, aqui, de contar em detalhes a rica história do *La Guerre Sociale.*

O governo Clemenceau era então o vilão dos revolucionários. De tanto detestá-lo, *La Guerre Sociale* chegava ao ponto de escrever, sob uma enorme manchete:

> Abaixo a República! Caso os antigos partidos monarquistas tivessem um mínimo de energia, poderiam varrer esta corja republicana que nos governa sem que nenhum de nós erguesse um dedo sequer para defendê-la.[10]

Maurras, Pujo e seus amigos apuram os ouvidos. As equipes do *L'Action Française* e do *La Guerre Sociale* em breve iriam se conhecer melhor na prisão da Santé.

Os constantes apelos à rebelião lançados aos soldados valeram ao *Guerre Sociale* uma chuva de condenações. Almereyda ganhou, em abril de 1908, dois anos de prisão pelo elogio do motim do 17º Batalhão de Linha, em Narbonne, além de um ano por um artigo sobre a expedição ao Marrocos, sem falar nas semanas adicionais de correcional por ofensas a Clemenceau.

Os detentos, que nunca deixavam de exigir das autoridades um tratamento compatível com sua condição de "políticos", chegaram ao ponto

---

10. 17 abr. 1907.

de reivindicar o direito de ficarem a sós, nas suas celas, com parentes e amigos durante as visitas. Depois de muita insistência, e de várias cartas de Almereyda, encaminhadas pela administração, Clemenceau acabou por conceder tal autorização para a mãe, o pai e a esposa legítima, *legítima*, ele enfatizou, compreendendo perfeitamente do que se tratava. Foi uma desolação, já que nenhum deles se achava em regra com a lei. Almereyda tornou a escrever uma carta extensa a Clemenceau explicando-lhe que, nos meios revolucionários, não se dava a menor importância a cerimônias legais, e citando como exemplo seu caso pessoal, ele que há muito tempo vivia com uma companheira, com a qual tinha um filho. Além disso, não conseguiu deixar de arrolar na missiva todos os argumentos anarquistas em favor da união livre. Dizem que, ao tomar conhecimento da carta, o chefe do governo explodiu: "Ora essa, eles estão é me gozando!" – mas acabou aceitando, com uma única restrição: "Que recebam suas mulheres, vá lá! Mas, cuidado! Faço questão de que sejam sempre as mesmas!". Almereyda estava radiante, e não era apenas à sua vida conjugal que ele dava seguimento discretamente em sua cela, mas também à intimidade de uma vida familiar. Festejou o Natal com Emily e Nonô, que já tinha mais de três anos e ali recebeu seus presentes.

Clemenceau também andava às voltas com os monarquistas, cuja atividade vinha crescendo a cada dia. Houve um momento em que todos os assessores imediatos de Maurras e Daudet – Pujo, Maxime Real del Sarte e Plateau – se encontravam na Santé. Mantinham com os revolucionários uma convivência harmoniosa e consideravam a possibilidade de um acordo entre a extrema direita e a extrema esquerda na luta contra o governo republicano.

Almereyda permaneceu na prisão até agosto de 1909. Sua saúde estava ruim, mas assim que foi solto lançou-se na campanha em favor de Francisco Ferrer, o educador que tinha sido condenado à morte em Barcelona. Por alguns dias, *La Guerre Sociale* se tornou cotidiano e Almereyda teve eminente participação nas manifestações que resultaram na organização de um gigantesco cortejo de 500 mil pessoas conduzidas por Jaurès.

Ao constatarem a que ponto os grupos tinham se deixado atropelar pelos acontecimentos, a necessidade de uma organização revolucionária tornou-se ainda mais premente para Hervé e Almereyda. Ideologicamente, eles tinham passado do antimilitarismo para o militarismo revolucionário. Achavam que não se devia deixar o soldado desgostoso com seu ofício, e sim conquistá-lo para as ideias revolucionárias.

Durante meses, Almereyda trabalhou as diferentes tendências com vistas à criação de um Partido Revolucionário, até mergulhar no "caso Liabeuf",[11] que foi obra sua. No dia em que foi guilhotinado o jovem operário sapateiro, dezenas de milhares de pessoas, conduzidas por Almereyda, apinharam-se às duas horas da madrugada nas barreiras erguidas no cruzamento Saint-Jacques aos gritos de: "Assassinos! Assassinos!". Ressoaram dois tiros, e um inspetor da brigada dos anarquistas foi morto. Ao lado de Almereyda estava um camarada de origem russa, Kibaltchitch, que mais tarde se tornaria Victor Serge.

Um artigo em defesa de Liabeuf valeu uma pesada condenação a Hervé, e Almereyda ficou sozinho para dirigir o jornal. Sobrecarregado, mandou Nonô passar algum tempo em casa de Gabriel Aubès, que instalara seu estúdio de fotógrafo em Montpellier. Ele tinha, como colaboradora, uma sobrinha que se afeiçoou muito a Jean e, depois disso, a srta. Aubès várias vezes pediu para receber a visita de Jean, para quem essas temporadas no Sul eram legítimos tratamentos de saúde. O ritmo agitado da vida de Almereyda e Emily minava a saúde de ambos e a de seu filho.

A greve dos ferroviários, em outubro de 1910, abriu grandes possibilidades de luta para a equipe de *La Guerre Sociale*, que criou uma

---

11. Acusado injustamente de ser um cafetão, Liabeuf matara um agente da Polícia de Costumes.

organização de combate com vistas a centralizar a sabotagem. Pouco depois, Almereyda e Merle foram juntar-se a Hervé na ala política da Santé. Lá, continuaram os ajustes da sua ideologia e constataram que as atividades da direita nacionalista tinham se tornado um perigo.

Solto em março de 1911, Almereyda fundou os Jovens Guardas Revolucionários. A polícia não demoraria a conhecer sua coragem e, trinta anos depois, Lépine ainda lembrava deles em suas memórias.

Definitivamente curados do seu otimismo libertário, Almereyda e seus amigos chegaram ao ponto de querer organizar tudo e, junto com as milícias dos Jovens Guardas Revolucionários, queriam empreender, de modo coerente e constante, um trabalho de contraespionagem. Disso ficava encarregado o "Serviço de Segurança Revolucionária". Começaram por desmascarar, como sendo policial, Dudragne, um gerente do *Libertaire*, e depois perceberam que um militante sindicalista, Lucien Métivier, era um informante. Convocaram-no e, poucas horas mais tarde, na presença dos representantes de diversos jornais, os redatores de *La Guerre Sociale* colocavam-se em tribunal revolucionário e julgavam o dedo-duro. Este acabou confessando e descobriram, com espanto, que fora pessoalmente recrutado por Clemenceau.

Toda a imprensa do dia seguinte criticou os governos, de Clemenceau a Caillaux, o mais recente, pelos métodos duvidosos que empregavam para enfrentar a classe operária. Caillaux revidou no ato, mandando invadir *La Guerre Sociale*, mas Almereyda e Merle partiram para Bruxelas, onde seu amigo Victor Serge, que então ainda se chamava Kibaltchitch, ajudou-os a se esconderem. Tanto Almereyda como Kibaltchitch haviam mudado bastante desde seu último encontro. Almereyda, que tinha a sensação de estar se tornando cada vez mais "realista", deparou com um Victor repleto de veleidades tolstoianas e caçoou dele brutalmente. Kibaltchitch respondeu tranquilamente: "Você nunca será mais que um arrivista, vocês começaram mal". Ao que Almereyda retrucou, exasperado: "Você não entende nada de

Paris, meu chapa. Livre-se do ranço dos romances russos. Em Paris, a revolução precisa de dinheiro".[12]

No processo por sequestro e violação de domicílio a que teve de responder em agosto, Almereyda provou que Métivier era um agente provocador que tinha lançado uma bomba na casa de um jornalista de *La Patrie*, e toda a equipe de *La Guerre Sociale* foi absolvida com congratulações do júri.

Almereyda prosseguiu em sua incansável campanha pela reconciliação de todos os revolucionários (comunistas, libertários, guesdistas e até jauresistas) mas, simultaneamente, ressurgia a discórdia entre *La Guerre Sociale* e os sindicalistas revolucionários.

No fim de 1911, durante um confronto com a polícia, Almereyda levou uma espadada na cabeça que o deixou acamado uma semana. Mal começava a se levantar, caiu novamente de cama com uma nefrite. Levantou-se para preparar um número especial de *La Guerre Sociale*, de oito páginas, contendo cartas das mais variadas personalidades a Gustave Hervé, que continuava preso. O horizonte de simpatias do *Guerre Sociale* tinha se ampliado consideravelmente. Ia da anarquia, do sindicalismo e da extrema esquerda representada naquela ocasião por Vincent Auriol, até a direita socialista de Marcel Sembat, passando por Guesde, Jaurès. Chegava quase ao radicalismo.

La Guerre Sociale continuava com a campanha pelo entendimento entre os revolucionários mas, ao mesmo tempo, valorizava cada vez mais a noção de república. Deslizava, como é muito comum na França, da esquerda social para a esquerda política.

A ruptura entre *La Guerre Sociale* e a maioria dos anarquistas se cumpriu em outubro de 1912 e, em dezembro, Almereyda aderiu ao Partido Socialista. Seus amigos Merle, Émile Dulac e seus jovens guardas o seguiram.

---

12. Victor Serge. *Mémoires d'un révolutionnaire* (*De 1901 à 1941*). Paris: Seuil, 1951.

No início de 1913, Almereyda conduziu os Jovens Guardas a uma série de intervenções e expulsou os Camelôs do Rei[13] do Quartier Latin. Os políticos e professores socialistas ou radicais estavam encantados por poderem proferir tranquilamente suas palestras e discursos no Quartier Latin. Almereyda readquiria, nos círculos da burguesia avançada da capital, o prestígio perdido nos círculos libertários ou sindicalistas. A façanha realizada pela equipe de *La Guerre Sociale*, passando de uma tiragem de 15 mil exemplares, em 1908, para 50 mil, causara impressão; Almereyda era considerado um dos melhores secretários de redação da imprensa parisiense, e esta reputação lhe valeu, como também a Merle, um convite para trabalhar no semanário internacional *Courrier Européen*, de que Charles Paix-Séailles e André Mouzet preparavam o relançamento. Em março de 1913 Hervé anunciava, em palavras emocionadas, a saída de Almereyda e Merle de *La Guerre Sociale*.

Os dois amigos faziam, no entanto, novos contatos e se preparavam para concretizar um antigo projeto: a publicação de um semanário satírico. Foi Paix-Séailles quem lhes forneceu os recursos para lançar *Le Bonnet Rouge*, em novembro de 1913, e os estimulou para que o transformassem em jornal diário, o que foi feito em 24 de março de 1914. Almereyda como redator-chefe, e Merle, secretário-geral. Completava a equipe um grupo de jovens, quase todos já velhos companheiros: Victor Méric, Goldsky, Dolié, Maurice Fournié, Fanny Clar, Raphaël Diligent. O dinheiro levantado foi todo consumido já no primeiro número, e graças à "excepcional dedicação dos amigos e colaboradores é que o jornal continuou a ser publicado", relata Fournié.[14]

---

13. Partidários da realeza que vendiam jornais monarquistas. [N.T.]

14. Maurice Fournié, *Miguel Almereyda: l'Affaire du Bonnet Rouge*. Paris: Lang, Blanchong & Cie. (impr.), set. 1917.

Graças, também, ao líder radical Joseph Caillaux, que apoiou o jornal porque este assumira a defesa de sua mulher, que estava sendo julgada pelo assassinato do diretor do *Figaro*.

Frente à crise europeia, Almereyda, carecendo de ideologia, transcreveu os editoriais de Hervé. No dia 31 de julho, *Le Bonnet Rouge* reproduziu um artigo intitulado "O Militarismo Revolucionário" [Le Militarisme Révolutionnaire] em que esta sua expressão adquiria um novo sentido:

> E hoje como em 1793, hoje como no tempo das *guerras até a morte* que constituíram a Comuna, o nosso patriotismo revolucionário seria, se preciso fosse, a grande mola propulsora e a suprema salvaguarda da pátria em perigo.

Le Bonnet Rouge, tal como *La Guerre Sociale*, lançara-se então em socorro da imprensa sindicalista e socialista que expressava, com seus embates, o aspecto francês do desmoronamento do movimento operário europeu frente à guerra.

Almereyda estava no Café du Croissant com Nonô, que brincava com o filho do proprietário, quando Jaurès foi assassinado. Os artigos de Almereyda, no início das hostilidades, não destoavam do conjunto da imprensa francesa. Quando da declaração de guerra, Almereyda obtivera junto ao ministro Malvy a não-aplicação do Carnet B, a famosa lista de suspeitos que deveriam ser automaticamente detidos em caso de mobilização. Estabeleceu-se, entre os dois homens, certa ligação, quem sabe até uma certa amizade. Quando despencaram as vendas do *Bonnet Rouge*, Malvy concedeu a Almereyda subvenções tiradas dos fundos secretos do Ministério do Interior.

Depois da batalha do Marne, houve uma brusca mudança de tom nos artigos de Almereyda. Ele visitara os campos de batalha e, em seus artigos relatando suas impressões, já não tratava dos bárbaros, dos boches ou do heroísmo dos soldados franceses. Só falava nos cadáveres de homens jovens e dos horrores da guerra. Em 1º de janeiro de 1915, ao fazer o balanço do ano que terminava, escreveu Almereyda: "Você despertou bestialidades ancestrais em cada um de nós, e suscitou monstros".

Ao mesmo tempo, tornava-se claro que a União Sagrada não estava brincando e que a questão, agora, era saber se a guerra seria direcionada para a direita ou para a esquerda. O atual governo tendia para a esquerda, mas as forças políticas nacionalistas, militaristas e clericais não queriam perder uma oportunidade daquelas. *Le Bonnet Rouge* adotou uma linha de "defesa republicana": elogiar o parlamento, o governo e os generais "não-jesuítas" como Sarrail, antigo partidário de Dreyfus, lutar contra a influência clerical, criticar Barrès e o *Écho de Paris*, assim como o *Action Française*. Muitos parlamentares começaram então a colaborar no *Bonnet Rouge*. Abriu-se ali um leque que ia da esquerda do Partido Radical, com Ferdinand Buisson e Édouard Herriot, até a direita e o centro do Partido Socialista, com Marcel Cachin e Jean Longuet, neto de Marx.

Quando Sarrail foi designado, em agosto de 1915, para comandar o Exército do Oriente, em Tessalônica, Almereyda deu muita importância à sua nomeação. *Le Bonnet Rouge*, por intermédio de Paix-Séailles, recebeu uma documentação oficial com vistas a uma campanha de imprensa sobre as necessidades militares do Oriente. Posteriormente, Almereyda ainda receberia mais de uma vez documentos para outras campanhas. Guardava-os, utilizados ou não, no cofre-forte do jornal.

Le Bonnet Rouge começou a atacar alguns membros do governo, como Millerand, e seu tom anticlerical crescia dia após dia. É difícil identificar, nessa época, uma linha política coerente no jornal de Almereyda. Seus artigos tornaram-se bem curtos, e ele ficou longos períodos sem escrever. Tinha outras ocupações. Para fazer frente às necessidades financeiras do jornal e às suas próprias – que se tornavam significativas – Almereyda precisou se envolver nas mais diversas operações.

Uma das primeiras campanhas do *Bonnet Rouge* havia sido contra o alcoolismo, ao passo que agora defendia o absinto, que estava ameaçado por uma lei. O jornal começara a receber subvenções da empresa Pernod e de um sindicato de comerciantes de vinho, por intermédio do agente de publicidade Marion que, vez ou outra, também concedia empréstimos de certa importância a Almereyda.

Boa parte dessas subvenções era então utilizada por Almereyda para suas necessidades pessoais. De fato, desde que se tornara um diretor de jornal e fora introduzido nos círculos da política e dos negócios da burguesia radical (um meio de "pândegos degenerados cujos costumes morais lembram os do Diretório",[15] como lamentava o recatado Hervé), a vida privada de Almereyda passara por mudanças ainda mais profundas que as de sua vida política. É possível acompanhar, através dos documentos, as diversas etapas desta última. Já sobre sua vida privada, a documentação das bibliotecas só oferece, no mais das vezes, ecos de ferozes campanhas cuja avaliação exigiria um trabalho de pesquisa dos mais delicados. Para falar apenas nos três dos temas recorrentes na pena de seus adversários – os carros, as casas e as amantes – seu número e suas marcas variam incessantemente. Monniot menciona "três amantes caras, três residências e três automóveis".[16] Já Daudet fala em duas famílias, um palacete e uma casa de campo em Saint-Cloud, e "os cinco ou seis automóveis que Almereyda possuía".[17]

---

15. Prefácio a *Mes crimes*. Paris: Éditions de la Guerre Sociale, s.d. [provavelmente março de 1912].
16. Albert Monniot, *Le mystère de Fresnes*. Paris: Pierre Téqui (lib.-éd.), 1919.
17. Depoimento de Daudet no processo de Malvy, *La Revue des Causes Célèbres*.

Seja como for, em 1915, o seu velho amigo Francis Jourdain deixou de frequentá-lo. "Deixei de ver Miguel, meio desconcertante. Diretor de um jornal diário, tinha um carro, um palacete, criados, amantes caras."[18] Kibaltchitch, ao sair da prisão, foi fazer-lhe uma visita no *Bonnet Rouge*, e encontrou-o no seu "gabinete de redação-estilo-bonbonnière-império dos Grandes Bulevares, mais elegante, mais Rastignac do que nunca".[19] Como praticamente todos os revolucionários, logo deixou de frequentar Almereyda o qual, ao que ironicamente diziam, fazia "alta política nos baixos bastidores das altas finanças".[20]

A enumeração de Daudet, afora o delírio dos carros e o exagero do palacete, parece ser a mais próxima da realidade. Almereyda, como era usual nos meios que agora frequentava, instalara a sua amante oficial, Émilienne Brévennes, num apartamento de Montmartre, e alugara em Saint-Cloud uma casa para ele e a família, isto é, Emily e Nonô. Emily tinha sua própria vida. O menino mal via os pais, envolvidos na agitação de suas vidas, ficando a maior parte do tempo em casa com os empregados.

Jean, às vezes, tinha o prazer de sair para umas férias curtas com o pai que ele adorava. Em companhia de Fanny Clar, que se tornara sua grande amiga, Jean ia frequentemente para o campo, a ela é que comunicava suas descobertas e impressões sobre os animais, a natureza e os homens, vez por outra aproveitadas pela jornalista em suas crônicas.[21] Costumava passar as férias de verão no Sul, com os Aubès.

Em Saint-Cloud, era em geral à noite, correndo, que Almereyda encontrava tempo para dar um beijo em Jean, já deitado. Quando, mais

---

18. Francis Jourdain, "Une Enfance ", in *Ciné-Club*, n. 5, fev. 1949.
19. Eugène de Rastignac: personagem da *Comédia humana* de Balzac que não hesita em usar de todos os meios para chegar aos seus fins e se integrar às altas-rodas sociais. O nome ficou como sinônimo de "arrivista". [N.T.]
20. Victor Serge, *Mémoires d'un révolutionnaire* (*De 1901 à 1941*), op. cit.
21. Ver especialmente o *Bonnet Rouge* de 16 mai. 1914.

tarde, Jean quis falar sobre o pai com um amigo,[22] foi o Almereyda de uma dessas noites, impecável no seu fraque, perfumado, que ele evocou...

Do Almereyda dessa época, Louis Dumur esboça em seu romance um retrato malevolente, que coincide, porém, em certos aspectos, com os documentos fotográficos:

> Um homem ainda jovem, esbelto, quase franzino, de uma equívoca elegância de prostíbulo, envolto numa rica peliça de lontra, com um chapéu de feltro mole posto de lado e ligeiramente para trás, um rosto oval pálido, demasiado bonito, com uma expressão nervosa e depravada, um fino bigode meridional, cabelos pretos e sedosos, ondulados e cacheados, bonitos olhos escuros, aveludados, viciosos e cativantes.[23]

Num relato do *Paris-Télégrammes*, a propósito de uma estada de Almereyda em Paramé, lê-se que ele "chegou de automóvel, acompanhado de uma pessoa muito elegante, seguido de um negro que tinha função de chofer, um camareiro espanhol e dois cães enormes".[24]

Essas indicações, por fragmentárias ou questionáveis que sejam, ainda assim apresentam um Almereyda muito diferente daquele do *Libertaire* ou de *La Guerre Sociale*.

Almereyda iria gastar suas derradeiras energias de combatente numa luta recrudescida contra o *Action Française*. A campanha fora deflagrada em 6 de junho de 1915, com a inauguração de uma rubrica de primeira página, "Os servos do estrangeiro" [Les serviteurs de l'étranger]. Daudet revidou no dia seguinte com "Vigo, o traidor" [Vigo le traître]. Travou-se assim uma batalha de violência mortífera

---

22. Claude Aveline.
23. Louis Dumur, *Les défaitistes*. Paris: Albin Michel, 1923.
24. Citado por Monniot, op. cit.

entre os dois jornais, em que nenhum dos dois recuava diante de nada. Almereyda lançava mão das fontes policiais a que tinha acesso graças a Malvy, enquanto Daudet tinha os seus apoios na Polícia Militar.

Sem jamais oferecer explicações claras, Daudet insinuava continuamente, com ar entendido, que não por acaso Vigo escondia-se por trás do nome Almereyda, sendo esta a chave de muitos mistérios. Num processo que o *Action Française* iria mover contra Almereyda, o advogado deste último, como outros no passado, precisou dar explicações a respeito do nome. "Com efeito", afirma o dr. De Monzie no seu arrazoado, "Miguel Almereyda é um pseudônimo, sendo o verdadeiro nome de meu cliente Eugène Bonaventure de Vigo. Trata-se do neto do antigo *viguier* de Andorra".[25] Era a primeira vez que se evocava publicamente a imagem do *viguier*, o que não impediu Daudet, logo imitado por Barrès e outros, de continuar jogando este nome – Vigo – na cara de Almereyda, como ameaça, depois como acusação, por fim como ofensa.

Enquanto isso, Almereyda começou a criticar o governo de Viviani e Malvy, que haviam aconselhado os parlamentares a não colaborarem mais no *Bonnet Rouge*, além de lhe suprimirem toda subvenção.

Merle estava no exército, e a incapacidade administrativa de Almereyda, agravada por sua vida desordenada e uma saúde cada vez mais precária, estava levando o *Bonnet Rouge* à falência.

Foi Marion quem, mais uma vez, conseguiu os recursos, mas levou, ao mesmo tempo, um certo Duval para administrar o jornal.

Duval, por muito tempo um modesto funcionário da Assistência Social,[26] tornara-se jornalista já em idade avançada. Tinha por volta de

---

25. *Le Bonnet Rouge*, 16 mar. 1916.

26. "Assistance Publique", hoje, "Aide Sociale". Trata-se de um conjunto de vários tipos de auxílio financeiro a pessoas abaixo do padrão mínimo de renda, sejam velhos, crianças etc. É comum, nos romances da época, a menção aos "enfants de l'Assistance", órfãos encaminhados a asilos etc. [N.T.]

cinquenta anos e, do ponto de vista político, sua origem era bem diferente daquela da equipe do *Bonnet Rouge*. Já tinha sido agente eleitoral do nacionalista Dausset e redator-chefe da *Revue Française*, veículo de direita de tendência clerical. A partir da guerra, por intermédio de Dausset tornara-se administrador de uma empresa em via de liquidação, a San Stefano. Enquanto representante dos interesses dos capitalistas franceses, Duval viajava frequentemente para a Suíça, munido de passaportes regulares expedidos pelo Ministério do Interior. Aproveitava suas estadas e os contatos que estabelecera com os representantes dos interesses alemães na sociedade para redigir relatórios sobre a situação interna da Alemanha, que ele em seguida comunicava à Segurança Nacional. Dispondo de quantias consideráveis, que lhe permitiam emprestar à vontade ao *Bonnet Rouge*, e até participar, mais tarde, da fundação de um novo jornal, Duval nunca deixara – e também nisso se diferenciava do seu novo meio – de ter um padrão de vida modesto, ao lado da esposa iletrada, humilde empregada de lavanderia no hospital Lariboisière que nunca largou o trabalho. Duval era educado e fino, e em breve daria a medida do seu talento numa nova rubrica que viria a assumir no *Bonnet Rouge*, além do seu trabalho de administrador.

O tom pacifista do *Bonnet Rouge* ia num crescendo, a despeito do acirramento da censura, e o jornal publicava todos os artigos e apelos de Romain Rolland, o que foi particularmente criticado durante o processo de 1918.

Almereyda procurava simultaneamente orientar o jornal para os diferentes rumos de onde pudesse vir a paz: Caillaux e suas ideias de paz negociada, e os socialistas minoritários que tinham se desligado da União Sagrada. A defesa "dos homens de Zimmerwald e Kienthal", de início apresentada pelo ângulo patriótico, passou a ser feita pela ótica do internacionalismo revolucionário.

Os problemas de saúde de Almereyda tornavam-se alarmantes. Para suportar dores que se agravavam diariamente, ele apelava para a morfina.

Uma primeira cirurgia trouxe-lhe um alívio temporário, mas não lhe deu forças para abandonar a droga. À sua volta, começavam a se preparar para a eventualidade de sua morte. Duval, cujo crédito no jornal já passava dos 150 mil francos, preparava com Marion sua tomada de posse do jornal.

Enquanto se recuperava, em Marselha, de uma segunda cirurgia, Almereyda teve um sobressalto de energia e partiu para Paris no final de 1916 a fim de reerguer a situação do *Bonnet Rouge*. Com Cohen, banqueiro e homem de negócios, conseguiu 200 mil francos, o que lhe permitiu reembolsar parcialmente Duval.

As apostas de Almereyda na carta da Paz tornaram-se bem fortes no início de 1917. A intervenção de Wilson, pedindo aos beligerantes que dessem a conhecer seus objetivos de guerra como condição prévia para negociações em vista da paz, foi recebida com entusiasmo. A Revolução Russa, de fevereiro, foi saudada com um entusiasmo ainda maior, e em 2 de maio de 1917 *Le Bonnet Rouge* divulgou as explicações de Lênin (considerado pelo conjunto da imprensa francesa como um agente do Estado-Maior alemão) relativas às condições em que atravessara o território alemão.

De abril ao final de junho, a situação do *front* virou revolucionária. Oficiais foram executados, bandeiras vermelhas surgiram, soldados cantaram a *Internacional*. Soube-se, no *front*, que soldados vietnamitas andavam atirando em mulheres grevistas em Paris, e os amotinados quiseram marchar sobre a capital.

Esses fatos só viriam a público muito mais tarde. De todo modo, na França, não havia nenhum grupo organizado capaz de aproveitar a crise revolucionária para mudar o curso dos acontecimentos. Do lado da classe operária, o núcleo criado no início da guerra em torno de Pierre Monatte, Alfred Rosmer e Fernand Desprès, embora viesse aumentando sua influência, ainda representava uma ínfima minoria. Ligados a eles, alguns socialistas, como Jean Longuet ou Rappoport, tinham igualmente escolhido a via revolucionária: um punhado de homens perdidos em meio a aventureiros à Laval, oportunistas à Cachin, governistas à Thomas ou hesitantes à Renaudel.

Do lado burguês, só existia a lucidez conservadora de Joseph Caillaux. Ele via a Europa perdendo o seu lugar preponderante no mundo e queria se opor a esse processo através de uma paz negociada com a Alemanha e a construção de uma nova Europa burguesa. Mas Caillaux não tinha meios de alimentar esse sonho e limitava-se a desejar que Sarrail fosse promovido a generalíssimo. Afora isso, o pacifismo, qualquer que fosse em 1917, era egresso da esquerda, e o reforço militar dos alemães em seguida aos acontecimentos na Rússia em breve tornava a Revolução impopular. A hábil repressão de Pétain e a perspectiva da chegada dos americanos, ao mesmo tempo que dominavam a rebelião do exército, também levantavam o moral patriótico da nação. A crise revolucionária viria a beneficiar os nacionalistas. Os sucessivos governos da República, com Viviani em primeiro, Briand que acabava de cair, Ribot que ocupava o cargo, Painlevé que iria lhe suceder, haviam se mostrado, ou iriam se mostrar incapazes de conduzir de fato a guerra ou de concluir a paz. Caillaux julgava-se capaz de firmar a paz. Clemenceau, a guerra. O velho "Tigre" se preparava.

Muito se exagerou, para fins de propaganda nacionalista, clemencista ou poincarista, as chances e a eficácia do "partido da paz" de Caillaux, assim como o papel de Almereyda neste movimento. A atuação de Caillaux limitava-se a contatos e diligências nas esferas parlamentar e jornalística. A Liga Republicana que ele pretendia fundar nunca passou do estágio de projeto. Naquele momento, Almereyda já não era capaz de manter uma atividade continuada. No entanto, essa propaganda deixou marcas duradouras e, trinta anos depois, Victor Serge, falando sobre esse período – que ele, estando ausente de Paris, só viria a conhecer depois –, diria que Almereyda se tornara o "*condottiere* deste partido" (da paz) e, em caso de êxito, "teria sido um ministro popular, capaz de explorar sincera e perfidamente os sentimentos das massas socialistas e anarquistas". Na verdade, nesse primeiro semestre de 1917 Almereyda encontrava-se num estado de absoluto desgaste físico. Já dependia de um carro para se deslocar e só se mantinha em pé graças a doses crescentes de morfina e, mais tarde, heroína.

A luta contra o *Action Française* não cessara um dia sequer. Daudet iria constatar posteriormente que fora atacado em mais de setecentos números do jornal.

As teses de Daudet tinham se ampliado consideravelmente. No momento, a censura ainda impedia que ele as expusesse claramente ao grande público, e ele se limitava a fazê-lo, incansável e em particular, aos políticos, jornalistas e militares. Qualquer acontecimento negativo era, aos seus olhos, o hábil resultado de uma atuação combinada entre o Estado-Maior alemão e os judeus. Essa atuação já se manifestara na Rússia durante o primeiro semestre de 1917, pela Revolução de Kerenski, e prosseguia com as maquinações de Lênin e Trótski. Em relação à França, o plano deles era mais ou menos igual. Além de empregar os seus quadros – notadamente Malvy e Almereyda – num eficiente trabalho de espionagem militar, o Estado-Maior alemão estava organizando a revolução na França. As primeiras manifestações tinham se dado no *front* (motins) e em Paris (algumas greves). Os dois principais centros desta ação revolucionária pró-alemã eram o Ministério do Interior de Malvy e *Le Bonnet Rouge*, sendo o conjunto, naturalmente, dirigido por Caillaux. A maioria dos jornalistas, políticos e militares nacionalistas acabou, não raro com algumas reservas, por se deixar convencer da verossimilhança das teses de Daudet, com as quais vinham se alinhar as conclusões de Barrès. Estabeleceu-se uma colaboração entre os dois escritores. Barrès, que era deputado, informava Daudet sobre as sessões secretas da Câmara, e dele recebia informações de fonte policial.

Para Almereyda, o duelo com o *Action Française* tinha adquirido um sentido em si, e ele o separava de suas demais perspectivas políticas.

Nesse terreno, já não escutava sequer Caillaux que, por motivos táticos, desaprovava o prolongamento daquela campanha.

Concentrando os seus ataques em *Le Bonnet Rouge* e em Almereyda, Daudet, além de procurar derrubar um inimigo julgado perigoso, mirava em seu real objetivo, a fortaleza que a censura o impedia de mirar diretamente: Malvy. O certo é que nem os nacionalistas mais otimistas esperavam o verdadeiro presente que foi para eles o caso do "cheque Duval".

Em 15 de maio de 1917, ao voltar de uma de suas incontáveis viagens à Suíça, Duval fora revistado na fronteira pela Polícia Militar, e flagrado em posse de um cheque a descontar em Paris no valor de 100 mil francos. O dinheiro era de origem alemã. Foi aberto um processo por comércio com o inimigo contra Duval, o qual foi detido no início de julho. Na Câmara, Barrès interpelou Malvy nos seguintes termos: "Quando vai mandar prender aquela canalha do *Bonnet Rouge*?", e o caso tornou-se então público e político. Almereyda se defendeu veementemente no *Bonnet Rouge*. O presidente da República gostaria que o prendessem imediatamente e, perante a hesitação do governo, Poincaré pediu que, pelo menos, fosse suspenso o jornal. Ribot, o presidente do Conselho de Ministros, alinhava-se com essa opinião e, na sessão de 12 de maio de 1917 do Conselho de Guerra, foi decidida a suspensão por tempo indefinido do *Bonnet Rouge*, com base no relatório de Viviani, a partir daquela mesma tarde.[27]

Almereyda, convocado como testemunha, fez chegar ao juiz de instrução um relatório sobre a procedência dos fundos de que dispunha o jornal, e também ele próprio. As quantias emprestadas por Duval representavam pequena parte dos capitais que Almereyda conseguira recolher e, além do mais, estavam sendo reembolsadas, o que demonstrava seu caráter de empréstimo.

---

27. Raymond Poincaré, *Au service de la France*. Paris: Plon, v. 9, 1932.

O aspecto político do caso, porém, vinha assumindo a primazia. Clemenceau julgou que era chegado o momento de uma primeira investida contra o governo: seu ponto mais fraco, agora, era Malvy, e o ponto fraco de Malvy era Almereyda.

O "Tigre" se preparava para a batalha. Certo domingo de julho, saiu com Martet, seu secretário, para um passeio de automóvel nos arredores de Paris, a fim de visitar Claude Monet em Giverny. Na volta, Clemenceau vinha cochilando. Conta Martet:

> Rodávamos há uns quinze minutos. Súbito, o sr. Clemenceau virou-se para mim:
> 'Almereyda?', perguntou.
> 'Ele não tratava Malvy por 'você'?'
> 'Recomeçara a batalha.'[28]

Ele iria travá-la vitoriosamente no Senado, em 22 de julho. Nesse dia, fulminou Malvy associando-o a Almereyda, e abriu para si próprio o caminho do poder.

Depois do discurso de Clemenceau, o caso do *Bonnet Rouge*, como seria doravante chamado o caso do "cheque Duval", transformara-se numa bomba nas mãos do governo. Depois de a instrução demonstrar que Duval recebera, na Suíça, altas quantias de um banqueiro alemão de Manheim, Viviani contava livrar-se do pacote todo repassando a instrução para a Justiça Militar, que mudaria a sua qualificação e, julgava ele, possivelmente moveria uma ação contra Almereyda.[29] Mas era politicamente importante para o governo que Almereyda fosse detido pela Polícia Civil, e andavam à espreita de uma oportunidade.

---

28. Jean Martet, *Le Tigre*. Paris: Albin Michel, 1930.
29. Raymond Poincaré, op. cit.

Tendo Malvy saído para descansar após o golpe fulgurante de Clemenceau, Viviani acumulava as pastas da Justiça e do Interior. No início de agosto, recebeu do *Action Française* a informação de que, no porão da residência de Almereyda, estavam escondidos documentos de suprema importância.

Desde a suspensão do jornal, Almereyda, doente, só raramente deixava sua casa de Saint-Cloud, onde passava os dias na companhia do filho Jean ou dos raros amigos que então o frequentavam. Há muito Jean não tinha a oportunidade de ficar tão constantemente ao lado do pai. Aproveitava ao máximo, só saindo de perto dele para ir à escola ou fazer compras. Certa tarde do início de agosto, foi comprar cadarços para as botinas de Almereyda. Foi ele quem recebeu, na volta, o delegado de polícia que viera fazer um interrogatório. Assistiu, na companhia do pai, à operação cujo único resultado foi a apreensão de documentos sem nenhum interesse. Foi com preocupação que Jean viu seu pai sair na companhia do delegado, o qual pedira a Almereyda que o acompanhasse à redação do *Bonnet Rouge*. Tranquilizou-se, porém, ao vê-lo retornar poucas horas mais tarde.

No cofre-forte da redação, contudo, o delegado encontrara documentos confidenciais sobre o exército de Sarrail, que Paix-Séailles fornecera a Almereyda para as campanhas do jornal. Relata Poincaré:

> Quando essas peças foram descobertas, Vigo ficou perturbado e acabou desmaiando. O juiz imediatamente instaurou uma nova instrução. Vigo foi posto sob vigilância. Será detido esta noite em sua casa, se voltar para lá antes do pôr-do-sol, ou na rua (o que é permitido pelo estado de sítio) numa hora qualquer da noite.[30]

---

30. Raymond Poincaré, op. cit.

Somente dois dias depois, na noite de 6 de agosto, é que Almereyda foi detido e enviado para a Santé. No dia seguinte, os redatores do *Bonnet Rouge* enviaram aos jornais uma carta em defesa de Almereyda,[31] mas a censura proibiu sua publicação.

Almereyda não exagerou ao descrever ao juiz Drioux sua ruína física quase que absoluta. Foi-lhe negada a liberdade provisória, mas reconheceram que o estado de Almereyda requeria cuidados especiais que não podiam ser ministrados na penitenciária da Santé. Nela ainda permaneceu, porém, até o dia 11. "Padecia de uma grave afecção intestinal e ficar sem morfina era para ele uma tortura",[32] escreve seu carcereiro. Mas o regulamento proibia qualquer tipo de injeção, apesar do perigo evidente de uma reação fatal ante a radical abstinência do entorpecente. Foi transferido para a prisão de Fresnes numa viatura penitenciária, o que, no seu estado, era correr o risco de matá-lo.[33]

Em Fresnes, Almereyda teve de se acamar. Reclamou a droga aos médicos, pedindo que cuidassem bem dele. Queria viver e se defender. Na segunda-feira 13, solicitou uma entrevista com o advogado. Iria vê-lo no dia seguinte.

Só existe uma levíssima sombra de dúvida quanto ao fato de Almereyda ter sido assassinado, na noite de 13 para 14 de agosto de 1917, na cela

---

31. Almereyda reuniu os seus colaboradores em 9 de julho e pediu-lhes que fizessem um relatório apresentando recibos de cerca de 1 milhão de francos de subvenções diversas, recebidos a partir de agosto de 1914. Era o mesmo relatório que ele apresentara ao juiz Drioux ao ser citado como testemunha no processo Duval. Assinaram a carta em defesa de Almereyda: Georges Clairet, redator-chefe; Maurice Fournié, secretário da direção; Henri Dié, secretário da redação; Arnold Bontemps, redator esportivo; Marcel Sérano, crítico dramático; Fanny Clar, Raphaël Diligent, desenhistas; H.-P. Gassier, desenhista; Louis Lévy; Jacques Janin, crítico de música.
32. B. e P. Dabat, *Souvenirs d'un directeur de prison*. Paris: P. Bossuet, 1929.
33. Fatos expostos pelo dr. Paul Morel num "Mémoire" para a Câmara de Acusação.

número 14 de Fresnes. São inconsistentes as hipóteses de Albert Monniot e do dr. Morel acerca das razões políticas, mas sua demonstração material do assassinato é impecável.[34] Não vamos acompanhá-la aqui. Passemos diretamente à reconstituição que fazem da cena. O detento de direito comum Bernard, encarregado de velar naquela noite o prisioneiro enfermo, teria se aproximado da cama de Almereyda enquanto este dormia, armado dos seus cadarços. Após amarrar um no outro, os teria passado por baixo do seu queixo, puxado as duas pontas até as barras da cama, nas quais as teria amarrado. O pescoço de Almereyda e as barras da cama teriam, desse modo, ficado presos pelo cadarço ainda frouxo. Depois Bernard teria enfiado, por trás, uma camisa da vítima torcida no comprimento para fazer as vezes de cabo de saca-rolhas. Bastara a Bernard girar rapidamente o pano de maneira a puxar com força a cabeça de Almereyda e grudá-la na face interna das barras. A vítima teria se debatido tão pouco que a secreção característica dos enforcados se congelou nas suas coxas, numa placa que não ia além da pele umedecida pela ejaculação.

No mesmo dia, uma nota oficial passada à imprensa comunicava que Almereyda teria "sucumbido em decorrência de uma hemoptise". Uma semana depois, uma segunda versão oficial anunciava que Almereyda se enforcara nas barras da cama com os cadarços dos seus próprios sapatos.

A autópsia demonstrou que Almereyda padecia de peritonite e apendicite supuradas. Estava com um litro de pus no abdômen. De qualquer forma, seu fim estava próximo.

Se quisermos, hoje, nos perguntar quem teria dado a Bernard a ordem de matar Almereyda, teremos de nos ater a vagas hipóteses de verificação extremamente delicada. Durante os meses seguintes, a hipótese geralmente aceita era a de que Almereyda havia sido morto por

---

34. Essa demonstração é encontrada na obra de Monniot.

ordem de Malvy e Caillaux, contra os quais estaria de posse de segredos terríveis. Uma vez Clemenceau no poder, o essencial das teses de Daudet foi retomado e tornou-se oficial. Apesar de todos os obstáculos, tentou-se, especialmente na instrução do processo Caillaux, estabelecê-las legalmente. Não consta, porém, que algum esforço tenha sido feito no sentido de acrescentar o assassinato de Almereyda à trama muito complexa que se havia urdido.

Ao contrário daqueles que, no caso Almereyda, acreditam estar "quem sabe, diante da mais espantosa aventura já registrada em nossa História" (Albert Monniot), ou que afirmam ser "o caso Almereyda a chave de um formidável enigma" (Paul Morel), podemos também nos perguntar se a tragédia não teria se dado num nível muito mais baixo.

Durante os processos, tanto o de Malvy como o de Duval e dos demais, os policiais que vieram depor como testemunhas manifestaram por Almereyda um ódio tal,[35] um ódio antigo, nascido na época das lutas do militante (escarnecido e invalidado pela amizade de Malvy), que é inevitável acrescentar às outras hipóteses esse assassinato não ter passado de um acerto final entre Almereyda e a polícia encarniçada contra um velho inimigo indefeso.

As memórias publicadas pelas personalidades da época, tão ricas em detalhes sobre a prisão de Almereyda, não se referem à sua morte. Assim, Ribot em suas recordações silencia sobre o ocorrido. Poincaré, na época, visitava o rei da Itália. Malvy estava de férias. Quanto a Viviani, não publicou memórias e quando faleceu, em 1925, já não tinha mais memória alguma, estando há anos mergulhado na loucura.

A censura ficara ainda mais severa com tudo o que se referia a Almereyda e, no momento de sua morte, os jornais de informação

---

35. "Um malfeitor de direito comum, um ladrão, um falsário, um pederasta", dizia, a respeito de Almereyda, o policial Perrette no processo Malvy.

limitaram-se a publicar os comunicados oficiais. Com exceção do *L'Éveil*, do *Pays* e do *Journal du Peuple*, os jornais de opinião vinham recheados de insinuações e perfídias.[36]

Também Hervé se deixou levar pela corrente desfavorável a Almereyda, a acreditarmos nas críticas amargas de Fournié.

Emily, auxiliada pelos amigos de Almereyda, custou a conseguir a entrega do corpo. Precisou escrever várias cartas às autoridades, em seu próprio nome, como companheira de Almereyda, mas acima de tudo, "em nome de meu filho, Jean Vigo".[37] Finalmente, depois de muitas negociações, o corpo lhes foi entregue dentro do cemitério parisiense de Bagneux. A censura proibiu aos jornais, sob pena de suspensão, que divulgassem a data do funeral, e a intendência de polícia anunciou em comunicado especial que o enterro havia sido realizado dois dias antes. Mesmo assim, cerca de cinquenta amigos reuniram-se ao redor do túmulo de Almereyda.

O "caso Almereyda" estourou em 1917, nesse ano que Poincaré chamou de "ano tumultuado", e que poderia ter sido o ano luminoso do século. Foi, em todo caso, decisivo. Na França, uma das expressões-chave da guerra, *não devemos tentar entender*, por pouco não foi então abandonada. A conscientização era lenta, mas seu ritmo poderia se acelerar de repente. Durante algum tempo, teria favorecido o bom senso burguês e as ambições pessoais de Caillaux. No entanto, a verdadeira solução para a crise era expressa pelo pequeno grupo de Pierre Monatte e seus amigos, herdeiros da última grande geração francesa, a de Pelloutier, Griffuelhes, Merrheim.

Os grandes "casos" ditos de "traição", o de Almereyda sendo cronologicamente o primeiro, serviram de pretexto para interromper a

---

36. Segundo informado por Fournié, op. cit.
37. Carta publicada na obra de Fournié.

expansão dessa tendência revolucionária. Tal vitória permitiu à última grande figura combatente da burguesia francesa, Clemenceau, que cumprisse o seu papel, enquanto hipotecava o futuro.

Foi principalmente depois da chegada do "Tigre" ao poder que a exploração política do "caso Almereyda" atingiu seu apogeu. O processo de Duval e seus coacusados, Goldsky, Landau e Marion, passou a ser exclusivamente conhecido como "o caso do *Bonnet Rouge*" e, para a opinião pública, ficou centrado na pessoa de Almereyda. Os processos de Malvy e Caillaux eram montados de maneira a envolvê-los no "caso do *Bonnet Rouge*", pois era sobretudo Almereyda que ambos frequentavam.

Antes mesmo da chegada de Clemenceau ao poder, no início de setembro, "casos" que não tinham a menor relação com Almereyda ou seu jornal – como os de Loustalot ou Bolo Pacha – eram anunciados no *La Victoire* sob o título genérico de "Os mistérios do *Bonnet Rouge*", que se tornou uma rubrica cobrindo todos os casos de traição.

Em suma, conseguiu-se fazer com que a opinião pública engolisse a imensa trama (existe *um* único caso de traição, dizia o procurador Mornet) que Bouchardon procurou criar durante a instrução do processo Caillaux. Esqueceram-se de que Almereyda não havia sido incriminado no "caso do *Bonnet Rouge*", que o seu processo seria julgado em outra instância. E quando esse processo teve início, os jornais mal falaram em Almereyda. A justiça, aliás, deu muito pouca importância ao caso, e aos seus coacusados – o capitão Mathieu, que enviara os documentos do Exército do Oriente a Paix-Séailles, e este, que os entregara a Almereyda – viram-se infligir apenas uma condenação de princípio, de três meses para o primeiro e um ano para o segundo, acompanhada de *sursis*.

Em meio à enxurrada de ultrajes dirigidos a Almereyda, houve em determinado momento uma voz discordante, que as circunstâncias tornavam mais comovente: a de Gustave Hervé. Tendo alcançado o ápice do chauvinismo, um abismo o separava do Almereyda pacifista do primeiro semestre de 1917. Entretanto, citado como testemunha no processo Malvy, iria reagir contra as ignomínias de um Perrette, e encontrar um tom distinto daquele que empregara no momento da morte de Almereyda. Prestou uma derradeira homenagem ao antigo companheiro:

> Eu talvez seja o único, aqui, que realmente o conheceu, e posso assegurar-lhes que, longe de ser o perfeito miserável que os senhores talvez imaginem, Almereyda era a inteligência mais brilhante que já encontrei nos partidos avançados; era o mais corajoso de todos os militantes; era um companheiro confiável e um polemista de grande influência. Era este Almereyda que exercia uma irresistível sedução...

Nas palavras de Hervé, desponta uma última vez a nostalgia de seu passado revolucionário comum, e o discurso soa como um adeus definitivo, não só ao velho Almereyda, como também ao Gustave Hervé de 1910, defensor de Liabeuf.

Era, porém, uma voz isolada, perdida em meio a uma opinião pública arrebatada contra Almereyda, ex-Vigo, nome outrora rechaçado por um menino sensível e orgulhoso e que, descoberto e usado pelo ódio, voltava a atingir o homem, ou melhor, o defunto, feito uma acusação, e um insulto. "Vigo evoca naturalmente", diria o primeiro biógrafo de Almereyda, "a ideia de um sinistro de onde escorre ouro, abundante, sobre o aviltamento da escória".[38]

Do velho *viguier* de Andorra, há muito falecido, restava na França, em 1917, um único depositário do nome, um menino de doze anos.

---

38. A. Monniot, op. cit.

JEAN VIGO

Tão logo chegou a Montpellier a notícia da morte de Almereyda, Gabriel Aubès escreveu ao juiz Drioux pedindo-lhe a guarda do menino. Emily, que não tinha condições de sustentar Jean (será que tinha vontade?), aceitou. Por iniciativa do juiz, foi inclusive aventada a perda do poder parental, mas Aubès e a sobrinha se opuseram, não por simpatia em relação a Emily, mas por receio de eventuais críticas que Jean Vigo pudesse vir a lhes fazer mais tarde.

Em outubro de 1917, Jean ainda se achava em Paris, onde o jovem escritor pacifista, Jean de Saint-Prix, avistou-o num café da rua des Petits-Champs. Escreve ele à srta. Jane Bagault:

> Hoje, avistei o filho de Almereyda. O pobre menino, pálido, magro e taciturno, tem doze anos. A pobre alminha dele carrega o peso sofrido da morte atroz do seu pai... Escrevem-se artigos, fala-se sobre 'Jean Vigo', sem lembrar que se trata de um pobre menino muito infeliz. Falta de imaginação.[39]

---

39. Pierre de Saint-Prix, *Lettres (1917-1919)*. Paris: F. Rieder e Cie, 1924.

Alguns dias depois, o menino partiu para Montpellier acompanhado de um amigo do pai, provavelmente Fernand Desprès, já que Gabriel Aubès, enfermo, não pudera vir buscá-lo.

Foi um menino abatido quem chegou. Os Aubès, de início, pensaram em escondê-lo: era impossível. Precisavam pelo menos ocultar sua identidade, o que já era mais fácil, pois o estado do menino inviabilizava qualquer saída. Jean permaneceu em casa, sendo tratado pelo médico dos Aubès, um amigo, única pessoa a quem fora informado o seu nome. Ao fim de algumas semanas, a saúde de Jean melhorou e sua dor era menos visível. Já era o início do ano escolar, mas estava fora de questão matriculá-lo numa escola de Montpellier; sua identidade seria descoberta e não só *o filho do traidor* seria martirizado pelas outras crianças, como a situação dos Aubès também se tornaria insustentável. A prudência exigia que Jean Vigo ficasse o menor tempo possível em Montpellier, e eles pediram ao médico que procurasse uma escola para o menino numa cidade vizinha. A direção do liceu de Nîmes negou-se a acolher Vigo, mas duas amigas, as senhoras Ducros, o aceitaram no internato. Ele passou a frequentar, a partir do final de 1917, uma escola primária cujo diretor e a esposa tinham se interessado pelo seu caso. Todo sábado, ia até Montpellier e ficava com os Aubès até a segunda-feira de manhã. Jean era magricela e tristonho; sua saúde era precária, mas ele jamais se queixava e se escondia para chorar. O médico dos Aubès e alguns dos seus colegas, chamados a opinar, mostravam-se pessimistas.

No início de 1918, contudo, Jean deu a impressão de estar se acostumando à nova vida. Começou, por essa época, a escrever um diário que manteria até, pelo menos, agosto do ano seguinte.[40] É um documento curioso. Percebe-se ali um menino observador e com talento narrativo, do qual seria o caso de destacar a precocidade se, justamente,

---

40. Importantes fragmentos desse diário foram publicados em *Positif*, n. 7, mai. 1953.

suas ideias e juízos não refletissem em demasia, sobretudo no início, o ambiente adulto que o cercava – os professores, os Aubès, as senhoras Ducros. Escreve ele em 4 de julho de 1918:

> Hoje festejamos, na França, o dia da Independência americana. As ruas, as casas, as lojas estão enfeitadas de bandeiras aliadas flutuando à brisa marinha. Neste dia, ajudamos os bravos americanos a se tornarem Republicanos e terem uma rica e próspera Nação. Assim, em sinal de gratidão, hoje é a vez deles de vir em nosso auxílio. Vamos, portanto, festejar os americanos e expressar toda a nossa afeição!

É provável que essas linhas fossem, antes de mais nada, um eco ao discurso do professor. As brincadeiras sobre a tagarelice incessante de uma certa senhora Gignoux nos remetem seguramente às senhoras Ducros. No entanto, depois de ter avistado, em companhia de Gabriel Aubès, uma procissão para a peregrinação de Nossa Senhora de Lurdes, escreve Jean: "Ficamos espantados de ver que eles tinham a petulância de realizar aquela cerimônia na rua", tem-se a impressão de que ele já expressa aí um sentimento pessoal, em sintonia com o do fotógrafo, que era um velho anticlericalista. É provável, inclusive, que em certos pontos específicos da política, Vigo com seus treze anos estivesse mais adiantado que Aubès ou seus professores. Alguns antigos amigos de Almereyda escreviam-lhe e comentavam assuntos políticos; em 4 de junho de 1918, depois de receber uma carta de Émile Dulac, escreveu Vigo: "Começa hoje o processo Rappoport; bom encaminhamento, absolvição". Dois dias depois: "Li a absolvição de Rappoport (seis meses de prisão com *sursis*), está se saindo bem". A propósito da condenação e ida de Malvy para a Espanha, observa Vigo: "Pobre sujeito". "Pobre homem", escreve em 19 de julho, ao saber que Duval tinha sido fuzilado, "lamento muito por sua mulher e seus filhos, senti muita pena." Certo dia, no trem, Vigo vinha escutando a conversa dos seus vizinhos. Um deles "se pôs a contar suas proezas do pré-guerra (era um agente da Segurança), explicando o sistema, os espancamentos e outras covardias do gênero; não sei se é de família, mas senti um tremendo nojo daquele fanfarrão". O seu sentimento pelas origens familiares era muito intenso. "Não costumo", escreve ele a propósito de uma briga, "levar desaforo para casa (quem sai aos seus não degenera)... dou no adversário um soco no maxilar..." Vigo fala diretamente em Almereyda uma única vez, a propósito das palavras pronunciadas por Gustave Hervé no processo Malvy: "[...] li o depoimento do meu tio Hervé acerca do meu pai, coitado, gostei muito", e escreve-lhe, agradecendo. Escreve frequentemente a Emily e fala o tempo todo, carinhosamente, na sua "mãezinha". Em 26 de julho, registra: "Recebi uma carta da minha mãe, más notícias" e depois, durante um mês, não acrescentaria à palavra "mãe" os afetuosos sufixos "zinha" ou "inha".

No colégio, Vigo interessa-se pelas aulas de história; no pensionato das Ducros, lê *David Copperfield*, e em Montpellier, ou nas férias, os Aubès o levam ao cinema: em 22 de setembro, assiste a um filme de Carlitos. Fez inúmeros amigos: Sabatier, Van Cuneghem, o Lib maior, o Lib menor, Roland etc.

Durante parte das férias, em agosto-setembro de 1918, os Aubès levaram Jean para as montanhas. Como o clima lhe fez muito bem, o médico sugeriu veementemente que o mandassem prosseguir seus estudos numa região mais montanhosa. Na volta, os Aubès e Jean fizeram uma parada em Millau, onde ficou decidido que o menino entraria como interno no liceu local. O sr. e a sra. Canac, proprietários do Hôtel du Commerce, onde estavam hospedados, aceitaram ser seus tutores. Tal como em Nîmes, o menino foi matriculado com o pseudônimo de Jean Salles, o sobrenome de solteira da falecida sra. Aubès, mãe de Almereyda.

"Estou contente com a perspectiva de experimentar a vida de aluno interno", escrevia Jean em seu diário. Chegou ao colégio de Millau em

7 de outubro de 1918, mas uma semana depois mandaram todos os alunos para casa, por causa da gripe. Aqueles sete dias foram ricos em pequenos incidentes que Vigo jamais esqueceu.

No primeiro dia, Jean sentia-se um tanto preocupado, perguntando-se como seria recebido por seus novos colegas e se seria bem alimentado. Os professores causaram-lhe, no conjunto, uma boa impressão e ele travou amizade com um colega, Gaston Jougla, de Gabiau. No fim da tarde, os pais dos meninos foram embora e foi quando a vida de internato teve início de fato:

> Então nos despedimos, queríamos parecer alegres e dávamos risada mas, na verdade, nosso coraçãozinho batia meio forte dentro do peito e não nos atraía a ideia de ficar trancados, mas enfim, era preciso, e acompanhamos a longa fila que subia, a passos lentos, os degraus da escada. À frente ia o bedel sr. Lafon. Não parece fácil, este senhor. Primeiro ficamos ao pé da cama e, ao sinal de bater as mãos, nos deitamos. Parece-nos triste, mas algumas observações nos fazem dar risada. Deitamo-nos, e cá estamos nós no escuro. Gaston fala comigo, eu rio, nós rimos. Por fim, o bedel ergue sua cortina e pede para nos calarmos.

Nos dias seguintes, Jean andou várias vezes às voltas com o bedel Lafon. Quarta-feira, 9 de outubro:

> Oito horas, sopa e para a cama. Estava rindo, com Jougla, quando escutei, ou melhor, não escutei, o nome que estava sendo chamado; mas escutei: 'Venha até a minha cabine'. Então, assumindo que era para mim, levantei-me e, tateando, fui até a cama do bedel. Estava ali há cinco minutos apenas quando escutei alguém tossir; tossi por minha vez, tossiram de novo, mais forte; recomecei então a tossir, quando, de súbito, senti um braço roçando o meu rosto; agarrei-o e dei-lhe uma mordida. Espanto. Contorno a cama do bedel e vou para o lado; e percebo a presença de um

> interno. Pergunto o seu nome (que não compreendo). Então cochichamos e rimos. Finalmente, diz o bedel: 'Vá se deitar, Labanaire'. Arrisco então um débil: 'Eu também, senhor?'. Então, sinto que o bedel dá um pulo na cama e pergunta: 'Quem está aí?'. 'Eu, Salles', respondo. 'E o que está fazendo aí?' 'É que o senhor me chamou.' A essas palavras, o bedel cai na risada e diz: 'Eu não pedi que viesse, mas já que está aí, fique'. E torna a se deitar.

Dois dias depois:

> São oito e meia, todo mundo está deitado, quando irrompe uma risada, na sequência de um ruído... quem está rindo? Sou eu. Então diz o bedel, erguendo a cortina da sua cama: 'Quem está rindo, venha cá'. Oh! Como me custa sair da cama bem quentinha em que eu estava. Levanto-me afinal e, tateando, vou até a cama do bedel. Quando chego lá, ele me diz: 'Está aí, Salles?'. 'Sim, senhor.' 'Muito bem, não vai sair daí antes das onze horas, e pode rir, se quiser...'
>
> Oh, a cara que eu fiz. Eram nove horas, tinha duas horas para ficar ali e, portanto, não estava rindo, não. Quando deu dez horas, contei onze de tanto que as horas me pareciam compridas. Por volta das dez e meia, sou acometido por uma cólica forte e violenta. Pergunto, então: 'Senhor, posso ir ao banheiro?'. Nenhuma resposta. 'Senhor, estou com dor de barriga. Preciso ir, não estou aguentando.' De novo, nenhuma resposta, ele estava dormindo. Corri então para o banheiro, mas antes de chegar comecei a fazer nas calças. Quando voltei, soavam as onze horas e o bedel, acordando, me disse: 'Vá se deitar'.

Ao dar com Jean de volta em Montpellier, a srta. Aubès de início imagina que descobriram sua identidade em Millau e o expulsaram. "Melhor assim", diz, quando é informada da epidemia de gripe. Jean descreve a cena no seu diário, e continua:

> Os enterros se sucedem e muitas pessoas são enterradas sem caixão, envoltas em lençóis, coisas tristes; e para tentar não assustar os habitantes, colocam dois caixões num só carro fúnebre.
>
> Em Paris, minha mãezinha acaba de apanhar uma pleurisia, tomei um susto, já passou. Meu amiguinho Roland está à morte no hospital, coitado. Era tão doce e gentil! Que triste é morrer aos treze anos!!!

Rumores sobre a paz começam a circular:

> Que triste, para os que venderam sua vida à pátria; não vão poder fazer, ou dizer: Acabou!... Vou dormir satisfeito.

Jean Vigo tinha catorze anos. Iria ficar quatro anos no liceu de Millau. Jean observava rigorosamente o preceito de não revelar nada a ninguém sobre sua identidade. Compreendera, porém, que em Nîmes o diretor da escola e sua esposa estavam a par do segredo e eram, ainda assim, gentis com ele. Além do quê, todo final de semana encontrava-se com os Aubès. Em Millau, crescia a sua solidão moral. O tutor e o diretor do colégio aparentemente conheciam sua identidade, mas Jean não sabia disso. O tutor e sua família eram corretos, levavam-no a passear aos domingos, e era só. O diretor, sr. Daleinne, de cuja aula de história Vigo gostara no primeiro dia, era um homem gordo, banal, doutoral; havia também o coordenador, sr. Santt, bigodudo, de barba pontuda, estereótipo do sargentão, que não hesitava em esbofetear os alunos; o sr. Parrain, meloso, desagradável, com um físico defeituoso, e o bedel, sr. Lafon, que definitivamente não era fácil.

Não sabemos ao certo se, de início, a situação era melhor se comparada à dos outros meninos. Dois de seus antigos colegas[41] o descrevem

---

41. Georges Caussat e Jacques Bruel, *Lettres à l'auteur*.

como sendo o único parisiense da escola, o que em si já o singularizava em meio aos meninos do Sul, para quem seu modo de falar era esquisito. Além disso, Jean era distinto, fino, enfermiço, nervoso, e os garotos meridionais naturalmente caçoavam daquele magricela afetado. Escreve ele em 16 de dezembro de 1918:

> Ora! Não é que desde ontem, os alunos não param de me perturbar e estou ficando por aqui!! São uns quinze mais ou menos, ficam me rondando; não deixam eu brincar, ficam me empurrando para um lado e para o outro, enfim, está me enchendo! [sic]

O cúmulo era que o líder da brincadeira era o seu velho amigo Jougla, e Jean bateu nele. Ele então adquiriu o hábito de bater em quem o perturbava, e as caçoadas cessaram em seguida. A surra que infligira a Alibert, "um magrão alto do primeiro ano", que o provocara, valeu-lhe inclusive – escreveu, orgulhoso – "as congratulações de todo o recreio". Suas proezas fizeram com que fosse admitido no círculo de Bruel e Caussat que estavam, como ele, no sexto ano, mas já eram "veteranos". Jacques Bruel era o fortão da classe. Meio que assumiu a proteção de Jean e, com Georges Caussat, passaram a formar um trio inseparável.

O que provavelmente o abalava era seus colegas falarem naturalmente sobre os pais. Já ele não podia falar sobre o ídolo que já se fora, o pai corajoso, rico e bonito com quem vivia numa casa grande e bonita como eles nunca tinham visto igual. E o que poderia dizer sobre sua mãe, a não ser que a amava e vivia temeroso ao sabê-la tão longe? Em Saint-Cloud, estivera ligado a Almereyda. Quando este morreu, houve uma aproximação com a mãe, mas ela logo desapareceu. Entristecia Jean a ideia de que sua mãe talvez não o amasse. Para não parecer que não tinha família, Vigo contava aos colegas que Gustave Aubès era o seu avô. Sua saúde apresentava uma nítida melhora. Tornou-se, inclusive, robusto, apesar da comida ruim, constituída basicamente de feijão e repolho, que se tornariam lendários para os alunos. Jean, associado a Bruel e Caussat, empregava o melhor da sua vitalidade na luta contra os adultos, inventando bagunças às vezes meio exageradas. Durante os últimos meses da guerra, e principalmente depois dela, houve uma certa flutuação, vinham bedéis de diferentes lugares, e a disciplina relaxou. Mesmo assim, começaram a chover zeros em comportamento e, por longos períodos, era raro eles não ficarem de castigo aos domingos.

Nem a saúde recobrada nem a amizade de Bruel e Caussat puderam fazer com que Jean suportasse o internato, que detestava. Além da bagunça, empregava contra os professores instrumentos passivos de luta: nesses quatro anos no liceu de Millau, nunca deixaria de ser um mau aluno. Manter um diário era atividade de menino comportado, e Jean interrompeu-o.

Fazer bagunça ou dar uma de mau aluno não permitia, no entanto, que escapasse à morna monotonia do colégio. A chegada de um novo bedel, um rapaz muito jovem, simpático e divertido, constituiu uma novidade; mas ele foi embora em seguida. As modestas proezas de um aluno sonâmbulo já não eram surpresa, mas a sua morte foi um acontecimento. Ainda na véspera, postara-se ao pé da cama de Jean. "Pequeno sonâmbulo", escreveria Jean Vigo catorze anos depois, "cujo caixão foi levado ao pátio do recreio para receber a bênção do padre, que agitava, junto com o aspersório, o diabo que tanto medo nos dava".[42] O pequeno sonâmbulo foi ceifado pela gripe espanhola em 1919 e, durante um bom tempo, os meninos sussurraram que o sonambulismo era um prenúncio da morte.

Naquele mesmo ano, tornou-se evidente que a saúde de Jean, por excelente que parecesse, de robusta não tinha nada: teve, no colégio, uma crise de reumatismo articular agudo que por um longo período o manteve

42. "Apresentação de *Zéro de conduite*", arquivos Jean Vigo.

deitado na enfermaria, com as pernas envoltas em algodão. Posteriormente, recuperou a agilidade, embora ficasse um pouco curvado.

Para Jean, as férias com os Aubès eram uma libertação. Ele não era de se abrir, mas a srta. Aubès o encorajava e escutava de bom grado as queixas e o relato dos atos e fatos de um garoto revoltado. Também com Gabriel Aubès ele tinha um bom relacionamento.

Embora continuasse mau aluno, Jean, em contrapartida, tomava gosto pelos livros e pela arte, e se interessava pelo ofício dos Aubès. Era agora um rapaz, e o fotógrafo deu-lhe algum trabalho em seu estúdio e fotos externas para fazer. O bom artesão que era Aubès impressionou-se com a visão segura de Jean e com seu bom gosto. "Igual ao pai", não podia deixar de pensar. Aubès, para quem o ofício de fotógrafo de província não era lá muito gratificante, não estimulou Jean a seguir esse caminho. E muito menos o incentivou a buscar a sorte em Paris. A capital – além de Emily – era, aos seus olhos, a causa da perdição de Almereyda. Ele dizia a Jean que, já que ele se interessava por fotografia, deveria aprender um ofício que tinha mais futuro, o de operador de cinema. Também era uma profissão que levava para a capital, mas Jean ainda tinha tempo pela frente e, se devia mesmo acabar em Paris, já chegaria amadurecido, mais bem armado que Almereyda para enfrentar os perigos da cidade.

A partir de 1919, Jean ia todo ano a Paris, em setembro, passar duas semanas com a mãe. Um dos encantos dessas estadas era que possibilitavam a Jean rever alguns dos velhos amigos de Almereyda, pois por volta dos seus dezesseis anos, sentia necessidade de partilhar com alguém o culto que criara ao pai. Em Montpellier, podia falar com os Aubès, mas o fotógrafo e sua família não poderiam ajudá-lo a reconstituir suas recordações de infância, já difusas, ou a saber mais sobre a personalidade e a vida do seu pai; além de os Aubès desaprovarem a vida de Almereyda, tinham acompanhado muito pouco, do Sul, sua carreira em Paris. Em compensação, durante as estadas na casa da mãe, Jean se encontrava com Fernand Desprès e Fanny Clar, encantados de rever Nonô. As conversas, em que se falava muito de Almereyda, transcorriam num clima de calorosa simpatia.

Quando Emily escreveu para os Aubès, em 1922, manifestando o desejo de ter o filho mais perto de si, Jean ficou encantado com a ideia de ver mais seguidamente seus grandes amigos. Gabriel Aubès, apesar de sua pouca simpatia por Emily, concordou que Jean, ainda sob sua responsabilidade, continuasse o curso secundário perto de Paris, em Chartres.

O caso Almereyda já não tinha a mesma virulência dos anos anteriores e, em Chartres, Vigo pôde se matricular com seu verdadeiro nome no internato do liceu Marceau. Lá, optou pela seção "primeiro C" (latim-ciências), considerada a mais rigorosa. Os estudos em Chartres eram muito mais sérios do que em Millau e, em 1923, Vigo teve duas reprovações no *baccalauréat*,[43] embora obtivesse um segundo lugar em redação e uma menção honrosa em história moderna. O fracasso devia-se principalmente às bases insuficientes trazidas de Millau, já que agora Vigo se tornara um aluno extremamente aplicado. Depois de repetir o ano, levou o primeiro lugar em redação, uma menção honrosa em versão latina e, em julho de 1924, foi aprovado com facilidade na primeira etapa do *baccalauréat*. Ao deixar o liceu, constava no quadro de honra em filosofia e sempre no primeiro lugar em redação.

Percebe-se, pela simples enumeração de seus êxitos escolares, que Vigo já conseguia manter um melhor relacionamento com o mundo que o cercava. Sua oposição à administração já não era diferente da dos demais estudantes. Como eles, dava risada quando o coordenador, um homenzinho barbudo, louco por educação física, aludia a suas antigas proezas de jogador de rúgbi e, como os seus colegas, gostava das brincadeiras à custa do professor de história natural, um homem gordo e

---

43. Exame final do ensino secundário pelo qual se ingressa no ensino superior. [N.T.]

desagradável. No liceu Marceau, além dos estudos a que se dedicava, Vigo descobriu no esporte um novo emprego para as suas energias.

O coordenador baixinho e barbudo dera à educação física um espaço considerável na vida do liceu. Na área de esportes, Jean Vigo também se destacava. Nas listas de vencedores daqueles anos, deparamos seguidamente com seu nome entre os campeões de atletismo, em que sobressaía sobretudo na corrida de cem metros. No futebol, era um bom goleiro e, com seu colega Colin, o maior animador da equipe.

Dentre os colegas de classe, Vigo fizera amizade com Jean Colin, filho de um casal de funcionários do internato, que estudava graças a uma bolsa. Colin e Vigo tinham em comum, sobretudo, as atividades esportivas. O grande amigo de Vigo era o pequeno Paul Mercier, aluno de uma classe mais nova. No entanto, a direção do liceu tratava de desestimular a amizade entre alunos de classes adiantadas com os de classes mais novas, de modo que Vigo e Mercier não podiam se encontrar à vontade. Às vezes, quando Vigo se ausentava de Chartres, escrevia para Colin cartas endereçadas a Mercier, temendo a censura da direção.

A vigilância não era, contudo, sempre tão severa. Recolhido na enfermaria, Mercier escreveu a Vigo, em 14 de abril de 1924:

> Pensei que sarampo fosse uma coisa grave. Quando fui levar *L'Auto* para você, a enfermeira notou umas brotoejas no meu rosto. Ela mostrou para o inspetor, e ele me disse: 'Você quer imitar o seu amigo Vigo?'. Depois, veio o coordenador, e me disse: 'Você é tão amigo do Vigo que temos que ficar de olho em você, entende? Este ano, eles estão legais com vocês. Você é o queridinho do inspetor. Melhor assim, ficamos os dois mais tranquilos'.[44]

---

44. Arquivos Jean Vigo.

Com Jean Colin (à esquerda), liceu de Chartres, 1924

Com Paul Mercier (à direita), em Tillières-sur-Avre, 1924

Segundo as recordações de Colin, o comportamento de Vigo não se diferenciava daquele dos colegas, a não ser pela extrema vivacidade de suas reações. Às vezes saía do seu humor habitual, parava de brincar e mergulhava horas a fio numa triste meditação.

Vigo passava as férias, e eventualmente os finais de semana, com a mãe, em Paris, no seu apartamento da rua des Pyrénées, 266.[45] Emily refizera a sua vida com um jornalista, o sr. Dudon, redator de *L'Auto*, com quem Vigo gostava de conversar sobre esporte. Vigo era de natureza reservada; sofrera, em 1917, por se sentir abandonado pela mãe. O fato de, posteriormente (entre seus doze e dezessete anos), só ter estado com ela durante as visitas anuais e protocolares de duas semanas, não ajudara a cicatrizar essa antiga ferida. Isso, contudo, não prejudicou, ao menos nos primeiros tempos, as relações cordiais entre mãe e filho. Vigo devia se sentir à vontade na casa da mãe, já que gostava de convidar seus amigos Mercier e Colin, e Bruel, que reencontrara em Paris, os quais eram gentilmente recebidos por Emily.

O culto que Vigo rendia à memória de Miguel Almereyda é que o separava, sentimentalmente, de sua mãe. O adolescente, com a intransigência natural da idade, não devia aceitar muito bem ver seu pai substituído, e o terreno estava preparado para receber as impressões decisivas, próprias para criar, entre Vigo e Emily, uma fenda que nada viria a preencher.

Vigo não falava sobre Almereyda em Chartres mais do que falava em Millau. Em Paris, além de Fernand Desprès e Fanny Clar, que frequentava assiduamente, Vigo entrara em contato com Eugène Merle, Raphaël Diligent, Gassier e alguns outros. Resolvera se empenhar na reabilitação da memória de Miguel Almereyda. Confidenciou sua intenção aos antigos amigos do pai e pediu a ajuda deles. Vigo deve ter sentido, por parte de alguns, certa reticência ou ceticismo. Mas logo esquecia essa sensação ao escutar o relato das façanhas do jovem Almereyda nos tempos

45. Durante o verão de 1924, Vigo passou três semanas com os Mercier, em Tillières.

da anarquia e do *Guerre Sociale*. Não é impossível que, para evitarem uma situação embaraçosa, os amigos de Almereyda tenham deliberadamente omitido o período do *Bonnet Rouge*, da guerra, da morfina e da morte, antes insistindo no período heroico de sua vida.

Essas conversas, essas primeiras pesquisas, ocorreram durante as férias, e se estenderam por um longo período. Não é fácil estabelecer cronologicamente o avanço das descobertas de Vigo e sua repercussão emocional. Alguns indícios às vezes nos sugerem hipóteses verossímeis, mas faltam-nos documentos para uma consulta decisiva. Assim, acreditamos que Vigo, nos anos que passou em Chartres ou logo após, sentiu vontade de visitar o túmulo de Almereyda e, depois de árduas buscas no cemitério de Bagneux, deparou com a sepultura em estado de absoluto abandono. Esta hipótese, que não temos como comprovar devidamente,[46] teria contribuído para cristalizar o ressentimento de Vigo em relação a Emily. Não há, porém, motivo para nos alongarmos em hipóteses, já que contamos com fatos mais precisos que nos permitem elucidar, ao menos em parte, os motivos do rompimento entre Vigo e sua mãe.

Pela leitura do livro de Albert Monniot,[47] Vigo descobriu, furioso, os detalhes do assassinato do seu pai e o papel que ele próprio inconscientemente desempenhara ao comprar os cadarços que iriam servir, dias depois, para estrangular Almereyda.[48] Neste estado de espírito é que

---

46. O túmulo de Almereyda decerto já não vinha sendo cuidado, dez anos após a sua morte. Vigo parece de fato ter tido vontade de visitá-lo. Há sugestão de que o tenha feito em algumas notas cinematográficas não utilizadas para *À propos de Nice*.

47. *Le mystère de Fresnes*, op. cit.

48. O Almereyda descrito no livro de Monniot não deve ter perturbado Vigo além da conta. Desde os seus doze anos, via o nome do pai servir de alvo a todo tipo de injúria. Além disso, com base no período da vida do pai que já conhecia bem (o do *Libertaire* e do *Guerre Sociale*), tinha condições de constatar o quanto a biografia de Almereyda por Monniot era fantasiosa.

Vigo tomou conhecimento dos "relatórios", fartamente citados por Monniot, que acompanhavam a queixa por homicídio depositada pelo dr. Morel, advogado a quem Emily recorrera em 1917 para defender os interesses do menor Jean Vigo. Este, indignado, constatava agora que, para defender a tese de assassinato, o advogado chegara a praticamente retomar alguns argumentos do *Action Française*, e, com suas insinuações, retratava seu pai quase como um criminoso executado por cúmplices em posição de destaque a fim de impedir revelações comprometedoras. A reabilitação de Almereyda tornou-se a principal preocupação de Jean Vigo, e ele nunca iria perdoar a mãe por ter deixado o advogado se aproveitar do clima político de 1917-18 em benefício do processo.

Vigo jamais duvidou da inocência do pai. Mais que isso, Almereyda era aos seus olhos um herói. O que não passa, de início, de uma convicção emocional, depois das primeiras pesquisas foi se tornando um esquema racional, ainda confuso, mas que ele procurava completar e conferir através de provas. Constituiu, assim, durante as férias de 1924-25, um primeiro dossiê cujo objetivo era demonstrar que não só Almereyda não era um traidor no período final de sua vida, como nunca deixou de ser um revolucionário. Inconscientemente, talvez, interessava-se sobretudo pelo período da juventude de Almereyda. Encontrava-se com as testemunhas da época do *Bonnet Rouge*, mas nunca se dirigia aos amigos que Almereyda teve a partir de 1911. Não é difícil imaginar a impressão confusa e dolorosa que deviam lhe causar as tentativas de esclarecer os fatos que se passaram desde a fundação do *Bonnet Rouge* e a declaração de guerra até a tragédia de Fresnes.

Ao retornar a Chartres depois das férias, Vigo voltava a ser o colegial que todos conheciam, interessado principalmente nos esportes e dando mostras de alguma originalidade em suas redações. Seus colegas se surpreendiam, contudo, com as súbitas e precisas declarações antimilitaristas que às vezes lhe ocorria fazer. Além disso, não perdia nenhuma oportunidade de debochar cordialmente dos colegas que nutriam simpatias pelos Camelôs do Rei bonapartistas e demais "juventudes patrióticas".

A afabilidade com que os antigos amigos de Almereyda o receberam trouxera a Vigo uma inédita segurança. Eugène Merle, que se tornara o jornalista "mais balzaquiano de Paris",[49] escreveu-lhe em outubro de 1924: "Pode contar inteiramente comigo, pra vida e pra morte...".[50] Jean Vigo viria a adotar por sua vida inteira este grito de guerra da amizade que se popularizara com o filme *I Topi Grigi* [1917] de Ghione.

Jean Vigo deixou Chartres definitivamente em junho de 1925, depois de passar três anos letivos no liceu Marceau, que somados aos passados em Millau totalizavam sete anos de internato. Aos vinte anos, estava farto da falta de liberdade, e a influência da ideologia antimilitarista que animara a vida de Almereyda, assim como a linha política dos comunistas franceses da época, entre os quais estava Fernand Desprès, só podia aumentar seu desagrado ante a perspectiva de uma temporada no quartel. A Colin, Vigo reconhecia que estava disposto a qualquer coisa para não fazer o serviço militar. Não é improvável que ele tenha então cometido alguma loucura para não estar em forma no momento de passar pela Junta de Saúde Militar. Se foi este o caso, os resultados não tardariam a superar perigosamente seus propósitos.

Vigo deveria ter passado pela Junta de Saúde no mês de dezembro de 1924, mas conseguiu adiamento de um ano. Entretanto, contava matricular-se numa faculdade, o que lhe permitiria obter um novo *sursis*. Mas quando prestou, em Paris, no fim de junho de 1925, a segunda etapa do *baccalauréat*, falhou no exame de filosofia e, após a sessão de

---

49. Victor Serge, *Mémoires d'un révolutionnaire (de 1901 à 1941)*, op. cit.

50. No original: *z'à la vie et z'à la mort*, referência à expressão *à la vie et à la mort*: para sempre. Za-la-vie e Za-la-mort são os nomes dos personagens dos filmes *Za-la-vie et Za-la-mort* [1924] e *I Topi Grigi* [1917], de Emilio Ghione. [N.T.]

outubro, percebe-se por uma carta de Mercier que ainda não está tudo em ordem. No início do ano letivo de 1925, no entanto, Vigo assiste às aulas de Brunschwig, Bouglé e Delacroix. Segundo uma carta de Mercier, datada de 30 de dezembro, Vigo planejava obter um certificado de moral e sociologia em março, e um de psicologia em junho. É possível, porém, que Vigo só tenha dado essas explicações ao seu amigo para que ele pudesse satisfazer a curiosidade dos que o cercavam. De fato, escreveu Mercier a Vigo, em 10 de dezembro: "Você não me conta o que pretende fazer. Está difícil, não no liceu, mas lá em casa. Cada vez que vou para casa me perguntam o que você pretende fazer. O que posso responder? É embaraçoso". É provável que Vigo tivesse confidenciado a Mercier sua decisão de ingressar na carreira cinematográfica.

Na Sorbonne, Vigo não fez nenhuma amizade e continuava a frequentar principalmente Fernand Desprès. Alguns dias antes do Natal, conheceu, na casa deste último, Pierre, irmão de Jean de Saint-Prix. O jovem escritor pacifista e revolucionário tinha falecido pouco depois do armistício. Pierre de Saint-Prix ficou impressionado com Vigo, e associou-o ao seu irmão morto. Numa carta[51] em que relatava à mãe suas impressões sobre o encontro com o "filho de Almereyda", escreveu: "Como tudo se renova, nos diferentes indivíduos!...".

O problema mais urgente, para Vigo, naquele início de 1926, era a aproximação da data da Junta médica. Em 11 de fevereiro, Mercier escreveu-lhe: "Você deve ter passado pela Junta na quarta-feira, qual foi o resultado: bom ou ruim? Está tão transtornado que esqueceu de me escrever?".

Vigo tinha adoecido. Seu relacionamento com a mãe estava cada dia mais tenso, e aumentava a saudade daqueles com quem aprendera o que é ter um lar: as cartas que os Aubès recebiam tinham se tornado

---

51. 25 dez. 1925.

tristes e desanimadas. Responderam convidando-o para voltar e, mais uma vez, foi um Jean em estado debilitado que veio bater em sua porta. Cuidaram dele durante meses. Em Montpellier, com aplicações de raios ultravioleta, e em Palavas, onde os médicos o tinham mandado tomar banhos de sol. Vigo não acreditava estar seriamente doente, e informava-se das possibilidades de obter um modesto trabalho na produção do *Napoléon* [*Napoleão*, 1927, Abel Gance]. Foi quando descobriram que seus pulmões estavam comprometidos e Gabriel Aubès o mandou fazer um tratamento em Font-Romeu, próximo à fronteira espanhola, bem próximo a essa Andorra onde tinham vivido seus antepassados.

Vigo, de início, hospedou-se num hotel enquanto esperava por um quarto, obtido em 2 de agosto de 1926, na clínica Espérance do dr. Capelle. Ocultou o seu estado de saúde aos amigos de Chartres. "O que está fazendo numa clínica?", perguntava Mercier.

> Uma helioterapia; esta palavra me assusta. O que está acontecendo? Você está mais doente? Está me escondendo alguma coisa? Não estou entendendo nada. Agora, quando me perguntam o que você está fazendo, não digo nada, ou digo que está com o seu tio fotógrafo em Montpellier. Todo mundo pergunta se você tornou a prestar o exame oral de filosofia; e eu desvio do assunto. Tente me tirar dessa situação complicada.[52]

O estado de Vigo não parecia muito grave. "Jean está muito satisfeito", escrevia Fernand Desprès a Pierre de Saint-Prix.[53] Desprès, no entanto, temia essa provação e procurava ajudar Vigo a suportá-la. A seu pedido é que Pierre de Saint-Prix, que estava em Perpignan, foi até Font-Romeu

---

52. Carta de 22 ago. 1926.
53. Em 5 ago. 1926.

visitar o enfermo, e que a sra. de Saint-Prix escreveu cartas de recomendação a personalidades locais, buscando interessá-las no caso de Jean Vigo. Enquanto isso, ela endereçou a Vigo uma carta afetuosa, em que o instava a ir visitá-la assim que voltasse a Paris, "o que não deve tardar". Vigo ficou muito tocado com a solicitude daquela que era antes de tudo, para ele, a mãe de

> Jean de Saint-Prix, que num café da rua des Petits-Champs, há nove anos, vi pela primeira e... última vez! Ele me disse poucas coisas – eu nem saberia dizer o quê – mas lembro do seu silêncio. Estava todo vestido de preto, de modo que seu corpo parecia ainda mais frágil, e seu rosto ainda mais pálido. Eu estava triste. Ele me olhava... triste também. Estava decerto pensando em quantos chacais uivantes a morte de um político era capaz de revelar entre os seus colegas! E refletia que eu estava ali enquanto... espectador, sofrendo um luto duplo: a perda de um ente querido e da sua memória que estava sendo manchada. *Falta de imaginação*, escreveria alguns dias depois, a propósito dessas pessoas que vinham revelando à minha juventude essas nojeiras da vida![54]

Fernand Desprès chegou a Font-Romeu na segunda semana de setembro a fim de passar parte de suas férias próximo a Vigo. Nem ele nem os Aubès, como tampouco Emily, tinham condições de pagar a clínica, mas por enquanto o problema vinha sendo resolvido por Eugène Merle. Tudo se afigurava muito bem e, em novembro de 1925, o tratamento de Vigo parecia estar chegando ao fim. Sua breve temporada nas cercanias de Andorra trouxera a Vigo um forte sentimento das suas raízes catalãs, e foi com entusiasmo que participou de pesquisas destinadas a ajudar Pierre de Saint-Prix o qual, encorajado por Desprès, preparava

---

54. Carta à sra. de Saint-Prix, de 30 ago. 1926.

um romance baseado no complô dos Catalães,[55] recentemente descoberto e reprimido. Antes de voltar para Paris, no final de novembro de 1926, Vigo fora até Perpignan em busca de literatura catalanista, e seu entusiasmo deve ter sido tanto que lhe valeu o dissabor de ser tomado por "burro de carga".[56]

Vigo esperava começar finalmente, em Paris, seu aprendizado cinematográfico. Trocara recentemente algumas cartas com Francis Jourdain, que não via desde 1914. Muito ligado aos meios artísticos parisienses, Jourdain havia se disposto a apresentar Jean a "alguns figurões da área do cinema".

Os três meses seguintes, passados em Paris, foram difíceis. Escrevia-lhe Mercier, em 14 de janeiro de 1927: "Você parece estar bastante ocupado no momento, diz que passa o dia indo para lá e para cá. O que está acontecendo?". É provável que Vigo prosseguisse febrilmente suas pesquisas sobre Almereyda e estivesse procurando um emprego que lhe permitisse deixar a casa materna, quando caiu novamente enfermo. "Como é possível você estar de volta a Font-Romeu?", perguntava Mercier, no início de março. E, no final da mesma carta: "[...] A propósito, você não fala sobre seus pais; sobre como vai sua mãe; espero que estejam bem".[57] Sua recaída, e o mau relacionamento com a mãe que evoluía para uma ruptura, levaram de volta a Font-Romeu um Vigo em estado precário. O aumento nos preços dos transportes e dos hotéis agora impossibilitava a Fernand Desprès socorrer o amigo, e Vigo iria passar sozinho por essa provação. Falta-nos a maioria das cartas escritas por Vigo em Font-Romeu, especialmente aquelas

---

55. Os conjurados, poetas, sociólogos, escritores e musicistas, liderados por um coronel, Macia, e o dirigente de um coral, José Fontbernard y Verdaguer, reuniam-se no café du Rocher, no bulevar Saint-Germain.

56. Carta à sra. de Saint-Prix, de 30 ago. 1926.

57. Carta de 8 mar. 1927.

endereçadas a Desprès, Mercier e aos Aubès. É possível, contudo, retraçar a curva do seu estado de espírito através da correspondência que, ao longo de toda a sua estada, manteve com os Saint-Prix.

A amizade da mãe e do irmão de Jean de Saint-Prix foi de imensa importância para Vigo. Podia escrever-lhes ou falar sobre o seu pai como a companheiros solidários com sua dor. Associava a memória de Almereyda à imagem de Jean de Saint-Prix. À sra. de Saint-Prix, que acabava de lhe enviar a obra filosófica do filho, *La conscience comme principe spirituel*,[58] Jean Vigo escrevia em 19 de maio de 1927: "É sem dúvida Jean de Saint-Prix que eu gostaria de ter tido como amigo – não, que é meu amigo (entenda-me: meu pai *é o* meu melhor amigo)". Pela obra do jovem escritor, Vigo compreendeu que o pessimismo não exclui a energia e o entusiasmo, e que uma espiritualidade elevada pode ser fonte de força revolucionária.

Vigo revelou aos novos amigos seus temores, fraquezas, sua timidez:

> Tanta bondade de sua parte me deixa um pouco arisco. Encolho-me desajeitadamente sobre mim mesmo assim que me dão demasiada atenção, pois acho que nunca vou entender que alguém possa cuidar de mim. E tantas gentilezas! Embora sejam doces, me desesperam bastante. Longe de mim o sentimento de humilhação, que aliás, não me desagrada. Não, o que sinto está ligado ao medo de não ser merecedor no presente, e de decepcionar mais tarde. É tão terrível tirar, ou sentir que nos tiram, algo de ordem sentimental ou espiritual. Por isso é que meus amigos me propiciam as maiores alegrias e as mais profundas tristezas – sendo para mim, deste modo, os melhores estímulos...[59]

---

58. *La conscience comme principe spirituel: conséquences de fait et de droit pour la psychologie humaine.* Paris: Félix Alcan, 1927.
59. Carta à sra. de Saint-Prix, enviada em 2 out. 1928, embora escrita em julho.

Entretanto, nos seus momentos de depressão, seus assuntos costumeiros (Almereyda e Jean de Saint-Prix) adquiriam um tom mórbido. Almereyda já não era aquele que Vigo, num rasgo de vitalidade, queria defender e reabilitar, nem Saint-Prix era aquele que com seus escritos, sua energia no combate e a lucidez do seu pessimismo o ajudava a suportar a doença. Para Vigo, Almereyda e Jean de Saint-Prix estavam se tornando antes de mais nada irmãos de infortúnio aos quais ele iria, e já desejava, juntar-se em breve pela morte.

Motivos de preocupação também lhe chegavam de Paris. Emily achava-se em grande depressão moral, tinha se separado de Dudon e procurava trabalho. Vigo nada podia fazer por sua mãe. Tivesse ele recursos, teria ajudado materialmente, como faria mais tarde. Mas já não era capaz de amá-la, o que constituía para ambos uma fonte de sofrimento sem perspectiva de solução.

Mas não demorariam a surgir novidades na vida de Vigo. Em agosto de 1928, a sra. de Saint-Prix preocupava-se por não receber notícias dele. Desprès tranquilizou-a: "Está com a alma ocupada. É, evidentemente, a única explicação possível para o seu silêncio".[60]

Fernand Desprès sabia perfeitamente do que se tratava: havia já vários meses, Vigo conhecera Lydu.

Élisabeth Lozinska era a filha de um industrial de Lodz. Tinha dezenove anos em 1926, e estava terminando os estudos na Suíça. Enferma, Lydu viera a Font-Romeu no final do ano para se tratar. Seu estado era grave e, absolutamente sem ânimo, teve de permanecer de cama a maior parte do seu primeiro ano de sanatório.

Tal como Lydu, Vigo estivera muito isolado, e o despertar da curiosidade de ambos em relação aos internos da clínica foi um dos sintomas de sua melhora moral. Depois de estudar o panorama, concluíram que o

---

60. Carta de 16 ago. 1928.

Vigo e Lydu, Font-Romeu, 1928

único interno interessante era Claude Aveline, que chegara da Suíça no outono de 1926, acompanhando a mulher gravemente enferma. Ele era o autor de diversas plaquetes literárias, embora na época tivesse principalmente firmado sua reputação como editor. Aveline foi imediatamente apelidado "o grande homem", mescla de troça e interesse legítimo, já que Vigo ansiava por conhecê-lo mas era demasiado tímido para tomar a iniciativa. Aveline, contudo, era íntimo amigo de Pierre de Saint-Prix, de modo que Vigo encheu-se de alegria e embaraço, quando certo dia o próprio Aveline veio se apresentar mencionando o amigo comum.

"O grande homem" revelou-se afinal apenas um rapaz quatro anos mais velho que Vigo. Além disso, embora seu sucesso como editor tivesse lhe propiciado alguma segurança, Aveline ainda se considerava um principiante no campo que escolhera: a criação literária. Graças a isso, Vigo conseguiu vencer suas reservas. Pouco tempo depois, durante os longos passeios pela floresta com o seu novo amigo, Vigo confidenciava a Aveline seus problemas e projetos. Falava-lhe a respeito de Almereyda e dos documentos que já juntara com vistas à sua reabilitação. Sua vontade concentrava-se em sua própria cura e na cura de Lydu, para então poder se lançar na batalha humana, através do trabalho, da criação, ou até da política.

Enquanto isso, a situação de Vigo tornava-se das mais difíceis. Os negócios de Merle andavam extremamente complicados e ele já não estava enviando mais nada. O salário de Fernand Desprès no *L'Humanité* – que era nessa época o de um operário qualificado – vedava-lhe inclusive os deslocamentos anuais para visitar Vigo. Se Desprès encontrava um jeito de ajudar Vigo materialmente, era graças a contribuições externas, e se quiséssemos identificar sua origem é provável que mais uma vez surgisse o nome Saint-Prix. Francis Jourdain, por sua vez, esforçava-se por apaziguar os escrúpulos de Vigo, e tentava contatar antigos conhecidos: "O seu pai deixou amigos seguros e verdadeiros de cuja lealdade não se pode duvidar... Por que haveriam de ser uns estúpidos ingratos?".

O problema de Vigo, portanto, era encontrar um trabalho remunerado pelo tempo que ainda precisasse permanecer em Font-Romeu. Claude Aveline continuava lidando com edição e resolveu dividir com Vigo o trabalho de correção de provas. A colaboração entre os dois amigos, porém, não parou aí, e Vigo acabou se tornando uma espécie de secretário de Claude Aveline. Ainda se encontram, entre os papéis deste último, passados cuidadosamente a limpo por Vigo, todo um primeiro ato de ópera baseado no *Zadig* de Voltaire, posteriormente abandonado, e inúmeros excertos da obra de Anatole France, de que Aveline já era especialista.

Na sequência, Vigo conseguiu reduzir os custos de seu tratamento. Uma melhora na saúde de ambos permitiu que Lydu e Vigo trocassem a clínica por um chalé das redondezas nos últimos meses de sua estada em Font-Romeu.

Vigo passara boa parte do seu período em Font-Romeu lendo, e até escrevendo um pouco. Nunca, porém, cogitara uma carreira literária; sua escolha pelo cinema ficou definitivamente acertada desde sua saída de Paris em 1926. Não tinha, contudo, a menor ideia quanto aos encaminhamentos necessários para ingressar nessa profissão. Sua esperança estava depositada em Francis Jourdain e nos seus contatos. Enquanto isso, lia obras relacionadas ao cinema e refletia sobre algumas observações, como a que fazia Jean Epstein: "Esta fotografia das profundezas enxerga o anjo no homem, tal a borboleta na crisálida" – que ele citava e comentava numa carta à sra. de Saint-Prix datada de outubro de 1928.

Na mesma oportunidade, Vigo comunicava-lhe a sua cura e a de sua noiva, assim como a decisão de se fixarem na Côte d'Azur após uma breve estada em Paris. Chegaram a Paris em novembro de 1928 e, no dia 30, Fernand Desprès enviava suas impressões a Pierre de Saint-Prix:

> Encontrei com Jean e sua dama. Ela, pálida, macilenta, e ele acometido por cólicas. Paris não serve para nenhum dos dois. O caso deles é mais desesperado que o nosso. Jean, responsável por uma mulher, está indo embora para o Sul sem emprego, com uma carta de recomendação inócua no bolso. Eu, no lugar dele, estaria desesperado. Ele não tem experiência e talvez seja incapaz, fisicamente falando, de se dedicar a um trabalho desses.

No entanto, as poucas e tímidas iniciativas de Vigo em Paris pareciam estar surtindo resultados. Graças a outro principiante na carreira, Claude Autant-Lara, apresentado por Francis Jourdain, Vigo conseguira ingressar na Franco Film, cujas atividades se estendiam até Nice. Por intermédio da sra. de Saint-Prix, Vigo também visitou Germaine Dulac, que o recebeu com muita cordialidade e prometeu apoiá-lo na Franco Film, onde conhecia todo mundo. Era uma empresa em que as equipes estavam constantemente se formando e se desfazendo e, segundo Vigo, a intervenção de Germaine Dulac poderia ser decisiva quando surgisse uma oportunidade. Enquanto isso, a cineasta pediu-lhe que expusesse claramente, por escrito, o que sabia e o que queria fazer. Não era fácil responder a essas perguntas.

Vigo e Lydu partiram para Nice na primeira semana de dezembro de 1928. Hospedaram-se no bulevar de l'Impératrice de Russie, 19 *bis*, na casa de Janine Champol, antiga amiga de Almereyda e ama-seca do pequeno Nonô. A idade em nada havia alterado a vivacidade e inteligência de Janine Champol, que ainda expressava com veemência suas simpatias pela Comuna de Paris. Ficava feliz por ter seu "pequeno Nonô" sob as vistas e reassumiu, de certa forma, suas funções de ama-seca, zelando pela saúde do frágil casal. Georges Caussat, seu antigo colega de Millau, concluíra recentemente o curso de medicina e estava fazendo a sua residência em Nice. Era o companheiro de todos os instantes e, por motivo de economia, acabaria se hospedando por uns tempos na casa de Vigo.

No estúdio da Franco Film, um modesto cargo de ajudante de operador esperava por Vigo. Ele ainda tinha pela frente uns dez dias de liberdade, que ocupou descobrindo a cidade na companhia de Lydu, procurando um apartamento e juntando os papéis para o casamento. Os de Lydu não estavam em dia, e mais uma vez foi preciso recorrer à sra. de Saint-Prix, que resolveu tudo através de um contato no Ministério do Interior.

Em fins de janeiro, Vigo e Lydu estavam casados e instalados próximo ao estúdio, na vila Les Deux Frères, situada na avenida Paderi, bairro Bas-Fabron. Francis Jourdain projetara os seus móveis, fabricados por Eugène Dieudonné, antigo prisioneiro anarquista. "Acredito", escrevia Vigo à sra. de Saint-Prix, "que vamos ser felizes pelo resto da vida. Isso significa que os outros terão prazer em nos ver, assim como nós teremos prazer em vê-los."[61]

---

61. Carta de 19 jan. 1929.

No estúdio da Franco Film, Vigo foi encarregado de auxiliar o operador Burel na realização de um filme intitulado *Vénus*.[62] Suas funções eram imprecisas e pouco interessantes, e a remuneração, medíocre. Mas eram todas realizadas no estúdio, junto às câmeras e, por enquanto, essa iniciação ao mundo do cinema bastava para enchê-lo de satisfação.

Ao fim de um mês, contudo, já não havia trabalho para Vigo, e sem a ajuda do pai de Lydu o casal teria experimentado a miséria. Assim que sua filha deixara Font-Romeu, o sr. Hertch Lozinski, industrial de Lodz, fora até a França conhecer Vigo e ver de perto a situação. Ficou satisfeito, assistiu ao casamento em 24 de janeiro e ajudou-os a se instalarem na casa do Bas-Fabron. Também continuou a mandar uma mesada para Lydu, além de anunciar que, tão logo seus negócios permitissem, colocaria à sua disposição um pequeno capital que propiciasse a Vigo maior liberdade de ação no início da carreira que escolhera.

Vigo continuava a rondar o estúdio mas, uma vez satisfeita a sua curiosidade de ver as filmagens de perto, não demorou a se entediar profundamente. Não vislumbrava, nem mesmo num futuro distante, a menor perspectiva de pôr as mãos na massa, quando em meados de 1929 o sogro enviou o presente anunciado – a quantia de 100 mil francos – possibilitando uma estada em Paris e a compra de uma Debrie de segunda mão.

Saíram a experimentar a câmera por toda parte. Vigo resolveu filmar os animais do zoológico, e anotou cuidadosamente o horário de melhor luminosidade para cada um deles: elefante, três horas, macaco, três e quinze, javali, três e quarenta e cinco etc. Acabou estragando quase todas as imagens, com exceção das do crocodilo e do avestruz.

Vigo podia agora cogitar uma obra pessoal. Tinha uma câmera, uma reserva de dinheiro e tempo livre. Sem sequer aventar a possibilidade de filmar em estúdio, só pensava num documentário sobre Nice. Não

62. *Vénus* [1929], de Louis Mercanton. O operador é Léonce-Henri Burel. [N.O.]

tinha nenhum projeto formado, apenas certa irritação para com o tema. Primeiro, porque era obrigado a ficar em Nice e tinha a convicção de que só seria bem-sucedido em Paris. Em relação à cidade em si, seu sentimento se tornara ambivalente. Embora adorasse o cenário de sua felicidade com Lydu, detestava aquele ponto de encontro de ricaços. Uma vez feita a sua escolha, suas primeiras iniciativas, inconscientes, foram no sentido de se afastar dela.

Vigo, para começar, documentou-se com a maior seriedade. As cerca de trinta obras que passou lendo ou consultando forneceram-lhe um bom conhecimento da história e arqueologia de Nice e da região. Registrava em suas anotações a lealdade de Nice aos romanos contra Aníbal e Cartago, o monumento erguido em memória ao triunfo de Augusto, seu reino funesto para a cidade, a construção da estrada ligando Arles a Roma. Não queria deixar de lembrar São Barnabé pregando o evangelho no reinado de Cláudio, nem os nomes dos primeiros mártires de Nice, Celso, Nazário e, principalmente, Santa Dolores, sacrificada sob o jugo de Nero. Ficava perplexo, no entanto, frente a tantas anotações referentes a fatos já desfeitos em pó.

Embora houvesse ruínas de arenas romanas em Cimiez, Vigo, diante delas, não conseguiu ter mais que uma ideia cinematográfica. Imaginou que, após uma visão panorâmica, a câmera teria de avançar pelo portão por onde entravam as feras e revelar, pastando tranquilamente no capim das arenas, uma gorda vaca leiteira. Em vão procurou nas redondezas vestígios do templo de Apolo que, diziam, tinha sido transformado em habitações de mercadores.

Avançando história adentro, Vigo foi descobrindo um número crescente de monumentos. Guiado pelo *Promenades d'un curieux dans Nice* [*Passeios de um curioso por Nice*] de Brun, visitou-os demoradamente. Ficou bastante interessado pelos apartamentos do século XIV, especialmente por uma alcova nupcial com pilastras jônicas, que fora ocupada por Maurício de Saboia e Maria Luísa Cristina, e atualmente só abrigava farrapos miseráveis. Já percebia que, do ponto de vista cinematográfico, não havia muito a tirar da história cronológica, mas que certos monumentos, como a igreja Saint-Augustin, pareciam concentrar vários elementos que poderiam servir de ponto de partida. Havia ali a imagem de São Nicolau de Tolentino, o intercessor da cidade junto ao Nosso Senhor. Lutero teria oficiado nessa igreja, e Garibaldi, em todo caso, nela tinha sido batizado. Sim, estavam ali bons temas, mas o seu aspecto visual era bem limitado. Uma *pietà* de Louis Bréa, também na mesma igreja, não era de grande valia. Próximo a ela, um *graffito* do século XVI era muito mais divertido. Um homem e uma mulher nus ameaçavam-se em meio a flores e folhagens: Adão e Eva no paraíso terrestre.

Vigo visitou os cemitérios católicos, protestantes e judeus, e ficou impressionado com o horror que era o cemitério de Prat. O mau gosto de alguns túmulos ainda constituía, no plano visual, o elemento mais rico entre as coisas mortas que havia identificado.

Após várias semanas de trabalho, Vigo concluiu que os monumentos antigos não lhe seriam de nenhuma serventia. Resolveu anular a história, deixando um parêntese em branco entre os dois extremos: a época da natureza sem o homem e a da cidade moderna. Contava utilizar para a primeira parte seiscentos metros de película, com vistas a uma seleção final incluindo metade disso. Vigo especificava em seu caderno:

> É importante que a presença do homem e de sua obra não se revele de nenhuma maneira. A maravilhosa região estava ali, oferecida pela natureza. A região se encontra sob a tutela do céu e a influência do mar.[63]

O céu e o mar seriam os dois primeiros temas dos três que constituiriam a gênese. Imaginava Vigo que a tela deveria se abrir com o céu.

---

63. Arquivos Jean Vigo.

Um céu puro, de início, e em seguida com nuvens pesadas e ruidosas. Veríamos o céu ao cair da tarde, com nuvens sombrias, e depois nuvens fugindo em diferentes velocidades. O céu tornaria a ficar agitado e habitado pelo voo das gaivotas. As gaivotas desceriam na direção do horizonte. Passaríamos assim ao segundo tema, o mar. Tema que deveria ser breve. Primeiro, diferentes sucessões de ondas, uma onda de tamanho médio seria filmada desde o seu surgimento e acompanhada até desfazer-se na praia. Chegamos ao terceiro tema, a terra.

A terra das suaves encostas de Saint-Raphaël, com areias e árvores, e a terra abrupta, juncada de pedregulhos, de Monte Carlo. Depois, as planícies, as montanhas médias e áridas, os desfiladeiros, o triunfo das altas montanhas verdes, finalmente a neve e, para encerrar, o gelo.

Era pouco para trezentos metros de filme e, a partir daí, como passar para a cidade, para o homem? No meio do caminho, Vigo por pouco já não fizera isso, atropelando a sua didática divisão por temas e a decisão de não deixar transparecer a obra do homem. De acordo com suas anotações, percebe-se, de fato, que existia uma variante em que, depois do mar, Vigo passava para os rios, um deles em cheia, o outro seco, para desembocar nos esgotos. Esgoto, obra dos homens, o homem acabava de fazer sua aparição. Vigo aparentemente voltara sobre os seus passos, mas chegara ao gelo das montanhas e ao impasse.

Entretanto, Vigo fazia questão de suas ondas simbólicas e, no novo projeto, manteve todo o começo para, depois de a onda de tamanho médio se desfazer na praia, vista da planície e do vale, seguida pelo refluxo do mar, surgir outra onda, mais forte, de que só veríamos o movimento inicial. A câmera filmaria a onda a partir de um plano médio. Veríamos então um declive, o refluxo do mar e, mais uma vez, a grande onda que, em vez de se desfazer na praia, iria triunfalmente rebentar-se nos rochedos.

Passava-se então para a terra, para um rochedo em plena montanha. As imagens da montanha deviam conduzir a uma abertura panorâmica na curva de uma estrada ascendente. Daria então para constatar a falsa vitória da onda grande, tornar a ver seu refluxo, seguido de mais ondas grandes se jogando, e novamente refluindo, numa demonstração de vão esgotamento. Passava-se então para uma paisagem de neve, para a neve começando a derreter, e para um boneco de neve. Obra do homem, o boneco anunciaria a sua presença.

A aparição do homem seria marcada por uma mudança de técnica (a fotografia seria desfocada) e, aos poucos, paisagens de casas, hotéis, do porto, iriam se construindo dentro das imagens até ficarem nítidas. Seria então mostrada uma vista do mar ao longe: solidão, por onde passaria um navio. O mar sem ondas estaria como que "militarmente amansado", sublinhava Vigo. Domado. Uma imagem de espuma caindo se encadearia com uma árvore em flor. O mar, ainda calmo. Tornaríamos a ver a mesma árvore, na qual então colheríamos os frutos, e apareceria um cipreste, seguido por um poste telegráfico com o fio subindo até o infinito, rumo ao céu. Tomada de avião: Nice. O centro da cidade se destacaria.

Suas pesquisas tiveram de ser interrompidas. A saúde de Vigo e Lydu estava novamente ruim e, no outono de 1929, foram ambos para Paris consultar especialistas.

Vigo aproveitou sua estada para frequentar um pouco o círculo dos jovens cineastas parisienses, Mitry, Lods, onde acabou conhecendo um operador de cinema de origem russa, Boris Kaufman.

Não raro se confunde Boris Kaufman com Mikhail Kaufman,[64] irmão de Dziga Vertov e operador das principais produções do *Cine-Olho*. Boris talvez seja o terceiro irmão de Kaufman, o caçula, mas pode ser também que Vigo e Kaufman tenham criado uma lenda

---

64. Ainda em 1949, Georges Sadoul, em *Histoire d'un art: le cinéma des origines à nos jours*. Paris: Flammarion.

Vigo e Kaufman filmando *À propos de Nice*, jan.-mar. 1930

por espírito de mistificação. Em todo caso, parece que a formação cinematográfica de Kaufman foi mesmo na União Soviética, através do contato com os animadores de *Cine-Olho*.[65]

Kaufman mostrou dois de seus filmes a Vigo, que imediatamente o convidou a colaborar com ele no documentário sobre Nice. A casa dos Vigo contava com um "quarto de hóspedes" e Vigo convenceu Kaufman, que ainda não conhecia Nice, a ir morar lá sem demora.

Vigo talvez tenha começado a dirigir as filmagens de Kaufman seguindo o esquema introdutório que estabelecera antes de ir para Paris. O fato é que começaram a filmar algumas das ondas de que Vigo tanto gostava, mas logo ficou clara a dificuldade de reproduzir suas nuanças. A "onda média" e a "onda mais forte" eram estranhamente parecidas na tela. As vistas da montanha ficavam facilmente com jeito de cartão-postal. Terá Vigo percebido que, desde o início, não fizera outra coisa senão fugir do seu tema? A partir do final de 1929 mudou de orientação, passando a tratar exclusivamente da cidade moderna. Vigo ainda não tinha um plano geral e, com o auxílio de Kaufman, começou a buscar um roteiro. Suas antipatias estavam na origem da sua inspiração, e ele começou a ordená-las num primeiro esboço, simples e direto.

> A. Nice é antes de tudo uma cidade que vive do jogo.
>
> B. Tudo nela é feito em função do estrangeiro:
>
> 1. Os grandes hotéis etc. etc.;
> 2. Chegam os estrangeiros;
> 3. A roleta;
> 4. Os que vivem dela.

---

65. Falharam todas as tentativas do autor para entrar em contato com Kaufman por meio de cartas.

C. Os nativos não são, no fundo, mais interessantes que os estrangeiros.

D. O conjunto, aliás, está fadado à morte.[66]

A morte! Dava para aproveitar alguma coisa daqueles cemitérios horríveis que ele visitara seguindo o *Guide Brun*. Anotou, no ato, "túmulos, túmulos, algumas amostras do grotesco" e, sempre que possível, ia depressa filmá-los com Kaufman. Uma estátua desnuda, com um ninho e água suja no meio das pernas, encheu-os de alegria. Tentaram animar um pombo de mármore dando à Debrie um movimento de trás para a frente. Tentaram, com um movimento rotativo de baixo para cima, provocar a queda de um anjo apoiado numa cruz quebrada. Na maioria dos planos, porém, não perturbaram a imobilidade dos monumentos funerários.

Vigo queria, logo após a projeção do túmulo mais cômico, passar para a imagem de uma mulher de luto chorando no final de uma alameda. Avançariam lentamente na sua direção. Quando cruzassem com ela, um chapéu segurado por uma das mãos atravessaria o primeiro plano, de cima para baixo e de baixo para cima. Na frente: as alamedas de túmulos. A câmera então se viraria na direção da viúva, mas esta não estaria mais lá. Só haveria um túmulo nu, sem nome. Depois, imagens rápidas de túmulos de grandes homens – Herzen, Gambetta etc. A câmera faria um movimento como que saudando quatro ciprestes. E após a imagem rápida e progressiva de túmulos mais e mais degradados, mostraria uma lápide semissoterrada e a cidade acendendo-se ao longe.

Para encerrar essa sequência do cemitério, Vigo imaginou uma variante em estilo pesadelo. Depois da lápide meio soterrada, mostraria a estátua de uma criança debaixo de um sino grande, seguida de uma caveira, pirâmides, a foto de um livro de mármore e a inscrição: "Entrada do jazigo".

---

66. Arquivos Jean Vigo.

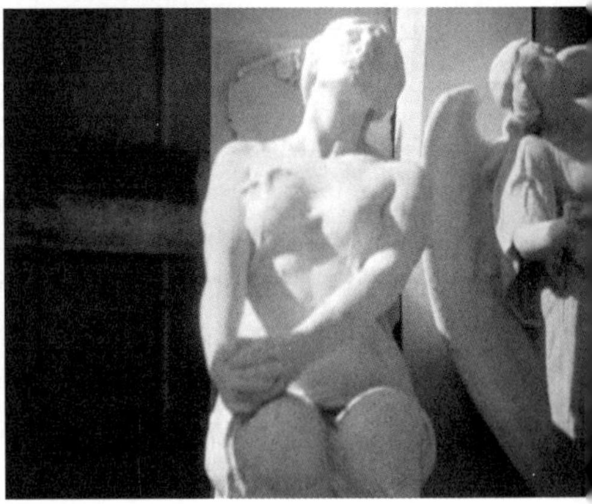

Tinha então início uma fuga através do cemitério até a saída. A câmera passaria rapidamente por uma pérgula e iria bater nas venezianas fechadas de um convento. No qual teria de entrar para obter, a partir do centro, a visão circular do passeio dos monges. Deveria haver ali uma porta aberta. Corria-se até ela. Estava fechada. O céu. O mar.

O procedimento de Vigo nos parece claro. O objetivo original das imagens do cemitério era condenar à morte a Nice dos hedonistas. Esta seria, aliás, sua função no filme realizado. Defrontado com o tema da morte, contudo, Vigo foi novamente assombrado por seus medos. A sepultura na qual queria ver chorar uma viúva, mas que, despida e abandonada, estava destinada, tal como o morto que abrigava, a sumir debaixo da terra, não seria, para Vigo, o próprio túmulo de Almereyda? Para se vingar, queria escarnecer das sepulturas dos grandes homens, zombar de um busto de Gambetta.

Na sequência do pesadelo, o conteúdo pessoal está mais encoberto, mas não há como não entender aquela criança, a caveira e a fuga em direção a uma porta que se acredita estar aberta. Ambas as ideias, no entanto, eram a expressão de um lamento, e Vigo não tardou a descartá-las, mantendo apenas o escárnio.

Os ciprestes o interessavam. Ele continuava a querer encadear ciprestes com postes telegráficos. Mas já não era para seguir o fio até o infinito como se fora o caminho do céu. Queria, pelo contrário, fechar o círculo. Que deveria começar com um movimento de baixo para cima, do tronco de cipreste até o cume. Depois, tornar a descer. E recomeçar então o primeiro movimento mas, antes de chegar ao cume, perceber que se tratava de um poste telegráfico. Uma vez alcançados os fios, segui-los até o próximo poste. Na hora de descer, após o recuo, voltar ao tronco do cipreste inicial.

Desse modo, Vigo se afastava mais uma vez do tema, fugindo dos sentimentos pessoais pela tangente, ou por meio de jogos mais ou menos ardilosos.

Corrigiu-se rapidamente. Para apresentar a cidade, decidiu retomar as linhas finais do antigo projeto de introdução: vista panorâmica, o centro da cidade se erguendo na direção da câmera. E então Nice girava e passava-se para a roleta.

> Salta a bolinha. A mão joga uma ficha. A bolinha vai parando. A mão empurra uma ficha. A bolinha vai parando. O vigia faz um sinal com o dedo. O rodo rejeita a ficha. A mão brincando com as fichas. A bolinha saltitando devagar. Visão ampliada da bolinha. Semblantes deformados dos jogadores. Semblantes impassíveis dos crupiês. Uma pilha de fichas em grande plano. O rodo. A pilha de fichas avistada ao longe. A bolinha torna a girar. Os números do pano verde. Os viajantes saindo da estação. Os viajantes sentados com suas bagagens. Os carregadores. Os funcionários do hotel. Os táxis. Os carros. O intérprete. Uma porta de hotel que se abre. Os *grooms*. Um porteiro de hotel passa correndo. Alguém varre a esplanada de um café. O salão de um restaurante. O *maître* aperta o nó da gravata. Os hotéis vistos atravessados se endireitam. Um garoto confere o repartido do cabelo. A árvore torta se transforma em palmeira. Uma palma. A vassoura do varredor de rua. A onda trazendo sujeira até a praia. O varredor varrendo. O Casino de La Jetée.[67] Montinhos de lixo junto ao varredor. O mar. A vassoura. O varredor vai embora, empurrando o carrinho. Vista do passeio público, deserto e sem árvores. As cadeiras sendo ajeitadas. O mar. As gaivotas. As árvores alinhadas. O céu puro.[68]

Vigo sentia que estava no âmago do assunto. Com Kaufman, filmou o varredor com sua vassoura, uns garçons preparando a esplanada do café

---

67. O cassino do quebra-mar, destruído em 1944 durante a Ocupação alemã, foi durante mais de um século o símbolo de Nice. [N.T.]
68. Arquivos de Jean Vigo.

para receber os clientes e, quanto às palmeiras, chegaram exatamente no momento em que estavam sendo tiradas as palmas secas. Filmaram o Negresco, o Rhul, e o Palais de la Méditerranée, primeiro de cabeça para baixo, depois endireitados. As cenas no cassino, com jogadores tensos e crupiês impassíveis, eram mais complicadas e foram deixadas para mais tarde. Quanto à Promenade des Anglais [Passeio dos Ingleses] deserta, mas já varrida e com as cadeiras prontas para receber os turistas, era só ir até lá de manhã bem cedo, e o trabalho foi rápido.

O Passeio dos Ingleses, verdadeiro centro da Nice turística, tema preferido dos cartões-postais, não havia inspirado Vigo até então. Ele percebeu seu erro e resolveu explorar o local a fundo. A fim de surpreender os passeadores, Vigo e Kaufman fabricaram uma caixa de papelão para dissimular a câmera e foram à caça várias vezes. O resultado foi farto: inúmeras mulheres passeando com sombrinhas; velhos barbudos, carecas, um deles de lornhão, lendo jornal; muitas mulheres, sendo uma delas deslumbrante, a "superfeiosa", como Vigo a qualificou em suas anotações; outra, sentada com as pernas em x; uma cigana, outra coçando a perna, um paralítico na sua cadeira de rodas empurrada por um empregado; alguns grandes planos, tomados pelas costas, de uma dobra de gordura no pescoço de um homem, das orelhas de abano de outro, uma mulher sentada mostrando as nádegas, um mendigo, um camelô, um "velho furibundo em marcha", observa Vigo, radiante, um vendedor de periquitos, mais varredores, um homem sem pernas que hesita, olha, e segue caminho, um grande plano com brincos e colares, mais um monte de sombrinhas de diferentes tamanhos e modelos, uma vendedora de cães etc. A qualidade das imagens, contudo, era bastante irregular.

Depois do Passeio dos Ingleses, Vigo passou às praias. Em certo momento, deixou-se seduzir pelo tema da criança maltratada pelos adultos. Imaginou uma criança brincando, construindo formas na areia com o maior cuidado. Aparecem uns pés enormes que acabam com sua obra. E Vigo encadeava: "O mar. Seguir uma onda. Que vem morrer

na praia. Aparece o cemitério do castelo". Ele também queria filmar, na praia, uma bela criança, feliz, nua, assim como uma mulher de corpo bonito, vestindo um maiô, fazendo toda sorte de poses "e com montes de grandes planos". Vigo gostava de corpos. Teria gostado de mostrá-los jogando todo tipo de jogo de praia. No entanto, os braços de jovens lançando uma bola associavam-se de repente, para ele, aos braços enfaixados de um paralítico acionando as alavancas da sua cadeira de rodas. "As pernas imóveis do paralítico, as pernas do criado que empurra a cadeira. A bola lançada cai na cabeça de um jogador, que cai ajoelhado. A bola quica e rola na direção do sem-pernas que olha, hesita, e segue caminho."[69] Vigo queria associar as pessoas que se bronzeavam ao sol com os rostos de carvoeiros trabalhando, e rostos de negros.

Por fim, temas adequados a tomadas diretas não abundavam na praia. Aqui, um homem com as calças arregaçadas para bronzear as pernas, ali uma gorda senhora entediada, acolá banhistas banais: foi mais ou menos o que encontraram.

Com a parte do filme já rodada e as ideias que já tinham anotado, Vigo e Kaufman tentaram colocar no papel o início do filme, a introdução ao assunto:

> 1. Vista panorâmica de Nice. 2. O centro de Nice levanta-se em direção à câmera. 3. Nice inteira é aspirada na direção da câmera. 4. Que acaba por absorvê-la. 5. *Ilegível*. 6. No mar. 7. O mar. 8. Fluxo e refluxo. 9. Gaivotas voando. 10. Gaivotas pousando sobre a onda. 11. Gaivotas voando. 12. A mulher com o periquito. 13. O vendedor de periquitos. 14. O mar jogando sujeira na praia. 15. A vassoura curva do varredor de rua. 16. O varredor. 17. O varredor varrendo a sujeira. 18. O palácio do quebra-mar. 19. O varredor observa o Palais de la Jetée. 20. Faz um gesto de impotência.

69. Arquivos Jean Vigo.

> 21. Empurra o seu carrinho. 22. Uma cadeira de paralítico, empurrada por um criado. 23. Os braços de jovens jogando uma *medicine-ball* [bola de fisioterapia]. 24. Jogam, com os pés, bolas de futebol. 25. A bola rola para junto de. 26. Um sem-pernas. 27. Que hesita em devolvê-la e vai embora, deixando a bola ali. 28. A bola rola sozinha e quica. 29. A trajetória da bola. 30. Fim da trajetória de uma bola. 31. Uma partida de bocha. 32. A bolinha rolando. 32 a. Curiosa atitude de espera dos jogadores. 33. A bolinha rolando. 33 a. A roleta. 34. Semblantes deformados dos jogadores. 35. Semblantes não deformados e impassíveis dos crupiês. 36. *Ilegível*. 37. Uma pilha de fichas em grande plano. 38. O rodo do crupiê.[70]

Vigo julgava, além disso, que o ponto central do filme tinha de ser o jogo. No entanto, já dera demasiada importância ao Passeio dos Ingleses e, depois da partida de bocha, deixara-se solicitar pelos diferentes aspectos da Nice popular: os *ciapa-cans*[71] em suas carrocinhas puxadas por burro, crianças carregando pastelões enormes, a *socca*[72] ou a *pissaladière*,[73] os lavadouros públicos da Virgem de Malonat ou da rua du Pertus. Vigo foi chegando assim à cidade velha, ao bairro dos miseráveis. Viu uma velha lavando roupa na água da sarjeta, montes de lixo, gatos, um cachorro urinando, crianças juntando bananas podres, jovens jogando o jogo da *morra*,[74] os dedos mutilados de um garoto. Filmou também o céu da cidade velha, um céu estreitamente

---

70. Arquivos Jean Vigo.
71. Do dialeto piemontês: apanhadores de cachorros. [N.T.]
72. Especialidade de Nice, preparada com grão-de-bico e azeite de oliva. [N.T.]
73. Termo provençal para pizza. Prato típico de Nice, feito de pão recheado com cebolas cozidas, anchovas, azeite e azeitonas pretas. [N.T.]
74. Nome italiano do jogo popular no qual dois jogadores, colocados um na frente do outro, abaixam simultânea e rapidamente um ou mais dedos da mão, gritando um número de dois a dez, para adivinhar a quantidade total de dedos estendidos. [N.T.]

enquadrado por muros e telhados rachados. Vigo passou pela peixaria, pelos mendigos deitados nos bancos, pelas vendedoras, alguns peixes graúdos, pelas prostitutas da praça Massena e pelo engraxate com perna de pau da praça Garibaldi.

Vigo deixou de lado todas as leituras eruditas que fez sobre Nice mas, em compensação, não esquecia uma frase de Alphonse Karr em carta a um amigo, que descobrira num folheto de propaganda turística: "Saia de Paris", escrevia Karr, "onde não há mais que meia hora de sol; venha para cá, plante sua bengala no meu jardim. No dia seguinte, ao despertar, verá rosas florindo nela". Vigo talvez quisesse realizar cinematograficamente o gracejo e utilizá-lo no trecho do filme dedicado ao tema das flores, que ele queria desenvolver de algum modo. Kaufman tinha aproveitado uma rápida estada em Grasse para filmar a colheita das flores e Vigo queria rodar, em Nice, o enfileiramento de cestos no mercado atacadista, o camelô do cais Saint-Sébastien. Queria voltar ao cemitério na época dos túmulos floridos. E, para encerrar o tema, bastava esperar pelas batalhas das flores.

Era o início de 1930 e o Carnaval se aproximava. Decidido a se deixar levar, dali em diante, por todos os temas turísticos, mesmo que tivesse de adotar a direção contrária no momento decisivo da montagem do filme, Vigo obteve do Comité des Fêtes [Comitê para as Festas] autorização para filmar a construção dos carros alegóricos. Durante os desfiles e batalhas das flores, instalou-se, com Kaufman, no local reservado aos fotógrafos e operadores de cinema. Não demoraram a perceber que havia sido um erro e procuraram filmar com mais liberdade, aproximando-se dos carros ou misturando-se à multidão, mas viam-se o tempo todo às voltas com o serviço de segurança. Ainda assim, obtiveram um número significativo de planos, embora sua qualidade fosse, no geral, bastante medíocre. Tiveram o imenso prazer de rever, em cima de um carro alegórico e lutando com suas flores, a "superfeiosa" do Passeio. No entanto, só ficou realmente bom um grupo de mulheres dançando num palanque meio alto, filmadas de baixo para cima a partir de ângulos diversos e em diferentes velocidades.

Durante todo o período de preparação e tomadas dos elementos, não só não estava estabelecido o projeto do filme como Vigo ainda hesitava quanto ao seu estilo. Observamos que em várias oportunidades ele parecia buscar uma espécie de simbolismo. Depois, deixou-se atrair por um realismo duro à Von Stroheim, sobretudo nas sequências em que queria aproveitar o paralítico, o sem-pernas, ou certas silhuetas especialmente grotescas do Passeio. Mas também se interessava pelas possibilidades do expressionismo. Já que o filme incluiria uma parte do Carnaval, imaginou uma inteira sequência representada: clientes sentados à mesa de um restaurante, chegam empregados cujos rostos se apagam enquanto os clientes colocam suas máscaras.

Somemos a essas indicações o gosto de Vigo pela pesquisa formal. Já vimos este gosto expressar-se no trecho dos ciprestes e postes telegráficos. Daqui para a frente, vamos observá-lo num domínio menos esquemático. Como todo admirador de *Entr'acte*,[75] Vigo não perdeu a oportunidade que se apresentou de rodar funerais de verdade em câmera rápida. Tinha agora um elemento de Carnaval em câmera lenta: as mulheres dançando no palanque. Vigo, como todo mundo, ficara impressionado com o grotesco da câmera rápida e a solenidade natural da câmera lenta. Queria, portanto, ao associar as duas imagens, introduzir nos funerais o grotesco da cena carnavalesca e, a esta, a solenidade do enterro. Foi impedido por um elemento fortuito: o erotismo da imagem das mulheres dançando. Embora atrapalhasse seus planos, este erotismo trouxe-lhe novas sugestões. Sua vulgaridade constitui um convite à sátira. Para além de todas as teorias relacionadas ao estilo ou

---

75. Filme de 1924, dirigido por René Clair. [N.O.]

ao método de expressão, o erotismo e a sátira são apelos que Vigo está pronto a ouvir.

O erotismo e a sátira irão permitir a quebra dos limites – que começavam a se revelar estreitos – de um simples documentário sobre Nice. Torna-se possível incorporar não só funerais em câmera rápida, mas também algumas imagens tomadas por Vigo ao experimentar a câmera Debrie: o crocodilo e o avestruz, um padre filmado a partir de uma janela, um militar a cavalo com quem cruzara ao acaso em suas andanças pela cidade. Essas poucas imagens agora pareciam insuficientes. Vigo queria enriquecer as possibilidades antimilitaristas e anticlericais do seu filme. Rodou, portanto, com Kaufman, barcos de guerra e algumas tropas. Queriam fazer tremer uma igreja sacudindo a câmera.

Lá por meados de março de 1930, Vigo e Kaufman já haviam filmado 4 mil metros. Era hora de parar e passar à confecção definitiva do filme.

Vários projetos não puderam se realizar. Vigo desistiu de todas as cenas representadas, não só pelas dificuldades práticas que ofereciam, como para não quebrar a espontaneidade dos documentos em estado puro em que queria apoiar suas ideias. Limitou-se a pedir a alguns conhecidos uma pose, uma expressão, um movimento.

As cenas de jogo apresentaram uma grave dificuldade. Tinham conseguido, a rigor, autorização para filmar a roleta, o rodo e as fichas no horário em que os cassinos estavam fechados, mas não podiam utilizar os rostos e mãos dos crupiês, nem andar com uma câmera oculta nas horas de afluência dos jogadores. Vigo e Kaufman até tentaram, mas foram sempre traídos por sua movimentação suspeita e, identificados de vez, tiveram de abandonar a esperança de filmar na sala de jogo. Permitiram, contudo, que trabalhassem à vontade no salão de dança.

Entretanto, o tema do jogo não podia ficar ausente do filme. A dificuldade foi contornada pelo uso de bonecas e, além disso, descartaram as imagens dos turistas chegando à estação, todas de uma mediocridade desesperante. Com um trenzinho de brinquedo e bonecas baratinhas rodaram, uma a uma, as imagens da chegada dos turistas, imediatamente apanhados no rodo do crupiê. O jogo virou um detalhe inserido na introdução do filme.

Uma vez que decidiram parar de filmar, Vigo e Kaufman dispunham, portanto, para a construção definitiva do filme, de uma quantidade de fragmentos de frases cujo uso se mostrava difícil num discurso racional e coerente. Verdade é que esse discurso nunca havia estado em pauta.

Admirador dos esforços cinematográficos dos russos no período da NEP [Nova Política Econômica].[76] Vigo cogitava recorrer à *montagem de atrações* e às fórmulas do *Cine-Olho* para determinados trechos do seu filme. Seu emprego maciço foi determinado pela disparidade, bastante inesperada, das imagens em boas condições de uso. Tratava-se, com sua mistura, de fazer com que os fragmentos se enriquecessem mutuamente de um conteúdo de variadas alusões. A presença de Kaufman só vinha ajudar e incentivar Vigo a optar por essa solução.

O trabalho ficou pronto no início de maio. Como o filme, por suas intenções, ultrapassasse em muito a cidade de Nice, Vigo batizou-o *À propos de Nice* acrescentando um subtítulo: *point de vue documenté* [*A propósito de Nice: ponto de vista documentado*].[77]

No momento de abordar a análise do filme pronto, surgem para nós as dificuldades que tantos filmes oferecem e que estarão presentes em toda a obra de Vigo: este que conhecemos hoje não é o filme de 1930. *À propos de Nice* tinha oitocentos metros de comprimento, como é comprovado pelo certificado da censura (n. 39 751). Hoje, estão mutiladas as antigas cópias existentes, além do próprio negativo original,

---

76. Política instituída, em 1918, pelo partido Comunista e Estado Soviético, no período de transição do capitalismo ao socialismo, e cujas bases foram traçadas por Lênin, na sua obra *Tarefas imediatas do poder soviético*. [N.O.]

77. *Cinemais*, n. 8, nov.-dez. 1997. [N.O.]

e sua metragem é sempre muito inferior ao que era. A mutilação de *À propos de Nice* é especialmente importuna porque a unidade da obra decorre da busca de uma minuciosa concordância entre os planos, que um mínimo corte já põe a perder.

Como resumir *À propos de Nice*? Encontra-se, nos papéis de Vigo, uma tentativa em forma de comunicado à imprensa:

> Jean Vigo e Boris Kaufman acabam de terminar seu filme *À propos de Nice*. Céu azul, casas brancas, mar resplandecente, sol, flores multicoloridas, júbilo no coração, tal é, à primeira vista, o ambiente de Nice. Mas esta não passa de uma aparência efêmera, fugidia, que a morte espreita, de uma cidade de prazeres. Para além deste aspecto mortal, os jovens cineastas de *À propos de Nice* quiseram depreender o devir de uma cidade.[78]

O comunicado pouco revelava sobre as intenções de Vigo. Mais tarde, quando, pelo contrário, tenderia a dar ao filme uma ambição ideológica um pouco excessiva, indicaria sua questão fundamental de maneira mais clara.

O aspecto central do filme tornara-se o Carnaval. Um Carnaval invasivo que transforma tudo em carnaval: a arquitetura dos palácios, os transeuntes do Passeio, o exército, a marina, o clero, o cemitério, o amor e a morte. Um Carnaval que em alguns momentos provoca o riso mas que, na maior parte do tempo, gera um mal-estar. Em duas oportunidades, porém, já não se trata mais do Carnaval: pelo meio do filme, quando aparece a miséria da cidade velha, e na conclusão.

Vamos tentar contar o filme, com base em anotações feitas durante projeções na Cinemateca Francesa e em cineclubes parisienses, ao longo do ano de 1950.

---

78. Arquivos Jean Vigo.

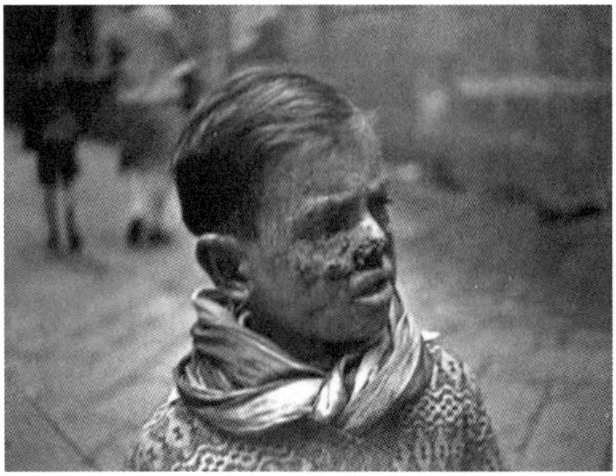

À propos de Nice tem início com um fogo de artifício seguido de quatro planos sobrepostos de vistas aéreas da cidade,[79] a que se encadeia a roleta. Chega o trenzinho de brinquedo e as bonecas-turistas são puxadas pelo rodo. Mais vistas aéreas, circunscritas no tempo pelas ondas e ainda emolduradas por uma palmeira, filmada de baixo para cima num movimento giratório, e pelo varredor de rua. A presença dele prenuncia os preparativos do Carnaval. Esses preparativos prosseguem em seis planos de construções com bonecas e máscaras gigantescas, alternados com três planos de garçons arrumando as mesas nas esplanadas dos cafés. Depois de uma imagem em que se vê a boca de uma enorme boneca sendo pintada, passamos para a limpeza da palmeira que, depois de ser associada por um instante a uma palmeirinha de vaso, é mostrada abrindo graciosamente as palmas para o alto da tela. Endireitam-se o Hotel Rhul, o Palais de la Méditerranée e o Hotel Negresco, que estavam de cabeça para baixo. Depois acrescenta-se a estátua, um *travelling* na sombra das grades projetadas na calçada, e está pronto.

O passeio pode começar. O Passeio dos Ingleses, aliás, não tem nada de extraordinário: senhoras, cavalheiros, um vendedor de jornais, cadeiras e espreguiçadeiras, um mendigo, um fotógrafo, um cachorro, uma cigana, um varredor de rua com seu carrinho. Vamos, aliás, deixar o Passeio, olhando-o de cima, cada vez mais de cima, até abandoná-lo por um prosaico hidroavião pousando demoradamente no mar. Tão lentamente que o Passeio se intercala uma vez mais. Mas quando o hidroavião finalmente se detém, o Passeio fica para trás, ao passo que o hidroavião será seguido pelos veleiros, aos quais logo se mistura a quadra de tênis, que só ficará em evidência para abrir caminho à partida de bocha. O princípio de uma corrida de automóvel permite um ligeiro retorno aos esportes náuticos, mas retoma-se o Rali de Monte

---

79. A maioria das sobreimpressões se deteriorou no negativo original.

Carlo. É, contudo, o carro de um particular, dirigido por uma mulher rica, que chega frente ao palácio com tapete na calçada. Um homem comendo; chega mais um carro, ainda mais bonito, com chofer e ajudante. Felizmente, um velho barbudo nos traz de volta ao Passeio!

Mas o Passeio dos Ingleses está singularmente mudado. As mulheres, todas velhas ou maduras, são de uma feiura atroz. A mais elegante, talvez, entre elas, está acorrentada a um avestruz, e a "superfeiosa" está lendo jornal. As ironias da feiura prenunciam o Carnaval. Já nem os músicos pacatos, nem os camelôs ou as gaivotas poderão mudar isso.

Há, contudo, pernas jovens, coxas jovens, um idoso atento. Uma mulher jovem, sentada na esplanada, troca cinco vezes de roupa, então tudo o que lhe resta são os sapatos. Entretanto, o relevo das esculturas brancas mostra que nos encaminhamos para a praia, e o marinheiro que está se bronzeando fica preto. E já que Vigo, além do avestruz, dispunha de um crocodilo, este foi incluído ali, mas só para ceder lugar ao Palais de la Méditerranée. O ridículo da fachada e do movimento das arcadas só se interrompe com o estreito canal de céu da cidade velha, com suas margens de muros e telhados em ruínas. Apesar de tudo, lá no alto, o cruzamento dos canais é mais bonito que o cruzamento de baixo. Não pelas lavadeiras dos lavadouros públicos, das crianças levando *pissaladière* ou pelo jogo da *morra*. Mas porque há uma criança com os dedos roídos pelo fogo ou pela lepra. Esgotos, lixo, e um gato.

Felizmente existe o paraíso das velhas senhoras ricas, das casacas e *smokings* recheados de gigolôs! Sem a cara da velha rica, que impasse! POIS CHEGOU O CARNAVAL! As bonecas gigantes vivem, andam, e algumas são tão vivas que levam máscaras humanas na barriga. A "superfeiosa" toma parte na festa, tal como as fitas e o cavalo que enfeitam. No chão, porém, as flores, as que foram colhidas pelas mãos das mulheres de Grasse, são espezinhadas. E agora as únicas mãos que elas tocam antes do massacre são as da "superfeiosa" ou as mãos de um policial. Eis por que o cachorrinho ou as bonecas com violão estão melancólicos. A melancolia é quebrada pelas mulheres, que dançam lá no alto. E se o pinguim e a boneca negra são de papelão, o general, em contrapartida, é mesmo de carne e osso, feito o seu cavalo. As outras bonecas não são nem de carne nem de papelão, são de mármore e estão no cemitério. Não importa, é Carnaval! Prova está na ausência de militares, com a esquadra na baía de Villefranche, e as mulheres dançando, dançando, dançando. Quanto ao padre, olha primeiro para os cartazes, depois hesita à beira da calçada. Não atravessa a rua antes do balanço das coxas das dançarinas, e os funerais passam a toda, num segundo, para que as mulheres, o paralítico e a "superfeiosa" possam prosseguir. Já não se engraxam apenas os sapatos, mas também pés descalços. Seguem-se uma barba, um burro e elementos decorativos; a placa do esgoto deixa entrever as pernas das pessoas transpondo um espaço vazio. Percebe-se então que, se há um cemitério, é por causa da morte. As mulheres continuam dançando, mas devagar. O busto de Gambetta, sobre seu túmulo, não é mostrado só de frente, mas também de costas. As outras estátuas também estão mais ou menos paradas (no fundo, o anjo é o único que sabe, pode e quer voar), mas isso já não tem a menor importância, pois embora as mulheres continuem dançando, dançam cada vez mais devagar. Nem por isso ficam menos indignas, e são as ondas e as palmeiras que irão permitir a contemplação serena da mãe dolorosa, da mulher que esconde o rosto atrás de um véu, e do céu. Estaria tudo muito bem, não fosse essa mania de procurar o sexo das mulheres sentadas, já que é com um ninho molhado que nos deparamos quando elas são de pedra! Por que querer mudar de assunto com novas ondas ou ciprestes que já não podem consertar mais nada? Sabe disso a mulher madura cujo sexo se estampa sobre o seu rosto. Ela e a amiga aprovam as dançarinas, que estão ficando frenéticas. Frente à chaminé da usina, o rosto da senhora madura expressa mais que aprovação: voracidade, que aliás se transforma em deslumbramento ante o calibre da chaminé que cresce, cresce. E a chaminé desmedida não está virando um canhão? Prova disso é a cabeça decapitada da boneca gigante do Carnaval. Há fumaça, evidentemente, e as caras pretejadas dos operários dão risada. As chaminés podem voltar, sua função é mesmo expulsar a fumaça para que ela não asfixie os homens. O cemitério revelou-se incapaz de matar o Carnaval. O que aconteceria agora, mesmo que ainda não fosse o fim.

À propos de Nice não foi simplesmente, para Vigo, uma oportunidade de provar que era capaz de conceber, rodar e realizar um filme. Numa palestra que deu em Paris para o Groupement des Spectateurs d'Avant-Garde [Grupo de Espectadores de Vanguarda], ele extraiu uma teoria da sua experiência, e esboçou os fundamentos do que deveria ser, na sua opinião, o cinema "ponto de vista documentado", o documentário social. Ao concluir, fez uma profissão de fé revolucionária:

> Neste filme, por intermédio de uma cidade de significativas manifestações, assistimos à crítica de um certo tipo de mundo. De fato, logo depois de mostrar o ambiente de Nice e o espírito da vida que nela se leva – como em outros lugares, infelizmente! – o filme tende à generalização de diversões grosseiras colocadas sob o signo do grotesco, da carne e da morte; que são os derradeiros sobressaltos de uma sociedade negligente a ponto de nos dar náuseas e nos tornar cúmplices de uma solução revolucionária.

Vigo chegara, de fato, a um *a propósito* de *À propos de Nice*. Muito mais que pontos de vista, o que ele introduzira no filme eram sentimentos subversivos. O filme concluído é que, posteriormente, contribuiu para dar alguma ordem aos seus sentimentos e tendeu a canalizá-los para uma ideologia revolucionária.

Os sentimentos agressivos podem parecer, à primeira vista, impessoais. A tendência a ridicularizar militares e padres era corrente na época e se, ao fazê-lo, Vigo experimentava o prazer de se aproximar de Almereyda, a expressão que ele dava a esta tendência ainda era bastante comum. Em compensação, quando ele insiste em escarnecer de mulheres de uma certa idade, seu rancor parece ter raízes bastante profundas. Num trecho que já não existe, a "visão de uma senhora idosa que, embora viva, parece já estar em decomposição" é seguida de "uma alusão de mau gosto (lamenta um crítico): uma cova sendo escavada no cemitério".[80] Vigo teria ele próprio recuado e resolvido cortar este trecho? Seja como for, ao expressar o seu ódio conseguiu, ao mesmo tempo, libertar-se. É o que veremos mais tarde em *Zéro de conduite* [*Zero em comportamento*], quando é assumida a expressão pessoal e íntima.

Para além dos sentimentos ou ideologias, há neste primeiro filme de Vigo um estilo.

A filiação artística de *À propos de Nice* apresenta alguns problemas. Vimos um Vigo assombrado pelas recordações de *Foolish Wives* [1922], e o nome de Erich von Stroheim seria vez ou outra evocado pela crítica. Também o vimos inspirando-se em René Clair na busca de um plano e, sobretudo, acompanhamos sua opção por um método enquanto era guiado pelo gosto – partilhado por seu colaborador – pelo cinema soviético. Também precisamos lembrar da vanguarda alemã, de que Vigo assistira pelo menos a um ou dois filmes (Rutmann e Richter), assim como certos ensaios franceses posteriores a *Entr'acte*. Em 1929-30, porém, Vigo ainda não tivera oportunidade de ver muita coisa. Suas possibilidades, em Nice, eram restritas, e raras eram suas temporadas em Paris.

Como os homens de vanguarda, Vigo estava seduzido por puros exercícios de forma. Vimos como se deixou tentar por um projeto de *sequência fechada* com ciprestes e postes telegráficos. Soube resistir. Foi igualmente seduzido por variações de velocidade. Neste caso, cedeu. Em sua obra, observamos, porém, muito mais uma espécie de alegre redescoberta pessoal dos recursos do cinema do que uma influência

---

80. Alexandra Pecker, em *Comœdia*, 19 nov. 1933.

de seus antecessores. Além disso, ele emprega a câmera lenta ou rápida em função de objetivos precisos e, com isso, distingue-se igualmente da frequente gratuidade dos cineastas de vanguarda.

Entre os jovens, o termo *vanguarda* gozava de imenso prestígio em 1929-30 e Vigo ficara satisfeito ao ser classificado nesta corrente. Mesmo porque acreditava que, na época, o termo podia significar ousadia tanto no plano artístico como no social. Ainda hoje, sua obra é apresentada sob este rótulo que, embora desvalorizado, permanece vago e cômodo. Numa perspectiva atual, porém, é um exagero confundir *À propos de Nice* com esta vanguarda sem inocência, de ousadias demasiado hábeis. A habilidade está, de fato, totalmente ausente de *À propos de Nice*. Quando Vigo quer usar de habilidade para fazer um anjo de pedra voar ou aproximar os garçons que varrem a esplanada de um café com operários construindo carros alegóricos para o Carnaval, fracassa. Quando a beleza ou a feiura irrompem, graças a uma palmeira ou a uma mulher, isso se deve a uma descoberta-criação do olhar (que viria a tornar-se praticamente infalível). Mesmo quando ocorre alguma inabilidade, isso em nada diminui o impacto da beleza da palmeira ou da feiura da mulher. Devido a esta falta de habilidade, os efeitos, quando buscados, sempre resultam ingênuos. Inabilidade e ingenuidade essas que em nada prejudicam a expressão artística: Vigo, em *À propos de Nice*, é um primitivo.

Nesta primavera de 1930, eram outros os problemas de Vigo: esclarecer a mensagem revolucionária de *À propos de Nice* e apresentá-lo em Paris, com vistas, se possível, a uma eventual distribuição comercial. Consumira-se boa parte dos 100 mil francos e o pouco dinheiro que o filme pudesse render seria bem-vindo. Enquanto isso, o que restava do presente do pai de Lydu possibilitou-lhes, no mês de maio de 1930, uma festiva viagem a Paris, onde se hospedaram no Hotel Corneille, na rua Corneille.

Em Paris, o espaço natural – ideal, na perspectiva de Vigo – para a apresentação do seu filme seria a sala do Vieux-Colombier onde, há

Vigo e Lydu, em frente ao Panthéon, Paris, 1932

vários anos, sob a égide de Jean Tedesco, vinham se desenvolvendo as manifestações da vanguarda cinematográfica.[81] Foram distribuídos os convites, que incluíam pequenas fotos de Vigo, Kaufman e sua câmera, e um comunicado foi enviado aos jornais. O vespertino *Le Soir*, onde trabalhava Fanny Clar, publicou:

> [...] Que não se busque neste filme aspectos convencionais da Riviera. Embora o ambiente de Nice esteja incluído, os diretores buscaram algo distinto.
>
> Esforçaram-se por captar, das manifestações de uma cidade especialmente representativa, o espírito de um determinado círculo social e o seu destino.
>
> *À propos de Nice* será apresentado no Vieux-Colombier, quarta-feira, 28 de maio.[82]

Na véspera, Fanny Clar deu um lembrete para o evento no *Le Soir*, especificando o horário (15 horas) de modo a evitar qualquer confusão com as sessões ordinárias do Vieux-Colombier onde, no momento, era exibido *Les hommes le dimanche* [*Menschen am Sonntag*, 1930], de Robert Siodmak e Edgar G. Ulmer, e pouco apreciado pelos amantes de vanguarda.

Pouco sabemos sobre essa primeira apresentação. Fanny Clar esteve presente, como é natural e, dois dias depois, publicou um artigo em que o único senão relacionava-se à repetição das imagens.[83]

---

81. Jean Tedesco [1895-1959], crítico, cineasta e cineclubista. Fundou, em 1923, a principal revista vanguardista *Cinéa-Ciné Pour Tous*, e a famosa sala especializada em filmes antigos e vanguardistas, a Vieux-Colombier (1924-32), outrora ocupada pelo teatro de Jacques Copeau. Além da publicação de livros, produziu documentários, entre eles, *Voyage au Congo* (1927), de Marc Allégret e André Gide. [N.O.]
82. *Le Soir*, 24 mai. 1930.
83. *Le Soir*, 31 mai. 1930, assinado F. C.

Vigo esperava pelo artigo e pela gentileza de sua velha amiga. Mais significativo para ele, porque mais espontâneo, foi o artigo publicado no mesmo dia no "reacionário *L'Écho de Paris*", para espanto de Fernand Desprès.[84] O *Écho de Paris* era um diário matutino, e sua crítica de *À propos de Nice*, assinada por Luc Anri, foi provavelmente a primeira que se publicou de um filme de Vigo.[85] Percebe-se neste artigo a mesma incompreensão de Fanny Clar no que se refere à repetição dos temas, mas era um artigo elogioso e Vigo precisava de incentivo, pois tinha dúvidas quanto ao seu filme. "Já está convencido de que não é nenhum desastre, mas ainda está muito em dúvida quanto à excelência de seu filme", escrevia Fernand Desprès a Pierre de Saint-Prix,[86] recomendando-lhe que enviasse elogios a Vigo. Os dois amigos estavam presentes na exibição, assim como Caussat e Bruel. O crítico de cinema do *Humanité*, Léon Moussinac, também assistira à sessão do Vieux-Colombier e pretendia escrever sobre o filme. A opinião de Moussinac contava muitíssimo para Vigo, pois representava, ao mesmo tempo, a opinião do veículo do Partido Comunista e a de um dos mais prestigiosos críticos de cinema da época. Fernand Desprès precisou inclusive "trabalhar" um pouco o seu amigo e colega do *Humanité*. Em todo caso, acreditou que podia comunicar a Pierre de Saint-Prix, e provavelmente também a Vigo, que o artigo de "Moussinac no *Humanité* do próximo domingo vai estar ainda melhor"[87] do que os publicados por *Le Soir* e *L'Écho de Paris*. Depois da primeira exibição no Vieux-Colombier, porém, com exceção desses dois artigos não saiu muita coisa na imprensa. Não foram numerosos, aparentemente, os críticos que compareceram

84. Carta a Pierre de Saint-Prix, de 5 jun. 1930.
85. *L'Écho de Paris*, 30 mai. 1930.
86. 5 jun. 1930.
87. Carta citada.

JEAN VIGO ET BORIS KAUFMAN

VOUS PRIENT DE BIEN VOULOIR LEUR FAIRE L'HONNEUR D'ASSISTER A LA PRÉSENTATION PRIVÉE DE LEUR FILM

A PROPOS DE NICE

POINT DE VUE DOCUMENTÉ

LE MERCREDI 28 MAI 1930, A 15 HEURES

AU

THÉATRE DU VIEUX-COLOMBIER

à sessão. Era preciso tentar atraí-los na primeira oportunidade, que não demorou a se apresentar.

Haviam assistido à exibição os coordenadores do *Groupement des Spectateurs d'Avant-Garde*, constituído essencialmente de jovens ávidos por tudo o que era ou parecia ser novidade no cinema. Imediatamente convidaram Vigo a apresentar seu filme na sessão de junho, dedicada – como a de maio – ao Jovem Cinema francês. A última sessão fora um sucesso,[88] o correspondente de *Close-Up* citava-a como o

---

88. Foram exibidos nessa ocasião: *Naissance d'un illustré* [1929, Pierre Chenal], *Autour de l'argent* [1929, Jean Dréville], *Histoire de détective* [1929, Charles Dekeudeleire], *Les Champs-Elysées* [1929, Jean Lods e Boris Kaufman], *Nogent, Eldorado du dimanche* [1929, Marcel Carné], *Les nuits électriques* [1928, Eugène Deslaw] e *La zone* [1928, Georges Lacombe].

"primeiro evento cinematográfico realmente importante em Paris neste último mês". E a temporada estava longe de ser morna.[89]

Vigo não perdeu a oportunidade, e resolveu estender sua estada em Paris já que lhe pediam que dissesse algumas palavras de apresentação ao filme. Ele nunca havia falado em público e julgou mais prudente escrever um texto.

A sessão teve lugar, mais uma vez, no Vieux-Colombier, sábado 14 de junho às 15h30. "Jean Mitry, de início, falou de um modo um tanto confuso, mas sutil, sobre alguns jovens cineastas cujo principal defeito era, segundo ele, a abstração."[90] Projetaram em seguida seu filme *Un coup de dés* [1929]. Então foi a vez de Vigo falar. "Saiu-se bem, com desenvoltura", escreveria Desprès a Saint-Prix. "Isso me surpreendeu, partindo de um rapaz tímido. Mas ele tem convicção."[91] "[...] fala com

---

89. No mesmo número da *Close-Up*, junho de 1930, o correspondente Charles E. Stenhouse resume as atividades cinematográficas do mês: No Vieux-Colombier, *La petite marchande d'allumettes* [1928, Jean Renoir] acompanha *Les hommes le dimanche* [*Menschen am Sontag*, 1930, Robert Siodmak e Edgar G. Ulmer]; o Ursulines exibe *The Terror* [1928, Roy Del Ruth], com May McAvoy; no Studio 28, continua passando *Un chien andalou* [*Um cão andaluz*, 1928, Luis Buñuel]; reprise, no Agriculteurs, de *Lady Windermere's Fan* [1925, Ernst Lubitsch] e *A Woman of Paris: a Drama of Fate* [*Casamento ou luxo?*, 1923, Charles Chaplin]; L'Œil de Paris levava *La souriante Mme. Beudet* [1923, Germaine Dulac] e *Finis Terræ* [1929, Jean Epstein]. Também estavam em cartaz em Paris *Jazz* [*Beggar or Horseback*, 1925, James Cruze], *Jenseits der Strasse: Eine Tragödie des Alltags* [1929, Leo Mittler], *La glace à trois faces* [1927, Jean Epstein], *Club 73* [*Dressed to Kill*, 1928, Irving Cummings] etc. O grupo Effort preparava um grande ciclo Méliès, e o Tribune Libre du Cinéma, uma noite de gala Cavalcanti. Jean Painlevé exibia os seus filmes na Sorbonne e, durante a conferência de Eisenstein, era negada a autorização de se projetar *La ligne générale* [*Generalnaya Linya/ A linha geral*, 1929], projeção essa a cargo do Rússia Nova, fundado sob os auspícios da Embaixada soviética e orientação do "sr. Autan e sra. Lara".

90. *Le Soir*, 21 jun. 1930.

91. Carta de 21 jun. 1930.

convicção e timidez", escreve um jornalista, "e, ao ver que o público está acompanhando, aprovando, vai ficando confiante, afirmativo, seguro de si e do seu assunto...".[92]

Vigo havia dado um título à sua palestra: "Para um cinema social" [Vers un cinéma social]. Não só era a primeira vez que Vigo falava em público, como era a primeira vez que ele punha no papel seu pensamento cinematográfico.

Em seu pequeno discurso, Vigo faz uma profissão de fé revolucionária. Antes de chegar a esse ponto, defende-se de querer "revelar o cinema social" ou "sufocá-lo numa fórmula". Encaminhar-se para um cinema social era para ele, antes de qualquer coisa, libertar-se da técnica pela técnica e da sutileza. "No cinema", declarava o jovem Vigo, afeito a comparações divertidas, "tratamos o nosso espírito com um refinamento que os chineses, em geral, reservam para os pés." Acrescentava em seguida uma crítica contrária: "A pretexto de que o cinema nasceu ontem, nós nos fazemos de criança, como um pai se põe a balbuciar para melhor se fazer entender por seu bebê". E protestava Vigo que uma "câmera cinematográfica realmente não é uma máquina pneumática de fazer vácuo".

A controvérsia sobre o cinema falado ainda estava animada em 1930, e Vigo abordou a questão afirmando que dar um passo em direção ao cinema social "equivaleria a dispensar-se de saber se o cinema deve ser, *a priori*, mudo, sonoro como um jarro vazio, cem por cento falante como os nossos reformados de guerra, em relevo, em cores, em odores, em etc.". Sua enumeração não disfarçava sua preferência pelo cinema mudo. Embora Vigo não quisesse embarcar em discussões estéticas que julgava ociosas, a imagem que encontrou para contorná-las era, no mínimo, inesperada. "Afinal", prosseguia, "comparando com

---

92. *Le Soir*, 21 jun. 1930.

outra área, por que não obrigar um escritor a nos dizer se, para redigir seu último romance, usou uma pena de ganso ou uma caneta-tinteiro?" Depois que seu fraco por paralelos engraçados o induziu a cometer esse disparate, Vigo, perdido num terreno que não lhe era familiar, interrompeu-se de chofre declarando que, na verdade, aquilo não passava de "assunto de feira" e que o cinema, aliás, era regido pela "lei dos feirantes", e nisso a sua mordacidade era até modesta. Mostrou-se mais duro com o público ao declarar que para dar ao cinema um direcionamento social, seria necessário "suscitar outros ecos que não os arrotos de senhoras e senhores que vêm ao cinema fazer a digestão".

Vigo propunha, como exemplo de cinema a se fazer, *Un chien andalou* [*Um cão andaluz*, 1928, Luis Buñuel], "obra capital sob todos os pontos de vista: segurança na direção, competência na iluminação, perfeito conhecimento das associações visuais e ideológicas, consistente lógica do sonho, admirável confronto entre o inconsciente e o racional... Pela perspectiva do sujeito social, um filme preciso e corajoso". São lembradas as passagens mais polêmicas do filme de Buñuel e Dalí, a começar pelo prólogo:

> É uma dura prova para a nossa covardia, que nos leva a aceitar todas as monstruosidades cometidas pelos homens soltos mundo afora, quando não suportamos na tela a visão de um olho de mulher cortado ao meio por uma navalha. Conclusão: *Cave canem*... Cuidado com o cão, ele morde... Encaminhar-se para um cinema social é, portanto, garantir ao cinema puro e simples um assunto que suscite interesse, um assunto que coma carne.

Entretanto, tudo isso não passava, para Vigo, de considerações gerais sobre o cinema social. Ele queria conversar com o seu público sobre algo mais definido – o *ponto de vista documentado* –, uma maneira precisa de fazer documentário social.

> Uma máquina de filmar estará apontada para o que deve ser considerado um documento e que será interpretado, na montagem, como documento.
>
> Está claro que a representação consciente não poderá ser aceita. A personagem terá de ser surpreendida pela máquina, caso contrário será preciso abrir mão do valor *documental* de um cinema desse tipo.
>
> O cavalheiro que faz documentário social é um sujeito magro o suficiente para passar pelo buraco de uma fechadura romena, e capaz de filmar o príncipe Carol levantando da cama de camisão, supondo-se que este seja um espetáculo digno de interesse. O cavalheiro que faz documentário social é um fulano baixo o suficiente para se postar debaixo da cadeira do crupiê, grande deus do Cassino de Monte Carlo, o que, acreditem, não é nada fácil...

Eis que o *ponto de vista documentado* revela-se enquanto uma ressurreição do *cine-olho*! Ressurreição cuja inviabilidade era inconscientemente demonstrada pelo próprio Vigo. Ao brincar com "o príncipe Carol de camisão" ou aludindo às dificuldades com que deparou ao rodar no Cassino de Monte Carlo, Vigo apontava exatamente para os motivos do fracasso dos russos. Com efeito, e como disse Sadoul, "a realização do verdadeiro *cine-olho* está na dependência da invenção de uma câmera tão sensível, móvel e pouco espaçosa como um verdadeiro olho humano".[93]

No mais, para o estudo de Vigo, que não tinha nada de teórico, essas questões de escola têm uma importância muito relativa. O que nos interessa é que, envolvendo-se nelas e entrando em contradição, Vigo se mostra dividido entre o que ele julga ser seu dever de homem e a sua natureza de criador artístico. Ele separa as duas condições, embora afirmando que a primeira é que importa: "O documentário social exige de nós um posicionamento, já que coloca os pingos nos *is*. Se não engaja

---

93. Georges Sadoul, *Histoire d'un art: le cinéma des origines à nos jours*. Paris: Flammarion, 1949.

um artista, pelo menos engaja um homem. Uma coisa equivale à outra". Há nisso como que um sentimento de lástima e, ao procurar enumerar casos em que o objetivo do *ponto de vista documentado* é alcançado, começa por expressar o desejo de "revelar a razão oculta de um gesto, extrair de uma pessoa banal e do acaso a sua beleza interior ou sua caricatura". Vigo escorrega aqui para um terreno em que já não é fundamental posicionar-se em relação ao social. E logo se retifica. Queria se sentir engajado, enquanto homem e, no tocante a *À propos de Nice*, concluía declarando-se "cúmplice de uma solução revolucionária".

O público apreciara a cáustica verve de Vigo e algumas de suas divertidas formulações tinham sido acolhidas com grandes risadas de aprovação. Criou-se assim um ambiente agradável para a projeção de *À propos de Nice*, que foi acolhido com aplausos, às vezes entusiásticos e unânimes. Tudo correra muito bem, portanto, e só restava aguardar as reações da imprensa. Leais, Fanny Clar e Fernand Desprès permaneciam atentos.

Le Soir era um jornal radical esquerdista. Fanny Clar explicou a um secretário de redação, um tanto atônito, que estava para ser exibido um filme do filho de Almereyda, uma vítima da reação, e que precisavam mandar um redator assistir a ele para fazer uma resenha e entrevistar Vigo. Foi escolhido um jovem, Charles Goldblatt que, depois de alguns anos trabalhando com Copeau e de fazer o serviço militar, tentava ganhar a vida com o jornalismo. Goldblatt estava impressionado, pois era a primeira vez que assumia uma entrevista e tinha contato com um diretor de cinema.

Reparou numa jovem senhora que, muito à vontade, parecia "ser de casa", e a ela é que se dirigiu para apresentar-se como jornalista e pedir para falar com o sr. Jean Vigo. Lydu foi correndo chamar Jean que também estava, por sua vez, emocionado à ideia de fazer declarações a um jornalista. Não demorou, porém, para que conversassem muito à vontade, e Vigo entregou a Goldblatt o texto de sua palestra. Fernand Desprès, por seu lado, encaminhou uma cópia para Moussinac, cujo artigo ainda aguardavam. No dia seguinte, o *Humanité*[94] registrava a reunião com uma foto, uma legenda e uma nota. A foto representava uma mulher de branco com um chapéu, e lia-se: "Este notável exemplar da burguesia – vencedora da festa das flores em Nice! – é livremente apresentado no excelente filme de Jean Vigo e Boris Kaufman, *À propos de Nice*, que foi projetado ontem etc.". A nota, sob o título "Para um cinema social", não era muito maior, mas concluía com o anúncio de um artigo para breve.

Na semana seguinte eram publicados o artigo de Goldblatt e o de Moussinac. Goldblatt acredita que a sessão de 14 de junho "entrará para a história do cinema francês". O seu artigo é extenso – ele faz um resumo da entrevista – e elogioso. Sua única crítica: "Às vezes, o ritmo nos cansa, quer por sua cadência lancinante, quer por sua vagareza...". Sua conclusão: "São esses os jovens com quem podemos contar: eles sabem para onde estão indo".

No tão aguardado artigo de Moussinac, intitulado "Documentário" [Documentaire], somente o final trata do filme de Vigo:

> [...] Uma especial menção ao filme *À propos de Nice*. Um documentário, decerto, mas que ultrapassa, pela evidente vontade dos autores, o âmbito restrito do documentário-padrão e visa alcançar um caráter social.

Na sequência, Moussinac, assim como Goldblatt, expressa-se recorrendo à entrevista de Vigo, de que cita uma centena de palavras antes de concluir:

> Por isso, *À propos de Nice* não é apenas o ensaio de um cinema de verdade, mas também um esboço de acusação contra um certo círculo social.
>
> Parabéns, jovens! Este é um caminho árduo, mas belo, de se trilhar.

---

94. 15 jun. 1930.

Supomos que a segunda exibição de *À propos de Nice* tenha suscitado mais reações.[95]

O resultado das duas exibições foi frustrante: quatro artigos, dois dos quais, certamente, e um terceiro, provavelmente, motivados pela amizade. Nada na tribuna da crítica jovem: *La Revue du Cinéma*. Charles Stenhouse, que acompanhava de perto a atualidade cinematográfica de Paris para a *Close-Up* e manifestara interesse pelo primeiro programa do Groupement des Spectateurs d'Avant-Garde, consagrado ao cinema jovem, calou-se quanto ao segundo. Referiu-se a um só filme de um jovem projetado em Paris em junho: *J'Avais un fidèle amant* [1929], de Francis Winter e Robert de Ribon. Verdade é que nesse mesmo número de *Close-Up* havia um artigo em francês sobre o filme de Vigo, mas também nesse caso, o autor era um amigo seu, Maurice M. Bessy, que além disso não disfarçava um tom indulgente:

> [...] interessante película [...] filme curioso. Jean Vigo confessou-me ter ficado bastante impressionado com *Un chien andalou* [...] embora concebido segundo um plano claramente traçado, o filme às vezes parece carecer de encadeamento...
>
> Nem por isso deixa de ser um filme digno de ser estudado, e forçoso é reconhecer que traz belos achados e *gags* divertidas.[96]

Isso tudo constituía um magro sucesso de crítica. No nível comercial, não foi melhor. As possibilidades de distribuição não se anunciavam estimulantes, menos ainda as de venda do filme, solução preferida de

95. Não nos foi possível examinar toda a imprensa da época, mas conferimos o resultado de nossas pesquisas com as cartas de Fernand Desprès, que procurava ler tudo sobre o filme do amigo e não deixava de informar Saint-Prix.

96. 2 jul. 1930.

Vigo já que contava com esse dinheiro para financiar a produção do seu próximo filme, outro documentário, dessa vez sobre Lourdes, para o qual já andara se documentando e esboçando um roteiro. Seu projeto era ir ganhando experiência com mais dois ou três curtas-metragens antes de tentar empreender obras mais ambiciosas. A pouca diligência dos distribuidores pôs um freio aos projetos de Vigo.

Sua estada em Paris se prolongava, nenhuma perspectiva de trabalho se anunciava, precisava pensar no futuro imediato. De todo modo, Vigo não queria deixar o campo do cinema, e decidiu dar forma a uma ideia que já acalentara algumas vezes: organizar projeções de filmes em Nice. Era uma atividade que o interessava e ele tinha esperança de obter algum lucro com ela. Não se tratava de tentar nada parecido com o Ursulines, ou mesmo o Vieux-Colombier, o ambiente local não oferecia essa possibilidade e Vigo talvez já não sentisse o mesmo entusiasmo de outrora por esse tipo de empreendimento. Considerava a criação de um cineclube que funcionasse segundo as possibilidades de programação e o grau de interesse suscitado por sua existência. Queria seguir o modelo das associações de caráter popular, notadamente Les Amis du Cinéma [Os Amigos do Cinema].[97] Um dos objetivos do seu cineclube, que a exemplo de seus antecessores ele denominou Les Amis du Cinéma, era também apresentar, em sessões fechadas, filmes proibidos ou mutilados pela censura, como Les Amis de Spartacus tinham feito no passado com as obras soviéticas.

Vigo ocupou o final de sua estada em Paris com trâmites visando a programação do seu futuro cineclube, e pôs mãos à obra assim que regressou a Nice. O principal obstáculo à realização do seu projeto era a escassez de seus contatos em Nice. Foi a alguns jovens médicos residentes do hospital

---

97. O grupo, fundado poucos anos antes por Jean Pascal, diretor de *Cinémagazine*, teve uma existência duradoura, chegando inclusive a se espalhar no interior, especialmente em Montpellier, onde é provável que Vigo tenha assistido a algumas sessões.

Saint-Roch que ele lançou sua ideia. Fora apresentado a esse círculo por Caussat, e não raro passava a noite na sala dos médicos em companhia dos residentes, os quais matavam o tempo jogando cartas, lendo ou conversando. Caussat, já seduzido pela ideia, fazia o possível para ajudar Vigo explicando aos colegas no que consistia essa novidade: um cineclube. Só conseguiram convencer um dos jovens internos, Maurice Nicolas. Era, porém, um recruta de qualidade que uma vez engajado não iria dar para trás. Lydu completava a equipe, e estavam os quatro dispostos a se lançarem no empreendimento. Mas a estada em Paris não deixara de se refletir na saúde dos Vigo, sobretudo na de Jean. Ele precisou adiar tudo e partir para um repouso de quase dois meses em Peira Cava.

Essa ameaça de recaída deve algumas vezes ter mergulhado Vigo em profundo desânimo. Em Paris, depois de uma das projeções de *À propos de Nice*, a sra. de Saint-Prix lhe disse: "Jean teria ficado contente". Agora, em Peira Cava, ficava pensando nessa frase, e ele escreveu-lhe: "Estou contente por estar próximo do amigo dos meus mais longos e frutíferos silêncios, responsável pelo que eu gostaria que fosse ação".[98] A busca dessa aprovação não prenunciava nada de bom. Tornara a cair no pessimismo. Mesmo quando as notícias de Paris anunciavam como certas as possibilidades de distribuição de *À propos de Nice*, para breve, não se atrevia a acreditar totalmente, e seu orgulho de tímido saía na frente a fim de aparar mais um eventual fracasso. "Tenho sérias esperanças com relação a *À propos de Nice*", escreve ele a Saint-Prix, "mas manterei minhas dúvidas até os acordos definitivos, pois me recuso a exercitar a subserviência e talvez isso não agrade?".[99]

---

98. Carta de 6 ago. 1930.

99. Fragmento de carta publicada por Pierre de Saint-Prix no seu artigo "*Quelques lettres inédites de Jean Vigo*" [Algumas cartas inéditas de Jean Vigo], em *Les Cahiers du Ciné-Club* de Valence-sur-Rhône, s. d.

Fernand Desprès percebia que Vigo estava novamente atravessando uma fase difícil e, como sempre, acorreu para junto dele. No início de setembro, as notícias não eram más. Desprès descreve para Pierre de Saint-Prix a alegria de Lydu e Jean, dançando, brincando feito crianças. Mas o velho amigo continua preocupado: "Ela está com uma aparência saudável, parece forte. Ele continua frágil. Um dos dois irá levar a melhor. Entre doentes, não é essa a regra? Espero estar enganado. Pois morrer é a derrota suprema".[100]

A crise de Peira Cava não alcançou, porém, no físico ou no moral, a gravidade das crises de Font-Romeu. Vigo logo percebeu que não precisava temer uma verdadeira recaída. Por outro lado, já não se sentia um desconhecido, um isolado. Tinha agora Lydu, para começar, e também todas as relações que estabelecera graças a Fernand Desprès. Podia inclusive partilhá-las com os amigos, como Caussat, que estava com problemas em relação ao serviço militar e que Vigo ajudou pedindo a intervenção da sra. de Saint-Prix. Em pleno desalento, em agosto de 1930, o sentimento de uma certa potência, por frágil que fosse, só poderia contribuir para que Vigo não se julgasse o mais infeliz dos mortais.

Durante as últimas semanas da sua estada em Peira Cava, Vigo recobrou o gosto pelo trabalho e andou ocupado com o seu cineclube. Chegou a ir até Nice algumas vezes, ou pedir a Lydu que fosse, de modo que quando ambos concluíram seu repouso, em 15 de setembro, já tinham conseguido marcar para o dia 19 a sessão de estreia dos Amis du Cinéma.

De início, Vigo era o único a saber como proceder e em que portas bater para conseguir filmes. Lydu assumiu toda a parte financeira. Era não só a tesoureira, como também bilheteira nos dias de exibição. As funções de Caussat, que tinha o título de secretário, consistiam em usar sua moto para ir buscar os filmes esperados, que muitas vezes não

---

100. Carta de 3 set. 1930.

chegavam. Caussat e sua moto tornavam-se então ainda mais preciosos, porque era preciso percorrer Nice inteira, ou ir até as cidades vizinhas, em busca de fitas de substituição. Nomeado vice-presidente dos Amis du Cinéma, Nicolas foi na verdade catapultado a orador do grupo e tinha a tarefa de apresentar e comentar os filmes antes da projeção. No início, as dificuldades eram inevitáveis: Nicolas não entendia nada de cinema. No mais das vezes, nunca tinha assistido aos filmes apresentados, e estes nunca chegavam a tempo de serem "visionados" antes da sessão. Ele então tirava algumas informações dos volumes da coleção *L'Art Cinématographique* ou das revistas que Vigo lhe repassava, transmitindo-lhe umas poucas informações, sucintas, ele próprio pouco conhecendo os filmes. No fim das contas, se Nicolas conseguia se virar era sobretudo graças à experiência adquirida nas brincadeiras da faculdade.

Vigo conseguira que Germaine Dulac viesse inaugurar o seu grupo Les Amis du Cinéma. A sessão aconteceu, portanto, na noite de 19 de setembro de 1930, numa sala de conferências do bulevar Victor Hugo, uma antiga capela em desuso que hoje já não existe. No último minuto, quase que tudo dá errado. O capitão dos bombeiros, depois de examinar a cabine de projeção, toda de madeira e sem nenhuma segurança contra incêndio, declarou proibida a projeção. Caussat percorreu Nice inteira de moto à cata de um protetor influente. Vigo e Nicolas usaram de astúcia e argumentos. O público já se encontrava na sala. Embora estivesse um tanto ralo, os organizadores estavam satisfeitos: não esperavam que fossem tantos. No fim das contas, a sessão pôde ser realizada. Maurice Nicolas, de quem obtive a maioria desses detalhes, ficou impressionado com a determinação de Vigo e com sua atitude de altiva hostilidade em relação a tudo que pudesse representar a ordem ou autoridade social. Isso o surpreendeu, vindo de um rapaz que até ele então conhecia como reservado e discreto.

As sessões seguintes tiveram lugar em diferentes cinemas da periferia, aproveitando as noites de folga da exibição comercial. O inverno prometia ser rigoroso. Lydu tiritava de frio na bilheteria, mesmo com sua peliça; e enquanto Vigo se debatia com o operador em meio aos rolos provenientes de Marselha ou Paris – que Caussat, como sempre, fora buscar na estação no último minuto – Nicolas tomava o pulso da sala e repetia mentalmente o seu discurso consultando as anotações. Aos poucos, conseguiram juntar um público fiel e compreensivo. O primeiro núcleo sólido compunha-se de amigos que, por sua vez, recrutavam frequentadores nos diferentes setores da média burguesia de Nice, médicos, arquitetos, pintores, alguns funcionários, alunos e alunas do secundário, poucos universitários já que o *campus* universitário de Nice ainda não havia assumido as proporções que tem hoje em dia. Quando começaram a exibir fitas soviéticas, criou-se no público uma ala mais popular constituída de comunistas e simpatizantes. Vigo não escondia dos amigos sua simpatia por aqueles indivíduos, mas Nicolas reparava que ele "não tinha nada do companheiro a quem se trata com tapinhas nas costas; mantinha suas distâncias com um sorrisinho cordial, mas distinto, que colocava cada qual no seu lugar".[101]

Acontecia com frequência, nos primeiros meses, que no final da sessão, na hora de fazer as contas, a receita não fosse suficiente para pagar o aluguel da sala e a modesta quantia paga ao operador e aos lanterninhas. Vigo e seus amigos discutiam o assunto, bebendo um grogue no bar mais próximo, e resolviam confiar no futuro. Despediam-se então de Nicolas. Caussat subia em sua moto, Vigo e Lydu equilibravam-se na garupa, e os três mergulhavam noite adentro rumo à Dominante, apelido que tinham dado à sua nova casa, empoleirada no alto da colina do Tenon.

Durante as duas primeiras semanas do seu cineclube, Vigo recebeu duas boas notícias. Pathé-Nathan aceitara lançar *À propos de Nice* com

---

101. Inédito enviado ao autor.

exclusividade no Ursulines no início de outubro e, em novembro, Vigo estava convidado a apresentar o seu filme num "congresso do cinema independente" que aconteceria em Bruxelas.

Já nos primeiros dias de outubro, Vigo bombardeava Desprès com perguntas sobre a reação do público do Ursulines a *À propos de Nice*. Escreveu Desprès a Saint-Prix:

> Se um dia você for assistir, poderia observar qual a reação do público? Jean, de longe, está muito nervoso: quer saber em que momento as pessoas manifestam sua emoção, através de sorrisos, murmúrios ou aplausos. Ele pediu que eu me informasse a respeito. Mas meu trabalho me impede de ir ao Ursulines tão cedo da noite.[102]

Vigo não resistiu à curiosidade de ver as coisas mais de perto e, uma semana depois, estava em Paris. Também não queria perder as eventuais oportunidades de trabalho que poderiam se apresentar durante a exibição do filme. Desprès achava que ele queria "ser o assistente de um cineasta conhecido: René Clair, Maurice Tourneur ou Abel Gance".[103]

Algumas semanas antes, Vigo escrevera a Georges Charensol perguntando-lhe sobre a possibilidade de obter um emprego de segundo assistente junto a René Clair.[104] Simultaneamente, Francis Jourdain dirigia-se a Maurice Tourneur, que fora um dos seus amigos de juventude.

Se Vigo, por esse lado, não foi bem-sucedido, por outro as projeções do Ursulines trouxeram a *À propos de Nice* um público incomparavelmente maior que o das duas apresentações no Vieux-Colombier e, ao divulgar o nome de Vigo, permitiram que ele, presente na maioria

---

102. Carta de 5 out. 1930.
103. Carta a Pierre de Saint-Prix, de 17 out. 1930.
104. Carta de Peira Cava, de 31 ago. 1930.

das projeções, ampliasse suas relações no meio artístico. Conheceu várias pessoas que viriam a ter algum papel na sua carreira, como o ator René Lefèvre que, após a projeção, expressara o desejo de conhecer o diretor. Lefèvre voltou em outra sessão, trazendo um amigo que apresentou a Vigo. Era Albert Riéra, e Vigo descobriu com alegria que eram parentes próximos. Para quem sofrera na infância por se sentir sem família, este acontecimento não deixou de ter uma importância sentimental e Vigo logo se afeiçoou ao jovem pintor.

Esse início de notoriedade trouxe também resultados imediatos mais concretos. Os apoios com que Vigo contava tornavam-se mais sólidos. Ele já não era, para Germaine Dulac, um simples protegido da sra. de Saint-Prix e, para Moussinac, um protegido de Fernand Desprès, mas sim alguém de quem conheciam o trabalho. Ambos uniram seus esforços no sentido de obter para Vigo a encomenda de um curta-metragem para a Gaumont-Franco-Film-Aubert.

Vigo devia pôr mãos à obra em dezembro de 1930 a janeiro de 1931. Tinha, portanto, tempo de sobra para ir até Bruxelas participar do Segundo Congresso do Cinema Independente.

A convocação para esse congresso fora decidida um ano antes por um grupo de cineastas e críticos que incluía, entre outros, Eisenstein, Moussinac, Cavalcanti, Robert Aron, reunidos no castelo de La Sarraz, na Suíça, pela sra. de Mandrot, que se interessava pelos rumos do cinema. Esse encontro foi posteriormente batizado de Primeiro Congresso do Cinema Independente. Em Bruxelas, entre 27 de novembro e 1º de dezembro de 1930, aconteceria, portanto, o Segundo Congresso. Além da maioria dos hóspedes do castelo, compareceram Germaine Dulac, Richter, e todo um grupo de jovens diretores e críticos: Ivens, Vigo, Lods, Auriol, Bourgeois. As sessões de trabalho foram ocupadas em pensar em formas de lutar contra a censura, e o resto do tempo, em projeções.

Os jovens estavam orgulhosos de ver seus filmes apresentados aos congressistas e ao público, ao lado de *Terra* [*Zemlya*, 1930, Aleksander

Dovjenko], *Hallelujah* [*Aleluia*, 1929, King Vidor], *Mélodie du monde* [*Melodie der Welt/ Melodia do mundo*, 1929, Walter Ruttmann], *O homem da câmera* [*Cheloveks Kino-apparatom*, 1929, Dziga Vertov], *Drifters* [1929, John Grierson] etc.

Além de Vigo, estava presente como estreante Henri Storck, em seu primeiro ano de cinema. Fizera algumas experiências de cinema abstrato e um desenho animado pintado diretamente sobre a película. Mas o seu primeiro filme projetado em público era *Images d'Ostende* [1929], que seria apresentado no congresso. Storck ganhava a vida filmando atualidades em Ostende, e seu primeiro filme compunha-se de uma seleção de planos obtidos pelo seu trabalho. Sua escolha se pautara pela recordação dos seus passeios de infância pela cidade. Confessava que sua intenção era "mostrar a amizade e a vida que há nos objetos mortos; o vento carregando uma cadeira, o mar imprimindo movimento à areia" e perguntava, preocupado, ao crítico inglês Oswell Blakeston: "Acha que os cineastas do congresso vão entender isso?".[105]

A preocupação de Storck tinha fundamento. Em *Images d'Ostende*, via-se sem cessar o mar e, lá pelo meio da projeção, Vigo começou a bagunçar aos gritos de "Quanta água! Quanta água!", logo acompanhado por um coro de outros jovens. No final da projeção, Storck, lutando contra a timidez, procurou o líder da bagunça a fim de lhe explicar educadamente o seu filme. Foi a vez de Vigo ficar sem graça, e através de uma longa conversa é que os dois rapazes começaram a se conhecer.

Não nos foi possível apurar de que maneira o conjunto da crítica presente no congresso recebeu os filmes daqueles jovens, que de todo modo não agradaram muito ao correspondente da *Close-Up*. Acerca de um documentário de Kaufman e Lods, mas provavelmente referindo-se a todo um grupo de filmes, escrevia Oswell Blakeston: "Essas

---

105. *Close-Up*, dez. 1930.

pessoas não fazem filmes. Elas rodam centenas de metros e depois SELECIONAM. Assim é muito fácil. É necessário FAZER".[106] Quanto a *À propos de Nice*, Blakeston nos remete ao artigo de Maurice Bessy, já publicado na *Close-Up*.

O congresso decidiu pela criação da Associação do Cinema Independente [Association du Cinéma Indépendant], a que Vigo deu a adesão do seu grupo Amis du Cinéma. Como tantas outras tentativas do gênero, anteriores e posteriores, a Associação não teve continuidade. O único vestígio dos projetos da Suíça e de Bruxelas seria, além do costumeiro manifesto, um filme burlesco rodado em 16mm por Eisenstein no castelo de La Sarraz, tendo os congressistas como atores. Mas será que ainda existem cópias?[107]

Para Vigo, o congresso teve alguma importância. *À propos de Nice* foi exibido para uma plateia internacional, surgiram possibilidades de distribuição na Holanda e na Suécia, ele teve a oportunidade de conhecer obras novas e assegurar, pela extensão dos seus contatos, uma programação mais variada para o seu cineclube.

---

106. Id., ibid.

107. Em seu *Eisenstein*, Marie Seton afirma que a única cópia deste "histórico documento do absurdo" foi perdida pelo próprio Eisenstein "em algum lugar entre Sarraz, Zurique, Berlim, Paris e Londres". Restam algumas fotos de trabalho e a esperança de que um dia um leitor destas linhas… [N.E.F.]

Marie Seton atribuiu o título ao filme *A tempestade de La Sarraz* [*The Storming of La Sarraz*], o qual nunca foi encontrado, com exceção de alguns fotogramas que surgiram na década de 1970, no Gabinete Eisenstein em Moscou. Ver François Albera, *Eisenstein en Suisse: premiers matériaux*. Lausanne: *Travelling*, n. 48, inverno 1976. O filme é uma paródia de Eisenstein aos utópicos projetos apresentados no congresso. Para uma descrição do filme, feita pelo próprio cineasta, ver Sergei M. Eisenstein, *Immoral memories: un autobiography*, trad. do russo, pref. e notas de Herbert Marshall. Boston: Houghton Mifflin, 1983 [ed. bras.: *Memórias imortais: uma autobiografia,* trad. Carlos Eugênio Marcondes de Moura. São Paulo: Companhia das Letras, 1987, pp. 197-203. [N.O.]

Vigo voltou em seguida a Paris a fim de realizar a pequena encomenda que obtivera da GFFA (Gaumont) graças ao apoio de Germaine Dulac e Léon Moussinac. A GFFA pretendia lançar uma série de curtas-metragens genericamente denominada *Journal Vivant*. O supervisor, sr. Morskoï, resolveu começar com documentários esportivos centrados num astro conhecido. Vigo podia escolher um assistente e optou por Ary Sadoul, filho do revolucionário Jacques Sadoul, que ele conhecera por intermédio de Francis Jourdain.

O filme que estavam incumbidos de fazer era um curta-metragem sobre natação, com o campeão Jean Taris. Depois de algumas entrevistas com o astro, que precisara explicar-lhe tudo sobre este esporte do qual nada sabia, Vigo aprontara, às vésperas de sua viagem para Bruxelas, um esquema sobre os diversos estilos de nado que incluía também informações sobre a carreira e as façanhas do campeão. Os produtores agora tinham pressa e Vigo precisava elaborar uma decupagem a partir das três parcas folhas datilografadas em que reunira suas anotações com alguma ordem.

Depois de mais uma entrevista com Taris, desta vez na piscina para poder vê-lo em ação, Vigo levou dois dias preparando sua decupagem: 56 planos no total. A maioria das tomadas foi efetuada na piscina do Automobile Club de France, cujas escotilhas permitiam imagens embaixo d'água. Os dois planos de estúdio (muito simples) não apresentavam dificuldades e ele pôde então empreender a montagem e sonorização.

O resultado não foi desinteressante. Percebia-se o esforço de Vigo para fugir ao convencional. Nisso residem o valor e os limites deste pequeno filme. Vigo não tinha muito a dizer sobre Taris ou sobre a natação. As proporções e a perfeita adaptação do corpo do campeão aos movimentos aquáticos tinham-no interessado. Acompanhou, com a câmera, os movimentos de Taris enquanto este se enxugava, e estudou ligeiramente seu corpo até os pés. Quando a câmera tornava a subir, Taris estava de roupão. Como se vê, Vigo não perdera o gosto por certos efeitos formais, neste caso perfeitamente legítimos, aliás, e executados sem o menor exagero.

Vigo não gostou desse trabalho. Quando teve a oportunidade de revê-lo em Nice, meses mais tarde, pareceu-lhe francamente ruim, com exceção de algumas imagens dentro d'água. Impressionou-o particularmente a forma que a cabeça do homem adquiria dentro d'água, e vislumbrou suas possibilidades dramáticas. Não o esqueceria no momento de rodar *L'Atalante*.

O ponto central do filme é uma demonstração "didática do *crawl*" comentada pela própria voz de Taris. Vigo reservara-se alguma fantasia no início e no fim. Para o crédito de abertura, havia um fundo sonoro,[108] as vozes de um coro de meninas perguntando: "*Maman, les petits bateaux qui vont sur l'eau ont-ils des jambes?*".[109] Depois dos créditos e da resposta da mãe, ouviam-se as aclamações da multidão, seguidas pela voz de um locutor enumerando uma síntese das façanhas do campeão, enquanto um movimento de *travelling* fazia com que um distante megafone viesse tomar conta da tela inteira. Um instante de silêncio e a tela escura. A tela ainda estava escura quando uma voz gritava: "Atenção!". E o filme começava.

Após uma dúzia de planos com Taris nadando, tinha início a entrevista. Enquanto Taris se enxugava, sua voz oferecia breves indicações biográficas, e depois, quatro informações gerais.

1. 'Todo homem é capaz de boiar?' *Vemos um homem gordo na água.*
2. 'A água é seu elemento, como é o do peixe.' *Vemos os exercícios dentro d'água (cambalhotas, deformações etc.).*

---

108. Nas cópias atuais, a apresentação está mais ou menos deteriorada. [Nas cópias que circulam após a restauração de 2001, ela foi recuperada. N.O.]

109. "Mamãe, será que os barquinhos que andam na água têm pernas?" Verso inicial da conhecida cantiga popular. [N.T.]

3. 'Há, sem dúvida, que aprender alguns movimentos: mas basta entrar na água.' *Vemos diferentes pessoas brincando na água.*
4. 'Nadar não se aprende em casa.' *Vemos uma mulher magra, descabelada, deitada de bruços sobre um banquinho exercitando o nado peito. Sobre este fundo, uma boia salva-vidas como troféu na parede.*

Então, a voz e as imagens de Taris dão uma aula de *crawl*. Cabe reconhecer que ela nos deixa claro que nadar tampouco se aprende no cinema.

No final, cenas submarinas em câmera lenta. Para as últimas imagens, Vigo quis fazer "vanguarda" por meio de trucagens. Um mergulho de pés juntos é rodado de trás para a frente e Taris emerge subitamente da água. De repente, ei-lo em traje de passeio: sobretudo e chapéu. Dá um salto e está de volta na beira da piscina. Taris faz uma saudação e, em sobreposição, sai atravessando a piscina sobre a água, com acompanhamento de uma melodia ao saxofone.

Bastaram alguns meses para que Vigo visse surgir em suas imagens as rugas da vanguarda. Toma então consciência de que a única ousadia que vale a pena é a que expressa uma nova e feliz conjunção entre uma forma decorativa e uma ilustração de realidades.

Neste início de 1931, contudo, as possibilidades de aplicar a experiência adquirida em novos trabalhos pareciam distantes, ao passo que as dificuldades financeiras se avolumavam perigosamente. As poucas centenas de francos que recebera pelo *Taris* foram de parco auxílio, e *À propos de Nice* não rendera grande coisa. Quanto ao cineclube, até agora só tinha conseguido contornar o *deficit*. O que já era um avanço mas, fosse como fosse, não havia como contar com uma margem de lucro, mesmo modesta, nos meses vindouros.

A GFFA tinha-lhe prometido outras encomendas para a série *Journal Vivant*, mas era preciso esperar. Enquanto isso, Vigo ia frequentemente ao estúdio de Nice na esperança de conseguir algum trabalho.

Estava disposto a aceitar qualquer coisa, inclusive cargos subalternos na produção. Germaine Dulac entrara em contato com Jean Grémillon para que rodasse *Daïnah la métisse* [1931] em Nice. Vigo deve ter-se esforçado para conseguir um lugar na equipe. Tinham-lhe decerto feito alguma promessa, mas suas expectativas foram frustradas. Já Henri Storck conseguiu ser contratado como *script-boy* nessa mesma produção. Era a primeira vez que se instituía a função de *script* na França. Antes mesmo de se iniciarem os trabalhos, houve um desentendimento entre Storck e Grémillon. Logo em seguida, chegou Vigo, acusando veementemente Storck de ter tomado o seu lugar. Este deixou a produção, sem que Vigo fosse contratado. Depois da barulheira de Bruxelas e dessa disputa em Nice, uma estreita amizade nasceu entre os dois jovens cineastas e, pouco depois, Storck se mudou para a casa de Vigo, onde divertia Lydu, grávida de três meses e muito cansada, com piadas de flamengo.[110]

O desentendimento com Grémillon logo se desfez e o diretor ofereceu aos dois rapazes um excelente jantar que incluía lagosta. Esse jantar ficou muito tempo em suas memórias, por ter sido a primeira vez que comeram lagosta e também pelo restaurante, lugar que sua pobreza lhes proibia frequentar. Continuavam, porém, sem trabalho e Storck foi tentar a sorte em Paris ou Bruxelas.

Vigo tomou uma decisão que vinha adiando até então: vender a Debrie. Storck, no final de abril, descobriu um comprador disposto a pagar 20 mil francos. Era pouco, mas Vigo não tinha mais escolha. Já estava com dívidas e o mês de maio prometia ser crítico. Só exigiu que lhe pagassem 10 mil francos à vista. Dias depois, o comprador propôs apenas 19 mil e Storck, chateado, não queria mais servir de

---

110. No original: *histoires flamandes*. As piadas de flamengo, ou belga, são equivalentes, na França e em outros países, às nossas piadas de português. [N.T.]

intermediário. Mas escreveu-lhe Vigo, em maio: "Storck, você seria um canalha se sequer ousasse pensar: 'Não tenho nada a ver com essa transação' e deixasse para lá essa história por medo de 'parecer um horrível judeu'. Você tem que continuar me ajudando, se eu não vender essa Debrie, estou perdido". No fim do mês, Vigo pedia um mínimo de 15 mil para um comprador que lhe ofereceu 12. Somente em meados de junho conseguiu algum dinheiro. Ofereceram-lhe um empréstimo de 8 mil francos com a garantia da Debrie, sendo 5 mil à vista na entrega da máquina, e uma opção de compra por 14 mil francos. Com os 5 mil francos, saldou as dívidas mais prementes e esperou ansiosamente os 3 mil restantes para fazer frente às despesas médicas do parto que se aproximava. Quando nasceu a criança, uma menina, Luce, em 30 de junho, Vigo ainda não recebera nada. E, pelo menos até o final do ano, ainda não recebera o dinheiro, e nem notícias de Pelster, o comprador. Era um holandês que lidava com cinema de vanguarda, "e que vive às custas dele", Vigo escrevia, raivoso, e só pensava em quebrar a cara dele na primeira oportunidade.

Todas essas preocupações não impediram Vigo de se alegrar quando soube da vinda de Charles Chaplin para a costa. Conseguiu ser recebido, mas a conversa logo foi suspensa por falta de uma língua comum. Carlitos esboçou um gesto para lhe oferecer uma fotografia, mas Vigo, em sua perturbação, recusou e saiu da entrevista com a sensação de que a vida estava se tornando uma sucessão de fracassos.

Naqueles meses todos, Vigo esteve numa situação desesperada. A gravidez de Lydu tinha sido extremamente difícil. Ela andava cada dia mais fraca, às voltas com todo tipo de distúrbios penosos. Certas noites, era acometida por um frio de bater o queixo, que os cuidados de Vigo não conseguiam debelar. Então, no meio da noite, eram ondas de calor e uma febre acima de 39 graus. Apareciam possibilidades de trabalho, como um pequeno documentário para a GFFA em Paris, ou como assistente de um diretor, Champreux,[111] que ia filmar o Tour de France de 15 de junho a 15 de agosto, mas não podia aceitar nada pois não podia deixar Lydu sozinha "nesta cidade de Nice que é para nós um deserto",[112] segundo se queixava a Storck. Dias mais tarde, confessava ao amigo que, na manhã seguinte, seria obrigado a "bater pernas em Nice para tentar juntar com almas caridosas os trocados necessários para as refeições da manhã e da noite".

Para o pagamento adiantado à clínica, precisaram fazer mais um empréstimo e só depois do nascimento de Luce é que o casal recebeu uma remessa da Polônia. Aproveitaram para reconquistar um pouco de saúde para Lydu em Peira Cava. O moral de ambos estava abalado:

> Além disso, uma certa fossa, que grudou o traseiro nas nossas poltronas, cuspia de manhã e de noite em nossos pratos, se refestelava em nossa cama, deixava impressões digitais no canto das páginas dos nossos mais belos livros, ladrava atrás de nós quando arriscávamos um passeio, nos fazia mal.[113]

Vigo procurava trabalhar um pouco, mas queixava-se de uma preguiça que arruinava qualquer perspectiva e deixava um projeto de roteiro se desmilinguindo na sua pasta verde.

De volta a Nice, ofereceram-lhe trabalho. Tratava-se de uma dessas produções com duas versões que eram comuns na época: um filme baseado na peça "bem parisiense" de Verneuil, *Pile ou Face*. A decupagem já vinha pronta do estúdio das empresas coprodutoras, GFFA/UFA, o resto todo vinha previsto e acertado, e o papel de Vigo seria simplesmente

---

111. Maurice Champreux, genro e *cameraman* de Louis Feuillade na companhia Gaumont, dirigiu *Hardi les gars* [1931], sobre o Tour de France, produzido pela Gaumont/ Franco Film-Aubert. [N.O.]

112. Carta de 10 mai. 1931.

113. Carta a Storck, de 30 ago. 1931.

o de dirigir as tomadas com os atores da versão francesa. Depois de muito hesitar, Vigo estava pronto a aceitar para poder "comer por uns dias" e ir a Paris no início de novembro na esperança de lá "sair-se um pouco melhor".[114] Houve atrasos, e Vigo foi afinal dispensado da versão francesa. Zombou amargamente dos seus vãos escrúpulos e julgou-se de um "diletantismo hilário".[115]

Contudo, Vigo conseguiu ir a Paris e obter na GFFA a encomenda para um segundo documentário esportivo, desta vez sobre o tênis e o campeão Cochet.

Convidou Goldblatt para colaborar com ele e, juntos, encontraram-se sete vezes com Cochet a fim de adquirir umas noções de tênis, conhecer sua carreira e deixar que ele explicasse os truques de sua arte. Alguns desses encontros tiveram lugar na própria quadra e no fim os dois amigos estavam falando de tênis com uma presunção que irritava os seus amigos familiarizados com esse esporte. Depois desta pesquisa preliminar, a GFFA como sempre concedeu 24 horas a Vigo para que ele submetesse a decupagem para aprovação definitiva. Vigo estava hospedado no Muse Hôtel, onde só havia tranquilidade fora dos horários "de programa", mas ele precisava justamente aproveitar as noites para trabalhar, e as discussões vindas dos quartos vizinhos despertavam sua curiosidade e levavam sua atenção a perambular. Foi num quarto de Riéra, na rua du Four, que Vigo e Goldblatt se instalaram para uma noite de trabalho. Fazia muito frio e o quarto era aquecido por um simples fogareiro a álcool, e iluminado por um lampião de querosene. À medida que iam passando as horas, os dois amigos começaram a sentir um estranho mal-estar. Mas continuaram a trabalhar, era preciso, e só muito mais tarde perceberam, de repente,

114. Carta a Storck, de 20 out. 1931.
115. Carta a Storck, de 18 nov. 1931.

que estavam intoxicados com as emanações do lampião. Goldblatt levantou-se a muito custo e encontrou forças para abrir a janela antes de cair desfalecido num sofá. Vigo não conseguiu se levantar. No manuscrito da decupagem escreveu a muito custo, já quase inconsciente: "Este é o nosso testamento", e desmaiou. Como a janela estava aberta, o ar se purificou e, horas depois, despertaram com náuseas insuportáveis. Goldblatt levou Vigo, em estado ainda pior que o seu, até a farmácia mais próxima, onde a chegada daqueles dois rapazes lívidos e de estranha aparência causou péssima impressão. O jeito desconfiado do farmacêutico terminou de acordar os dois amigos, que conseguiram concluir o trabalho no prazo indicado.

A concepção desse filme era totalmente distinta daquele sobre natação. Constituía-se de variações poéticas em torno do tênis, representadas por crianças com algumas indicações técnicas acerca do jogo de Cochet. Encerrava-se com uma sátira sem maldade à idolatria do campeão esportivo.

Os títulos e créditos seriam exibidos com acompanhamento de um rufar de tambores, e o filme começava com bolinhas de tênis batendo num tambor. As bolinhas eram lançadas por uma criança que, depois de cada jogada, batia palmas atrás das costas fazendo um som idêntico ao das bolinhas. Mais bolinhas, na parede, e a animação do jogo de bolas das crianças. Bolinhas de novo, no fundo da quadra, outras no céu, outras voltando sempre ao ponto de partida. Uma criança quicando a bolinha no chão era a imagem final da introdução.

Veríamos uma raquete batendo na bola quicando. Recuando, descobria-se Cochet livrando-se da bola com um golpe seco de raquete, por cima do ombro, sem olhar para trás. Entretanto, uma voz perguntava: "Diga-nos, senhor Cochet, jogar tênis por quê?". Enquanto a bola ia pousar, feito um ovo, sobre um jorro d'água, Cochet respondia: "Ora, porque sempre tive vontade de jogar. Só isso". E enquanto a câmera acompanhava o jorro d'água, subia até o céu e retornava sobre um bebê mal caminhando e caindo sentado, Cochet falava sobre a fatalidade do seu esporte; e, enquanto ele elogiava a alegria animal da criança, a luz, o ar, o movimento, a liberdade, havia um *travelling* em meio a um grande número de crianças nuas que se divertiam na quadra. As brincadeiras eram variadas e improvisadas, mas eram sempre em volta da bolinha de tênis, da raquete ou da rede. Jogavam tênis, um só com a mão, outro com uma tábua, e um terceiro com uma raquete. Enquanto a voz de Cochet incentivava: "Bater na bola, em qualquer lugar, de qualquer jeito, a qualquer hora!".

Então era introduzida a primeira indicação de técnica esportiva. Cochet explicava que as crianças seguravam a raquete bem apoiada no corpo, debaixo do braço; mais tarde ela ainda ficava grudada na manga, e finalmente, mediante um esforço para adquirir extensão, conseguiam segurar a raquete com a ponta dos dedos.

Antes de entrar no assunto, a voz de Cochet também dizia que era preciso deixar as crianças brincarem, e encontrar, cada uma, o esporte de que gostava, que era adequado para ela, então aparecia uma criança pequena dando socos num *punching-ball* feito com uma bola de tênis pendurada num galho de macieira sacudida por outras crianças. As variações iam ficando mais livres. Uma bola quicava no carrinho de um bebê que dormia, acordava, mamava na bola, e encadeava-se a imagem de um bebê mamando no seio. Essa sequência não está muito clara no manuscrito que tivemos a oportunidade de examinar. Seja como for, a última variação mostrava a bolinha sendo devorada por um menino maior fazendo um número de prestidigitação.

Durante a demonstração de Cochet, as crianças não eram esquecidas um instante sequer, e sua atuação ficava intimamente ligada às façanhas e às explicações do campeão – sobre o estilo, que não se adquire, só se aperfeiçoa, e sobre a necessidade que ele tivera, pessoalmente, de treinar sua batida esquerda.

No final, o projeto previa uma nota satírica. Depois de grandes dificuldades, Cochet se safava com duas jogadas magníficas. A voz já tinha explicado que o jogador se afirma no jogo, e não diante de uma xícara de café. Nisso, uma sombra passava sobre as crianças, entrava na quadra um grupo de homens sérios, de cartola e luvas pretas: os selecionadores oficiais. Em círculo, discutiam em volta do busto de Cochet. Recolhidas, as crianças agachavam-se, a câmera se erguia e revelava uma multidão, um verdadeiro rebanho. A voz de Cochet concluía: "Entre ambicioso e tenaz, claro. Precisamos lembrar que os grandes campeões, ou os que assim nos parecem, são mais do que exemplos, são deuses... acessíveis". Acompanhado por uma *berceuse* de Chopin e coros religiosos, Cochet surgia no céu, sobre uma grande nuvem branca, tendo, como asas, duas raquetes.

Se este projeto nos parece de inspiração mais autêntica que o documentário anterior, não é porque o tênis o interessasse mais do que a natação, ou Cochet mais que Taris. É que aqui o tema proposto já não passava de um simples pretexto, um ponto de partida, e Vigo se dedicava a uma questão que o tocava profundamente: o respeito pela criança e sua liberdade. Desconfiava das disciplinas impostas de fora para dentro. Gostava de esportes e sempre fora um jogador de futebol dotado de um grande espírito de equipe, mas toda ginástica em grupo indicava, para ele, o preparo militar. A seu ver, o esporte consistia num desenvolvimento harmonioso do jogo infantil e deveria ser livremente escolhido pela criança. Vigo fala em crianças, mas essas crianças são simbolicamente para ele todos os homens, a começar pelos mais fracos, os pobres. Ele poderá se explicar mais claramente depois, em *Zéro de conduite*. Já nessa decupagem para um curta-metragem esportivo, transparece sua ideologia e encontramos quase que uma divisa: "Bater na bola, em qualquer lugar, de qualquer jeito, a qualquer hora!".

O roteiro foi aprovado pela GFFA e o projeto ganhou mais amplitude. Falou-se em realizar o filme em três versões, francesa, alemã e inglesa, em coprodução com a UFA. A metragem prevista, de início igual à de Taris, devia chegar aos mil metros. Vigo teve assim a possibilidade de desenvolver mais amplamente o seu roteiro. Foi constituída a equipe. Vigo escolheu Goldblatt como assistente e, como Kaufman estivesse com outros compromissos, Michel Kelber foi eleito operador, assistido por Walter Wotlitz. Foi marcada uma data para o início das filmagens no começo de fevereiro em Monte Carlo. Surgiram dificuldades, mas no final de fevereiro Vigo ainda contava que o trabalho lhe seria confiado. Nisso, ficou sabendo que após segunda deliberação seu roteiro fora recusado e, poucos dias depois, a empresa abandonou o projeto. "Eu talvez não tenha muita sorte cinematográfica", escreveu a Storck, "mas esta, na verdade, é a menor das minhas preocupações, tenho duas mãos e vou acabar agarrando alguma coisa, ou alguém. A gente, quando sabe o que quer, é paciente e tenaz."[116]

Vigo sabia há muito tempo o que queria e nunca deixara de ser tenaz. Quanto à paciência, se ele podia naquele momento permitir-se esse luxo, é que o bom andamento do seu cineclube e a chegada, em breve, do sr. Lozinski punham em provisória surdina as suas preocupações materiais.

Les Amis du Cinéma tinha feito avanços. Personalidades locais – a sra. Greta Prozor, o sr. Muratore, jornalistas, especialmente André Négis – apoiavam o empenho de Vigo e seus amigos. Dos cinemas de bairro haviam passado para o centro, primeiro na sala do atual Studio 34, e enfim na avenida de la Victoire, na sala que se tornou o Cinéac. Podiam dali em diante contar com um público suficientemente amplo para superar os gastos. O esnobismo local acabara se interessando por aqueles filmes diferentes que eram projetados no domingo de manhã. Apareciam curiosos, vindos do mundo cosmopolita dos grandes hotéis, e logo surgiu na plateia uma ala da alta-roda.

---

116. Carta de 25 fev. 1932.

O movimento dos cineclubes vinha ressurgindo na França. Fora criada uma federação e, no seu Segundo Congresso, em 1931, Vigo foi eleito para o Comitê Diretor. As facilidades de programação aumentaram e, durante os seus dois anos de existência, Les Amis du Cinéma pôde apresentar um conjunto de respeitadas obras de Dovjenko, Turin, Preobrajenskaia, Eisenstein, Fischinger, Richter etc. No mais das vezes, Nicolas continuava apresentando os filmes; às vezes era o próprio Vigo, como no caso de *Telle est la vie* [*Takový je vizot*, 1930], de Carl Junghans, de que ele gostara muito. Sempre que possível, Vigo pedia ao autor do filme uma autocrítica que era lida durante a apresentação. Organizava-se às vezes a sessão em torno de um tema. Assim, para a primeira sessão de abril de 1931, fora escolhido Anatole France. Projetaram o *Crainquebille* [1922], de Jacques Feyder, o *Le crime de Sylvestre Bonnard* [1929], de André Berthomieu, em seguida um documento cinematográfico sobre Anatole France, emprestado pelo especialista Jacques Lion e, para encerrar, Claude Aveline falou sobre sua recordação de uma entrevista com Anatole France sobre cinema.[117] Mas a sessão não terminava aí. Deixaram France de lado para projetar mais dois documentários e *La nuit de la Saint-Sylvestre* [*Sylvester*, 1924], de Lupu Pick.

Diretores vinham apresentar suas obras. Germaine Dulac veio com *La souriante Mme. Beudet* [1923] e *Thème et variations* [1928], Vigo queria oferecer a sua tela à nova geração, e Henri Storck, ainda quase desconhecido, apresentou *Trains de plaisir* [1930] e *Idylle à la plage* [1931]. Jean Painlevé compareceu duas vezes, a primeira em 11 de novembro

117. Essa palestra foi novamente proferida por Aveline para os membros da Sociedade Anatole France, em fevereiro de 1939, e publicada no número de abril do mesmo ano da revista dessa sociedade: *Le Lys Rouge*. Nela é evocada a sessão do cineclube de Nice.

de 1931. Vigo e ele não se conheciam. Ficaram de se encontrar na estação para irem direto para o cinema, onde a sessão devia começar meia hora depois. Jean Painlevé relatou diversas vezes nos cineclubes esse seu primeiro encontro com Jean Vigo.

> Desço do trem e procuro por Vigo. Ele escreveu que estaria na estação, e que seria fácil reconhecê-lo: alto, loiro, legião de honra. O que me pareceu suspeito. De modo que, como ele tem uma foto minha, deixei crescer a barba nos últimos quinze dias e carreguei meus filmes numa mala, enquanto afirmava para ele que sempre os guardo numa mochila. Abordo algumas descrições bastante próximas da dele, mas não dá certo. Na saída, sinto uma mão no meu ombro, e um moreno baixinho me diz: 'Jean Painlevé?'. 'Sim.' 'Por mais que se disfarçasse de estranho peludo, eu o reconheci.' 'Confesso que não tive a mesma sorte, e abordei, em vão, algumas pessoas.'

Ele então prosseguiu:

> Confidência por confidência, você não é o primeiro em cujo ombro tive que bater; um deles até soltou este pacote aqui e fugiu.

Painlevé precisou se barbear antes da sessão e eles chegaram atrasados. Na porta da sala, havia um ajuntamento. Painlevé ficou orgulhoso mas, na verdade, conta,

> são desocupados atraídos por um energúmeno que clamava aos berros pelo organizador. De perto, é um senhor, um senhor muito direito, mas nervoso. 'O que o senhor quer', pergunta-lhe Vigo. 'Ah! É o organizador! Meus parabéns. Faz uma hora que estou esperando o senhor e...' 'Desculpe, mas quem é o senhor?' 'Quem sou eu? Essa é muito boa! Sou Jean Painlevé e vim dar minha palestra, ora!...' Vigo empalidece, apesar da pele morena. Compreendo que preciso acudi-lo. Então,

interpelo o impostor: 'Como assim, Jean Painlevé? Painlevé sou eu...'. 'Ora essa! Que abuso.' Solicita a atenção das pessoas em volta e abre um jornal de Nice. 'Peço-lhe que me leve à cabine, está na hora', diz, mostrando uma foto ilustrativa do artigo anunciando a sua chegada. É, sem sombra de dúvida, a foto do energúmeno, mas de jaleco branco, diante de um microscópio. Percebo então que ele tem um aspecto muito sério, muito respeitável, em suma tinha uma presença muito melhor do que a minha. Vigo vacila em sua convicção. Ainda faço um pequeno esforço – na época não existiam carteiras de identidade – e concluo: 'Está bem, o senhor pode proferir a minha palestra'. 'Perfeitamente, vou proferir a MINHA palestra', ele retruca. Vigo está lívido. 'Diga alguma coisa...', ele me roga. Mas dizer o quê? A verdade não se inventa assim desse jeito. Por fim, lembro dos filmes! 'E o senhor trouxe algum filme?', pergunto, sarcástico. 'Tanto quanto o senhor', ele responde. Procuro minha mala, que eu tinha deixado à margem da multidão... Sumira. É o cúmulo; sei que estamos em Nice, mas mesmo assim! Ela não pode estar longe, a cena toda durou pouco. Um olhar circular, e avisto, dobrando a esquina, um 'carregador voluntário' afastando-se calmamente. Alcanço-o rapidamente e ele muito simplesmente me devolve o objeto. Corro para dentro do cinema, pronto para a briga caso o meu concorrente insista. Mas vejo Vigo se torcendo de rir – demais, em pura reação. O senhor sério é um brincalhão: ex-diretor de um Instituto Pasteur e celebridade local, como sua foto já tivesse clichê puseram-na por razão de economia na minha rubrica, os jalecos brancos sendo todos parecidos. Resultado: um camarote para ele e sua senhora.

Naquela noite, houve duas sessões e Painlevé precisou repetir sua palestra. Ainda assim, foi preciso deixar muita gente de fora. Vigo levou Painlevé para dormir em sua casa, e as brincadeiras recomeçaram. Continuariam por vários anos. "Jean Painlevé é gente fina", escreveu Vigo a Storck.

Por intermédio de Painlevé, Vigo conheceu Maurice Jaubert, também amigo de Storck. A amizade com Jaubert representou uma nova experiência para Vigo; era a primeira vez que conhecia de perto uma pessoa religiosa. As ideias de Jaubert, que iriam direcioná-lo para a composição de música para filmes, devem ter interessado muito a Vigo.

Vigo, no início de 1932, estava convencido da impossibilidade de fazer uma carreira cinematográfica permanecendo em Nice. Enquanto os estúdios floresciam pela costa, não conseguira encontrar um trabalho sério para realizar, e agora que estavam periclitando, suas chances ficavam necessariamente mais tênues. O principal motivo que até então o impedira de pensar seriamente em mudar-se para Paris vinha da oposição dos médicos, que desaconselhavam firmemente, tanto para ele como para Lydu, o clima da capital. Ambos, porém, já estavam bastante céticos quanto aos possíveis benefícios da costa para a sua saúde. Era raro estarem os dois em boa forma ao mesmo tempo, o que já não era mau pois assim podiam cuidar um do outro. Não acreditavam que em Paris sua saúde estivesse mais ameaçada que em Nice. Precisavam, de tempos em tempos, sair da cidade para descansar nas montanhas, e isso podia ser feito tanto a partir de uma cidade como de outra. Em Paris, pelo menos, haveria novas perspectivas de trabalho, e lá estavam praticamente todos os seus amigos: Aveline, Riéra, Storck, Kaufman, Goldblatt, Painlevé, Lods, Altmann, Aron, e os antigos companheiros de Almereyda que tinham se tornado os seus, Fanny Clar, Raphaël Diligent, Fernand Desprès, Eugène Merle, Francis Jourdain.

No início do verão, contudo, Vigo ainda se encontrava em Nice. O seu sogro viera conhecer Luce, e mais uma vez teve condições de ajudá-los, mas Vigo só conseguiu pagar as dívidas mais prementes. Precisava de uma reserva de dinheiro para as despesas de mudança e instalação em Paris. Também precisavam de uma reserva de forças, que foram buscar nas montanhas, em Pelasque, perto de Nice. Vigo escreveu para Storck em 9 de junho:

> Desfrutamos de uma tranquilidade externa, e nossa preocupação já não bate tão forte.
>
> Comendo bem, dormindo às oito da noite, descansando em espreguiçadeiras, passeando pouco, falando menos, chega-se a resultados surpreendentes.
>
> De início, mantemos todas as preocupações, todas as dívidas, que até podemos aumentar. E quando se tem dor nos rins, dessas de gemer, o jeito é continuar firme. O futuro não fica mais claro; e a nossa situação dita material, moral e artística segue tão brilhante como depois de mil tentativas junto a figuras qualificadas e inqualificáveis.
>
> Mas, pelo menos, não se furta nada ao amor. O olhar é tão demorado como deve ser, a carícia também. Um ombro está sempre pronto para a sua cabeça cansada, e a mão não se furta.
>
> Do mesmo modo, reuniões de negócios lembram muito um filme de vanguarda. O telefonema de amigos muito tristes, a gente atende, e aguarda a sua visita, pois pode fazer muito por eles, desde que antes se tenha o cuidado de perder o relógio.

Dez dias depois, Vigo estava em Paris procurando trabalho e moradia. Luce ficara em Nice com Janine Champol e Lydu continuava em repouso na montanha.

Passado um mês, Vigo ainda não encontrara nenhuma possibilidade real de trabalho. Gastava o tempo com pequenos projetos que nunca se concretizavam, para pequenos produtores como Daniloff ou Trivas. A saúde de Lydu continuava a preocupá-lo. Ela estivera em Paris, e fora preciso mandá-la de volta poucos dias depois, agora para Leysin, estação suíça conhecida por garantir a cura das afecções pulmonares. Todas as ideias de Vigo entravam em pane, uma após a outra, por falta de perspectiva de realização. Nem sequer conseguira escrever para uma revista belga, *Kamera*, um pequeno artigo que Storck lhe pedira. Quando este tornou a ver Vigo em Paris, em 23 de julho, achou-o bem abatido.

Foi então que teve lugar o encontro de Vigo com Nounez.

Jacques-Louis Nounez era um homem de negócios ligado aos círculos industriais. Filho de um grande equinocultor da Camargue, Nounez, por gosto, lidava um pouco com cavalos. Tinha 54 anos e até então não se interessara pela indústria cinematográfica. Mas gostava de cinema, tinha entusiasmo por Chaplin e muita admiração por Renoir e René Clair. Via os problemas humanos de um modo amplo e era amigo de Léon Blum. De remota ascendência judia, era muito sensível ao tema do sofrimento.

Nounez sabia que faltava ao mercado europeu de cinema uma categoria de filme intermediária entre o curta-metragem e o grande filme de ação, base de toda programação. Analisou a questão e cogitou um plano de produção anual de seis filmes de 1 200 metros, nos dois gêneros que se julgavam mais apropriados para essa metragem na época: o cômico e o documentário romanceado. Para não elevar demais os custos da experiência, não deveriam apelar para estrelas ou diretores conhecidos. Tratava-se de achar roteiros inteligentes e jovens desejosos de tentar a sorte.

Entre os contatos de Nounez nos círculos hípicos figurava o ator René Lefèvre. Nounez falou-lhe sobre seus projetos e Lefèvre sugeriu o nome de Jean Vigo, que ele conhecera algum tempo antes, depois de assistir à projeção de *À propos de Nice*.

Quando, em 23 de julho de 1932, na companhia de Storck, Vigo se dirigia para a praça do Palais-Bourbon, onde Nounez o aguardava em seu escritório para uma primeira conversa, estava bastante cético. Não sabia muita coisa sobre Nounez ou sobre os motivos precisos pelos quais fora convocado, mas já andava desencantado com tudo o que dizia respeito aos produtores de cinema da época. O último com quem se encontrara, e a quem propusera uma adaptação de *Os pássaros* de Aristófanes, respondera-lhe secamente: "Nada de documentários, por favor!".

Nounez conhecia a infância de Jean e lembrava-se perfeitamente do caso do *Bonnet Rouge* e do final trágico de Almereyda. Ficou imediatamente seduzido pelo lado sofrido e nostálgico que julgou discernir em Vigo, acrescido de uma espiritualidade muito desenvolvida que não se detinha no ódio nem no rancor.[118] Logo já estava tratando Vigo de um jeito paternal e cheio de tato. Vigo estava surpreso e encantado por encontrar uma pessoa "muito simpática"[119] que GOSTAVA de cinema de qualidade e, principalmente, estava disposta a lhe oferecer possibilidades de trabalho. Vigo expôs algumas ideias que há muito vinha acalentando: um filme sobre os meninos no colégio, extraído de suas próprias recordações, outro sobre os trabalhos forçados, baseado na experiência do antigo anarquista Dieudonné. Nounez, por sua vez, falou-lhe sobre a adaptação para o cinema de algumas obras de Georges la Fouchardière, sobre um filme acerca da Camargue e seus cavalos, e sobre uma ideia pessoal de roteiro que poderia resultar num filme sobre a honestidade burguesa. De todo modo, nada ficou decidido, muito menos assinado, naquele dia, mas em princípio reservaram a ideia do filme sobre a Camargue e daquele sobre os meninos no colégio. A conversa durou mais de uma hora. Vigo saiu entusiasmado. Foi encontrar-se com Storck, que esperava por ele num café e, juntos, puseram-se imediatamente ao trabalho, indo visitar, para se informarem dos preços de locação e da qualidade do material, os estúdios Phototone em Neuilly e o estúdio Taponier, na rua de la Paix.

---

118. Impressões colhidas pelo autor em jun. 1950.
119. Agenda de Henri Storck, anotação de 28 jul. 1932.

A despeito do andamento um tanto demorado dos planos de Nounez, o horizonte se aclarava. Durante o mês de agosto, Vigo documentou-se sobre a Camargue e escreveu um projeto de roteiro em Leysin onde, no início de setembro, tinha se encontrado com uma renovada Lydu. Ele próprio sentia-se cheio de vida. Em poucas horas, escreveu o artigo prometido a Storck – "Sensibilité de la pellicule" [Sensibilidade da película] – enquanto prosseguia a redação do seu roteiro sobre a Camargue. Abordara primeiro esse projeto, não só porque parecia ser o preferido de Nounez, mas também porque era algo novo para ele, e não queria correr o risco de ser pego desprevenido. Quanto ao filme sobre os meninos na escola, há tempos vinha trabalhando nele mentalmente, embora não tivesse anotado nenhuma ideia cinematográfica a respeito.

Antes do final de setembro, Vigo voltou a Paris com o roteiro para a Camargue, que apresentou em seguida a Nounez. A negociação se arrastava, mas no momento o bom humor de Vigo estava inalterado. Para a volta de Lydu, em 1º de outubro, convocou os amigos – Goldblatt, Painlevé, Riéra – que foram esperá-la na estação fantasiados de personalidades oficiais, com magníficas cartolas alugadas na rua de Seine.

Os projetos de Nounez começaram de fato a tomar forma em meados de outubro, com a escolha, para começar, do filme sobre a Camargue. Segundo o plano de produção, tratava-se de um documentário romanceado de 1200 metros, sem nenhum ator profissional. Iam filmar *in loco*, naturalmente. Aliás, um dos motivos determinantes daquela escolha fora a dificuldade de achar estúdios disponíveis nas semanas seguintes. Embora no final de outubro nada estivesse ainda assinado, Vigo se preparava para uma primeira estada na Camargue no início de novembro. Em seguida, teria de retornar a Paris para um último ajuste no roteiro e na decupagem, e viajar de novo, com Riéra e Kaufman, para realizar as filmagens, que iriam durar seis semanas:

de meados de dezembro até final de janeiro. Enquanto isso, Vigo, para se familiarizar com o tema, saía toda manhã para praticar equitação em Maisons-Lafitte. "Ah! Queria que você me visse domando um puro-sangue!", escrevia ele a Storck.

Vigo era obrigado a esforços muito menos divertidos. Nounez, que estava estreando nos negócios cinematográficos, ainda não entendia muito do assunto e, cheio de outros compromissos, deixava para Vigo o trabalho, normalmente reservado ao produtor, de redigir o orçamento, determinar os salários etc. Vigo, já instalado com Lydu no apartamento que tinham encontrado, na rua Gazan, 23, em frente ao parque Montsouris, brincava de ser homem de negócios, por sinal execrável. Era desajeitado e ingênuo. Num orçamento de 172 mil francos, registrava 40 mil de salário para ele e só reservava para os seus colaboradores a soma global de 85 mil francos. Esta proporção talvez correspondesse ao trabalho que iria produzir, se comparado ao dos demais, mas estes julgavam-na exagerada. Ao mesmo tempo, detalhava um orçamento em minúcias, feito um principiante. Storck, além disso, criticava-o por ter deixado o orçamento com Nounez e ficar uma semana sem ir procurá-lo ou pedir um retorno, achava que ele era "demasiado *gentleman*, demasiado século XVIII nos negócios, cheio de escrúpulos excessivos".[120]

Não é impossível que o jeito reticente de Vigo para tratar de negócios relativos àquele projeto de filme, assim como o ceticismo que ele punha nos preparativos para a sua primeira viagem à Camargue, expressasse a sua má vontade em relação ao tema. Um estudo do projeto de roteiro e das anotações anexas, caso existam, poderia ajudar a esclarecer se Vigo contribuiu para torpedear o projeto a fim de substituí-lo por outro mais importante para ele. Nounez fora provavelmente

---

120. Anotação em sua agenda, datada de 1º nov. 1932.

alertado contra documentários, romanceados ou não. Seja como for, no início de novembro Nounez abandonou definitivamente a ideia do filme sobre a Camargue. Queria agora mandar rodar três filmes cômicos de 1200 metros e, em seguida, um longa-metragem. Abriam-se então novas possibilidades para a realização de alguns projetos de Vigo, inclusive do filme sobre os meninos e aquele sobre os trabalhos forçados. Sabiam que Nounez, a princípio, acertara com a empresa Gaumont para utilizar seus estúdios, e o clima era de otimismo. Vigo imediatamente começou a redigir, já prevendo um esboço de decupagem, o roteiro sobre os meninos, para o qual já escolhera um título provisório: *Les cancres* [*Os maus alunos*].

Vigo, em 4 de novembro, por ocasião do aniversário de Lydu, reuniu alguns amigos[121] em torno de uns canapés de caviar, cavala defumada e muitas garrafas, e festejaram as boas perspectivas com discursos, danças, pregações, cantorias e, no dia seguinte, uma dor de cabeça geral.

Vigo terminou de redigir *Les cancres* em uma semana, mas no início de dezembro ainda não tivera oportunidade de submeter seu projeto a Nounez e a inquietação voltava a rondar. Começava a mostrar-se um pouco sarcástico demais com os colegas, o que era mau sinal e feria os mais suscetíveis. Por seu lado, o pessoal que iria participar da produção (incluindo alguns amigos) já estava praticamente contratado e protestava, à espera de um trabalho e um salário que prometiam ser problemáticos e deixavam todo mundo em suspense. Lydu, sempre intrépida, ou até injusta quando se tratava de defender o que ela considerava serem os interesses de Vigo, intrometia-se e já haviam estourado ásperos bate-bocas. Ainda dava para rir e beber na casa de Riéra, para Vigo e seus amigos mais pobres os próximos dias se anunciavam cheios de angústia.

---

121. Genya, irmã de Lydu, os Kaufman, os Goldblatt e Storck, entre outros.

Finalmente, em 12 de dezembro de 1932, Vigo, convocado por Nounez, foi jantar em sua casa levando *Les cancres* debaixo do braço. Depois de escutar a leitura gaguejante que Vigo fez do roteiro, Nounez, que já tinha resolvido tudo, aceitou e garantiu ao diretor total liberdade dentro dos limites de um orçamento modesto de cerca de 200 mil francos. Além disso, comunicou a Vigo que os estúdios Gaumont estariam à sua disposição durante uma semana mais ou menos, no período das festas, a partir de 24 de dezembro.

ZÉRO DE CONDUITE

A postura de Jean Vigo diante do seu tema – a infância oprimida pelos adultos – era ditada por duas experiências: a dele próprio, nos anos passados em Millau e Chartres (principalmente os quatro anos na primeira cidade), e a do seu pai na prisão da Petite Roquette. Os relatos do seu pai deram-lhe a plena consciência desta última e, mais tarde, ele a compreendeu mais brutalmente ao ler, num número antigo de *L'Assiette au Beurre*,[122] a descrição que fazia Almereyda do regime imposto aos meninos. Embora o cenário do tema de Vigo fosse a escola, não a prisão, e que evidentemente não se encontre vestígio, no seu roteiro, da selvageria com que os meninos eram tratados na Petite Roquette, alguns detalhes foram-lhe diretamente inspirados por ela. O mais importante, contudo, é a influência, na sua sensibilidade, da infância aflitiva de Almereyda, somada aos sofrimentos que ele próprio experimentara após a morte do pai. Chegara ao ponto de identificar as duas infâncias. O resultado foi a extrema sensibilidade de Vigo para tudo o que estivesse ligado à fragilidade da criança no mundo dos adultos. Adulto, suas

---

122. Miguel Almereyda, desenhos de A. Delannoy, "La Petite Roquette", in *L'Assiette au Beurre*, n. 348, 30 nov. 1907.

recordações ainda o faziam sofrer e há tempos vinha querendo libertar-se delas por meio de um filme. Pelo final das filmagens de *Zéro de conduite*, Vigo diria, do telhado de uma casa de Saint-Cloud, para um jornalista amigo: "Este filme é de tal modo a minha vida de garoto, que não vejo a hora de passar para outra coisa".[123]

Vigo tinha até procurado ampliar sua base inicial de inspiração com recordações de escola que, a seu pedido, contavam-lhe seus amigos e colaboradores mas que, no fim das contas, acabaria utilizando muito pouco. Na primeira fase de redação do seu roteiro, também se podia observar pelo menos uma influência literária visível: a do *Grand Meaulnes*.[124] O sótão do colégio ocupa então um grande espaço na ação, e as crianças rebeldes querem transformá-lo em seu "domínio". Na primeira sinopse do projeto, os meninos declaram enfaticamente: "Se temos que ser prisioneiros, vamos pelo menos escolher a nossa prisão e nela criar tanto prazer e alegria que vamos querer ficar ali pelo resto da vida". Mais tarde ele diria a respeito do filme: "Como fui me atrever, já adulto, a percorrer sozinho, sem os colegas de brincadeira e estudo, as trilhas dos Grands Meaulnes?".[125] Na verdade, na versão definitiva do roteiro, o lado "Grand Meaulnes" seria singularmente atenuado e, no filme, dificilmente serão percebidos seus vestígios.

---

123. André Négis, *Ciné-Monde* (Paris), n. 224, ano VI, 2 fev. 1933.

124. Alain Fournier, *Le grand Meaulnes*. Paris: Classiques Garnier [Émile Paul, 1913], Alain Rivière e Daniel Leuwers (eds.), 1986 [ed. bras.: O bosque das ilusões perdidas, trad. Maria Helena Trigueiros. São Paulo: Círculo do Livro, 1987]. Grand Meaulnes é um estudante que se hospeda na casa dos professores durante seu curso secundário. Certa noite, ao passear a cavalo, chega a um castelo onde está sendo dada uma festa, e apaixona-se por uma moça. Quando tenta voltar a esse castelo, porém, já não encontra o caminho – precisará buscar vários anos até reencontrar seu "mundo encantado". [N.T.]

125. "Apresentação de *Zéro de conduite*".

Em compensação, ao assistir ao filme, a srta. Antoinette Aubès[126] reconheceria em vários trechos os relatos que, criança, Vigo lhe fazia durante as férias. Com efeito, as quatro principais personagens infantis do filme são Caussat, Bruel, Colin e Tabard. Já conhecemos bem os três primeiros, Caussat e Bruel, de Millau, e Colin, de Chartres. Tabard é um nome novo, o de um menino que, no início da ação, é frágil como uma menina e cuja amizade com o alto Bruel suscita as suspeitas maliciosas da direção do colégio. Vigo diria mais tarde que a direção espionava e torturava Tabard "quando o que ele precisava era de um irmão mais velho, já que sua mãe não o amava".[127] No mesmo texto, Vigo fala "nas crianças que são abandonadas, numa bela tarde de outubro, no início do ano letivo, num pátio de honra, em algum lugar da província, sempre longe de casa, onde esperam o afeto de uma mãe, o companheirismo de um pai, se ele já não estiver morto". Desnecessário maior esforço para reconhecer, em Tabard, o Jean Vigo de Millau. Mas Tabard é também o pequeno Mercier de Chartres; Vigo torna-se então o amigo mais velho e o protetor, o Bruel do filme. Tendo desempenhado este duplo papel da amizade amorosa entre escolares, Jean Vigo está presente nas duas personagens do filme mas, como *Zéro de conduite* representa principalmente Millau, Jean Vigo está principalmente em Tabard. Nem por isso a personagem de Caussat deixa de apresentar igualmente alguns elementos do jovem Vigo. O Caussat do filme quer dar uma de emancipado e "durão". Depois de um domingo passado em jogos inocentes, com a filha do tutor, em volta de um aquário de peixinhos dourados, ele se gaba para os colegas de ousadas façanhas. No texto, já citado, de apresentação de *Zéro de conduite*, Vigo se dirige diretamente à menina da sua infância, recordando a cena inserida no filme:

---

126. Carta ao autor, de 22 de mar. 1950.
127. "Apresentação de *Zéro de conduite*".

> Você se lembra de como eu gostava de ver você subir no piano e pendurar, no arame que tínhamos esticado juntos, roçando nossas mãos, o aquário de peixinhos dourados? Eu olhava para as suas coxas de bebezão rechonchudo, e você então tapava os meus olhos com seu lenço, que tinha o cheiro bom da lavanda da sua mãe. Então, de mansinho, como se faz com os doentes, você me tirava aquele curativo dos dias de festa e ficávamos os dois, em absoluto silêncio, olhando para o aquário de peixinhos dourados.

O que nas personagens de Caussat e Bruel não representa Vigo menino, ou seja, quase tudo, refere-se diretamente ao rude Caussat e ao Bruel fortão de Millau. O Colin do filme é mesmo o de Chartres, embora tenha virado o filho da cozinheira. Entre os outros meninos que se agitam no segundo plano de *Zéro de conduite*, podemos também reconhecer pequenas silhuetas de Millau: Durand que sabia imitar o grito dos animais, o sonâmbulo ceifado pela gripe espanhola, o acrobata.

Para criar as personagens adultas, Vigo, tal como fez com os meninos, partiu da realidade, mas uma realidade vista por olhos de um menino rebelde ou machucado que, uma vez homem-feito, tirava a sua desforra por meio da sátira. Suas personagens se afastaram dos modelos, e suas características se mesclaram de tal modo que qualquer tentativa de filiação contínua está fadada ao insucesso. Sabemos, quando muito, que os apelidos Bec-de-Gaz [Lampião de gás] e Pète-Sec [Mandão] vêm de Millau, e que o coordenador de Chartres era baixinho e barbudo, um bom homem por sinal, apesar de seus esforços para impedir a amizade de Vigo e Mercier.

Impressiona a birra de Vigo para com Bec-de-Gaz, o inspetor-chefe, que se tornaria a personagem realmente detestável de *Zéro de conduite*. Porque, para representá-lo, ele recorreu a alguns tiques dos guardas da Petite Roquette nos tempos de Almereyda, como por exemplo o hábito de simular uma saída e voltar de repente, flagrando o prisioneiro ou escolar.

Quanto à feérica personagem do bedel Huguet, tem origem, decerto, na impressão deixada pelo único inspetor simpático de Millau, aquele que só ficou duas ou três semanas no internato.

Voltemos a Vigo se preparando, roteiro em punho, para dirigir o filme neste final de 1932. Quando Vigo submetera o roteiro a Nounez, ele ainda se intitulava *Les cancres*. Ele não gostava do título e o considerava provisório. Quando teve certeza de que sua obra seria filmada, o título definitivo veio-lhe naturalmente ao espírito: *Zéro de conduite*, o temível zero em comportamento que, em Millau, tantas vezes o impediu, como a seus colegas, de sair aos domingos.

Logo depois de apresentar seu roteiro a Nounez, Vigo tratou de submetê-lo aos primeiros cortes maciços que se faziam necessários. O roteiro havia sido decupado para um filme de 2 mil metros e, em versão definitiva, ele teria de rodar 1 200 metros. Começou por suprimir uma montagem sintetizando a vida no colégio e que tendia a mostrar, ritmada por batidas de palmas, rufares de tambores e as palavras *domingo de castigo*, a espontaneidade da criança constantemente contrariada. O trecho seria breve, tratado de maneira engraçada e deveria, para o espectador, romper com a sequência cronológica dos fatos anteriores e posteriores.[128] Em todo esse trecho, Vigo ainda cederia ao seu gosto pela trucagem.

Esses exercícios, porém, nunca deveriam ser gratuitos, e sim, condicionados por uma busca precisa de expressão ou poesia. Os meninos, por exemplo, correm para o pátio. Súbito, um som de palmas e a imagem se congela na tela, persistindo alguns instantes feito fotografia inanimada. Os meninos que brincavam, corriam, agora permanecem, quebrado o seu impulso, num equilíbrio instável, numa atitude penosa e cômica. Em outro momento, os meninos caminham

---

128. Roteiro de *Zéro de conduite*. Arquivos Jean Vigo.

em direção à câmera. Chegam cantando. Súbito, parada da imagem e, ao mesmo tempo, do canto, com todas as bocas abertas numa nota aguda sustentada por alguns segundos. A cena em que os meninos chegam cantando junto à câmera é rodada de trás para a frente. Uma voz severa: "Domingo de castigo"... Os alunos são puxados violentamente para trás: uma porta se fecha atrás deles... Um pequeno ritornelo na flauta. Tal era o comentário final.

Vigo aproveitou a obrigação de revisar o roteiro para fazer algumas alterações ditadas por motivos afetivos. À ternura, destituída de qualquer pieguice, ele somava um forte sentimento de respeito em relação à criança. Nas primeiras versões, enfatizara a malícia com que a direção do colégio interpretava o comportamento dos meninos, principalmente a amizade entre Tabard e Bruel. No roteiro definitivo – na medida em que houve algum – ou, em todo caso, no filme, deixou para a direção do colégio todo o seu espírito miúdo, equívoco até; quanto aos meninos, resolveu não filmar, ou cortou depois de filmar, qualquer sequência passível de gerar uma ideia escabrosa no espectador, por fugidia que fosse. É o caso de uma cena em que dois meninos são flagrados pelo inspetor brincando, no dormitório, de mascar um mesmo chiclete juntando as bocas. Vigo até exagerou ao cortar, por exemplo, a cena em que os internos, de manhã, lavam-se no lavatório. Estão todos em mangas de camisa; um deles, para melhor se lavar, está de torso nu. Aparece o inspetor-chefe, precipita-se com um cobertor para o aluno com o busto nu e berra: "Você não tem vergonha, infeliz!". A cena era boa e tudo o que havia nela de detestável ficava com a direção do colégio. Vigo cortou-a, porém, porque o menino não reagia ante a insolência do adulto, a exemplo de outro menino, que diz um palavrão para o professor numa sequência que ficará como uma das cenas centrais do filme.

A vigilância de Vigo não se exercia apenas no campo da moral. Assim como o jovem Almereyda, nos tempos de *La Guerre Sociale*, prendia, julgava e castigava um "dedo-duro", os meninos conspiradores do

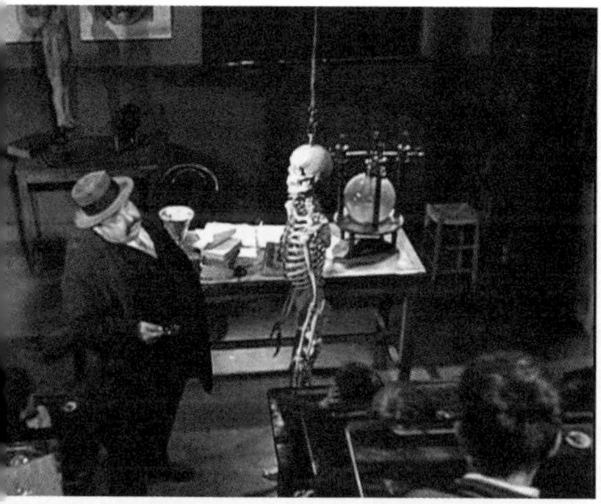

colégio executam, certa noite, um "leva-e-traz" no dormitório. Vigo, porém, não quis sujar um dos meninos e cortou a sequência. Dois adultos, ao se referirem aos meninos, usavam a expressão "moleque safado": primeiro, o ferroviário ao fechar as portas dos vagões; o plano permaneceu na versão definitiva, mas a expressão ofensiva foi suprimida. Em outra sequência, que não foi mantida, uma vendedora de bricabraques, cortejada pelo bedel Huguet, menciona os "safados dos seus moleques". Huguet simplesmente lhe dá as costas.

Com pouquíssimas diferenças, a equipe do *Zéro de conduite* era a mesma prevista para *La Camargue*: Boris Kaufman na câmera, assistido por Louis Berger, e Albert Riéra como assistente de Vigo, que pedira a Henri Storck que se juntasse a eles como produtor. Para a música, Vigo convidou Maurice Jaubert; Goldblatt, que era meio poeta, ficou encarregado de compor a letra a ser cantada pelas crianças. Pierre Merle, filho do colega de Almereyda, completava o grupo.

Os atores e a figuração não suscitaram grandes dificuldades, embora a figuração fosse relativamente importante e incluísse cerca de vinte crianças. Uma das funções do jovem assistente Merle era atrair alunos dos liceus. Um professor amigo, de uma escola de meninos do 19º Arrondissement, participou confiando-lhes alguns dos seus alunos. Para um dos papéis principais, Vigo já escolhera há algum tempo um garoto que morava perto de sua casa, na rua de l'Amiral-Mouchez, 34, que conhecera no Parque Montsouris. Louis Lefèvre, o Georges Caussat do filme, era o terror de todo o bairro e uma figura deliciosa, instável e grosseira. Tinha o dom de contar histórias fantásticas que se passavam no fundo dos mares e na lua. Muito sensível por trás de uma máscara de abobalhado, buscava a solidão. Sem sair do prédio em que morava, Vigo descobriu mais dois atores: o síndico, sr. Blanchar,[129] para o papel

---

129. Para o filme, ele escolheu um pseudônimo: Du Verron.

de inspetor-chefe, o sr. Santt, vulgo Bec-de-Gaz, e Michèle Fagard para representar a filha do tutor.

Um poeta de Bédarieux trouxe o seu filho, Gérard, garoto pálido de feições finas e cabelos compridos, para o papel de Tabard. Bruel era Constantin Goldstein-Kehler, Coco Goldstein para os amigos e para o crédito do filme, que vinha do bulevar de la Chapelle. Colin foi interpretado por Gilbert Pruchon, um garoto do Pré-Saint-Gervais. Quase todos os meninos da figuração eram do 19º Arrondissement, o bairro popular mais característico de Paris. Ou então vinham da rua Letort ou da rua Lepic, de modo que não havia quebra na unidade social do mundo dos garotos. Onde mais poderiam se encontrar melhores viveiros de meninos pobres, cheios de vida e rebeldes?

Para encarnar os bombeiros de que precisava, Vigo convidou pintores que, apesar da desagradável comparação,[130] aceitaram. Para começar, Raphaël Diligent; era um antigo desenhista de *La Guerre Sociale* e do *Bonnet Rouge*, e um dos signatários da carta coletiva de protesto pela prisão de Almereyda. Também havia Félix Labisse, apresentado por Storck, para quem escrevera o roteiro do seu primeiro filme. Ele, por sua vez, trouxera uma amiga para representar a mulher elegante que Huguet encontra durante um passeio. Os outros bombeiros eram os dois Georges, Patin e Vakalo.

Vigo precisava de um chefe de polícia de boa presença. Há algum tempo, fizera amizade com o poeta Louis de Gonzague-Frick, amigo mais próximo e executor testamentário de Laurent Tailhade, defensor do jovem Almereyda em 1901. Frick aceitou usar o uniforme de chefe de polícia em traje de gala já que se tratava de receber os insultos dos meninos revoltados.

---

130. Em francês: *pompier*. A palavra designa igualmente os pintores que tratavam, num estilo convencional, temas pomposos e artificiais, principalmente no século XIX. [N.T.]

Para alguns papéis, foram contratados atores profissionais. Mesmo um Jean Dasté, porém, formado na escola de teatro de Copeau e estreante em cinema, participou da aventura a título de amigo. Conhecera Vigo alguns meses antes por intermédio de Goldblatt e Riéra, e se tornara um dos seus companheiros de todas as horas. Foram apenas três profissionais, propriamente falando: Robert le Flon, no papel do inspetor Parrain, vulgo Pète-Sec, Larive, no do professor gordo e nojento, e o anão Delphin, que seria o diretor do colégio. Le Flon e Larive eram nomes assíduos nos letreiros do cinema francês. Delphin tinha atrás de si uma longa carreira artística iniciada antes de 1914, quando era cantor do grupo de Xavier Privas.

Havia ainda alguns papéis pequenos a serem preenchidos. Georges Berger ficou sendo o correspondente, e Storck, o padre.

Nounez deu seu acordo definitivo em 12 de dezembro de 1932, e avisou Vigo que as tomadas em estúdio teriam de começar antes do dia 24. Os poucos dias que antecederam as filmagens foram febrilmente empregados pela equipe. Vigo desenhou a planta do dormitório, o cenário mais importante do filme, Storck fez o esboço da sala do diretor. Vigo, Storck e Kaufman passaram a noite do dia 13 no La Coupole discutindo os cenários até as quatro horas da manhã. Um dia inteiro de trabalho, dia 15, permitiu que Vigo e Storck estabelecessem um orçamento, os planos de filmagem e a lista dos cenários e adereços, enquanto Riéra lançava convocações para atores e figurantes e tomava medidas práticas no estúdio.

Na Gaumont, dois estúdios, o F e o G, foram deixados à disposição da equipe. No F seria instalado o dormitório. Muita atenção tinha de ser dada aos adereços, porque o cenário da sala do diretor, montado no estúdio G, deveria ser sucessiva e, antes de mais nada, rapidamente transformado, mediante deslocamentos dos painéis e adereços, em sala de jantar do tutor, sótão, sala de química, sala de estudos e refeitório do colégio.

A equipe inteira passou a véspera do grande dia na Gaumont, preparando o cenário e a iluminação, e no dia seguinte, às nove horas,

Com Henri Storck, em Nice (no alto) e Paris (à direita), 1931-32

começaram a rodar. Os funcionários da Gaumont acompanhavam com ironia os modestos preparativos daqueles jovens, o mais velho deles não chegando aos trinta anos. Nounez, cheio de simpatia, acompanhava o movimento, embora se espantasse um bocado ao ver aparecer o anão Delphin como diretor do colégio, todo vestido de preto, com uma enorme barba da mesma cor, um magnífico chapéu-coco novo em folha e segurando um missal nas mãos miúdas.

Começaram pelo plano n. 72 do roteiro onde, poucos dias antes, estava simplesmente assinalado: "*O diretor em sua sala diz ao inspetor-chefe*: *'Sabe, está chegando o dia da festa do colégio. Talvez pudéssemos suspender os castigos*'". Vigo tinha preparado umas anotações e mandara o diretor e o inspetor-chefe entrarem na sala, de costas para a câmera, e no seu eixo. O inspetor-chefe ficava no primeiro plano, próximo à câmera e de costas. O diretor, muito digno, ia andando até a lareira onde, com alguma dificuldade porque era muito alto para ele, punha cuidadosamente o chapéu debaixo de uma redoma de vidro. Depois de dar uma olhada para o outro, o diretor virava a cabeça em direção à lareira e ajeitava a gravata, o cabelo, a barba, como se conseguisse se enxergar no espelho, o qual só refletia a imagem do inspetor-chefe. Ele ia até sua mesa, braço estendido, enfiava os pés na *chancelière*[131] colocada num banquinho, e fazia um gesto ao inspetor-chefe para que se sentasse. Ele próprio se sentava, mas suas pernas, demasiado curtas, ficavam no ar. Havia um instante muito solene de imobilidade. O diretor ia falar.

Pela primeira vez, Vigo se achava num estúdio como diretor responsável. Aos poucos, foi adquirindo autoridade. Era também a primeira vez que ele abordava o diálogo. Em *Taris*, havia apenas um comentário; era, além disso, uma fita curta. O diretor ia falar, mas não diria a frase do roteiro. Vigo compreendeu rapidamente que os

131. Caixa ou saco forrado por dentro, que serve para manter os pés aquecidos. [N.T.]

diálogos que escrevera para o roteiro valeriam apenas como indicação. Passou a escrever outros à medida que avançavam as filmagens. Toda manhã, pegava o trem numa estação da Petite Ceinture,[132] para ir até o estúdio. Era o caminho mais longo, o que lhe permitia escrever os diálogos durante o trajeto. Tornaremos a falar desses diálogos. Enquanto isso, o diretor começa a falar:

> *Nossa festa, senhor*
> *Santt, está chegando...*
> *Não é?*
> *É nossa pequena*
> *diversão...*
> *Não é?*
> *Por favor, por favor,*
> *por favor, nada de confusão,*
> *nada de aventuras*!

A equipe julgou que Delphin estava atuando mal. Além disso, era muito suscetível e como, no final do dia, de pura exaustão, Vigo tinha explodido, o ator declarou que não iria mais voltar. Posteriormente, Vigo mais de uma vez precisaria mandar Storck como embaixador, para parlamentar com Delphin no bulevar de Clichy, 70, numa curiosa mansarda mobiliada à sua medida onde, alguns anos depois, quando se achava sem trabalho, viria a se suicidar com gás.

A ordem das filmagens previa, para o primeiro dia de trabalho, a tomada de todas as sequências da sala do diretor e da sala de jantar do tutor. Mas, apesar de um esforço acirrado que se estendeu até tarde da noite,

---

132. Linha de trem, hoje em boa parte desativada, que desde 1862 circulava em torno de Paris. [N.T.]

quando a equipe se despediu, todos derrubados de cansaço, não tinham conseguido concluir com a sala do diretor, e Vigo estava preocupado.

No domingo, com Storck, foi dar uma volta em Saint-Cloud a fim de escolher cenários externos. Na segunda-feira, os operários do estúdio não trabalhavam e eles aproveitaram para escolher as crianças, atores e figurantes.

Na terça, dia 27, conseguiram concluir com a sala do diretor e rodar a cena de Caussat com a menina na sala de jantar do tutor, mas Storck estava doente e foi obrigado a ficar de cama no dia seguinte, aos cuidados de Lydu.

Precisavam acelerar o ritmo do trabalho, o grupo já era bem reduzido e a falta de Storck, por um dia que fosse, ameaçava tumultuar tudo. A equipe fazia rapidamente as refeições no bistrô vizinho ao estúdio. Já no primeiro dia, no almoço, Vigo completou o elenco do filme contratando a proprietária, sra. Émile, para o papel da Mère Haricot [Mãe Feijão], cozinheira do colégio. Já havia conseguido, entre os operários do estúdio, um maquinista que, ostentando óculos escuros, daria um vigilante razoável para algumas cenas do dormitório.

Durante a quarta-feira, 28, conseguiram rodar as cenas da cozinha e do refeitório. Para ganhar tempo, deixaram este último sem cenário. Instalaram os adereços no espaço do dormitório que já estava pronto, e filmaram de cima para baixo.

No dia seguinte, passaram para o dormitório, onde deveriam se dar as sequências mais complexas do filme, as que exigiam mais cuidado. Deveriam trabalhar pouco menos de quatro dias, a um ritmo cada vez mais acelerado.

O relacionamento entre a equipe, que apesar do cansaço não abria mão do humor e da fantasia, e o administrador da Gaumont, sr. Thau (considerado insuportável), tinha se envenenado. Delphin continuava se queixando de Vigo, que ele achava rígido. Os meninos, que se divertiam a valer em guerras de travesseiros que soltavam nuvens de penas, e arrastando urinóis, estavam ficando intoleráveis. Vigo ficou doente, mas teimou em filmar e, na noite de 31, estava com quarenta graus de febre. André Négis, enviado por *Ciné-Monde*, acompanhou os trabalhos naquele dia.

> Posso garantir que não é pouca coisa dirigir, disciplinar, tirar alguma coisa desses vinte moleques recrutados aqui e ali, arrancados dos fundos das lojas, das escolas, das mansardas, das calçadas. Vigo os escolheu por Paris com o maior cuidado. Chegou a seguir um ou outro pelas ruas, ao risco de passar por um indivíduo de moral duvidosa. Mas o que quer esse homem franzino, ele quer realmente.
>
> Assim, neste exato momento, com seus olhos fundos, faces encovadas, sua tosse de gripado, seus 39 de febre, deveria ter ficado é na cama. Mas estão filmando, as despesas correndo e aí está ele, afônico, irritado, reclamando, blasfemando. Como está sem voz nenhuma, Riéra lhe empresta a sua, que é formidável: um legítimo alto-falante eletrodinâmico. Vigo diz a frase no ouvido de Riéra, e Riéra berra:
>
> 'Deitados, seus moleques, que diabos!... Deitados e olhos fechados! Deu? Então vamos ensaiar uma última vez!'.
>
> '*Sunlight*. Câmera. A gente pensa que deu, e não deu. Vamos ter que refazer a cena de novo, dar uma forma segura para esta massa pouco maleável: garotos que nunca atuaram e estão vivendo uma grande brincadeira.'

Trazem uma máquina de fazer vento. Colocam na beira da cama um montinho de penas e a hélice gira, jogando na cara do sr. inspetor-chefe, que vem entrando no dormitório, uma rajada de penugem. A cena, três vezes retomada, espalha no local três pacotes de penas. O ar está todo branco; estamos cobertos de penas, respiramos penas, comemos penas!

'Tome, Jean, beba isto...'

Uma jovem encantadora, de magníficos cabelos selvagens, aproxima-se com uma xícara fumegante na mão. É a sra. Jean Vigo.

'O que é isso?'

'Chá de quatro flores.'

E, dócil, Jean cheira as 'quatro flores', tanto para acalmar a tosse como para ajudar a descer todas as penas que engoliu.[133]

Vigo resistiu até o limite, contando com o domingo e a segunda para descansar. Mas exagerou. A febre não baixou, na segunda-feira estava absolutamente esgotado e teve de precaver-se contra uma eventual pneumonia. Precisou desmarcar com todo mundo. Riéra e Storck ficaram encarregados de acertar, na Gaumont, com o sr. Thau, os problemas práticos acarretados pelo adiamento do trabalho. A reação do sr. Thau foi ruim, e a discussão não foi tranquila. Chegou a se aventar a continuação das tomadas mesmo na ausência de Vigo; por fim, a direção do estúdio aceitou uma interrupção de três dias, e combinaram dar continuidade ao trabalho na sexta-feira, dia 6.

Entretanto, as notícias chegaram aos Vigo de uma forma que o casal chegou a pensar, por um momento, que Storck e Riéra estavam tentando rodar em segredo. A reação de Vigo, e a de Lydu, principalmente, foram extremamente violentas. "Lydu, furiosa, comportou-se feito uma vaca estúpida", escreve Storck na sua agenda, magoadíssimo com a injustiça. "Fico nauseado com a atitude de Vigo, e principalmente a de Lydu, depois dos tantos escrúpulos que tivemos, Riéra e eu, para poupar a vaidade de Jean."[134]

A situação de Vigo era trágica. Depois de anos de espera, sua saúde ruim ameaçava destruir uma oportunidade decisiva. Lydu e Vigo sentiam-se perseguidos pela má sorte, aguardavam alguma catástrofe e até uma traição de amizade. Um instante de reflexão, contudo, foi suficiente para acalmar os ânimos.

---

133. André Négis, *Ciné-Monde*, 2 fev. 1933.

134. Registro de 4 jan. 1933.

Na sexta-feira, Vigo foi ao estúdio a fim de completar as cenas do dormitório. Trabalhou até o fim do dia, embora nem sequer se cogitasse rodar cada plano mais de uma vez. Ele só tinha mais um dia de estúdio pela frente e muito trabalho ainda. À noitinha, antes de deixar o estúdio, concluiu em meia hora, às pressas, a cena do sótão.

No dia seguinte, sábado 7 de janeiro, Vigo rodou as cenas da sala de aula e da sala de estudos, sempre uma única vez cada plano, sacrificando mais uns planos no seu roteiro. Fosse como fosse, a equipe tinha de deixar o estúdio à meia-noite no mais tardar. Aos dez para a meia-noite, os diretores da Gaumont estavam andando de lá para cá pelos cenários, consultando o relógio. Passada a meia-noite, os maquinistas e eletricistas tinham direito ao salário de uma noite inteira, com preço dobrado. E ainda restava uma cena para rodar!

Blanchar, que fazia o papel de inspetor-chefe, deveria nessa cena se entregar aos seus vícios de curiosidade e luxúria. Desde as oito da manhã, o síndico do prédio, um homem respeitável, aguardava aquele momento. Finalmente, aos dez para a meia-noite, chegou sua hora. Ele correu para as carteiras, encheu as mãos de cola, afanou uns cartões-postais religiosos, na esperança de encontrar no meio deles exemplares dessas imagens de caráter menos sacro que alguns colegiais depravados conseguem às escondidas. Vigo, controlando-se apesar do esgotamento, guiava-o com a voz, os olhos flamejantes, a voz rouca:

> 'Os postais, senhor Du Verron, ali, os postais... Oh! Oh! O que é... Oh! Oh! Perfeitamente... Argh! Os santinhos, isso, jogue fora. Agora, rápido, a cola, que diabos! A cola! Lambuze bem as mãos, não, mais, mais cola! Droga! Droga! Não fique enrolando! Isso, as tangerinas! No bolso! Mais depressa, que diabos! Senhor Du Verron, o giz! Isso; vamos lá! Enchendo os bolsos... a porta, senhor Du Verron, a porta, isso...' e, com voz trêmula: 'Corta!'.

Vigo se virou com um ar ansioso para Storck, que lhe respondeu, emocionado: "Doze segundos". Vigo então pôs o chapéu e, postando-se diante do representante da diretoria, declarou-lhe: "Meu senhor, são sete segundos para a meia-noite, acabei, boa noite!".

O trabalho em estúdio tinha durado oito dias.

Depois da loucura que fora o último dia, Vigo e seus amigos precisavam relaxar os nervos de algum modo. Um bistrô de Montmartre forneceu-lhes a oportunidade de uma memorável batalha de ovos duros. Foi o início de uma tradição para Vigo e seus amigos. Esse esporte, porém, ainda seria aperfeiçoado e os projéteis posteriormente se tornariam ovos crus.

Vigo e Riéra retornaram a Saint-Cloud já na segunda-feira, para a escolha definitiva dos locais para as externas, que tinham de começar a rodar no dia seguinte. Saint-Cloud, com seu jeito de aldeia pequena, oferecia o cenário que Vigo queria. Além disso, ele era afetivamente muito apegado àquele bairro onde vivera o seu pai no período final da vida.

Deram início às externas na terça-feira, 10 de janeiro, trabalhando o dia inteiro no passeio dos alunos conduzidos pelo bedel distraído. Na mesma noite, filmaram na estação de Belleville-Villette, até as cinco e meia da manhã, as duas sequências iniciais do filme – a volta das férias dos colegiais.

No dia seguinte, Vigo precisou de bombeiros, não os do filme, mas bombeiros de verdade, para criar uma chuva artificial regulável. Eles vieram de bom grado, depois de correrem até a prefeitura para buscar o uniforme. Então, desatarraxaram um hidrante e acoplaram uma válvula, encantados de trabalhar sem nenhuma catástrofe. Mas, na hora de começar, desabou a chuva e, com certa melancolia, tiveram de enrolar de volta as suas mangueiras de lona. A chuva se mostrou caprichosa e o trabalho se revelou difícil. Nisso transcorreu o dia inteiro mas, por volta das oito horas da noite, haviam sido rodados os planos da volta do passeio.

O tempo não abriu nos três dias seguintes. Afora as cenas com o padre, filmaram pouquíssimos planos. Vigo tinha pressa de passar para as sequências situadas no pátio do colégio, sendo algumas bem importantes.

Em atenção a solicitações bem justificadas, o inspetor da academia de Versalhes autorizara as filmagens no pátio do colégio de rapazes de Saint-Cloud. Previra-se, de início, uma rápida tarde de trabalho, numa quinta-feira,[135] por exemplo, para não distrair os alunos de suas atividades. Na prática, a equipe chegou numa quinta e, depois de empilhar na área coberta grande quantidade de refletores e material, apossou-se do pátio por mais de uma semana. O diretor da escola estava extremamente interessado nos trabalhos, mas não demorou a assustar-se com os meninos, receando o mau exemplo para os alunos da sua escola. "Ora", dizia para Vigo, "o senhor trouxe aí um bando de delinquentes." De fato, depois de três semanas de cinema, os meninos estavam enlouquecidos. O roteiro contribuía um pouco para isso. Mandavam que dissessem "merda" para o professor, que se revoltassem, cantassem no dormitório quebrando tudo, bombardeassem as autoridades durante uma festa, corressem em disparada pelas ruas e expressassem os sentimentos que animam uma multidão num dia de revolta.

Vigo tinha pressa porque Kaufman ia para a Suíça na noite do domingo, 15 de janeiro, e esperava-se que ele rodasse pessoalmente a sequência mais importante do pátio, já que não poderia rodar as outras. Vigo mandara instalar uma legítima barraca de feira para o pimpampum – *Noce à Nini Patte-en-l'air*[136] servir de tribuna para as autoridades

---

135. Quinta-feira era um dia sem aulas nas escolas francesas. Atualmente, esse dia é quarta-feira. [N.T.]

136. *Casamento de Nini Pernas-para-o-Ar*, pintura de Georges Rouault que se refere a Nini Patte-en-l'air, dançarina do final do século XIX e criadora do *French Cancan*. Pimpampum (*jeu de massacre*): jogo que consiste em derrubar bonecos com bolas de borracha. [N.T.]

convidadas à festa anual do colégio e nela trabalharam toda a manhã e toda a tarde do dia da viagem de Kaufman.

Faltavam apenas as demais sequências do pátio e a final sobre os telhados. Mas a chuva e a neve reduziram o ritmo, e afinal interromperam completamente os trabalhos. Houve discussões, entre Nounez e Bedoin, da Gaumont, acerca do orçamento e dos valores excedentes. Foi de novo preciso abreviar, amputar algumas cenas e rodar às pressas uma única vez cada plano. Vigo teve de sacrificar uma sequência cujo movimento lhe agradava e que serviria de traço de união entre a cena do recreio no pátio e a do estudo dirigido pelo bedel simpático. Merece ser lembrada porque se trata de um bom exemplo do que era uma *gag* para Vigo. Caussat, graças à cumplicidade de Huguet, esquiva-se, com um mapa no bolso, da desconfiança do inspetor-chefe. Para disfarçar, o garoto dá um chute numa bola, que rola pelo pátio. Quebra-se uma vidraça e imediatamente aparece o inspetor-chefe. Caussat leva um castigo – proibição de sair no domingo – e volta para o pátio bem a tempo de a bola bater na sua cabeça e subir verticalmente, indo quebrar uma vidraça no ponto mais alto do prédio. Gesto de impotência de Caussat, que recebe dois domingos de castigo! Caussat está para voltar ao pátio, desta vez com cautela. O inspetor-chefe desaparece no vão da porta da sua sala. A bola chega. Caussat se joga no chão para desviar da bola, que vai na direção da sala do inspetor-chefe. Este fecha rapidamente a porta, em cujo vidro se lê "Inspetor-chefe", e que se quebra. Nova aparição do inspetor-chefe e Caussat, desesperado, vai receber mais uma punição. Furioso, corre para a bola e tenta derrubar todas as vidraças que vê pela frente, mas não acerta nenhuma. Mira então o inspetor-chefe, que está saindo de sua sala. No mesmo instante, Huguet, o bedel simpático, encaminha-se para a sala de estudos. Neste movimento, com jeito de quem está com a cabeça "nas nuvens", obriga o inspetor-chefe a desviar um pouco sua trajetória. Assim, a bola passa ao lado do inspetor-chefe que se detém, aguardando a vidraça quebrada. De fato, a bola que desviou do inspetor-chefe está indo, ao que parece, direto para uma vidraça. Huguet cumprimenta o inspetor-chefe e, de passagem, recebe a bola dentro do chapéu. Torna a pôr o chapéu, com a bola, o que lhe cria uma imensa cabeça sobre os ombros, e entra na sala de estudos seguido pelos meninos, encantados.

Vigo já havia rodado alguns planos dessa sequência, mas teve de abandoná-la. Requeria uma precisão incompatível com a obrigação em que estava de rodar uma única vez cada plano. Apesar de todos os sacrifícios e por causa do mau tempo, somente no domingo, 22 de janeiro, é que chegaram ao fim as filmagens externas, após nove dias e meio de trabalho efetivo.

Vigo se encarregou sozinho do primeiro corte. Os amigos, que o avistavam nos intervalos do trabalho, acharam-no bem desanimado e inseguro em relação ao seu filme. Ele constatou, inclusive, que apesar de todas as amputações preliminares e todos os números do roteiro sacrificados durante as filmagens, tinham ultrapassado a metragem prevista. Ainda precisava cortar uns trezentos metros. Dessa vez, tratava-se realmente de amputar matéria já criada. Viu-se obrigado a uma escolha dolorosa. Ou bem privilegiava a clareza do conjunto e escolhia as sequências e planos que, não levando em conta a qualidade, podiam contribuir para melhor entender a ação, ou bem escolhia os trechos mais autênticos e mais bem produzidos, sem se preocupar muito com o ritmo e tudo o mais. Em suma, dada a impossibilidade prática em que estava de alcançar, na sua obra, a unidade ideal, precisava escolher entre a unidade de ação e a unidade de estilo. Optou pela segunda alternativa, mesmo que acrescentando, se necessário, algumas legendas explicativas.

Depois de concluir a primeira montagem, ainda não sonorizada, Vigo precisou descansar antes de continuar com a montagem definitiva. Voltou para Paris no início de março, em boa forma, mas em seguida precisou cuidar de Lydu, que estava com difteria. No dia 4 de março, Vigo apresenta a montagem à sua equipe.

O resultado é frustrante. Julgam que o filme carece de clareza e ação. Até a metade, é um documentário com sínteses demasiado rápidas; o ritmo é falho, a falta de decupagem é claramente percebida, a interpretação é ruim, tudo ficou na intenção; em suma: amadorismo.

Maurice Jaubert estava trabalhando na partitura. Dois anos antes, Jaubert pela primeira vez compusera música de filme para um documentário de trezentos metros de Storck, *Ostende, reine des plages* [*Ostende, rainha das praias*], sonorizado por Painlevé. No início de 1933, havia composto tão-somente a sua primeira obra sinfônica, *Le jour* (*O dia*, Paris, 1931) e estava trabalhando na sua *Suite Française*. Já vinha reagindo à herança musical dos anos 1920-1930, a época gloriosa e diversificada de Schönberg, Hindemith, Stravinsky e do sensualismo da jovem escola francesa, herança que julgava frustrante. Já não buscava, na música, uma percepção interior e desencarnada. Obcecado por preocupações sociais ligadas à estética, via no cinema sonoro um campo ideal de atuação.

Joseph Kosma lembrava, em 1950, o desprezo dos compositores pelas primeiras partituras para filmes sonoros. Tais partituras não passavam das herdeiras atentas, e muitíssimo mais eficientes, do papel de acompanhamento que tinha a música no tempo do cinema mudo. Jaubert reagiu contra esse estado de coisas. "Acabaram", dizia, "as escalas ascendentes quando uma personagem sobe as escadas, e as escalas descendentes quando ela desce."[137] E saiu em busca de uma intercomunicação entre as imagens que lhe propunham e a música que elas suscitavam dentro dele.

Jaubert pediu para ver a montagem várias vezes. Gostara do tema de *Zéro de conduite*. O crente que ele era tinha as mesmas ideias que o ateu Vigo, a mesma nobreza, a mesma juventude. Mas ele também gostara do modo como o tema era tratado e, em sua partitura, Jaubert acompanha Vigo por toda parte com uma naturalidade que dá a impressão de

---

137. Joseph Kosma, "Maurice Jaubert", *L'Écran Français*, Paris, 19 jun. 1950.

uma criação simultânea, desde as molecagens do começo (no trem em marcha) até a revolta final das crianças e a saída pelos telhados. Ele não o abandona, pelo contrário, solidariza-se ainda mais completamente, quando Vigo mergulha perdidamente no extraordinário mundo poético da câmera lenta, no cortejo dos archotes.[138] A partitura de *Zéro de conduite* foi um sucesso absoluto e a partir de então ficou claro que Jaubert era, na França, o melhor músico de filmes.

No final de março, concluiu-se o trabalho de sonorização e o filme estava pronto para ser distribuído.

Zéro de conduite se distanciou bastante do roteiro original, da decupagem literária em sua primeira versão, e até dos elementos da decupagem de trabalho que Vigo ia preparando ao longo das tomadas. O filme abre com uma cabine de trem de terceira classe. Encolhido a um canto, dorme um homem, chapéu abaixado sobre os olhos. Sentado no meio do banco, Caussat volta para o colégio depois das férias. Numa parada, vem juntar-se a ele seu amigo Bruel e, pelo resto do trajeto, eles vão contando um para o outro as brincadeiras aprendidas durante as férias.

As primeiras imagens de Caussat sozinho apresentam falhas. Vigo queria dar, por um instante, a impressão de um menino fora do mundo dos meninos. O primeiro momento, quando Caussat está comportado, pensativo, um pouco preocupado, triste talvez, é bom; mas, quando tem de fazer os primeiros gestos, estes são bruscos. Quando aparece Bruel, o desenrolar da sequência fica excelente. A música de Jaubert dá o ritmo, tanto do movimento do trem como da brincadeira dos meninos. O jogo consiste na intercomunicação das descobertas das

---

138. Em francês, *retraite aux flambeaux*: cortejo de archotes, conforme o roteiro original. Na filmagem, houve uma adaptação para "[...] *une sortie de retraite aux flambeaux (éteints)*": uma espécie de cortejo de archotes (apagados). Ver Jean Vigo, *Œuvre du cinéma*, ed. revista, anotada e apresentada por Pierre Lherminier. Paris: Cinémathèque Française/ Lherminier, 1985. [N.O.]

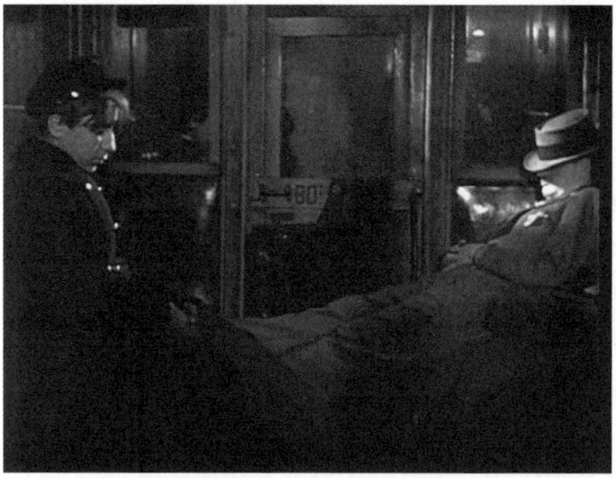

férias, e é levado num clima de emulação e sobrevalorização. Uma bexiga de borracha não é nada. Mas duas bexigas podem virar seios de mulher para a gente acariciar. Bruel pega uma flauta e toca: Caussat já acharia admirável, mas Bruel vai além – é capaz de tocar com uma narina; Caussat tem umas penas, que gruda por toda parte, até no traseiro, para se fazer de galo ou outra ave qualquer. Pausa. Ambos se preparam para mostrar um achado que irá demolir o do outro. Num mesmo gesto, tiram do bolso um enorme e idêntico charuto. O trem alcança sua maior velocidade. À fumaça da locomotiva que se vê pela vidraça corresponde, do lado de dentro, a dos charutos que os meninos sugavam rapidamente, confortavelmente acomodados. A atmosfera da cabine se torna enevoada e fantástica: uma auréola em volta da lâmpada e a bexiga flutuando em meio à fumaça. Os colegiais acabam passando mal. A um canto, a massa do senhor adormecido é sacudida pelos movimentos do trem. Aliás, estão chegando ao destino e Caussat diz, apontando para o homem: "Está morto. Vamos dar o fora". O trem entra na estação e ambos correm para pegar sua bagagem.

Se, para uma antologia, fosse preciso escolher na obra de Vigo uma única sequência representativa do seu estilo, teria de ser esta abertura de *Zéro de conduite*. Temos aí três procedimentos característicos da sua criação. De início, uma realidade modesta bem cuidada em todos os detalhes (uma cabine de terceira classe, colegiais de uniforme surrado e pernas magras), que termina na fantasia (atmosfera enevoada da cabine), passando pelo esquisito (os objetos e brincadeiras das crianças).

A chegada, à plataforma mal iluminada de uma pequena estação do interior, não traz nada de especial. Somos apresentados a Pète-Sec ("Este ano também não vai ser brincadeira", comenta Bruel), e ao "morto" do trem, o novo inspetor Huguet, educado, extravagante, empoeirado, carregando a bagagem no colo e arrastando o casaco pelo chão. Avistamos Colin ("Velho Colin, o filho da cozinheira, 'Feijão Filho'") e Tabard, o novato, junto à silhueta da sua mãe, e todos os demais meninos. Pète-Sec acolhe friamente o jovem e sorridente Huguet e com voz desagradável ordena aos alunos que se ponham a andar, dois a dois e em silêncio.

Primeira noite no dormitório. Os meninos já estão deitados. O silencioso inspetor-chefe, sr. Santt, vulgo Bec-de-Gaz, faz sua aparição, e o inspetor Parrain, quer dizer, Pète-Sec, informa-lhe que o aluno Tabard ficará essa noite no hotel com sua mãe. Bec-de-Gaz supostamente não diz uma só palavra durante o filme inteiro mas, desde o começo, temos a sensação de que ele fala. Isso, porém, logo deixa de ter importância. A passos surdos, ele atravessa o dormitório e tem início o trecho mais bonito do filme.

No meio do dormitório, isolado em sua cabine, Pète-Sec também se deita, e as luzes se apagam. Em seguida começam os ruídos: os garotos brincam de imitar gritos de animais, junto com cochichos, risos abafados. Um tabefe, e uma risada mais forte. O inspetor grita da sua cabine: "Durand! Aqui, do lado da minha cama!". O aluno chamado faz um gesto para se levantar, mas Caussat, Bruel e Colin se adiantam. Não foram chamados, não entenderam direito com quem o inspetor queria falar, mas estão tão acostumados... Ali estão eles, portanto, em pé, vistos do alto, cada qual num dos três lados da cabine do inspetor. Adivinhando a presença de alguém, cada um deles tosse e retosse. Bruel estica o braço e, no escuro, tateia o outro lado da cabine. Caussat morde o seu dedo, ou belisca o seu braço, e Bruel dá um grito. Pète-Sec se ergue, assustado.

PÈTE-SEC Quem está aí?
CAUSSAT Caussat, senhor.
BRUEL Bruel, senhor.
COLIN Colin, senhor.
PÈTE-SEC Não chamei ninguém... nenhum dos três. Já que estão aí, fiquem! Até as 11 horas!
E torna a se deitar para dormir. O relógio dá 9 horas. Um tempo.

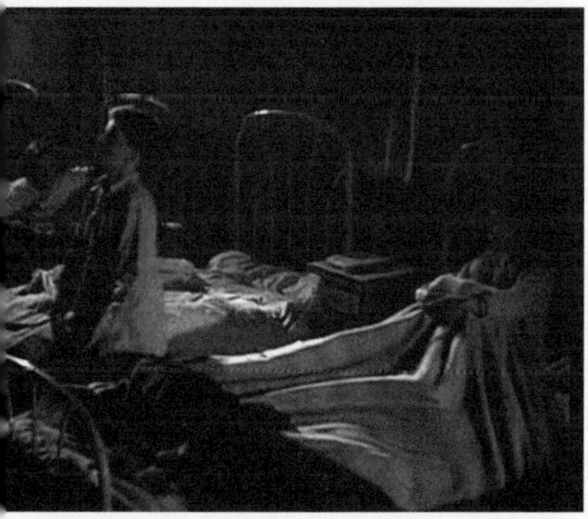

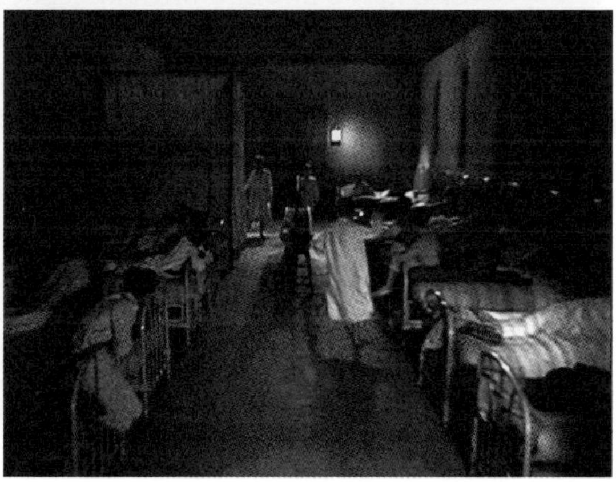

Os meninos vão manter diálogos um pouco mais compridos. Vigo sabia que o som de que dispunha era ruim e que, além disso, a dicção de vários atores, principalmente a dos meninos, deixava muito a desejar. Para remediar essas dificuldades, não raro mandava que os atores repetissem as palavras ou frases durante as falas.

Os meninos estão imóveis e calados desde algum tempo, de repente Colin se contorce e solta um gemido.

COLIN Senhor, estou com dor de barriga...

BRUEL Senhor, ele pode ir?

COLIN Ah! Estou com dor de barriga...

BRUEL Senhor, ele está com dor de barriga!

COLIN Ah! Estou com dor de barriga...

CAUSSAT Puxa, ele pode ir? Ele está com dor de barriga!

COLIN Aah!

CAUSSAT Vá! Não dê bola para este imbecil!

Colin desaparece do campo. Passa um tempo.

PÈTE-SEC Caussat, Bruel, Colin, estão aí ?

CAUSSAT e BRUEL Sim, senhor.

PÈTE-SEC Vão se deitar.

CAUSSAT e BRUEL Obrigado, senhor.

O campo se desloca para a direita a fim de acompanhar um dos meninos até sua cama, depois para a frente, com o outro menino, e volta para a esquerda em direção à cama vazia a fim de esperar por Colin, que chega correndo em seguida.

Se no poema de *Zéro de conduite* eu tivesse de indicar o mais belo verso, escolheria este rápido retorno de Colin para a cama onde, cúmplice, a câmera o espera.

Quando voltam para as suas camas, levanta-se um sonâmbulo e dá a volta no dormitório. O vigilante faz a ronda.

Estas cenas do dormitório nos mostram Vigo num momento de total domínio dos recursos do cinema, submetidas ao seu desejo de expressar essa saborosa intimidade que ele foi buscar no fundo das suas recordações de infância. Aqui, a montagem, os movimentos da câmera, a composição e o ritmo interno da imagem, os diálogos, a iluminação, tudo se funde numa unidade harmoniosa que era certamente a unidade dos mais ambiciosos sonhos de Vigo.

Na manhã seguinte, os meninos custam a despertar e sair de suas camas. Quando o inspetor-chefe atravessa o dormitório, eles se erguem como que impulsionados por molas. Mas só para tornarem a se deitar assim que Bec-de-Gaz fecha a porta. Torna a abri-la de súbito a fim de flagrar os culpados. Pète-Sec só precisa escolher os seus sacos de pancada habituais: Colin, Caussat e Bruel, de castigo no domingo.

A relação entre a montagem da imagem e do som irá provocar confusão nessa cena, e não se sabe exatamente quem está falando: Pète-Sec ou Bec-de-Gaz. Outra cena, nessa mesma sequência, lembra um filme que Vigo admirava, *Mädchen in Uniform* [*Senhoritas em uniforme*] quando os meninos se levantam em legítima posição de sentido à passagem do inspetor-chefe. O filme de Leontine Sagan é de 1931, e Vigo o assistira na França no verão de 1932.

No pátio do colégio, durante o recreio... alguns meninos brincam com uma bola. Outros fumam cigarros nas latrinas. Outros ainda se divertem perturbando aquele que está de fato no sanitário. Caussat, Bruel e Colin estão, como sempre, conspirando. Estão inclusive com um mapa aberto à sua frente. Tabard está sozinho. É atraído pelo trio, mas se sente rejeitado. Um dos inspetores se aproxima, mas Huguet, sem dar a perceber, cobre a retirada dos conspiradores que vão se refugiar na sala de estudos.

As sequências do recreio são ricas para criar um clima, mas no que se refere à ação não são de grande valia. Avistamos os três conspiradores, ocupados em volta do mapa, Tabard mantido a distância e Huguet protegendo-os, mas pouco se entende do que falam e nem se percebe bem do que se trata. Em compensação, o clima do colégio está criado com a imagem dos meninos fumando nas latrinas, ou da porta aberta num puxão súbito que mostra um garoto de bundinha de fora gritando, indignado: "Seus porcos!".

Mal entrou na sala de estudos, o trio tem de sair pela janela pois vem chegando o inspetor-chefe. Bec-de-Gaz aproveita o recreio para revistar as carteiras. Talvez espere encontrar algo proibido. Frustrado, aproveita a oportunidade para roubar os doces dos meninos. Huguet está entediado. Gostaria de brincar um pouco com a bola, mas se sente, também, vigiado por Pète-Sec e Bec-de-Gaz. Para se distrair, caminha pelo pátio ao modo de Carlitos e diverte os meninos escondidos atrás de um muro. Um grupo de alunos aparece ou desaparece atrás do muro das latrinas, conforme Huguet fica de costas ou de frente para ele. Não demora, a imitação de Carlitos de Huguet e o movimento de esconde-esconde dos meninos se completam e o pátio inteiro reconstitui a "respeitosa paródia" (expressão usada por Vigo em suas anotações) de uma cena da obra do período Mutual de Chaplin: *Easy Street* [1917, *Rua da Paz*]. Vigo faz aí uma citação cinematográfica comparável à frase de um autor famoso numa obra literária. Não acredito que a ideia tenha sido retomada, a não ser em *La règle du jeu* [1939, *A regra do jogo*], quando Renoir cita (também de Chaplin) um trecho de *The Count* [1916, *O conde*].[139]

Hora do estudo. Os meninos percebem que o inspetor-chefe revistou suas carteiras e Caussat decide partir para a represália. Recolhe os vidros de cola e os esvazia em todos os cantos passíveis de serem revistados. Na sala de estudos, presidida por Huguet, os alunos fumam, leem jornal, jogam baralho, erguem pirâmides humanas. Um deles dorme. Caussat,

---

139. Em *L'Amour d'une femme* [1954, *O amor de uma mulher*], Jean Grémillon irá "citar" a cena dos pãezinhos de *The Gold Rush* [1925, *Em busca do ouro*]. [N.E.F.]

Bruel e Colin estudam o mapa. Huguet ajuda um dos meninos que está tentando caminhar com as mãos. Ele próprio faz uma demonstração, muito aplaudida. Nessa posição acrobática, desenha uma caricatura de Bec-de-Gaz trajando um maiô. Entra este último, a caricatura toma vida e se transforma em Napoleão. Huguet vai ser substituído por Pète-Sec. Antes de sair da sala, Huguet pega o mapa que os três colegiais ainda não tinham conseguido esconder, rasga-o e guarda os pedaços no bolso.

Nesse trecho, dois fatos que deveriam estar ligados a ações futuras ficam em suspenso, já que não ocorreu o encadeamento posterior. Primeiro, Caussat lambuzando as carteiras com cola. A cena que viria em seguida era a que fora rodada às pressas, faltando dez para a meia-noite, na última noite de tomadas em estúdio. Na montagem, Vigo teve de sacrificá-la. Não faz falta. O desencadeamento anunciado pela cena dos vidros de cola está tão implícito que a pequena exigência imposta à imaginação do espectador é facilmente satisfeita. Talvez fosse supérflua, inclusive, a imagem de Bec-de-Gaz mergulhando a mão na cola. Esse êxito se deve em parte à qualidade adquirida pelo diálogo por meio do método de repetição que já examinamos acima. Seria difícil esquecer Caussat passando em meio aos colegas, dizendo:

> Ah, ele revistou?
> Você vai ver só... Me dê... seu vidro
> de cola...
> ... seu vidro de cola...
> Seu vidro de cola...

A outra cena que ficou em suspenso refere-se mais diretamente à ação principal do filme: aquela em que Huguet rasga o mapa. Mais tarde, os meninos deveriam encontrar o mapa, cuidadosamente colado por Huguet, escondido na cama de Caussat. Esse último trecho faz falta no filme e o gesto de Huguet adquire uma desagradável gratuidade.

Quanto ao desenho animado inserido na sequência, Vigo o queria no estilo de transformação da obra de Émile Cohl. A introdução de um desenho animado, nesse trecho, não trouxe a conclusão desejada para o encadeamento de absurdos harmoniosamente conduzidos até então.

Ocorre outra trucagem bem no início dessa sequência. Caussat segura uma bola que some misteriosamente assim que Bec-de-Gaz põe o nariz na janela, e reaparece tão misteriosamente quanto assim que ele se afasta. A cena seria a conclusão da sequência das vidraças quebradas que já examinamos, mas que não foi rodada. Em vez de concluir, ela preludia outra sequência e fica muito bem assim. Nessa sala de estudos, são tantas as coisas extraordinárias que uma trucagem a mais não atrapalha; além do quê, permite que Vigo preste, *en passant*, uma homenagem a Méliès.

No pátio, os alunos estão posicionados para a revista a ser feita pelo diretor do colégio, e que precede a saída para o passeio conduzido por Huguet. Bec-de-Gaz toma as últimas medidas, apressa-se em separar Bruel de Tabard. Chega o diretor, um homenzinho barbudo, e dá o sinal da partida, enquanto convida o inspetor-chefe a acompanhá-lo até sua sala. Lá, faz um pequeno discurso sobre a festa do colégio que se aproxima. Bruel, Colin e Caussat são mencionados.

A aparição do diretor é o ponto mais alto da sátira no filme. Temos, por um momento, a impressão de que um menino está brincando de ridicularizar um adulto usando suas roupas e cobrindo-se com uma barba imensa. A voz fina que ordena: "A caminho, senhores", e então convida o inspetor-chefe a segui-lo até sua sala, completa o efeito.

Na rua, Bruel e Tabard tornam a ficar um ao lado do outro. Huguet devaneia e se esquece totalmente do passeio. Os colegiais entram nas ruas laterais e Huguet fica um bom tempo andando sozinho. Compra cigarros, cumprimenta um Pète-Sec atônito de vê-lo sozinho e, num cruzamento, é alcançado pelo cortejo dos escolares.

Na sua sala, o diretor continua falando. Agora, sobre a amizade de Bruel e Tabard e sobre o comportamento de Huguet.

A conversa entre as duas autoridades do colégio e o passeio se desenrolam paralelamente, e quando o rosto feliz e livre de Huguet caminhando é encadeado à postura intimidada de Bec-de-Gaz na sala do superior, temos um efeito de contraste com uma continuidade de movimentos fornecida pela montagem, que Vigo, pelas dificuldades que enfrentou, não logrou alcançar com mais frequência.

Já conhecemos o suficiente – por termos acompanhado sua filmagem – essa cena entre Bec-de-Gaz e o diretor na sala deste último. O diretor faz o primeiro dos pequenos discursos que são sua especialidade e nos quais é pródigo. Quanto ao passeio, se foi muito mal conduzido pelo distraído inspetor Huguet, foi, em compensação, muito bem dirigido por Vigo. O passeio é dominado por dois fatos, um poético e um cômico. O primeiro começa quando Huguet encontra a moça e tem seu ponto alto quando os alunos todos, imitando Huguet, tiram o chapéu para cumprimentar a bela. Quando ele foge e é perseguido por todo o cortejo, tem início o fato cômico. Na esquina de uma rua, confundindo-se ao avistar uma saia, Huguet depara com um padre... O padre fica perturbado, e achamos graça. Para desconsiderá-lo, haverá melhor maneira do que mostrá-lo fugindo num movimento acelerado?

Debaixo de chuva, o passeio retorna desordenadamente ao colégio, Huguet na frente e depois um grupo de alunos. O diretor está manifestando sua desaprovação ao inspetor-chefe, quando chegam Bruel e Tabard abrigando-se sob a mesma capa. O diretor explode: "Pronto, já estão juntos de novo! Essa amizade está se tornando excessiva... Inspetor, o senhor tem razão... Temos que vigiá-los...".

O diretor convoca Tabard na sua sala. Está para fazer um dos seus pequenos discursos, mas está constrangido. Tabard senta-se à sua frente, um pouco preocupado. O diretor, mantendo o foco da lâmpada sobre o menino, começa:

Meu garoto, eu sou
um pouco o seu pai...
Na sua idade, existem
coisas,
não é...

A câmera faz um *travelling* semicircular em volta de Tabard, que não entende nada direito, mas se sente tomado de vergonha, abaixa a cabeça e fica todo encolhido na poltrona, enquanto a voz do diretor prossegue:

[...] coisas...
Bruel é mais velho que você.
A sua natureza, sua sensibilidade, a dele,
não é...

A voz do diretor vai ficando nervosa:

de psicopata,
de neuropata...

Nisso, a câmera deixa Tabard, que está cada vez mais constrangido, e súbito, vemos o diretor, filmado na vertical a partir do praticável, pular da poltrona como um boneco de molas, barba arrepiada, braços para o alto, gritando dramaticamente:

Vá saber!

Não é sem motivo que, ao retornar à sala de estudos, Tabard, humilhado e cheio de raiva, procura um lugar longe do seu amigo Bruel.

Domingo, Caussat passa a tarde na casa do seu tutor, brincando com uma menina. O tutor está com o rosto escondido atrás do jornal.

Próximo à janela, sentado numa cadeira, Caussat está de olhos vendados. A menina, encarapitada em cima do piano, prende o aquário de peixinhos dourados no fio de arame. Vai sentar-se junto a Caussat, tira-lhe a venda fazendo sinal para que fique calado. E ficam os dois contemplando os peixinhos.

Colin passa os domingos com a mãe, a cozinheira do colégio, a Mãe Feijão. É um descanso contemplar essa gorda e boa mulher do povo depois de ter frequentado o diretor, Pète-Sec, ou o inspetor-chefe Bec-de-Gaz. Mas eis que ele aparece, como sempre sem nenhum ruído, e examina a panela. É com voz de amador, infelizmente, que a mulher faz umas observações muito acertadas: "Ah, seu inspetor-chefe, feijão, feijão, e mais feijão; não está certo eu servir feijão todo dia para esses meninos". O inspetor-chefe, como deve ser, sai sem dizer uma só palavra. O tabefe que ele merecia, quem o leva é Colin quando, ao entrar na cozinha e vendo o conteúdo da panela, comenta num tom queixoso: "Ai, mãe, feijão de novo...".

Colin vai ter com Bruel, que continua insistindo em favor de Tabard. Colin acaba por concordar em aceitá-lo no complô.

A cena dessa noite, no refeitório, nas versões do filme que conhecemos hoje, começa momentos antes do início de uma baderna. Aparentemente, na cópia apresentada em 1933, não era assim.

Caussat, ao voltar do dia passado em casa do tutor, encenava com mímicas, para os colegas, suas pretensas aventuras com a menina e mostrava, para vencer o ceticismo deles, um pedaço de corda desfiada à guisa de mecha de cabelos.

Isso tudo desapareceu. A cena completa, aliás, não chegou a ser incluída na montagem, e duvido inclusive que tenha sido inteiramente filmada. Esta cena, na verdade, não incluía apenas mímicas. Era para termos, por alguns momentos, a imagem das fabulações de Caussat: a poltrona do tutor vazia, a menina maquiada como uma vampe tocando no piano fechado, Caussat adiantava-se, ela se virava e se recostava no piano, Caussat continuava avançando e a menina apanhava um peixinho. Caussat, intrépido, não parava, abria a boca e engolia o peixe. Via-se no primeiro plano a menina deitada no piano e Caussat inclinado sobre ela. Ele dava-lhe um tapinha nos cabelos e ela punha-lhe a venda nos olhos. Súbito, o tutor aparecia na poltrona, lendo. Ele vasculhava o bolso, devagar, tirava um cachimbo e, abrigado atrás do jornal, ameaçava Caussat com um revólver. Aparecia uma tesoura entre os dentes de Caussat, que a apanhava e cortava uma mecha comprida dos cabelos da menina, fazendo um gesto de saudação. E jogava-se sobre o tutor, tesoura em riste.

Essa cena de mentiras faz falta. Teria acentuado a limpidez da verdade: Caussat comportadamente sentado ao lado da menina, olhando para o aquário, na sala rococó do tutor.

No filme a que assistimos, o feijão é servido aos meninos reunidos no refeitório, e tem início a baderna. A cena, rodada a toque de caixa, lembramos, de cima para baixo para evitar a mudança de cenário, se desenrola do jeito que dá, caótica e confusa. Os meninos gritam: "Vaias para a Mãe Feijão!". Ante essas manifestações contra a sua mãe, Colin esconde o rosto para chorar. Vigo sabia o que significava, para uma criança, ter um pai ou uma mãe vaiado. Caussat e Bruel fazem parar a manifestação. A cena seguinte, na aula de química, foi concebida e até rodada por Vigo de modo muito mais elaborado do que é visto no filme. Caussat e Colin, incumbidos de acender a salamandra, enfiavam lá dentro um pano molhado. O professor entrava, seguido pelo esqueleto, brincadeira tradicional. A salamandra enfumaçava a sala, e o professor, que tentava obter uma reação, achou que a fumaça vinha do seu tubo de ensaio.

O professor: "O que significa essa reação? Quinze anos que eu trabalho com isso. A coisa está ficando preta". Ele se assustava e pedia um recipiente. Caussat lhe estendia um funil.

Aqui, os cortes derivam provavelmente do julgamento feito por Vigo sobre a obra. O conjunto parecia trabalhoso e deixava o objetivo confuso: estabelecer a personalidade do professor contra o qual se manifesta Tabard. Privada das *gags* da fumaça e do funil, a sequência adquire outra densidade.

Junto à salamandra que foram incumbidos de acender, Colin e Caussat falam sobre a inclusão de Tabard no complô:

> COLIN Tabard tem um esconderijo.
> CAUSSAT Que esconderijo?
> COLIN Não sei.
> CAUSSAT Então, se você não sabe, não me perturbe com Tabard.
> COLIN Bruel é que queria que ele entrasse no...
> CAUSSAT Tabard é uma menina.
> COLIN Depois que ele esteve na sala do diretor, não sei o que deu nele...
> CAUSSAT Pois se não sabe, por que está me enchendo com Tabard? Estou dizendo, Tabard é uma menina.
> O que é que ele sabe fazer?
> O que é que ele sabe dizer?

Os alunos já estão acomodados e o professor entra na sala, seguido do esqueleto, o qual sobe até o alto do anfiteatro. O professor, armado de seu lornhão, examina a situação e comenta, malicioso, dirigindo-se aos alunos: "Que espirituoso!". E prossegue, num tom cansado e maldoso: "Mas não gosto nem um pouco!". É uma criatura gorda e repulsiva. Ele troca o paletó por um jaleco de trabalho mais sujo ainda. Sentado à sua mesa, começa a toalete. Primeiro, enche as narinas com uma pomada e acaba abrindo cuidadosamente o lenço, seu único objeto limpo, cuja função é receber seu catarro. Este já se faz ouvir na sua garganta, mas somos poupados do desenvolvimento visual, só o som horroroso nos persegue enquanto a câmera mostra Tabard, preocupado, sentado numa carteira à parte. O professor, que já começou a aula, acerca-se, acaricia os seus cabelos e diz, com um carinho duvidoso: "Então, meu garoto, não vamos anotar nada hoje?".

Tabard começa a escrever nervosamente. O professor, pondo sua mão gorda, úmida e brilhosa sobre a mão esquerda do escolar, diz: "Isso mesmo, muito bem". Tabard rechaça o toque com um gesto brusco: "Me larga!".

O professor reage, meio conciliador, meio ameaçador: "Ah! Meu garoto, eu não disse nada!". E Tabard explode: "Pois eu digo... digo merda!".

Nesse mesmo dia, na sala de estudos presidida por Huguet, reina um clima tenso e solene. A porta se abre e entram todos os membros da direção, o diretor à frente, seguido por Bec-de-Gaz, o professor gordo e Pète-Sec. Todos procuram se manter sérios e dignos. O diretor dá início ao mais longo dos pequenos discursos que ele adora. Dirige-se a Tabard, que está em pé à sua frente: "Meu garoto, o conselho de disciplina, o conselho de disciplina consentiu, sob a forte pressão do seu professor, demasiado bondoso...", o diretor volta-se para o porco: "O senhor é magnânimo, senhor Viot". O porco tem um gesto de modéstia e o diretor prossegue, enquanto a câmera percorre a sala de estudos da esquerda para a direita, até o fundo: "Em consideração à sua família, por bondade em relação a você, e por ocasião da nossa querida festa que vai ser celebrada amanhã, consentiu, repito, em perdoá-lo". Ao chegar ao fundo da sala de estudos, Vigo pede a Kaufman que desobedeça ao abc do *cameraman* e refaça o mesmo *travelling*, agora da direita para a esquerda, abrindo para nós o mesmo campo de antes. Enquanto isso, prossegue o diretor: "Mas, não é mesmo, você veio, espontaneamente aliás, se ouso dizer, pedir que eu aceitasse as suas desculpas, que só poderiam ter valor se proferidas em público e diante de todos os seus colegas". Estamos de volta ao diretor, que se cala por algum tempo e: "Então, estamos esperando... Diga o que você quer nos dizer...". Mais um tempo. Huguet, enojado, enfia o chapéu na cabeça para ir embora e não ser cúmplice da humilhação de Tabard. O diretor, impaciente, insiste: "Diga o que você tem vontade de nos dizer, ora!". E, mais uma vez, Tabard explode: "Senhor professor, eu lhe digo... merda!".

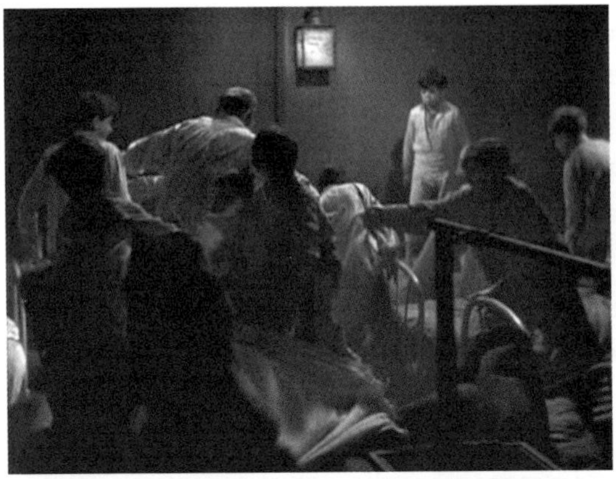

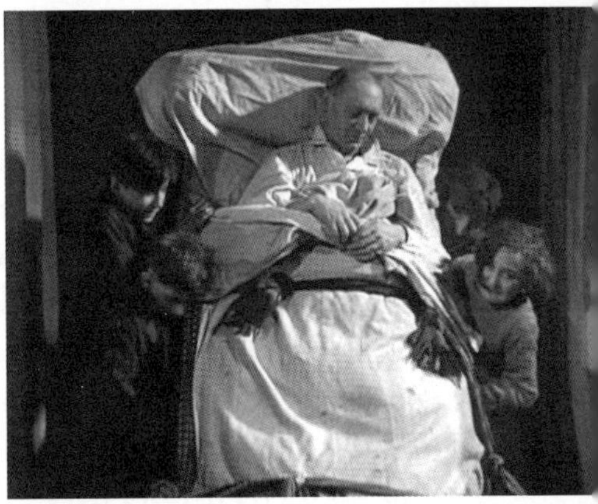

Na imagem seguinte, estamos no dormitório, que está em plena efervescência. Cercado por todos os meninos, Tabard lê uma proclamação de que só ouvimos uns fragmentos, porque a dicção dele é ruim e o som pior ainda: "Abaixo os bedéis! Abaixo os castigos! Viva a revolta!... Nossa bandeira no telhado do colégio! Vamos bombardear usando livros velhos!"...

Apavorado, de camisão, Pète-Sec mais que depressa tenta intervir, mas é impedido pelos alunos. Tabard lê a proclamação revolucionária até o final e então começa uma baderna indescritível. As camas ficam de pernas para o ar, os urinóis são arrastados, em pencas, pelo chão, todo tipo de coisa é jogado pelo dormitório. Os meninos fazem guerra de travesseiros e edredons, que rebentam. Em meio a uma nuvem de penas é que Pète-Sec, exausto, procura uma cadeira para se sentar. Puxam-lhe a cadeira e ele cai no chão. A música de Jaubert dá o tom da bagunça.

Nisso, ocorrem dois fatos extraordinários: mudam a música e as imagens. O movimento das imagens é em câmera lenta e, enquanto um menino acrobata faz uma estrela, o corpo momentaneamente solto do camisão, e aterrissa, o sexo de fora, em cima da cadeira que foi tirada de Pète-Sec, a música adquire uma intensidade estranha, como que aspirada. Para encontrar a equivalência musical perfeita do lento movimento das imagens, Jaubert tinha escrito o tema, gravado de trás para diante. O anel de som foi depois invertido na montagem.

Essa música-fantasma continua acompanhando ainda em câmera lenta o cortejo de archotes que se forma atrás do acrobata, carregado em sua cadeira. Todas as criaturinhas estão de camisão, como que imersas numa espécie de êxtase, cercadas pelo doce movimento das penas. A procissão se encerra com um fantasminha, um menino enredado na cortina da cabine do inspetor.

Passado o primeiro sobressalto causado pelos movimentos e sons de uma outra realidade, só a intimidade familiar dessa alta poesia ainda nos surpreende.

"Na manhã seguinte, o cansaço, cúmplice dos quatro...", explica uma legenda, como se qualquer explicação fosse necessária. É perfeitamente natural que Caussat, Tabard, Bruel e Colin encontrem um jeito de amarrar Pète-Sec na cama com o seu próprio cachecol, que em seguida ergam a cama na posição vertical e pendurem no crucificado adormecido, sobre o qual ainda caem algumas penas, uma lanterna veneziana dupla de modo a simular uma balança: a da justiça cega? Tudo isso ainda faz demasiado parte do mundo dos movimentos em câmera lenta e da música de trás para diante (onde nada é explicado e tudo está claro) para que mais elucidações se façam necessárias.

Na sequência, voltamos à realidade cotidiana, quando da festa anual do colégio. "É a nossa pequena diversão, não é mesmo?", dizia o diretor, que teria lugar "neste dia, tão adequado, de Santa Bárbara",[140] diria Vigo mais tarde.

Será decerto porque estamos saindo do sonho do desfile e da crucificação de Pète-Sec que é um pouco difícil rever, no pátio do colégio onde está tudo pronto para a festa, o diretor andando nervosamente para lá e para cá. Ele parece ainda mais grotesco porque avistamos, ao mesmo tempo, um sujeito forte enxugando uns copos. Nas versões originais do filme, sabíamos que os oficiais estavam preocupados porque os quatro meninos rebeldes tinham se trancado no sótão e se recusavam a sair. Nas cópias do filme que vemos hoje, fica um certo nervosismo no ar. O padre está presente, ele é que recebe a Autoridade: "Ah, senhor chefe de polícia, que festa! Que festa, meu Deus!".

Storck, ao proferir as poucas linhas que lhe incumbem, aproxima-se, com sua dicção de amador, de Mãe Feijão, interpretada pela sra. Émile. O padre encarnado por Storck ainda diz umas palavras para o diretor, definitivamente distraído por suas preocupações.

---

140. Em francês, Sainte Barbe, festejada no dia 4 de dezembro. A palavra *barbe*, usada como interjeição, significa tédio, chatice, daí o trocadilho de Vigo. [N.T.]

O senhor chefe da polícia? acaba de se sentar...
O senhor chefe da polícia? está sentado...

Não demora e todas as autoridades estão acomodadas na primeira fila da tribuna de honra. Na segunda fila estão os terríveis bonecos do pimpampum, e o conjunto é coeso. Do lado, estão sentados os colegiais, acompanhados por Huguet. No meio do pátio, os bombeiros em traje de gala dão início a suas exibições. Um bombeiro barbudo tem dificuldade para se balançar sobre barras paralelas. Por que Bec-de-Gaz foi rondar para o lado das latrinas? Ninguém jamais saberá.

Súbito, autoridades e bombeiros são atacados com livros, sapatos velhos, pedras, jogados do alto do telhado por quatro amotinados. Todos os alunos, incentivados por Huguet, participam do pimpampum, a ponto de autoridades e bombeiros terem de se refugiar no sótão. Bec-de-Gaz, que realmente está se tornando inexplicável, ostenta um sorriso torto que não compreendemos.

Os meninos conquistaram o colégio e agitam uma bandeira tricolor, que em seguida é jogada ao chão e substituída pela bandeira da revolta que é mandada lá do telhado.

Essa sequência, no conjunto, não é satisfatória. Embora tivesse boas possibilidades: a imagem dos bombeiros nas paralelas é excelente, sem esquecer os oficiais em frente à barraca da *Noce à Nini Pattes-en-l'air*, mas quando se desencadeia a bagunça, como não lembrar daquela do dormitório?

Caussat, Bruel, Tabard e Colin vão embora cantando, pelos telhados, com dificuldade, às vezes, avançando de quatro, rumo ao céu, à liberdade.

Revendo o filme como um todo, constatamos que existem dois universos em *Zéro de conduite*: de um lado, o dos meninos e o do povo, e de outro, o dos adultos, dos burgueses.

A seleção dos meninos não obedeceu a nenhuma preocupação de estilização, num plano realista eles são representativos da média dos meninos de um colégio pobre do interior. São, no mais das vezes, magros, nem bonitos nem feios, e até sujos. Mas são meninos, como todos os meninos do mundo. Os dois adultos do povo, a cozinheira e o garçom do café que enxuga os copos para a festa, são, de modo igualmente realista, qualquer boa mulher ou qualquer sujeito forte. O inspetor Huguet não é um adulto de verdade, sua solidariedade com os meninos é absoluta.

Com as outras personagens, somos transportados para o universo dos fantoches, a começar pelas três expressões da autoridade dentro do colégio: o diretor, o inspetor-chefe Santt, vulgo Bec-de-Gaz, e o inspetor Parrain, vulgo Pète-Sec. O grotesco dos três está na razão direta da sua importância: sua aparição no filme se dá na ordem inversa. Em primeiro lugar, temos Pète-Sec que, na estação, espera os meninos que chegam das férias. De início, ele é sobretudo antipático, congelado na sua importância. A Caussat, que o aponta para ele, diz Bruel, chateado: "Este ano também não vai ser brincadeira...". "Ah, você acha?", responde Caussat. E ele está certo em duvidar, já que Pète-Sec vai acabar, crucificado em sua cama, sendo aniquilado como os outros.

Em seguida, conhecemos o inspetor-chefe. Desde a sua primeira aparição, Bec-de-Gaz já será ridículo. Só posteriormente o aspecto detestável lhe será acrescentado, até se chegar a uma personagem suspeita que espiona os meninos, rouba seu chocolate e nunca diz uma palavra sequer.

O diretor, ao contrário – estamos em condição de saber –, fala bastante. Situado no topo da hierarquia da escola, concentra todos os ridículos dos seus subordinados e supera a todos com seus ares de homem impecável, de chefe e anão.

Assim como fez em relação aos meninos, Vigo, para criar suas personagens, tomou a realidade como ponto de partida e, para bem situálas no universo dos adultos, não hesitou em acentuar suas feições até o limite da caricatura. No entanto, para satisfazer as últimas intenções de

Vigo, povoar esse universo apenas com membros da hierarquia escolar não era suficiente. Ele apelou para os representantes de autoridades muito superiores às do colégio: o padre e o chefe da polícia. Essa gente toda logo estará em seu devido lugar no primeiro plano, na frente de outros bonecos, os de uma barraca de pimpampum. Bombeiros, tão ridículos quanto eles, irão se exibir. São pessoas do povo, que o uniforme empurra para o mundo dos fantoches. Lembramos que a vaga silhueta do funcionário da estação, mal vislumbrada no início do filme, ainda achava tempo, em sua fugacidade, para não ser simpática: não é um desastre, para os ferroviários, eles usarem uniforme? Numa sequência do projeto inicial, que Vigo não manteve, durante um jogo de futebol as crianças esmurravam e ridicularizavam uns soldados enormes.

A lógica sentimental de Vigo é quase sempre impiedosa na criação desses dois mundos. Ele ainda tinha à mão um adulto, este sem uniforme: o tutor de Caussat, pai da menina com quem brinca o garoto nos seus raros dias fora da escola. No roteiro, ele tivera um momento de fraqueza e indicara que "sob o olhar indulgente do tutor, Caussat brinca em um canto da sala de jantar, onde tudo é antigo, com uma menina adorável – a filha do tutor". Como! Um adulto simpático numa sala de jantar rococó? Impossível! E Vigo se corrige, ocultando o rosto do tutor atrás do jornal. Ele só emergiria durante o relato de Caussat, mas a sequência não aconteceu e ele ficou oculto para todo o sempre.

Vigo, no entanto, abre uma exceção para dois adultos burgueses, duas mulheres. A primeira é a mãe de Tabard, que encontramos na estação. De início só vemos sua silhueta. E quando estamos para ver seu rosto, ele é tapado por um gesto do inspetor. Vigo mal assinalou a mãe, quase a ignorou, mas não quis se colocar contra ela e situá-la no mundo dos fantoches. Além disso, tratava-se da mãe de Tabard, e sabemos que Tabard tinha muito do próprio Vigo. Percebemos assim o caminho trilhado por Vigo no terreno afetivo desde *À propos de Nice*. Do carnaval grotesco particularmente fervilhante de mulheres, ele passa à ausência de mulheres no mundo dos fantoches de *Zéro de conduite*. Conseguira superar, em parte, sua crise de filho inimigo, e quando autoriza à sua mãe dizer ao inspetor: "Com licença, senhor, René Tabard só virá para a escola amanhã de manhã. Esta noite, ele está com o coração apertado...", sentimos que ele perdoou sua mãe.

Através do amor é que Vigo conquistou esse equilíbrio. E justamente, a outra mulher, a que é gentilmente seguida, durante o passeio, pelo bedel Huguet e pelos alunos até a esquina de uma rua, substituída por um padre preocupado, não poderia ser mais simpática, pois expressa uma possibilidade de amor.

O tutor sumido atrás do jornal, o vigilante passando pelo dormitório, sempre indiferente, quer reine a tranquilidade, quer a baderna, e a vaga silhueta da mãe abandonada na estação, ficam deslocados entre dois mundos, ao passo que Vigo autoriza a senhora do passeio a entrar no mundo humano das crianças, do bedel Huguet, da cozinheira e do garçom do café.

Essa divisão em dois mundos e a conclusão do filme nos fornecem todos os elementos da ideologia de Vigo e das intenções sociais de *Zéro de conduite*. A escola de *Zéro de conduite*, para além da escola real surgida das recordações de infância de Vigo, é a sociedade tal como Vigo adulto a enxerga. A divisão entre crianças e adultos dentro da escola corresponde à divisão da sociedade em classes: uma minoria forte que impõe sua vontade a uma maioria fraca. A associação entre as crianças e seu cúmplice Huguet, de um lado, e as pessoas do povo, a cozinheira e o garçom do café, de outro, não se dá através da ação – o que seria artificial – e sim, pelo mesmo estilo realista com que são apresentados, em oposição à acentuada estilização dos adultos representantes da autoridade.

A escolha das vítimas para o pimpampum – a Igreja, o Estado, o uniforme, nos mostra um Vigo às voltas com os temas tradicionais da anarquia. Do mesmo modo, a conclusão (partida dos quatro amotinados rumo à liberdade) expressa o sentimento anarquista do final do século XIX, que levou tantos militantes, depois de atacar um bocado a sociedade, a partir, quer individualmente atrás da liberdade na Argentina ou outro lugar, quer coletivamente em busca da liberdade à margem da sociedade, mediante a edificação de "meios livres" ou falanstérios. A ideologia de *Zéro de conduite* consiste na fidelidade de Vigo a sentimentos políticos de outra era, que eram para ele, porém, muito próximos.

Os diálogos de *Zéro de conduite* receberam pouquíssima atenção dos críticos e nunca despertaram o interesse dos historiadores do cinema, talvez por haver poucas falas, ou pela má qualidade do som. Se, por um lado, ao compor o diálogo à medida que ia filmando, Vigo era às vezes obrigado a trabalhar às pressas, por outro, tinha a seu favor o fato de poder criar frases para personagens já encarnadas diante dos seus olhos. Libertou-se assim do desvio literário que sempre acomete o diálogo cinematográfico francês, e conseguiu encontrar inflexões humildes e eficazes para as réplicas dos garotos, assim como uma ironia sem excessos para os discursos do diretor.

A propósito dos diálogos, as preocupações dos produtores se afinavam com as preferências do diretor. O número limitado de réplicas reduzia os custos e Vigo, por sua vez, preferia o cinema mudo e desconfiava totalmente do "cem por cento falado" dos cartazes publicitários da época. *Zéro de conduite* é muito sóbrio em palavras: são pronunciadas pouco mais de mil.

Também na escolha das réplicas, Vigo está imbuído das lembranças da vida de seu pai. Em 1930, saíra um livro de memórias de Victor Méric,[141] o antigo colaborador de Miguel Almereyda em *La Guerre Sociale*. O autor relata em que circunstâncias Almereyda tinha publicado, nesse jornal, uma manchete endereçada ao governo, impressa com todas as letras em

---

141. *À travers la jungle politique et littéraire*. Paris: Librairie Valois, 1930.

tipos garrafais: "Ora, vão à merda!". Vigo quis colocar a mesma frase na boca de Tabard, primeiro dirigida ao professor gordo, depois ao diretor, a título de prefácio para o desencadeamento da revolta dos meninos.

Para contornar as dificuldades geradas pela má qualidade do som e pela dicção defeituosa dos seus atores, principalmente dos meninos, Vigo experimentou um método de repetições (Caussat com seus "vidros de cola", os três meninos em volta da cabine do inspetor, falando de "dor de barriga" ou "pode sair"). O resultado, embora não sensacional, era bom; o método, sobretudo, descortinava grandes possibilidades. Vamos lembrar dele quando da criação, por Vigo, da personagem do Père Jules, interpretado por Michel Simon em *L'Atalante*.

Outra qualidade ignorada em *Zéro de conduite* reside nos movimentos da câmera. Vigo tinha de se contentar, na maior parte do tempo, em mover a câmera em torno do próprio eixo. Vimos o que ele foi capaz de fazer desse modo, sobretudo no final da sequência dos três meninos em volta da cama de Pète-Sec, quando desloca o campo de modo competente e discreto a fim de acompanhar dois dos meninos até suas camas e esperar, também na sua cama, pelo terceiro. Quando tem oportunidade de recorrer ao *travelling*, Vigo faz pouco das convenções e dá mostras de sua maestria, como por exemplo no discurso do diretor na sequência das desculpas na sala de estudo.

Quando se fala, em relação a Vigo, num modo "competente" de mover a câmera em torno do seu eixo, ou de "maestria" em matéria de *travelling*, é preciso acrescentar que de modo algum se trata de uma eficiência técnica qualquer. O seu olhar, sua inspiração é que é certeira e abre caminho. Se, tal como os poetas, chega a cometer "gafes", no mais das vezes ele as impõe.

Não podemos achar, contudo, que os defeitos de *Zéro de conduite* não têm importância. O pensamento de Vigo nem sempre é nitidamente expresso em *Zéro de conduite*, que afinal é inacabado e cuja ação não raro carece de clareza. No entanto, era desejo de Vigo que, no filme, os fatos fossem narrados com ordem e precisão. Ao escrever o roteiro, ele observava que "ao longo do filme, assistimos ao complô estreitamente mesclado à vida cotidiana do colégio e que se desenvolve num crescendo, em paralelo à preparação da festa e ao pequeno escândalo que irá irromper entre o quarto menino (Tabard) e a direção".[142]

No filme tal como o conhecemos, estamos distantes de qualquer preocupação com um ritmo *crescendo* ou mesmo com uma simples, porém boa, articulação. O estilo de Vigo exige que se saiba ver entre as imagens. Mas temos de constatar que os conflitos de Vigo ante as exigências dos produtores, relativos à metragem, trouxeram ao filme esse aspecto fragmentado que não raro desconcerta o espectador. Há que observar, além disso, que o *Zéro de conduite* a que assistimos hoje se encontra, em alguns trechos, ainda mais incompleto do que a versão original de 1933. Não só faltam alguns planos como pelo menos uma sequência completa aparentemente desapareceu: a de Caussat no refeitório, quando ele representa suas aventuras por meio de mímicas.

A soma dos defeitos de *Zéro de conduite* deveria teoricamente levar a um resultado pavoroso. As críticas feitas à montagem por alguns colaboradores de Vigo, antes da sonorização, são quase todas válidas: falta de clareza, quase de ação, sínteses demasiado sucintas, falta de ritmo, ausência de decupagem, interpretação ruim. Depois da sonorização, novos defeitos surgiram. Para começar, o som era muito ruim. Além disso, Vigo cometeu inacreditáveis deslizes: muitas vezes, não sabemos quem está falando.

Quando refletimos que o resultado final é um filme cujo frescor não parou de crescer nos últimos vinte anos, poderíamos falar em milagre, se já não soubéssemos que ele se deve à autenticidade fundamental do roteiro, respeitada durante as filmagens por um Vigo sujeito ao

---

142. Arquivos Jean Vigo.

controle de suas mais íntimas recordações; e à unidade profunda, obtida na montagem mediante o sacrifício da clareza ao estilo, sem esquecer do apoio da música de Jaubert.

Vamos parar por aqui nossas considerações sobre *Zéro de conduite* para voltar à primeira exibição do filme, em 7 de abril de 1933, às 18h15, no Cinéma Artistic, rua de Douai.

Correm algumas lendas sobre essa sessão de estreia. Na apresentação, em 1950, de *Zéro de conduite* em algumas salas especializadas e cineclubes de Paris,[143] comentava-se que todo o meio literário e artístico francês estava presente, e que no fim da projeção todas as personalidades, a começar por Claudel e Gide, tinham se retirado sem sequer cumprimentar o diretor, de tão ruim lhes parecera o filme. Disso tudo, o certo é que Gide esteve presente, a convite de Aveline, e não gostou do filme.

A descrição da sessão, feita por um espectador menos de dois anos depois, já foi exagerada:

> Os espectadores estavam chocados, em seus sentimentos burgueses, pelo comportamento dos meninos mostrado por Vigo. Durante a projeção, foi preciso acender a luz várias vezes, e a sessão quase terminou em briga. Em Paris, o público intelectual é corajoso em suas convicções.[144]

Na verdade, quase todos os distribuidores e gerentes de cinemas estavam chocados, mas antes pela falta de qualidades comerciais do filme que por questões morais. Algumas observações feitas em voz alta foram espalhadas por um grupo de jovens, especialmente os ligados aos

---

143. Studio Parnasse e Ciné-Club do Quartier Latin.
144. Alberto Cavalcanti em *Cinema Quarterly*, inverno de 1934.

irmãos Prévert, que tinham aplaudido bastante o filme e coberto a ala burguesa de vaias. Boa parte do público era composta de crianças, as do filme mais os seus amigos, que se divertiam a valer por se verem e verem os amigos. Quanto aos pais, também presentes em grande número, assistiam, enternecidos, à imagem dos seus rebentos. Só uma senhora se disse depois arrependida de ter deixado o filho "frequentar esses sátiros" durante algumas semanas.

Quanto à opinião das personalidades literárias e jornalísticas de então, encontramos pistas da desaprovação de Georges de la Fouchardière. O cronista, que assinava Belzebu no semanário satírico *Le Huron*, mostra o velho escritor anarquizante e pacifista deixando a poltrona antes do final do filme, "erguendo os braços para o céu no *hall* do cinema, barba eriçada e chapéu em desalinho e dizendo aos amigos que o cercavam: 'É água de bidê'". Depois desse desabafo, la Fouchardière teria acrescentado, pensativo: "Este rapaz ainda vai longe!".

No mesmo artigo, fala-se do filme em tom irônico:

> Proclamemos primeiro, em louvor do autor, que ele conseguiu transformar a história dos meninos que foi contratado para fotografar numa curiosa antologia de 32 posições cinematográficas de vanguarda, em meio às quais cumprimentamos, de passagem, o padre de *L'Âge d'Or* [1930, Luis Buñuel], os travesseiros depenados de *The Gold Rush* [*Em busca do ouro*, 1925, Charles Chaplin], a revolta no refeitório de *Big House* [1930, George W. Hill], a inauguração anulada de *À nous la liberté* [*A nós liberdade*, 1931, René Clair] etc.[145]

Nesse mesmo número do semanário, na rubrica "Pequenos aborrecimentos da semana" [Les petits ennuis de la semaine], lê-se: "O sr. Vigo,

---

145. *Le Huron*, Paris: 13 abr. 1933.

filho de Almereyda, acaba de se lançar no cinema. Deve ter tomado impulso demais. Levou um tombo". Na semana seguinte, *Le Huron* volta à carga. No meio-tempo, *Zéro de conduite* já deveria ter começado sua carreira no Studio, a título de complemento de programação, com *La Maternelle* [1933, *Escola Maternal*], de Jean Benoît-Lévy. O jornalista, desta feita, não assina como Belzebu, mas só com a simples inicial S., e o tom ligeiro desapareceu igualmente:

> Hoje, toda a crítica mobilizada vai perder o fôlego diante de uma brincadeira como o *Zéro de conduite*, de Jean Vigo. Não exageremos. O filme poderia ter sido um real acontecimento do cinema. Tal como o vimos, é simplesmente ridículo e já demos nossa justificativa a respeito.
>
> É chegado o tempo em que um diretor vai precisar de um pouco mais de talento para realizar um bom filme comercial do que para confeccionar essas fitas ditas de vanguarda, ante as quais vanguardistas da retaguarda caem desfalecidos.
>
> Luis Buñuel tinha, pelo menos, alguma compreensão cinematográfica e sua obra talvez ainda seja citada por um bom tempo mesmo que a título de documento.
>
> Pode parecer curioso, contudo, que Luis Buñuel perturbe o sono de alguns jovens efebos da tela. Só querem imitá-lo em tudo...

No dia anterior, em *Marianne*, que anunciava a apresentação de *Zéro de conduite* e *La Maternelle* no Studio, Pierre Ogouz fez a crítica dos dois filmes. Sobre o de Jean Vigo, escrevia:

> Uma obra excepcional, que há de ser vaiada e discutida. É difícil entender que um grande circuito comercial tenha assumido a distribuição desse filme. Raivoso, violento, destrutivo, rancoroso, parece inchado com toda a amargura que seu autor deve guardar de um passado infeliz como aluno interno. Infectado de grosserias, nocivo e cruel,

> estigmatiza os pedagogos viciosos e bitolados, e canta com desespero um hino à liberdade. Fotografia confusa e ruim, que acrescenta mais angústia à história. Obra ardente e ousada. Seu autor é o sr. Jean Vigo: um Céline do cinema.[146]

No dia seguinte, pronunciou-se o mais prestigioso semanário cinematográfico, *Pour Vous*:

> [...] esboço vaiado na estreia por uns, vigorosamente aplaudido por outros. Não merece nem esse excesso de honrarias nem essa indignação, é menos irreverente do que quer parecer e contém alguns achados. Tem o defeito de beirar a escatologia, o que o aproxima mais do banal que do original, e a vantagem de ser representado por gente pequena e grande, para quem deve ter sido uma diversão.[147]

Esses excertos ilustram as duas principais reações de 1933. Com efeito, fosse para condenar ou para elogiar, só enxergavam em *Zéro de conduite* o seu "vanguardismo" e sua dureza. Sua poesia não foi reconhecida, muito menos seu estilo. Após 1933, a poesia de *Zéro de conduite* foi aos poucos se revelando, mas seu estilo só seria reconhecido muito mais tarde.

Le Huron, ao profetizar que a crítica iria perder o fôlego ante *Zéro de conduite*, estava tão enganado quanto *Marianne* ao anunciar uma obra

---

146. *Marianne*, 19 abr. 1933. Pierre Ogouz também escreve em sua coluna: "Moleques ranhentos, descabelados, barulhentos, sensíveis e dignos de pena, homens de depois de amanhã, franceses em potencial por sua volubilidade, malícia, sensibilidade, indisciplina... Gostamos deste filme como os seus autores gostam das crianças: de todo o coração". Mas não é de *Zéro de conduite* que ele fala aqui, é de *La Maternelle*.

147. *Pour Vous*, n. 231, 20 abr. 1933.

que seria vaiada e discutida. Para começar, a projeção prevista no Studio para o início da carreira comercial do filme não aconteceu. Alguns círculos católicos tinham reagido energicamente quando da exibição privada e a censura acabara se envolvendo. O semanário católico *Choisir* enfatizou, por ocasião da estreia de *Zéro de conduite*: "Notações realistas, ideias subversivas e impressão desagradável". Temos a impressão de que por algumas semanas houve certa hesitação, as projeções de *Zéro de conduite* estiveram suspensas, mas sem que a censura tomasse nenhuma medida definitiva.

Em seu número de 2 de julho, o semanário *Choisir* reproduzia, a esse respeito, um artigo de outro veículo católico, o *Omnium Cinématographique*:

> A obra de um maníaco obcecado que expressa sem nenhuma arte seus pensamentos confusos. Erotismo ainda vá lá, mas escatologia... Falta a delicadeza de expressão, a poesia das imagens.
>
> É improvável que a censura deixe circular essa fita, que absolutamente não é para crianças nem vai divertir os adultos.

Cético, o redator de *Choisir* ainda comenta no último parágrafo:

> Mas para isso precisaria existir uma censura; uma verdadeira censura...

Seus anseios se cumpriram: *Zéro de conduite* foi proibido pouco depois.

Em outros círculos, não se desejava, é claro, a intervenção da censura, mas ela era esperada, por mais surpresa que possa ter causado o rigor da medida. A título de comentário sobre uma imagem da revolta do dormitório, *Pour Vous* escrevia:

> Uma curiosa foto do filme *Zéro de conduite*, esboço satírico de Jean

Vigo que não deixará de desconcertar o público, caso escape à tesoura do censor.

A acolhida indiferente, quando não o silêncio, obtida na sessão de 7 de abril pelos semanários de cinema contribuiu para que a medida de interdição fosse tomada sem provocar um verdadeiro escândalo. No entanto, enquanto o filme estava sendo realizado, essas publicações haviam inserido, como de costume, reportagens, informações, notícias locais e artigos passíveis de criar um clima simpático em torno do filme. Já citamos, além disso, excertos da longa reportagem publicada em *Ciné-Monde* por André Negis, o colega de Vigo no cineclube de Nice. Dizia ali, entre várias outras coisas:

> Jean Vigo, uma boa espada sempre pronta para a luta. O símbolo da vontade tenaz. Quanto esperou por este dia! Ele foge da afetação como de uma doença contagiosa; procura a verdade, vai atrás da vida. Depois de criar com elas uma base sólida, enfeita-a com suas fantasias. A fantasia [diz ele] é a única coisa interessante na vida. Eu gostaria de levá-la à extravagância. Veremos como, em *Zéro de conduite*, ele começou a se realizar.[148]

Pour Vous, por sua vez, publicou pela mesma época um artigo de Jean-Georges Auriol:

> [...] Dentro de alguns dias, vamos ver se tínhamos razão de confiar neste rapaz simples, franco, confiante também no seu próprio trabalho, porque ele não tenta trapacear, porque ele olha os problemas de frente.[149]

---

148. *Ciné-Monde*, n. 224, 2 fev. 1933.
149. *Pour Vous*, n. 222, 16 fev. 1933.

Depois da apresentação, *Ciné-Monde* não se pronuncia, e *Pour Vous* publica as linhas desdenhosas que vimos.

Devido à violenta reação de uma certa imprensa católica, naturalmente muito se disse e se escreveu que *Zéro de conduite* havia sido proibido "por pressão dos padres".[150] Não existe nenhuma certeza de que o clero tenha tido uma influência tão decisiva sobre a censura.

O presidente da censura teria declarado a um amigo de Vigo que fora interceder pelo filme:

> Recebemos uma nota de serviço nos intimando a proibir *Zéro de conduite*, antes mesmo que meus colegas e eu pudéssemos assistir a ele e julgar imparcialmente.[151]

É muito possível. Na mesma época da proibição de *Zéro de conduite*, Edmond Sée, presidente da Comission de Contrôle, declarou a um jornalista:

> Em todas as questões artísticas ou morais, nossa opinião é preponderante... Mas para os filmes que poderiam criar confusão e prejudicar a manutenção da ordem, o parecer dos representantes dos Ministérios do Interior e das Relações Exteriores tem força de lei. O veto deles, em suma, é sem apelação.[152]

Tudo leva a crer que, embora não se refira diretamente a ela, Edmond Sée está aludindo à proibição de *Zéro de conduite*. O governo julgava, portanto, que as projeções públicas desse filme poderiam causar confusão e prejudicar a manutenção da ordem. Seriam justificados esses temores?

---

150. *Le Spectateur Bellevillois*, n. 44, 3 nov. 1933.
151. Jean Vigo, "Présentation de *Zéro de conduite*".
152. *Pour Vous*, n. 34, 11 mai. 1933.

É indiscutível que o simbolismo social do filme era às vezes interpretado em termos estreitos de atualidade política, e certas reações, favoráveis ou hostis, eram um bocado veementes. No dia seguinte à apresentação do filme, um amigo de Vigo, Damase, escreveu-lhe nervosamente em folhas de caderneta:

> [...] Creio ter compreendido o seu filme, ele me entusiasma. [...] Encontro nele minhas ideias contra o governo corrompido que, eleito por uma nação de idiotas, está nos levando para uma decadência segura e precipitada. É preciso, naturalmente, que o colégio seja virado do avesso, plantar bem alto a bandeira da revolta para que as pessoas inteligentes a enxerguem...
>
> Temo que esta linda ideia não seja compreendida, ou que assuste esta seita de covardes. [...] Estes não ficaram satisfeitos ao ver exibida, ontem, a visão da reviravolta, não acham que seja interessante. Estes, meu velho, vão fazer tudo o que a sua peçonha for capaz de lambuzar para impedir o seu filme, e isso é que não pode ser.

Mais tarde, Damase escreveu da África para Vigo, na época do caso Stavisky,[153] e novamente mencionava *Zéro de conduite*: "Seria o momento certo de exibir o filme, depois desses últimos escândalos ele teria mais chances de ser compreendido".

Tamanha intensidade e tamanha fé nas qualidades de *Zéro de conduite* enquanto instrumento de agitação política podem surpreender os espectadores dos anos 1950, sensíveis principalmente às virtudes mais permanentes do filme, mas há que levar em conta esse estado

---

153. Escândalo político surgido com a morte súbita e misteriosa de Serge A. Stavisky. Em 1933, então diretor de crédito do Banco Comunal da Bayonne, foi incriminado num grande caso de circulação de dinheiro falso, que envolveu ministros de Estado, a polícia, a imprensa e parlamentares. Alain Resnais, inspirado nesse caso, realizou, em 1974, *Stavisky...* [*Stavisky...*]. [N.O.]

de espírito para compreender a proibição do filme. Creio ser possível, mesmo sem documentos que o comprovem, imaginar entre as autoridades ou seus informantes uma espécie de reação similar, embora oposta à de Damase e, portanto, desfavorável à difusão do filme, considerado um perigo para a ordem.

Não raro se supôs que a censura se importara com *Zéro de conduite* por causa de determinadas imagens que ofendiam o pudor ou o patriotismo, como a apresentação do sexo de um adolescente ou a substituição da bandeira nacional pela bandeira da revolta. Esquecem que uns poucos cortes teriam bastado, e que a censura nunca cortou nada, ela proibiu tudo, num movimento de rara severidade, o que nos leva a crer que foi a própria concepção do filme como um todo que os responsáveis reprimiram.

Seria interessante saber o quê, exatamente, esses responsáveis pela proibição de *Zéro de conduite* teriam visto no filme. Falou-se, na época, em "espírito antifrancês",[154] o que é vago. Hoje, saber quem são os verdadeiros responsáveis pela supressão do filme exige um trabalho de investigação e pesquisa dos mais árduos, e quanto a saber o que eles supunham em 1933...

Para encerrar este tópico da exibição e supressão de *Zéro de conduite*, resta-nos apenas uma alusão a um dos temas da obra, a presença de Almereyda em tudo o que diz respeito a Jean Vigo. J.-L. Nounez ainda hoje acredita que, assinado por outra pessoa, o filme não teria sido proibido. Vigo talvez fosse considerado um comunista perigoso e os homens que estavam no poder não podiam deixar de ter preconceitos contra o filho de Almereyda.

De certa forma, a polêmica causada pela proibição de *Zéro de conduite* lançou o filme, que começou assim, lentamente, sua primeira carreira na França, através dos cineclubes. O movimento dos cineclubes

---

154. "Apresentação de *Zéro de conduite*".

estava, de 1933 até a guerra, longe de ter a importância que lograra alguns anos antes, e mais longe ainda do formidável impulso que viria a conhecer após a guerra.

Já a partir de 1933, contudo, *Zéro de conduite* seguiu uma carreira normal em Bruxelas, já que autoridades francesas não tinham, naquela época, o poder de impedir a exportação de um filme. Os belgas, que já tinham assistido atentamente às projeções de *À propos de Nice*, e até de *Taris*, não demoraram a se interessar por *Zéro de conduite*. Já em abril de 1933, René Jauniaux escreveu para Vigo, em nome da Central Socialista de Cinema, tentando conseguir o filme, mas foi por meio do Club de L'Écran que em outubro *Zéro de conduite* chegou a Bruxelas. O clube era originalmente vinculado ao ADAC (Amis de l'Art Cinématographique), cooperativa que tinha por objetivo divulgar os filmes soviéticos. Devido à política demasiado mercantilista do organismo, o Club de L'Écran, dirigido por André Thirifays, dele havia se desligado. Thirifays continuava, contudo, a dar um espaço especial a tudo o que fosse soviético e não-conformista. Os membros do clube eram, em sua maioria, recrutados entre os indivíduos de esquerda e, embora fosse um organismo apolítico, o Club de L'Écran tinha reputação de extrema esquerda.

O Club de L'Écran tomara, portanto, a iniciativa de trazer *Zéro de conduite* para Bruxelas e o cinema do ADAC, o Studio du Carrefour, resolvera incluí-lo a título de complemento ao programa, que trazia em cartaz *Life begins* [1932, *Ao raiar da vida*], de James Flood e E. Nuggent, com Loretta Young. Duas sessões de pré-estreia, reservadas aos membros do clube, aconteceram em 17 de outubro, às 18 e às 21 horas.

A convite de André Thirifays, Vigo foi apresentar o seu filme. Preparou um texto de cinco páginas datilografadas, a "Apresentação de *Zéro de conduite*"[155] a que nos referimos várias vezes. Em seu discurso,

---

155. Original manuscrito nos Arquivos Jean Vigo, aos cuidados de Claude Aveline.

Vigo não escondia que tinha dúvidas a respeito do filme, embora exagerando um pouco para não ser tomado ao pé da letra.

Mesmo afirmando que não queria dar justificativas, Vigo não cessava de insinuar algumas, pois não podia dizer com toda a franqueza por que o público provavelmente acharia o filme mal construído; para isso, precisaria contar em detalhes suas diferenças com os produtores, principalmente o pessoal dos estúdios Gaumont, com o qual teria de continuar contando para prosseguir sua carreira. Tentava então se justificar estabelecendo certa confusão entre o fato de ter tido de descartar trezentos metros de película durante a montagem e a ação da censura. Em conversas privadas com os jornalistas, ele aparentemente insistiu nesse sentido.

Na sua palestra, dizia claramente que o filme fora integralmente proibido, mas ao mesmo tempo fazia frequentes alusões à forma mais corriqueira da censura, falando naqueles "que no mais das vezes acabam, com suas tesouradas, tornando-se os autores do filme". Levava a astúcia ao ponto de declarar que seria para ele uma falsa desculpa exclamar: "A censura mutilou o meu filme; e vejam: que vergonha!". Não explica, contudo, que seria uma falsa desculpa dizer isso, justamente porque a censura não mutilara *Zéro de conduite* e o filme estava sendo exibido em Bruxelas tal como fora proibido na França, integralmente. Não. Vigo fala em falsa justificativa num sentido genérico: refere-se à censura colocando-a no mesmo nível que o espírito mercantil dos exploradores, a ignorância do público ou dos produtores, limitações já de saída conhecidas pelos diretores, e que eles não têm, portanto, o direito de usar posteriormente como justificativa.

Depois deste preâmbulo destinado a semear a confusão, ele podia se dar ao luxo de declarar-se responsável:

> E então? Vai ser despedido? Vai começar outro filme? Sim? Vai fracassar neste filme como fracassou no anterior? Sim. Então, cale-se e

considere-se o único responsável... O culpado está aí, seus cúmplices são solidários. Nada e nem ninguém veio contrariar o nosso trabalho.

Vigo sentia-se tanto mais tranquilo ao fazer essa declaração pelo fato de saber que não iam acreditar nela.

Lendo a imprensa da época, vemos que os objetivos de Vigo foram plenamente atingidos: ele conquistou a simpatia da crítica.

> *Zéro de conduite* é um filme que não foi apenas proibido, foi muito mais que isso, foi aniquilado pela censura francesa. No entanto, o que restou da obra original de Jean Vigo se tornou tão incoerente que os próprios objetivos já não são muito fáceis de determinar com clareza...
>
> Dificilmente poderia ser de outro modo. Segundo uma declaração que nos fez Jean Vigo, o jovem cineasta francês, a censura cortou, ao todo, trezentos metros de filme do total da película que ele montou.
>
> Ele dirigiu este filme para uma grande firma cinematográfica francesa, o que por fim o obrigou a submeter-se inteiramente às exigências da censura do seu país. Essas exigências eram de natureza tal que Vigo foi obrigado, por seus comanditários, a fazer concessão após concessão, e foi assim que, de corte em corte, o filme sofreu uma amputação total de trezentos metros.[156]
>
> O valor do filme ficou sensivelmente reduzido, é claro, com a intervenção demasiado ativa da tesoura da censura francesa. O desenvolvimento, às vezes, se afigura confuso, o que parece dever-se à intervenção da censura. É impossível, portanto, julgar este filme como um todo.[157]

---

156. *Vooruit*, 27 out. 1933.
157. *Nieuws van den Dag*, 27 out. 1933.

> Ele se ressente, sem dúvida, da pressa com que foi elaborado [...] cortes praticados pela censura francesa por motivos que não saberíamos explicar, como tampouco se explica, por outro lado, a birra com que proibiram a projeção da cópia em seu estado atual, ou seja, mutilada em trezentos metros sobre um total de 1500.[158]
>
> Seria o mínimo, porém, não atribuir a Jean Vigo algumas transições demasiado bruscas, elípticas até, que são o resultado dos cortes praticados para agradar à censura francesa.[159]

Numa entrevista, Vigo apresentaria outra falsa justificativa. Depois de falar sobre a direção de *Taris* e das 24 horas que tinham lhe dado para preparar a decupagem, Vigo acrescenta:

> Quanto a *Zéro de conduite*, a coisa já não foi tão simples. Eu tinha o tema na cabeça, mais nada. Mesmo assim, tive de começar, devido a circunstâncias alheias à minha vontade, como se diz. À medida que avançava o trabalho, eu ia preparando as cenas que se desenrolariam ante a objetiva. É um método que não recomendo a ninguém.[160]

Verdade é que Vigo preparava as cenas de modo detalhado à medida que avançavam as filmagens. Sabemos, no entanto, que ele tinha mais do que o tema na cabeça quando veio a hora de rodar.

Essas duas justificativas – a censura e a improvisação – se transformaram em lendas com que deparamos constantemente nos artigos a respeito de Vigo.

---

158. *La Libre Belgique*, 20 out. 1933.
159. XXe *Siècle*, 20 out. 1933.
160. *La Libre Belgique*, 27 out. 1933.

O estilo de "Présentation de *Zéro de conduite*" lembra o da "Présentation d'*À propos de Nice*". O mesmo tom polêmico, o mesmo gosto pelas imagens humorísticas, às vezes felizes. Acerca da censura:

> Seria realmente deixar de acreditar na inteligência de altos funcionários qualificados, policiais, burocratas, escritores fracassados e passando necessidades, que constituem o areópago de uma instituição caduca e jesuítica, imaginar de sobreaviso, por um instante sequer, esses pacíficos civis incapazes de enxergar além da ponta da sua baioneta...

No mais das vezes, porém, o humor do Vigo escritor permanece frio, pesado até.

Do ponto de vista político, Vigo aparece como um "simpatizante" do comunismo e da URSS, mas sem nada de um militante, e muitas vezes, inclusive, irritado com a política. Nega ter tido a intenção de fazer uma sátira de tal e tal regime ou tal e tal governo, e sem dúvida está sendo sincero. Exagera, contudo, quando fala "nessas imagens não situadas", pois embora o chefe da polícia não seja suficiente, não podemos esquecer que a bandeira caída no chão não é uma bandeira qualquer, e não há necessidade de um cinema em cores para reconhecer a bandeira francesa. Escreve Vigo:

> De que serviria fazer a caricatura de tal ou tal governo, de tal ou tal nação? À exceção de um só, todos se equivalem.
>
> Não pretendo levá-los a passear por um mundo a ser refeito, como fazem os guias da agência Cook conduzindo os turistas pelas vielas tuberculosas dos bairros pobres e pitorescos.
>
> Infelizmente, para mim, o problema é mais sério. Minha preocupação, mais vasta e mais casta. A infância.

E súbito, o estilo de Vigo se transforma, torna-se pessoal e cheio de calor, e percebemos que afinal Vigo se tornou mais autêntico no amor do que no ódio:

> Garotos abandonados numa bela tarde de outubro, no início do ano letivo, num pátio de honra, em algum lugar da província, sob qualquer bandeira que seja, mas sempre longe de Casa, onde se espera o afeto de uma mãe, o companheirismo de um pai, se ele já não estiver morto.

E então me sinto tomado de angústia. Vocês vão assistir ao *Zéro de conduite*, eu vou vê-lo de novo com vocês. Eu o vi crescer. Como me parece doentio! Nem sequer convalescente. Como o meu próprio filho, já não é mais minha infância. Em vão arregalo os olhos. Minha memória pouco se reconhece nele. Será que já está tão longe? Como é que, homem-feito, me atrevi a percorrer sozinho, sem meus companheiros de jogos e estudos, os caminhos do *Grand Meaulnes*? Torno a encontrar, sem dúvida, na cabine de trem que deixa as férias para trás, os dois amigos da volta às aulas em outubro. Está ali, é claro, com suas trinta camas idênticas, o dormitório dos meus oito anos de internato, e vejo também Huguet, de quem tanto gostávamos, e o seu colega, o bedel Pète-Sec, e o inspetor-chefe calado, silencioso feito um fantasma com suas solas de borracha. À luz do lampião de gás deixado em vigília, será que o pequeno sonâmbulo ainda irá assombrar o meu sonho desta noite? E eu talvez torne a vê-lo ao pé da minha cama, como na véspera do dia em que a gripe espanhola o levou em 1919. Pequeno sonâmbulo cujo caixão foi levado até o pátio do recreio para receber a bênção do padre, o qual perturbava, com o aspersório, o diabo que tanto temíamos.

Sim, eu sei, os amigos Caussat, Bruel, Colin, o filho da cozinheira, e Tabard, que nós chamávamos de menina e que o diretor espionava, torturava, quando ele precisava era de um irmão mais velho, já que sua mãe não o amava.

Também está presente a menininha dos raros domingos em que saía. ‘Você se lembra de como eu gostava de ver você subir no piano e pendurar,

> no fio de arame que tínhamos esticado juntos roçando nossas mãos, o aquário de peixinhos dourados? Eu olhava para as suas coxas de bebezão rechonchudo, e você então tapava os meus olhos com seu lenço, que tinha o cheiro bom da lavanda da sua mãe. Então, de mansinho, como se faz com os doentes, você me tirava aquele curativo dos dias de festa e ficávamos os dois, em absoluto silêncio, olhando para o aquário de peixinhos dourados.'

O público presente no Studio du Carrefour não estava acompanhando a exposição de Vigo. A sala não tinha estrado e, para que o público do balcão pudesse enxergar o orador, haviam-no colocado sobre uma estrutura improvisada com mesas. A acústica da sala era deficiente, o público estava impaciente e Vigo, gaguejando, pulando parágrafos, concluiu em menos de dez minutos. Alguns jovens o interromperam constantemente durante toda a leitura. Em princípio, Vigo deveria falar nas duas sessões, mas após a primeira resolveu parar por aí.

Após as duas sessões reservadas aos membros do Club de L'Écran, *Zéro de conduite* prosseguiu no Studio du Carrefour uma carreira comercial que durou um mês, após o que o filme foi retomado pelos cineclubes das principais cidades belgas.

Encontramos nas críticas belgas as mesmas tendências que apontamos nas amostras francesas. É à aspereza de *Zéro de conduite* que os críticos irão reagir em primeiro lugar.

> A ousadia, franqueza, violência até, são indícios de um temperamento forte. No cinema, os panfletos são raros [...] *Zéro de conduite* tem o grande mérito de não conter nenhum vestígio de prudência, timidez. É um filme que nos propõe, sem nenhuma espécie de concessão, o pensamento, a visão crua do autor... Trata-se de uma justaposição de episódios, que têm entre si certa unidade de intenção e de lugar, mas quase nenhuma ação. De um para outro, o rancor, a repulsa do autor vão se acentuando, se ampliando segundo um ritmo de amarga progressão para afinal rebentar

num grito de desesperada libertação... A infeliz existência dos colegiais adquire um relevo incisivo e cruel, uma violência áspera e dura...[161]

Escreve Paul Werrie:

Trata-se de uma sucessão de momentos, é antes um clima que vai se elaborando, corrosivo [...] clima que povoa e corrói o pátio coberto – que por muito pouco não é igual ao pátio de uma prisão.

Além disso, há no filme algo de eterno e irremediavelmente falseado.[162]

De um artigo anônimo, provavelmente escrito por Ludo Patris:

Excessiva, violenta, grosseira às vezes, esta intriga forneceu matéria para uma sequência de imagens que, da sátira mais burlesca ao realismo sórdido, percorrem uma surpreendente gama de valores.[163]

Michel A. Mirowitsch, um dos melhores críticos belgas da época, escreve em *Documents 33*:

Tédio homicida de cidadezinha do interior, 'escola escura' e fedida, bedéis lamentáveis, desrespeitados, ridicularizados, classes sujas e barulhentas, refeitórios encardidos, domingos em que o vazio e o nada se fazem palpáveis, tudo isso se reconhece ao longo de uns poucos complôs à sombra do pátio coberto, de algumas mágoas sem solução... Tema repleto de rancor e sofrimento.[164]

---

161. *Le Carrefour, périodique du cinéma*, nova série, n. 2, Bruxelas, 17 out. 1933.
162. XXe *Siècle*, Bruxelas, out. 1933.
163. *La Libre Belgique*, 20 out. 1933, e *National Bruxellois*, 22 out. 1933.
164. N. 7, nov. 1933.

Traduzimos dois excertos da imprensa flamenga. Um jornal de centro-esquerda de Bruxelas:

> [...] Sátira realmente violenta, que peca vez ou outra por caricaturas exageradas. A psicologia infantil incomoda justamente por sua franqueza, amarga às vezes.[165]

Um veículo do Partido Socialista:

> [...] Estamos diante de uma obra realizada sobre uma base de ódio e persistente rancor.[166]

Se agruparmos as palavras-chave dos artigos dedicados a *Zéro de conduite* em 1933, temos como resultado: odioso, violento, destrutivo, rancoroso, amargura, infeliz, grosserias, prejudicial, cruel, desespero, angústia, confuso, ruim, ardente, ousada, vicioso, subversivos, desagradáveis, obcecado, tumultos, erotismo, escatologia, excessiva, sátira, sórdido, exageradas, ultrajantes, lamentável, impiedoso, triste, bruto, provocante, exasperante, crueldade, perversidade.

Esse clima vai nos ajudar a compreender um fenômeno curioso que não iria acabar tão cedo: os paralelos estabelecidos entre Jean Vigo e Louis-Ferdinand Céline. À primeira vista, ficamos tentados a achar graça dos críticos e enxergar aí um dos aspectos pouco recomendáveis da categoria.

Foi Pierre Ogouz, em *Marianne*, a propósito de *Zéro de conduite*, o primeiro a mencionar Céline. Sem procurar confrontar, a partir do cerne, as obras do cineasta e do escritor, Ogouz declarou: "Obra ardorosa e ousada, sendo o sr. Jean Vigo seu autor: um Céline do cinema". Essa

---

165. *Nieuws van den Dag*, 27 out. 1933.
166. *Vooruit*, Gand, 27 out. 1933.

comparação parece resultar de impressões vagas devidas a um motivo fortuito: *Voyage au bout de la nuit*[167] fora publicado pouco antes e as polêmicas causadas pela não-atribuição do Prix Goncourt ao romance de Céline ainda não tinham amainado.

O autor do artigo de *Carrefour* cita o artigo de Pierre Ogouz e, para "justificar de algum modo" a comparação, ensaia esclarecimentos que permanecem vagos:

> Se há que justificar de algum modo a filiação, será pela sensibilidade de ambos para a atmosfera de um lugar, para o ambiente moral suscitado por um cenário, certos hábitos de vida, uma disciplina ou algumas personagens.

O primeiro impulso é perguntar, mesmo passados vinte anos: "Que lugares? Que personagens?".

Nosso cronista socialista provavelmente já terá lido os artigos no *Marianne* e no *Carrefour*, está prestes a adotar a aproximação Vigo-Céline, embora não ache jeito de justificá-la. Imagina, então, que os motivos dessa aproximação devam residir nas cenas suprimidas:

> Em algumas cenas suprimidas, é fácil imaginar a atmosfera profundamente triste e árdua desta escola, que situamos por assim dizer numa periferia triste e cinzenta de Paris, onde se desenrola a parte mais viva e envolvente do famoso romance de Céline: *Voyage au bout de la nuit*.

Seria um erro dar de ombros e deixar por isso mesmo, pois o fenômeno das alusões a Céline expressa muito bem a reação fundamental diante

167. Louis-Ferdinand Céline. *Voyage au bout de la nuit*. Paris: Gallimard [Paris: Denoël et Steele, 1932] 1950 [ed. bras.: *Viagem ao fim da noite*, trad. Rosa Freire d'Aguiar. São Paulo: Companhia das Letras, 1994]. [N.O.]

de *Zéro de conduite* em 1933. O filme tocava então a sensibilidade quase que exclusivamente por seu aspecto *noir*, e se não consta esta palavra em nossa lista é porque ela só entraria na moda muito mais tarde. Compreendemos agora o que, na época, devia ser evidente para todo mundo, ou seja, que as alusões a Céline eram para os cronistas uma maneira de resumir a descrição que davam do clima (vide a série de palavras) de *Zéro de conduite*.

Nenhum dos autores dos artigos que tivemos oportunidade de estudar foi sensível ao que, em *Zéro de conduite*, se tornou essencial vinte anos depois: a poesia. A maioria nem sequer lhe faz referência. Se três ou quatro a mencionam, é apenas para negá-la, desaprová-la ou reduzi-la ao mínimo necessário. Não cabe nos demorarmos na análise da negação oferecida pelo semanário católico *Choisir*. Seria ocioso procurar ali algo sério. A página de cinema do número que nos interessa dedica-se a demonstrar, antes de mais nada, que as maiores receitas de 1932 foram arrecadadas por "filmes alegres, que não ferem a moral", ou a desmentir a notícia de que uma sobrinha do papa estava para se lançar como atriz de cinema.

Quando a crítica se refere ao aspecto poético de *Zéro de conduite* é, como faz o *Vooruit*, para ver nele uma "espécie de absurdo poético" que dá a impressão de "uma tentativa difícil e sem resultado".

Carrefour toca de leve em alguns valores poéticos do filme quando fala no "véu de um certo absurdo" ou na "auréola do delírio onírico"; contudo, alude principalmente aos efeitos que se acreditava serem "surrealistas". Permanece o fato de que, dos quatro exemplos citados – chegada do diretor, o passeio dos colegiais, revolta noturna e rebelião final –, dois fervilham de valores estritamente poéticos. Para 1933, essa aproximação já é extraordinária.

Se o aspecto poético de *Zéro de conduite* não foi visível para os juízes de 1933, eles foram mais sensíveis ao aspecto social, embora as alusões à sociedade por meio da escola nunca tenham sido observadas pelos críticos, e na lista mencionada acima não se encontrem as palavras anarquia ou anarquismo. Sabe-se, no entanto, que pela pena de um socialdemocrata a frase do *Vooruit* referente a "um clima moral oriundo antes de um sentimento de revolta do que de um senso social realmente profundo" pode perfeitamente significar uma acusação de anarquia.

O estilo acanhado do cronista do *Vooruit*, aliás, provoca às vezes sensações curiosas. Ele diz "as cenas da vida escolar francesa mostradas por Vigo são manifestamente de natureza muito impressionante". Acrescenta, porém, "que está claro não ter sido sua intenção empreender o que quer que fosse contra os métodos oficiais de ensino e educação aplicados nos liceus e colégios públicos franceses" e conclui "que ele queria colocar na berlinda a vida dos jovens internos como um todo". Com seus avanços e recuos, o jornalista acaba nos dando a impressão, inesperada, de que o problema está em saber se Vigo é a favor ou contra a escola laica. O cuidado do honesto socialista belga para deixar claro que Vigo não era contra o ensino público pode nos parecer ridículo. O mais engraçado é que ele não estava tão errado. Para percebê-lo, vale a pena dar um salto no tempo. Em 1950, certos setores católicos mais abertos já não sentiam, em relação a *Zéro de conduite*, a mesma repulsa que seus correligionários de 1933. Assim, o padre Richard, no semanário católico parisiense *Radio-Cinéma*, ataca a censura que o proibira e faz elogios ao filme por enxergar ali uma acusação à escola laica.[168]

Além da maneira socialdemocrata de reprovar a anarquia em *Zéro de conduite*, há também a maneira comunista ou comunizante: a das pessoas que teriam gostado que Vigo fosse "igualmente corajoso no sentido social", como escreve Michel A. Mirowitsch. Se os preconceitos do crítico belga o impediram de perceber o conteúdo social de

---

168. *Radio-Cinéma*, Paris: 16 jul. 1950.

Zéro de conduite, ele em compensação penetra profundamente na obra de Vigo quando escreve: "O ambiente geral está sujeito a essa repulsa não destituída de prazer que está na base de certas lembranças de infância".

Repare-se que nos artigos dedicados a Vigo em 1933 a alusão a Almereyda era extremamente rara. Na verdade, só encontramos uma. Alguns críticos se abstinham por delicadeza. Outros não faziam a ligação entre Jean Vigo e Vigo-Almereyda. A maioria, sobretudo na Bélgica, já não conhecia o nome de Almereyda. Mais tarde, quando em 1945 *Zéro de conduite* retomaria sua carreira na França, isso também iria mudar.

L'ATALANTE

Enquanto *Zéro de conduite* era realizado, Jacques-Louis Nounez já vinha pensando em suas próximas produções. Admirador de Georges de la Fouchardière, em dezembro de 1932 assinou com o escritor um contrato de exclusividade para a adaptação de suas obras para o cinema e produção de seus roteiros originais. Suas preferências, em se tratando de produção cinematográfica, iam para temas cuja atmosfera lhe fosse familiar, a exemplo do *L'Affaire Peau de Balle* [1932, *O caso nadica de nada*], que retrata o mundo do turfe. Não é improvável que, entre os motivos que levaram Nounez a se lançar na produção cinematográfica, aqueles ligados a certo desejo de criação pessoal fossem no mínimo tão importantes quanto as perspectivas comerciais. Ele ainda pretendia filmar, entre as produções de 1200 metros que sucederiam *Zéro de conduite*, o seu roteiro de *L'honnête homme* [1932, *O homem honesto*], história da luta de um filho idealista contra a honestidade burguesa do pai, de que descobrira a falsidade.

Nounez, contudo, modificara um pouco os seus planos. Já não queria limitar suas três primeiras produções à média-metragem e pensava empreender um longa-metragem o quanto antes. Sua preferência ia para o projeto de um filme sobre trabalhos forçados. Vigo, por sua vez, apreciava o projeto de um filme baseado na experiência de Eugène

Dieudonné, o anarquista ilegalista defendido por Almereyda no *Courrier Européen* em 1913. Envolvido no caso Bonnot, também chamado dos "Bandidos trágicos", Dieudonné, não obstante a sua mais que provável inocência no crime de que era acusado, fora condenado à morte por se negar a acusar seus companheiros. Seu advogado, dr. De Moro-Giafferi, arrancara o seu indulto a Poincaré em abril de 1913, e sua condenação fora comutada em trabalhos forçados perpétuos. Cerca de dez anos mais tarde, o jornalista Albert Londres empreenderia uma grande campanha em prol do perdão a Dieudonné, o qual foi finalmente libertado.

No início das filmagens de *Zéro de conduite*, já ocorrera um encontro entre Nounez e Vigo, de um lado, e Dieudonné e Julot Dupont, também especialista em trabalhos forçados, de outro. Haviam decidido adotar as reportagens de Albert Londres como ponto de partida. Dieudonné e Julot Dupont se encarregaram de esboçar uma primeira adaptação cinematográfica. Em seguida, Dieudonné aceitara representar sua própria personagem, e os planos iam avançando: cogitavam oferecer o papel principal feminino a Gaby Morlay ou a Florelle. Vigo queria rodar o filme na própria Guiana mas, para Nounez, esta era uma pretensão quimérica.

Outros projetos foram tomando corpo durante a realização de *Zéro de conduite*. Vigo estava interessado num roteiro de Painlevé, *Le Café du Bon Accueil* [1933, *O Café da Boa Acolhida*] que ao que parece continha *gags* surpreendentes, num outro de Claude Aveline, *Le timide qui a pris feu* [1933, *O tímido que pega fogo*], e na adaptação de algumas obras literárias deste último. Storck ofereceu seu roteiro *Evariste* [1933, *Evaristo*], e Riéra, *L'Inventeur* [1933, *O inventor*], escrito em colaboração com René Lefèvre. Vigo pensava num roteiro original, *Le métro* [1933, *O metrô*]. Era a história de um homem que trabalhava num quarto frente ao qual passava o metrô de superfície e gastava seus domingos andando de metrô a fim de olhar para o seu quarto pelo lado de fora.

Vigo convencera Nounez a deixar temporariamente de lado *L'Affaire Peau de Balle* e filmar uma história em torno do circo. Tratava-se da adaptação da novela de la Fouchardière, *Clown par amour*, que Vigo queria encenar com o palhaço Beby no papel principal. Pelo final de janeiro de 1933, Vigo já explicava aos amigos como enxergava a "Mãe Cocô", uma das personagens do livro; concebia-a de um modo burlesco e, ao mesmo tempo, muito duro, que deixou Storck impressionado. Vigo, posteriormente, escreveria na íntegra a decupagem desse filme.

Quando *Zéro de conduite* ficou pronto, Nounez já tinha alterado seus projetos. O plano de trabalho para o diretor Vigo em 1933 era mais ou menos o seguinte: em abril, início de *Evariste*; em junho, *Le métro*; em setembro, as externas de *Le Bagne* [*Trabalhos forçados*], se possível na Guiana; em outubro, conclusão de *Evariste*. Essas previsões eram, porém, bastante vagas. Algumas pessoas já começavam a ver em Nounez um "sonhador, desorganizado e sem autoridade".[169]

Depois da estreia de *Zéro de conduite* e de sua proibição, todos os projetos de Nounez ficaram abalados. No mundo dos negócios onde circulava, começava a ser criticado por apoiar empreendimentos "subversivos". A severidade das autoridades passava a visar o "perigo" das atividades cinematográficas do filho de Almereyda. Já nem se podia cogitar a realização de *Le Bagne*.[170] Além deste, outro motivo pode ter pesado na decisão de descartar os projetos de la Fouchardière: o escritor aparentemente já não tinha a menor vontade de ver suas obras serem

---

169. Agenda de Storck, 1º abr. 1933.

170. O mesmo número de *Pour Vous* (20 abr. 1933), em que um redator condenava *Zéro de conduite*, publicou uma entrevista com a sra. Exbrayat, secretária da Comissão de Controle dos filmes, que constituía uma legítima advertência:

O jornalista: "Se *Je suis un évadé* [*I Am a Fugitive from a Chain Gang*/ *Eu sou um fugitivo*, 1932, Mervyn LeRoy] fosse um filme francês, com a ação situada na Guiana, a senhora acha que teria sido liberado?".

Sra. Exbrayat: "Provavelmente não. O representante do Ministério da Justiça teria se oposto à sua exibição".

filmadas pelo autor de *Zéro de conduite*, de que ele não gostou. Por outro lado, depois do mau negócio da proibição, não estava fácil fazer com que a Gaumont se dispusesse a uma nova experiência com Vigo. Se o pessoal da Gaumont não logrou apartar totalmente Vigo dos projetos de Nounez, é provável que tenha sido graças a este último. Escrevera-lhe, em 16 de abril: "Acho que você conhece bem os homens, porque já sofreu muito. Mantenha intacta a sua confiança, o nosso filme está muito bom". De fato, Nounez gostara muito de *Zéro de conduite*, embora não integralmente. Nunca aprovou, por exemplo, a ideia de dar o papel principal a um anão barbudo. Apesar disso e de outras coisas mais, estava decidido a dar uma nova chance a Vigo.

Queria, no entanto, de acordo com a Gaumont, tomar precauções, e precauções sérias, já que para recuperar o capital dissipado com *Zéro de conduite* iria assumir gastos muito mais elevados para um filme de longa-metragem, com estrelas, canções etc. Essas precauções consistiam essencialmente em não mais encarregar Vigo de escrever um roteiro original nem deixá-lo livre para escolher algum. Nounez achava que a fantasia de Vigo – a seu ver, não muito razoável – precisava das limitações de um roteiro prévio, e se pôs pessoalmente em busca de um.

Deteve-se, em certo momento, num roteiro de Louis Chavance inspirado num congresso internacional de mendigos que se realizara pouco antes. Chavance era um técnico de montagem que escrevia argumentos de filmes, nenhum deles tendo sido filmado até então. Essa ideia, no entanto, estimulava demais o não-conformismo de Vigo e decerto por esse motivo foi descartada. Por fim, indicaram a Nounez um texto original, "L'Atalante" [Atalante], encaminhado à Association des Auteurs de Films [Associação dos Autores de Filmes] por R. de Guichen, obscuro escritor cujo nome literário era Jean Guinée. Vigo foi informado no final de julho.

O tema de "L'Atalante" era convencional e medíocre. Jean, o jovem comandante de uma chalana a motor, casa-se com Juliette, uma camponesa, em seguida levando-a para bordo, onde terá de viver em companhia do imediato, um velho marinheiro, o Père Jules, um grumete e um cachorro. Ao mesmo tempo que induz Juliette a amar aquela vida simples e monótona, Jean lhe ensina igualmente a detestar as margens, símbolo dos prazeres impuros. Durante uma escala, porém, um jovem marinheiro apaixonado por Juliette se oferece para levá-la até a cidade, e a faz vislumbrar os prazeres que a esperam. Jean expulsa o sedutor, mas Juliette fica perturbada com o atrativo da cidade e, certa noite, com a cumplicidade do grumete, entra num *tortillard*[171] e vai-se embora. Informado dos detalhes da aventura pelo garoto que, tomado de remorsos, confessa ter facilitado a fuga, o comandante recusa a proposta do velho marinheiro de ir buscar sua mulher. A Atalante vai partir em busca de outras escalas. Depois de consumir seus recursos em prazeres honestos, e cansada de ser alvo de propostas dos homens, Juliette se torna garçonete no restaurante de um homem brutal, onde leva uma vida solitária. Não se atreve a voltar para a Atalante, da qual não tem, aliás, nenhuma notícia. Uma escala traz a chalana de volta para a região. O Père Jules, não obstante a proibição de Jean, sai à procura de Juliette, percorrendo em vão as ruas e cafés da cidade. No caminho de volta, entra numa pequena capela na hora da Ave-Maria. O olhar de Père Jules é atraído por duas mãos unidas a desfiar um terço. O gesto lhe parece familiar, aproxima-se e descobre Juliette. Jean a aceita de volta e, aparentemente, a vida recomeça como se nada tivesse acontecido. Mas a felicidade já não estava a bordo.

Vigo deve ter se sentido meio desanimado com essa história mas, não tendo escolha, contentou-se em fazer umas sugestões à pessoa (provavelmente o próprio autor) encarregada de desenvolver o roteiro

171. Tortuoso: trenzinho de linha local assim denominado por fazer muitas voltas e desvios. [N.T.]

na forma de um primeiro esboço de decupagem. De fato, houve pelo menos uma alteração importante: Juliette não seria tentada a ir para a cidade por um jovem marinheiro, e sim por um camelô.

Mesmo assim, o projeto ainda desagradava bastante a Vigo. Tudo nele se centrava na oposição entre Jean e o Père Jules, os marinheiros e as margens, a cidade e a fascinação que ela exerce no espírito de Juliette. Tão logo chegou a bordo, esta já começava a invejar o ar feliz das pessoas que, nas margens, se banhavam, faziam piqueniques, brincavam nos parques de diversão, quando um camelô, que conheceu num café dançante aonde Jean finalmente a levara, falou-lhe sobre as maravilhas da cidade.

A oposição entre os marinheiros e a cidade era mostrada com insuportável densidade. Depois de uma comprida lengalenga, o camelô dava a volta no salão cantando. No final, parte do público entoava em coro o seu refrão. A última estrofe, porém, era perturbada pela algazarra vinda de uma mesa em que quatro marinheiros estavam jogando baralho. "Pois ele que fique na cidade... Nós aqui passamos muito bem sem ele!", diziam. Um dos velhos então se levantava e entoava a *Canção dos marinheiros*.

A inserção do camelô nesta história pobre introduzia alguma diversidade, mas a personagem continuava pesada e vulgar. Depois de tentar seduzir Juliette falando em boates, carros, "vida intensa", exclama, dirigindo-se a Jean que o rechaça: "Então você acha que, linda como ela é, com a idade que tem, ela acha alguma graça em viver, do primeiro dia de janeiro à São Silvestre, naquele pedaço de pau, com você, um velho e um garoto... Imbecil!".

As outras personagens estavam difíceis de tomar forma. Jean odiava a cidade, muito bem! Um dos motivos deste ódio era pelo tanto que nela se gasta, quando "temos que economizar para a velhice". No instante decisivo – quando a mulher deixa a chalana para ir conhecer a cidade, ele exclama: "Depois de conhecer a tal cidade, a Juliette vai é voltar... E ver que é na Atalante que ela era feliz".

O autor coloca o tempo todo suas próprias intenções na boca de suas personagens. Aqui, vai mais além e conta o desenrolar do enredo sob forma de profecias que irão se cumprir. Jean tinha razão, portanto, e quando Juliette retorna graças ao Père Jules, estará com o estado de espírito previsto. Se ele a recebe de volta, no entanto, é em última análise levado pelo desejo: "Puxa-a rispidamente para si e, com voz rouca, diz: 'Tire a roupa!'". Suas mãos começam a despi-la.

A personagem de Juliette também não é bem construída. Passados os primeiros tempos a bordo, fica fascinada pela cidade, pelo desejo de aproveitá-la enquanto é jovem. Quando Jean fala sobre a necessidade de economizar para a velhice, ela responde simplesmente aprumando o peito para valorizar sua juventude e contemplando a margem de onde chega um alegre burburinho.

No cabaré, o camelô quase a beijara, e quando ele volta à chalana para vê-la e lembra-lhe que um dia virão os cabelos brancos e tudo estará acabado, ela murmura, deprimida: "É verdade... é verdade". Ao grumete, a quem incumbe de se informar dos horários do trem, ela dá dinheiro em troca do seu silêncio. Juliette chega à cidade como conquistadora, mas não demora para gastar seu dinheiro em anel, chapéu, sapatos, vestido, pó-de-arroz, boates, cinemas, teatros, parque de diversões, e acaba tendo de buscar trabalho. Uma vaga de doméstica é dada a uma mulher, mais robusta, que se apresentou ao mesmo tempo que ela. Até poderia virar figurante no teatro, mas para isso teria de dormir com o diretor, em quem dá um tabefe. Por fim, Juliette será garçonete num restaurante, onde tem de esfregar o piso de quatro, sob o duro olhar do patrão. Vai frequentemente rezar na pequena capela onde o Père Jules irá encontrá-la, levando-a de volta a bordo. Diante de Jean, vencido pelo desejo, ostenta uma expressão vitoriosa.

O grumete é um garoto perverso que tenta espiar os noivos na noite de núpcias, ou o encontro de Juliette com o camelô na chalana. Ajuda

Juliette porque gosta dela, não percebe o valor da cédula azul[172] que ela lhe dá. Mais tarde, tomado de remorso perante Jean transtornado pela fuga, conta-lhe tudo.

O Père Jules talvez seja mais bem construído, mas ainda é tremendamente convencional. Um velho cheio de experiência, meio cético, com um coração imenso cheio de afeto paternal por Jean e Juliette, também inimigo, naturalmente, da cidade e dos seus vícios. Ao grumete, ensina em tom professoral as coisas da vida e dos homens. É, em suma, uma espécie de filósofo popular, cheio de boas intenções e banalidade. Ante o espetáculo da felicidade de Jean e Juliette, o Père Jules só sabe resmungar que: "Esses jovens são uma alegria de se ver!". No entanto, o próprio velho também é um tanto perverso já que, depois de descobrir e enxotar o garoto que tentava flagrar o casal pela claraboia, fica no lugar dele. Em compensação, quando procura Juliette pela cidade, fica indignado quando as pessoas supõem que ele esteja atrás de uma prostituta.

O Père Jules faz um discurso ao garoto, que não compreende o comportamento de Jean, um sermão sobre o orgulho:

> Vou te explicar... o orgulho... deixe eu te dizer... tem uma baita correnteza que puxa a gente como quem não quer nada. O orgulho... Como explicar... Se... Quando você tem vontade de fazer uma coisa, certas horas, você não faz, para o outro não achar que você tem vontade... Então, o outro faz o que você queria fazer e não fez. E você fica contente por dentro. Porque se você tivesse feito, o outro é que ficaria contente... Deu para entender?

No fim, após a volta de Juliette, ao grumete que pergunta se eles, agora, vão ser felizes, o Père Jules responde, com o olhar perdido no rio: "Quem sabe". Diante do espanto do garoto, prossegue: "Sabe, meu rapaz... Nós

---

172. Cor com que era impressa, na época, a cédula de 20 francos. [N.T.]

agora temos um pouquinho das margens a bordo!" e ri, olhando para o seu jovem amigo, que não entendeu.

Tais eram as personagens e a história que Vigo tinha a incumbência de traduzir em imagens. Passados os primeiros momentos de mau humor diante de certos detalhes, Vigo percebeu que o autor não punha nenhuma dificuldade para aceitar as eventuais modificações que são regra na indústria cinematográfica. Nounez e seus associados provavelmente já tinham lido na diagonal a história em sua versão desenvolvida, e era de se esperar que sua vigilância não chegaria ao ponto de sufocar qualquer expressão pessoal na redação da decupagem do trabalho e das tomadas. Vigo sabia, além disso, que poderia contar em boa parte com a compreensão de Nounez. Aceitou, portanto, as linhas gerais da ação e as personagens propostas, embora interiormente as encarasse como um mero ponto de partida.

O esquema da produção era igual ao de *Zéro de conduite*. Nounez era o patrocinador que entrava com o dinheiro líquido, a empresa Gaumont fornecia o estúdio, a película, e se encarregava da distribuição. Desta vez, no entanto, o dinheiro líquido equivalia a cerca de 1 milhão de francos. Para uma produção independente, era um esforço considerável. Atores conhecidos, Michel Simon e Dita Parlo, tinham aceitado fazer os papéis principais.

Dita Parlo era um produto do último período do cinema mudo alemão. Alcançou notadamente um enorme sucesso em 1928, em *Heimkehr* [*Le chant du prisonnier*], filme de Joe May em que contracenara com Lars Hanson e Gustav Frölich. Na França, até o momento só tivera oportunidades medíocres, trabalhando em filmes como *Au bonheur des dames* [*Tragédia de um homem rico*, 1930], de Julien Duvivier, *Rapsodie Hongroise* [*Ungarische rhapsodie*, 1928, Hanns Schwarz], ou *Manolescu* [*Manolescu, der König der Hochstapler*, 1929, Viktor Turjansky], com Mosjukin.

Michel Simon já atuava há dez anos. Tinha no currículo seu papel em *La chienne* [*A cadela*, 1931], de Renoir, e a criação, no teatro e no cinema, da personagem Cloclô, em *Jean de la lune* [1931, Jean Choux], que o tornara conhecido do grande público. Este continuara a apreciá-lo em *Lac aux dames* [1934, Marc Allégret] e *Miquette et sa mère* [1933, Henri Diamant-Berger]. Embora a sua cotação como ator ainda estivesse longe do que viria a ser alguns anos mais tarde, em 1933 Simon já era um astro. Houve no seu círculo quem se surpreendesse ao vê-lo aceitar um papel no filme de um jovem praticamente principiante. Ao que ele teria respondido que aceitara justamente por se tratar de Jean Vigo: Simon tinha simpatia por aquele rapaz não-conformista tão atacado pela censura.[173] O fato de ele aceitar trabalhar sob a direção de Vigo teve aparentemente o mérito de derrubar as últimas resistências de Bedoin, Beauvais e Anglade, o temível trio de funcionários dos estúdios Gaumont.

A decisão de valer-se da colaboração de Michel Simon e Dita Parlo contou com o total e sincero acordo de Vigo. De todo modo, não tivesse sido assim, não haveria a menor possibilidade de mudar o que quer que fosse. Ainda deixavam a Vigo, contudo, a liberdade de escolher os demais atores e, fiel à sua equipe, já recontratara Jean Dasté e Lefèvre, completando assim o essencial do elenco.

Vigo também manteve praticamente toda a equipe artística e técnica de *Zéro de conduite* – Kaufman, Riéra, Berger, Merle, Jaubert e Goldblatt. Storck fora para a Bélgica. Mas, prevendo um trabalho que prometia ser muito maior que o de *Zéro de conduite*, foi preciso aumentar e completar a equipe. Já não seria possível deixar a responsabilidade de diferentes aspectos da produção para uns poucos colaboradores. Incluíram um

---

173. Riéra relatou, num bilhete a Vigo, um diálogo com Michel Simon:
"Quem é esse Jean Vigo?".
"Lembra, no seu camarim, no Ginásio..."
"Ah, sei, sei... muito bonzinho... deve ser sensível... O que ele já fez?"
"Um filme proibido pela censura."
"Ora, viva! Fico muito satisfeito..." (*Positif*, n. 7, mai. 1953).

terceiro operador, Jean-Paul Alphen. Chamaram um *script-boy*, Fred Matter. E, antes de mais nada, Vigo pediu a colaboração de Francis Jourdain e Louis Chavance. O primeiro, velho amigo de Almereyda, foi encarregado dos cenários e maquetes. Vigo queria contar com o segundo para a parte técnica da montagem que tanto trabalho lhe dera em *Zéro de conduite*. Chavance era um bom montador, tinha trabalhado na Paramount e sabia lidar com os problemas específicos do cinema falado.

Chavance estava presente na estreia de *Zéro de conduite*, manifestara-se em favor do filme e é provável que Vigo tivesse reparado em seu nome ao pé de artigos em revistas francesas e belgas, principalmente no número de *Sésame* que também trazia "Sensibilité de la Pellicule" [Sensibilidade da película]. Seja como for, a incipiente reputação de Chavance como montador chamara a atenção de Vigo que, no final da primavera de 1933, escreveu-lhe para convidá-lo a participar da produção. Já nos primeiros encontros, Vigo detectou as simpatias anarquistas de Chavance, que ele não podia deixar de apreciar. Pediu ao novo colaborador que desse um jeito de estar o mais presente possível às filmagens, que prometiam estar próximas. Como uma parte significativa teria de ser filmada em externas, precisavam aproveitar o bom tempo.

Vigo, com a colaboração de Riéra, elaborou uma decupagem detalhada e Nounez, que desejava um trabalho caprichado, pedira a Blaise Cendrars[174] que revisse os diálogos de Vigo. O escritor não achando nada a repor, ficou tudo em ordem sob esse aspecto.

Vigo tinha também aproveitado as primeiras semanas do verão para fazer longos passeios de chalana com o intuito de selecionar as externas e se iniciar, juntamente com Dasté, tanto na manobra do leme como

---

174. Cendrars chegou a escrever um roteiro para Vigo filmar com produção de Nounez: *Les contrabandiers*, sobre contrabandistas que atuavam na fronteira da França com o País Basco, na Espanha. [N.O.]

no manejo dos croques compridos e duros. Por intermédio de Eugène Merle, poucos dias depois de se inteirar do roteiro Vigo pedira a Georges Simenon informações sobre os canais, as eclusas e as aldeias de marinheiros, e o escritor lhe enviara algumas informações. Já escolhera a barcaça do filme, a Louise XVI, pertencente à Union des Mines et Industries Annexes e que, embora dotada de um motor a óleo combustível, era do tempo em que cavalos sirgavam as chalanas pelas margens.

Tudo parecia pronto para o início das filmagens. Porém, embora Nounez se interessasse de perto por alguns aspectos da produção, mais uma vez se mostrava, no conjunto, um mau organizador e passou-se o verão inteiro sem que começassem a filmar. Setembro ainda era um bom mês para as externas mas, no final de outubro, quando Vigo foi a Bruxelas apresentar *Zéro de conduite*, ainda estava tudo parado, e só deram início aos trabalhos na segunda semana de novembro.

Não dispomos de muitos detalhes sobre a realização de *L'Atalante*, mas sabemos que o início das filmagens coincidiu com o início da história. Consistia em filmar o casamento e a partida dos recém-casados na chalana. A equipe inteira se deslocara para a aldeia de Maurecourt, no Oise, acompanhada por Dita Parlo, Michel Simon, Dasté, Lefèvre e figurantes. Entre eles, Fanny Clar e Raphaël Diligent faziam o papel dos pais de Juliette, o romancista René Bleck fazia o pajem, e o convidado alegre e manco era representado pelo desenhista Gen Paul. Os demais também eram amigos.

Vigo dava a impressão de manter-se bem próximo do roteiro original. As personagens estavam dadas: Dita Parlo, como Juliette; Dasté, como Jean; Michel Simon como Père Jules; Lefèvre como o grumete. Uma pequena modificação que não parecia ter muita importância: Vigo substituíra o cachorro – que, lembramos, também morava na chalana – por uma dúzia desses gatos de rua de que Almereyda tanto gostava, emprestados por uma senhora da Sociedade Protetora dos Animais e transportados num caixote com claraboias.

Se o cachorro não tinha nenhuma função específica no roteiro de Guinée, os gatos de Vigo, em compensação, iriam invadir o filme todo, contribuindo fortemente para criar sua atmosfera. Eles se tornariam inseparáveis da personalidade do Père Jules, atrapalhariam as primeiras efusões dos recém-casados, mas logo em seguida despertariam o carinho e o desejo de Juliette ao arranharem o rosto de Jean a ponto de sangrar. No dia seguinte, uma gata iria parir seus filhotes na própria cama do casal. Os gatos estariam sempre presentes por toda a chalana e se tornariam atentas testemunhas do milagre do fonógrafo. Uns gatos iriam inclusive esperar pelo Père Jules nas escalas, ao passo que ele próprio roubaria alguns de certos cidadãos – como os juízes de paz – que, na sua opinião, não tinham o direito de possuir gatos. Essas sequências de gatos na margem foram só parcialmente filmadas e provavelmente nunca tenham sido montadas.

Mas ainda estamos bem longe disso tudo. Vigo estava, então, filmando o casamento. As palavras proferidas pelas pessoas no casamento são aquelas indicadas por Guinée, assim como o diálogo entre o moleque – "Claro, claro" – e o Père Jules, o qual, correndo para preparar a recepção do casal, ensaia com ele a frase que deve dizer quando oferecer um buquê de flores à noiva: "Seja feliz a bordo da Atalante". Só que Vigo criou convidados grotescos e tagarelas, acompanhando a uma boa distância o jovem casal calado e sonhador, rumando para a chalana através dos campos, contornando os montes de feno e passando por caminhos florestais, constantemente iluminados por uma luz que parecia emanar deles próprios.

A chegada do grupo à margem do rio e a partida da chalana levando os recém-casados estavam indicadas no roteiro original da seguinte maneira:

> Posicionados à frente do cortejo, avançamos em direção à barcaça (vozerio, acordeão; exclamações do cortejo). Na chalana, Père Jules e o garoto

se levantam. O garoto desaparece nas escadas e volta com um imenso buquê. Desce correndo a passarela, ao pé da qual vem chegando o cortejo.

Ao se aproximar de Juliette e entregar-lhe o buquê, ele diz: 'Seja feliz a bordo da Atalante!'. Comovida, ela se inclina para o garoto e lhe dá um beijo, enquanto o cortejo grita: 'Viva a noiva, viva a noiva!'.

Enquanto isso, Père Jules se acerca do patrão, Jean: 'Estamos partindo, patrão'. Com um ar meio distraído, Jean repete: 'Se vamos partir?' e, retomando contato com a realidade: 'Ora, Père Jules, você sabe, são ordens da Companhia, são ordens!'. O marinheiro: 'Bom, então, vou sacudir o motor'. Torna a subir na passarela.

Vista da popa e das águas calmas. Sons de vozes das pessoas. Súbito, a água se põe a borbulhar, agitando o bote. Ritmo do motor.

Lentamente, os noivos sobem a bordo da Atalante. Apertos de mão.

Soltam-se as amarras, que caem na água respingando em algumas mulheres, que soltam uns gritinhos.

A passarela é recolhida.

Vista dos amantes (de baixo para cima, a partir da margem) a bordo da chalana.

Vista das pessoas que ficaram na margem (de cima para baixo, a partir da chalana).

A Atalante se afasta da margem. Père Jules está no leme.

As mãos se erguem num gesto de adeus. Lenços se agitam. Os recém-casados, abraçados, veem a margem ir diminuindo e sumir numa curva do rio.

Ao rodar esta sequência, Vigo parecia estar seguindo o roteiro, quando na verdade fazia exatamente o contrário.

A recepção dos recém-casados tão cuidadosamente organizada pelo Père Jules se vê ameaçada por um imprevisto que o irrita: as flores caem dentro do rio. O moleque resolve ir buscar outras no campo, e volta quase em seguida com um galho grande de folhas silvestres, bem a tempo de resgatar o buquê, trazido para a margem pela correnteza. Da chalana, Père Jules dá instruções e ainda grita: "Enrole num papel, enrole num papel" quando o moleque enfia o buquê escorrendo água nos braços da noiva um tanto atônita, recitando depressa as palavras de boas-vindas. Os convidados se detiveram a poucos metros e permanecem em silêncio.

A distância entre o trabalho de decupagem e realização de Vigo, de um lado, e o roteiro original, de outro, já é grande e irá crescer constantemente até que este se perca praticamente de vista.

"Devagar", diz Guinée, "os recém-casados sobem a bordo da Atalante." "Nada disso", decreta Vigo, e para começar nem existe passadiço. Pelo mastro de carga empurrado pelo Père Jules é que a noiva é içada a bordo. A mãe se aparta dos convidados, ainda silenciosos, gritando: "Juliette! Juliette!". Père Jules é quem a recebe em seus braços: "Está aqui a sua filha", dá-lhe um beijo e lhe entrega o buquê da noiva, que ele retoma em seguida, aliás, antes de embarcar por sua vez.

A chalana se move, a noiva está sozinha na proa, Jean, no leme, grita adeus gesticulando amplamente e jogando o boné para o alto. Do lado da margem, que se distancia, nem um gesto, nem uma palavra – o cortejo se mantém imóvel, calado, negro, hostil, grotesco.

Acaba aí a introdução do filme. Vigo previra três planos suplementares:

1. nuvens carregadas;
2. vento, e convidados olhando para o céu preocupados e pondo-se a andar;
3. vento, e um rebanho pondo-se a andar.

Suprimiu os três planos, percebendo que qualquer movimento ou imagem enfraqueceria o impacto da visão, cômica em sua severidade, do grupo abandonado na margem.

Cai a noite e a vida tem início a bordo da Atalante. Jean vai ter com a branca noiva de pé, imóvel, açoitada pelo vento, na dianteira da barcaça.

Ela se entrega às suas carícias, embora se debatendo um pouco; mas um gato roça neles e Juliette se ergue, se nega, foge. Jean tenta ir atrás dela, tropeça e tem o rosto ferozmente arranhado pelos gatos. Sobe para alcançar Juliette atrás do timão, ergue-a nos braços com certa violência, sob o olhar do Père Jules, mas, carregada para a cabine, ela já está domada e acaricia amorosamente o rosto ensanguentado do marido.

Assim já se esboça a personalidade da Juliette de Vigo, rica de certa ambiguidade. Nisso também a sugestão vinha do roteiro de Guinée que, depois de tirar Juliette de uma capela onde ela desfiava o terço com movimentos que lembravam ao Père Jules o familiar tricô, jogava-a em seguida, triunfantemente sedutora, nos braços do marido. Devido à escolha não estudada das situações, porém, a ambiguidade da personagem – tal como aparecia no roteiro – passava a sensação de gestos contraditórios que a anulavam. Vigo soube criar uma personagem coerente que é, a um só tempo, uma moça acanhada do campo, uma dona de casa eficiente, uma menina fazendo a descoberta poética do mundo, uma mulher perturbada pelo aspecto sensual de suas descobertas, que experimenta tanto o apelo intenso do erotismo como a fidelidade da carne mas para a qual, no entanto, os mórbidos apelos da visão do sangue não são totalmente estranhos. Quando Père Jules lhe faz uma demonstração dos poderes da *navaja* cortando até que sangre o dorso da própria mão, lê-se no rosto de Juliette, antes da expressão de horror, uma silenciosa fascinação em que aponta um pedaço de língua vampiresca. Jean proporciona-lhe amor e a quente presença do corpo na cama quando não é obrigado a ficar até tarde lá em cima manobrando a chalana, mas não sabe satisfazer as modestas curiosidades do espírito de Juliette. É ela, pelo contrário, quem lhe abre uma pequena janela para o maravilhoso, ao lhe ensinar que, quando mergulhamos a cabeça na água de olhos abertos, enxergamos aquela que amamos.

Muito mais rica que a de Jean é a personalidade do Père Jules, o imediato da Atalante, velho marujo com uma vida repleta de aventuras nos quatro cantos do mundo, com um passado talvez um pouco pesado, do qual ele não se livra pelo esquecimento posto que, pelo contrário, reivindica a memória. Ao gerente da companhia de navegação que alude a fatos desagradáveis do passado, retruca o Père Jules: "Se eu não soubesse, quem mais saberia? Eu até poderia lhe contar uma muito boa...".

Mas, se o Père Jules é tagarela, é também discreto e, falando sobre si mesmo, sempre se limita a alusões que contêm, no entanto, um infinito poder evocatório. Depois de assistir ao primeiro quartel do filme, já sabemos que ele é maníaco por gatos e encheu a chalana toda com eles, que é capaz de fazer uma demonstração comentada de luta greco-romana, que resmunga com facilidade etc. É quando ele nos oferece uma primeira visão condensada do seu passado.

Juliette está trabalhando, sentada à máquina de costura, e Père Jules se aproxima.

> PÈRE JULES: O que está fazendo?
>
> JULIETTE: Estou costurando à máquina. O senhor nunca viu uma máquina de costura?

A resposta do Père Jules, enquanto resmunga "Nunca vi uma máquina de costura?", é sentar-se ao lado de Juliette e terminar com destreza a costura que ela havia começado. Diante da surpresa dela: "Puxa, quanta coisa o senhor sabe fazer!", Père Jules reitera: "Quanta coisa eu sei fazer!" e, admirando-se, complacente: "Ah, essas mãos! O que estas mãos já não fizeram? Inclusive, certa noite, ao largo de Xangai, minha palma subindo, assim!". Père Jules une o gesto à palavra pegando Juliette pelo pescoço. Ela o rechaça e pede que ele sirva de manequim para marcar a bainha da saia que está acabando de fazer. Père Jules fica encantado: "Marcar a bainha! Oh, veja só! Fica bem em mim! Marcar a bainha". Depois de fingir que está com cócegas, Père Jules, usando a saia como acessório, empreende as mais diversas performances até o final da sequência. Começa esboçando uma dança oriental, cantarolando: *Travadja la moukère! Travadja bono!*,[175] ou batendo com a palma da mão na boca aos gritos de "UH! UH! UH! UH!". Juliette espeta-o com um alfinete e ele retoma, ainda mais alto, com passos de dança africana: "*Ula! Ula! Ulamaula! Ula!*".

JULIETTE O senhor acha que ainda está na terra dos negros?
PÈRE JULES Terra dos negros? Não foi só isso que eu conheci!

E, protegendo-se do alfinete, Père Jules, arrebatado, desfia o nome das escalas, que jorram de sua boca aos borbotões: "Xangai! Cingapura! Yokohama! Melbourne! São Francisco!". Aqui, uma pausa, uma evocação: "1905 Dorothy! San Sebastian!".

San Sebastian fica na Espanha e Père Jules "Olé! Olé!" defende-se com a saia de Juliette esboçando gestos de toureador e movimentos de dança espanhola. Ainda recuando a fim de evitar o alfinete de Juliette, que está começando a se irritar, ele desliza e acaba de cócoras, posicionado para a dança russa:

Vo sadu li da v ogoródie
Výrasla Pétrúchka
Máltchik diévotchku tselúiet
Dúmaiet igrúchka.[176]

---

175. Canção popular de cunho malicioso e racista, cantada originalmente pelos legionários franceses no norte da África no período colonial. *Mouquere*, do árabe via espanhol, *mujer*, designava pejorativamente a mulher árabe. [N.T.]

176. "Foi no jardim ou foi na horta / que cresceu Piétrúchka / Menino beija menina / Pensando que é brinquedo", tradução do russo por Boris Schnaiderman.
Trata-se de uma cantiga infantil que seguramente foi inserida por Boris Kaufman. [N.O.]

Juliette se endireita, furiosa, e arranca a saia do Père Jules, que para de cantar.

JULIETTE Chega, vá embora! Aqui está a sua roupa!

PÈRE JULES Ah! Deixe eu recobrar o fôlego! Eu não lhe fiz nada! Estou cansado, poxa!

JULIETTE Mas você vai embora ou não?

PÈRE JULES Já disse que não! E não! E não e não!

Nisso, entra o grumete para avisar que estão chegando a Paris e que o comandante está chamando para a manobra. Père Jules vai embora reclamando: "Comandante? Que comandante? Quem é esse sujeito?".

Consta que Vigo, ao dirigir Michel Simon nessa cena, protagonizou um espetáculo notável. Enquanto explicava as suas intenções, ele próprio fazendo todos os movimentos e dizendo todas as falas, o diretor obrigava o ator a repetir várias vezes, até alcançar um ajuste perfeito. Depois a cena foi fracionada para a filmagem dos planos. O resultado ficou excepcional. Talvez seja esse o melhor momento, tanto de Vigo enquanto diretor, como de Simon enquanto ator, ou antes o "ponto alto" mais surpreendente da carreira de ambos, além de ser a sequência de *L'Atalante* em que a continuidade e o ritmo atingem a perfeição. Sua importância para o conjunto está em desenhar de modo definitivo a personagem do Père Jules e introduzir certo mal-estar, ao qual Juliette reage.

Dali a pouco, Juliette irá entregar ao Père Jules sua roupa lavada. A coleção de objetos esquisitos com que depara em sua cabine, além de novas exibições do velho, irá completar a personagem e prolongar a perturbação da mulher.

Para abarrotar a cabine do Père Jules com inacreditáveis quinquilharias, Vigo fizera longas visitas ao Mercado das Pulgas de Saint-Ouen, à feira do ferro-velho do bulevar Richard Lenoir, e lançara pedidos aqui e ali. O fotógrafo Parry forneceu os suvenires trazidos de uma recente viagem às Antilhas; Margaritis descobriu, com um tio fabricante de fantoches, um magnífico boneco: um maestro estraçalhado. Merle trouxe os dentes de um peixe extraordinário, e Painlevé, mãos dentro de um vidro. Acrescentaram peças avulsas de um antigo gramofone, ricos leques orientais, fotos da África, caixinhas de música, conchas etc. e até velhas coroas de ferro, roubadas por Vigo e seus amigos no cemitério de Montparnasse. Vigo percorreu Paris inteira à cata de um móbile de Calder, mas deve ter percebido que, embora esses objetos fossem praticamente desconhecidos em 1933, certamente iriam destoar em meio às lembranças de um velho marinheiro.

Nesse ambiente (que ele não cessa de enriquecer ao sabor das escalas, comprando uma coleção de ferraduras aqui, um disco de um vagabundo chamado Rasputin ali) é que o Père Jules fazia suas bricolagens, dormia, vivia na companhia do grumete e de uma dúzia de gatos.

Ao trazer a roupa lavada do Père Jules, Juliette se detém a escutar o som de uma concha marinha. Ele a surpreende e convida para uma "visita guiada" da cabine, desvendando seus segredos. Começa pondo as caixinhas de música para tocar, e então dispara um despertador, o que não estava previsto. Depois: "Vou lhe mostrar o meu boneco". E põe o maestro a funcionar. "Encontrado em Caracas durante a revolução de mil oitocentos e noventa e... arre..." Prossegue a visita. Juliette está fascinada: "Não imaginava que a sua cabine era assim". Père Jules fica envaidecido: "Uma vitrine e tanto. E só tem peças bonitas... só peças bonitas...". Demoram-se diante de algumas delas. "É um dente de elefante?, peça anatômica... caçada com cachorro", explica o velho. A faca não é uma faca, é uma *navaja*, e ele encosta a lâmina da faca catalã na própria pele. Entre as fotos, há uma de Dorothy, e outra do amigo de que só restaram as mãos dentro do vidro. O fonógrafo não funciona: "Preciso trabalhar nele", o leque japonês é feito à mão, "Todinho à mão... todinho à mão". A moça se interessa por tudo e o Père Jules tira a roupa para lhe mostrar direito suas tatuagens: em especial a da frente, à altura

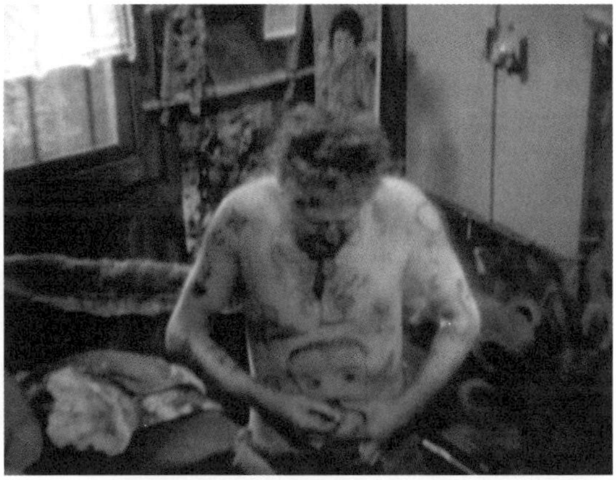
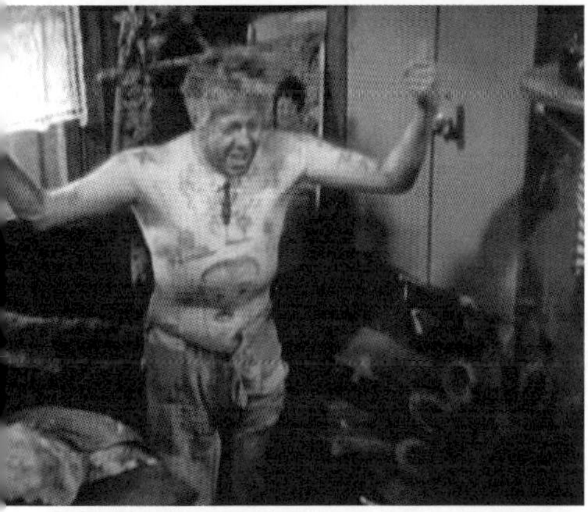
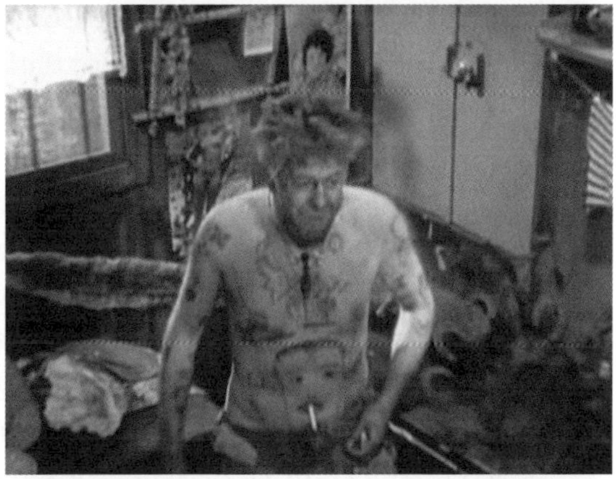
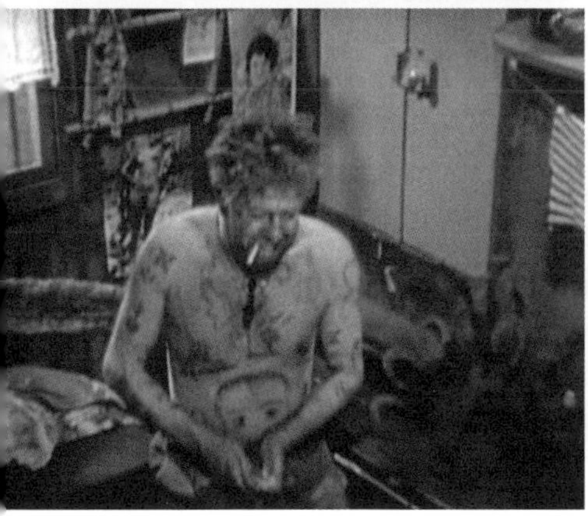
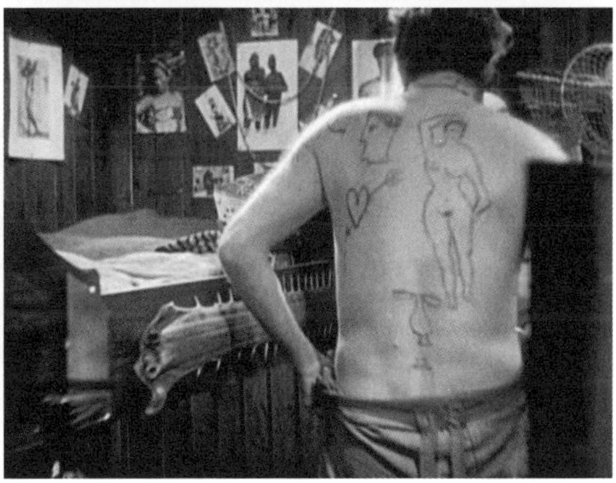

do ventre, uma cabeça de mulher cuja boca está desenhada em cima do umbigo. Nas costas não faltam, além dos nus, as iniciais de Mort aux Vaches [Morte aos Tiras], o lendário grito de guerra dos mendigos, retomado pelos anarquistas.

A desordem aparente no comportamento do Père Jules nessa situação corresponderia ao paciente e metódico trabalho de sedução do *donjuanismo*. Temos, contudo, a impressão de que ficar quase nu diante de Juliette deixa o Père Jules constrangido, e que é para manter a compostura que ele pega o acordeão e toca um pouco de música. Verdade é que imediatamente se põe a admirar os cabelos de Juliette, que retribui a delicadeza e tenta criar um repartido na cabeleira desgrenhada do velho. A irrupção de Jean, furioso por dar com a mulher ali, rompe o pesado encanto de um mundo inteiro revelado.

A próxima sedução com que Juliette irá deparar no caminho será feérica e assumirá a forma do camelô conhecido no café dançante. Para essas externas, Vigo descobrira o café dançante de Charentonneau, em Maisons-Alfort. As internas foram rodadas no maior cenário do filme. Para montá-lo, Francis Jourdain apelou para as lembranças de um salão de baile de periferia na sua juventude, que tinha a pista cercada por uma espécie de gaiola, atrás da qual os espectadores sentados às mesas acompanhavam a dança, debruçados nas aberturas.

Vigo ainda não conseguira definir a personagem do camelô. Seu aspecto pitoresco estava muito carregado e sua lengalenga, pesada e pouco criativa. Nas filmagens é que ele acabaria encontrando o tom adequado. O charme e a agilidade de Margaritis eram de primeira ordem e iriam resultar numa personagem de extrema gentileza poética, inapreensível, hábil para se fazer de morto quando apanhado, sem rancor e, no fundo, sem desejo. Embora faça a Juliette uma corte insistente, ele quer, sobretudo, brincar.

No roteiro original, era uma legítima lengalenga de camelô. Vamos observá-lo, para acompanhar de perto uma das ocasiões em que Vigo

não só precisou mudar o roteiro (já não está muito preocupado com isso) como virou as costas à realidade, não propriamente para fazer poesia, mas para tornar verossímil o encantamento de Juliette; Vigo rejeita a realidade para torná-la comunicável.

O camelô de Guinée, após um "Bom dia, senhoras, senhores", dá a volta no salão declamando caudalosamente:

> Permitam, senhoras e senhores, que lhes apresente uma seleção de artigos de primeira qualidade, de primeira ordem, capazes de desafiar qualquer artigo concorrente por sua aparência impecável, fabricação irretocável e módico preço. Não estou oferecendo um saldo, nem um desconto, nem um lote de mercadorias depreciadas, como é possível que lhes tenham oferecido aqui e ali. São artigos fabricados com ferramentas tão modernas que permitem a todos os bolsos a aquisição de uns desses

lindos bibelôs, desses lenços elegantes, dessas magníficas joias com que o marido irá presentear a mulher, o noivo, a sua noiva, o enamorado ao objeto do seu desejo. É o presente que irá agradar sempre e que se oferece em uma festa, aniversário, batismo ou casamento. E para provar que a minha mercadoria é fora de série, vou pedir que a peguem com a mão, enquanto eu estiver passando pelo salão, e confiram que verdadeira oportunidade hoje se apresenta às senhoras e aos senhores. Uma oportunidade que de fato só se encontra uma vez na vida, e que não deixarão passar sem agarrá-la pelos cabelos. Vejam, senhores...

E depois disso tudo, ainda deveria entoar uma *Canção do camelô*... como se para apresentar um tagarela fosse preciso fazê-lo falar sem parar! Margaritis, o camelô de Vigo, recebe Jean e Juliette com uma frase que é um modelo de tagarelice concentrada: "Que bondade a sua terem vindo. Estávamos esperando por vocês para começar a festa e servir os biscoitos secos, supersecos, como é seca, superseca, a gata da arquiduquesa".[177] Diz mais algumas palavras, faz uns malabarismos para um lado e para o outro, antes de cantar *O lamento do camelô*, já que cantar era preciso, tendo os distribuidores pedido que se introduzissem canções no filme. Só que, quando canta, canta a letra de Goldblatt, com música de Jaubert:

Trago alegria para os casais,
Produtos contra a raiva,
Não digo lengalenga,

177. Referência à conhecida frase impronunciável: "Les chaussettes de l'archiduchesse sont-elles sèches, archi-sèches?". As meias da arquiduquesa estão secas, supersecas? *Chaussettes* foi aqui substituído por *chatte*: gata, mas também um dos termos para designar o sexo da mulher. [N.T.]

Digo muito simplesmente
Que essas facas de mesa
De reflexos cambiantes
São inoxidáveis
Eternamente.

Com a música e a voz acentuando o *eternamente*, pois tratava-se para Vigo, Jaubert e Goldblatt, de debochar do gênero de canção que os distribuidores teriam desejado.

A cada vez que Juliette cessava de olhar para ele, o camelô parava de cantar para dizer gentilmente: "Psiu", a exemplo de um mendigo de Montparnasse que frequentava a esplanada do restaurante Dôme e que Vigo conhecia bem.

Logo em seguida, é acionada a pianola. O camelô, depois de puxar Juliette pela abertura da gaiola, para a aborrecida surpresa de Jean, arrasta-a para uma *java*[178] e lhe fala de Paris em meio à multidão de dançarinos, entre os quais um soldado negro com as mãos serenamente pousadas no traseiro do seu par. A mesma *java* de Jaubert será retomada em *Hôtel du Nord* [1938, *Hotel do Norte*] e *Quai des brumes* [1938, *Cais das sombras*, ambos dirigidos por Marcel Carné], e a cada vez lembra com saudade o baile do café dançante Aux 4 Nations.

Jean acaba se enchendo, derruba o camelô na pista e leva Juliette embora.

Mas o camelô não acabou de brincar e espreita a hora em que Jean sai da barcaça para ir se apresentar, com uns apetrechos de homem-orquestra nas costas, e oferecer suas desculpas a Juliette, despedir-se com uma música (diz ele!), mas é de Paris que ele fala:

---

178. Dança de baile ao ar livre, em três tempos e ritmo ligeiro. [N.T.]

> Eu levo você de bicicleta, vai estar de volta antes da chamada. É um bilhete premiado, um bom negócio. Uma cidade de uma animação incrível. A cidade-luz em todos os níveis.[179] E você vai querer finezas? Vitrines. Para o Zé Parisiense, motos, bicicletas e carros com capota. É bonito. A Champs-Elysées para Bebê, o Tulherias para Minzinho, Notre-Dame para a Madame. Está combinado. Vou raptá-la. Uma vez, duas vezes. Três vezes. Ninguém diz nada?

A resposta é um pontapé no traseiro. Antes de fugir e desaparecer para sempre, o educado camelô ainda acha tempo para se desculpar: "Perdão, estão batendo".

O casal está brigado, as palavras do camelô exaltando Paris ainda ecoam nos ouvidos de Juliette. Ela se decide pela grande aventura: pegar um trem de subúrbio e dar um pulinho em Paris para dar uma olhada nas vitrines... A barcaça era para ficar ancorada dois dias, mas quando Juliette retorna poucas horas mais tarde, já não está mais lá. Tão logo constatou a ausência de Juliette, Jean decidiu, contrariando o Père Jules, partir imediatamente para Corbeil, como de hábito. Juliette conhece esse hábito e só precisaria voltar até a estação e comprar uma passagem para Corbeil, mas eis que surge o ladrão magro. Juliette vê a multidão espancando o ladrão e o deficiente, em quem a cena provoca uma crise de nervos. Não acha a sua bolsa e precisa ficar em Paris para buscar trabalho. Jean, na Atalante, tornou-se o mais infeliz dos homens.

Mas, estamos nos adiantando. Não faz mal! Voltaremos atrás quando necessário. No momento, já estamos no meio do sétimo rolo

---

179. *La ville lumière à tous les étages.* Trocadilho com a expressão *il n'a pas la lumière à tous les étages.* Ele não tem luz elétrica em todos os andares, pessoa não muito esperta. Refere-se ao período de instalação paulatina da luz elétrica, quando nem sempre havia, num mesmo prédio, luz em todos os andares. [N.T.]

e o filme conta com apenas oito. Trata-se, para Vigo, de alcançar a mais alta tensão dramática e resolvê-la de uma vez só. O quadro lógico está dado, o casal separado está sofrendo, Jean não aguenta mais, Juliette, em Paris, está comportada e infeliz, não vai ser difícil repor tudo em ordem graças à intervenção de um gênio do bem: o Père Jules. Esses dados lógicos, porém, não passam de aparência, e a realidade artística é bastante distinta. A crise de Jean há de ser alta poesia, e o fato de ele anunciar sua decisão de aceitar a mulher de volta será um milagre. O roteiro de Guinée perdeu-se de vista.

Na Atalante que a felicidade desertou, Père Jules faz o possível para distrair Jean, sem por isso deixar de trapacear descaradamente no jogo de damas ao qual convida o seu chefe. Ainda assim, nos seus raros momentos de atenção, Jean o põe em xeque, a tal ponto que só resta ao Père Jules, para se safar, fazer um sinal ao grumete para que este jogue um gato sobre o tabuleiro. Jean se levanta, mergulha a cabeça dentro de um balde para procurar a imagem de Juliette, e sai.

Père Jules sente que está ficando sem recursos. Se pelo menos o fonógrafo estivesse funcionando. Ele pega o disco que comprou de Rasputin, passa maquinalmente o dedo sobre ele e surge uma música no acordeão. Mais interessado que surpreso, Père Jules detém o movimento do dedo e a música para. Refaz o mesmo gesto, mas em dado momento a música já não responde, e ele escuta a risada do garoto, que está com o acordeão no colo. Père Jules não se deixa abalar e assume a ofensiva: "Já se viram coisas mais extraordinárias que um disco funcionando com o dedo. A eletricidade, você por acaso sabe o que é eletricidade? E o rádio? Então, não discuta".

Um milagre desvendado não impede o êxito de outro. Parece inclusive que o fracasso prenuncia o êxito. Ocorre, com efeito, algo quase tão extraordinário como tocar um disco com o dedo: Père Jules dá corda no gramofone, coloca o disco, dá início ao movimento, posiciona o *pick-up* e surge uma valsa, uma valsa de Jaubert. O fonógrafo está funcionando:

produz-se o milagre do fonógrafo, renasce a esperança, tudo se torna crível e possível. Père Jules manda o garoto correr a buscar o chefe. Mas este "se meteu na água", como diz o grumete, e está nadando nas profundezas em busca da imagem de Juliette, que logo lhe aparece toda branca como no dia do casamento, acompanhando com os lentos movimentos de um suave fantasma a valsa de Jaubert, que prossegue.

Vigo finalmente encontrou um uso para a experiência adquirida com o pequeno filme sobre Taris e à sobreposição feérica de Juliette respondem as vistas submarinas de Jean, cabelos eriçados pela água, expressão febril e devastada pela angústia de quem é impedido de chorar pela água, esta água que envolve, com a valsa, o pungente diálogo entre as duas imagens.

Jean sai finalmente da água e o Père Jules, depois de secá-lo e vesti-lo, manda o garoto buscar o fonógrafo. O que torna inesquecível esta chegada dos dois homens ao convés, precedidos do garoto carregando o fonógrafo? Como veremos, não é a única vez em *L'Atalante* que um momento decisivo é inapreensível, o que é incômodo para o cronista. Seja como for, o milagre do fonógrafo comove Jean e, embora ele reaja apenas com um pálido sorriso, não restam dúvidas de que ele agora está determinado em seu desejo de ter Juliette de volta. E a sequência se encerra aí.

Os elementos de que dispomos indicam que as sequências do fonógrafo, com este aspecto milagroso que altera o rumo dos acontecimentos, se devem a uma improvisação no momento da filmagem. Aqui, a improvisação não decorreu de uma exigência externa visando contornar uma dificuldade qualquer. O papel poético do fonógrafo foi a resposta a um apelo interior, uma inspiração.

As coisas tinham sido previstas de modo diferente. O fonógrafo era para começar a funcionar quando o Père Jules o chacoalhasse num momento de irritação, não passando de uma *gag*, bem modesta por sinal. Além disso, na apresentação do fonógrafo a Jean, não seria tocada a valsa milagrosa de Jaubert, e sim o outro lado do disco: "Esta é mais alegre", diria o Père Jules. A sequência não se encerrava quando, no semblante de Jean, esboçava-se um sorriso e despontava uma resolução, pouco antes da sua saída precipitada. Ela prosseguia com o Père Jules e o garoto indo vestir umas fantasias, com vistas a um baile improvisado na esperança de distrair Jean. O velho e o garoto se divertiam feito loucos, mas paravam de rir de repente: Jean tinha ido embora, a festa fracassara.

Assim, o milagre do fonógrafo é que teria fracassado, não fosse acrescentado esse desdobramento.

No círculo de Vigo, houve quem se preocupasse com o modo como ele apresentava o funcionamento do fonógrafo. Para tranquilizá-los, Vigo explicava que o Père Jules era muito hábil em consertos diversos...

Um pequeno incidente deve ter reforçado as intenções de Vigo. Os gatos, que em geral se assustavam com os projetores, a câmera e os movimentos da equipe, tiveram durante a sequência do fonógrafo um comportamento inesperado. Assim que o disco começou a tocar, foram espontaneamente se aproximando e se posicionando ao redor do gramofone como que escutando atentamente a música. Vigo não quis perder um plano daqueles e, por uma vez, o trabalho pôde se efetuar sem que os animais ficassem perturbados. Um gatinho chegou a se aninhar no pavilhão do fonógrafo e Vigo deve ter tido, naquele momento, o sentimento da quebra de qualquer resistência externa à sua vontade de criar; naquele instante, tudo se organizava naturalmente, a ideia tomava forma por si própria e se oferecia à apreciação do criador.

No ponto em que andavam as coisas, Vigo estava mesmo precisado de um bom sinal que lhe servisse de reconforto. O inverno de 1933-34 estava prematuramente rigoroso. Nas duas primeiras semanas, a barcaça transportou alternadamente a equipe no Oise, no primeiro trecho do canal entre o Marne e o Reno, no canal do Ourcq, na bacia do Villette. O trabalho vinha se arrastando, pois os momentos de boa luminosidade estavam cada dia mais raros, a ponto de Vigo preferir esperar o cair da tarde e simplesmente filmar com refletores. Mas não podia aumentar as cenas noturnas além da conta. E como continuar, em meio a blocos de gelo à deriva, cenas que tinham começado num contexto de águas tranquilas? Os trabalhos das externas já estavam adiantados e Vigo decidiu interrompê-los provisoriamente para passar para o estúdio, onde o esperava a réplica exata do interior da barcaça que encomendara a Francis Jourdain. Mas cada vez que aparecia um pálido raio de sol, saíam todos do estúdio de la Villette e se despencavam para a Atalante, atracada não muito longe dali, no cais do Loire. Aquela função toda perturbava o trabalho de estúdio e os resultados eram, no mais das vezes, nulos. Deixaram todas as cenas externas de continuidade que faltavam para serem filmadas de uma vez só no final. Àquela altura, já havia tanta neve que o único fundo possível para os planos era o céu, o que explica, no filme, a presença de alguns ângulos baixos cuja função nos escapa. Mesmo entre os mestres, contornar uma dificuldade nem sempre resulta em criação.

Havia igualmente o problema da saúde de Vigo. Depois de uma semana de frio e umidade, ele já se achava doente, mas interromper o trabalho estava fora de questão. De modo que, quando chegou a hora de trabalhar em estúdio, Vigo já estava esgotado. Então, depois de nova luta renhida no estúdio, quando ainda encontrava, em meio à febre e intermináveis acessos de tosse, energia para despender, tiveram de recomeçar os planos externos no gelo e sob a neve.

A mediana qualidade desses planos não impede que entre as externas de *L'Atalante* se encontrem algumas das mais belas externas do cinema. Suas virtudes são, no mais das vezes, fulgurantes. Assim, a beleza da imagem vaporosa da branca Juliette na bruma da noite, ou do cinza molhado e melancólico da paisagem dos cais quando Juliette já não encontra a chalana; essa beleza não é oculta, ela nos é diretamente oferecida e adere à nossa emoção. Como também a imagem pura de areia, mar e céu percorrida em profundidade pela louca carreira de Jean rumo ao mar.

Tal como no plano emocionante em que Père Jules apresenta o fonógrafo a Jean, as qualidades que conferem força à mais rica sequência de externas do filme (a chegada da barcaça a Paris) não são facilmente apreensíveis.

A chegada se situa entre as duas cenas de Juliette e do Père Jules que examinamos em detalhe: a cena em que o velho se dá em espetáculo e aquela em que ele mostra seus tesouros a Juliette. Situada entre esses dois momentos em que acaba reinando o mal-estar, a chegada da Atalante a Paris é antes de mais nada um sopro de ar puro.

À época em que Vigo trabalhou na decupagem, a função desta sequência era mostrar, notadamente, a revelação de Paris a Juliette. Depois da partida do Père Jules, chamado pelo grumete para as manobras de chegada, Juliette recolhe a roupa do velho para levá-la até sua cabine. Chega lá em cima no exato momento em que uma barcaça vem saindo do túnel e entrando no canal Saint-Martin. Juliette, surpresa, olha à sua volta.

Ali deveria se situar a revelação de Paris. Após uma imagem da barcaça subindo na eclusa, seria acrescentada uma panorâmica de baixo para cima tomada do elevador da Torre Eiffel. A barcaça seguiria subindo na eclusa, com Juliette ainda olhando à sua volta. O panorama de Paris seria mostrado do último andar da Torre Eiffel por um *travelling* circular.

A realização dessa ideia teria produzido, provavelmente, um singular encantamento. Foi abandonada por motivos de economia e Vigo se contentou em mostrar o serviço de manobra da chalana na eclusa.

Os resultados não foram menos extraordinários, graças talvez à montagem, ao enquadramento, ou à direção. A música triunfal de Jaubert também contribuiu um bocado, sem dúvida. Pouco importa o motivo, o fato é que são inesquecíveis as imagens da barcaça e da margem, com o garoto atarefado descendo às pressas, desajeitado, a escada do pontão e se amarrando na corda grossa para arrastar com muito esforço a pesada embarcação. A alta qualidade dessa sequência talvez se deva, inclusive, às cenas da labuta do grumete.

Não nos detivemos, até o momento, para examinar a personagem do grumete. No filme, ele se faz bastante presente sem ter, contudo, particular importância para a ação, tendo Vigo descartado, além dos detalhes que o mostravam tomado por uma curiosidade doentia, o papel desagradável que ele cumpria, segundo o roteiro de Guinée, na partida de Juliette. Vigo manteve, isso sim, a ideia de fazer do garoto uma espécie de discípulo do Père Jules. O relacionamento entre eles, porém, já não tem o pedantismo populista do roteiro, que Vigo substitui pela introdução de um mimetismo entre as duas personagens, mimetismo tanto plástico como sonoro. Assim, para comentar o nascimento dos gatinhos, o garoto repete, mesmo sem tê-la escutado e com igual entonação, a frase do Père Jules: "Ah! A fofinha teve filhotes!".

Boa parte das cenas que previam o garoto na decupagem de Vigo não foi rodada ou não foi mantida nas montagens das versões que foram apresentadas. Quando o Père Jules vai fazer compras, leva o garoto junto. Em algumas versões, vemos os dois deixarem a margem com Rasputin, o vagabundo barbudo. Porém, nenhuma dessas cenas tem continuidade.

Eles iam comprar mantimentos e visitar o bricabraque de um árabe. O garoto roubaria umas laranjas de um quitandeiro míope. Era flagrado pelo Père Jules, que lhe passava um sermão. O árabe aproveitava para pegar de volta um objeto na sacola esquecida pelo Père Jules. Rasputin desfechava um olhar acusador, mas o árabe calava-lhe a boca dando um segundo objeto roubado ao Père Jules que, por sua vez, roubava umas laranjas.

Não por acaso Vigo descartou essa sequência que, pela forma, lembra René Clair. Além de seu conteúdo expressar uma espécie de pessimismo em relação aos homens, que Vigo não apreciava, o garoto era posto em questão. Embora o roubo, tal como apresentado, não tivesse grande maldade. Mas já conhecemos o rigor por vezes inesperado de Vigo em relação a tudo o que se refere à infância.

Outra sequência, em que o garoto está sempre presente (a visita do Père Jules à cartomante) teve de ser profundamente remanejada, em parte por causa de escrúpulos da mesma ordem: após a consulta, o garoto pegava de volta sub-repticiamente os 30 francos que Père Jules pagara à mulher. Aliás, não foi somente esse detalhe final que precisou ser alterado para se chegar à cena tal como é mostrada no filme. Vigo gostava do tema – já tinha pensado em filmar um curta-metragem sobre as linhas da mão – e desenvolvera amplamente a sequência na sua decupagem. O trecho, no entanto, estava cheio de defeitos: demasiado extensos, os diálogos se arrastavam; aparecia uma nova personagem, o marido da cartomante, e o garoto, apavorado, de início o confundia com um fantasma. O grumete, aliás, não parava de se assustar durante toda a consulta.

Vigo mudou tudo na hora de filmar. Não havia nada que justificasse o marido da vidente, que desapareceu. O garoto já não sente medo; pelo contrário, acompanha a sessão com ironia. Vigo fez uma sequência curta e é notável seu trabalho de concentração dos elementos esparsos nos longos diálogos originais, que continham cerca de trezentas palavras. Uns seis ou sete planos: a cartomante corpulenta, beiçuda, cabelos oleosos, pulseiras, anéis, o Père Jules logo tranquilizado quanto a suas preocupações e tomado pelo desejo, e um número só um pouco maior de frases repetidas: "Tem coisa boa aqui", "As cartas estão a seu favor", "Como você é sensual", "Ah! Essas mãos!"... o Père Jules manda o garoto esperar lá fora porque a cartomante, diz ela, agora vai abrir "o jogo maior".

Père Jules sai da consulta exultante. Nada importa, já que as cartas estão a seu favor. Manda o garoto voltar sozinho para a barcaça e entra num botequim.

Entre as sobras de *L'Atalante* está um plano que aparentemente nunca chegou a ser montado: o garoto volta para espiar dentro do botequim pela vidraça, o Père Jules sai e lhe dá um pontapé no traseiro. Será que Vigo também não quis que um garoto levasse um pontapé no traseiro? Não podemos esquecer que, em *Zéro de conduite*, quando Colin leva um tabefe da mãe, o responsável é o inspetor-chefe.

A sequência seguinte (o Père Jules voltando bêbado para a barcaça, empunhando o pavilhão do fonógrafo do botequim), tal como aparece nas cópias correntes, contém um erro tão grosseiro que nos parece curioso. Recordemos a cena. Juliette, no convés da barcaça, contempla as luzes da cidade. O Père Jules, sem nenhum ruído, chega perto dela e, embocando o pavilhão do fonógrafo, berra a música de Mercier e Millandez: "Ó Paris, Paris, cidade infame e maravilhosa...". Juliette desce, vai se deitar e Jean acorda bem a tempo de escutar a barulheira de Père Jules no convés. O chefe tem de se levantar e, depois de alguma confusão entre os planos, consegue, com a ajuda de Juliette, carregar Père Jules até sua cabine. Nesse meio-tempo, não há sinal do pavilhão, que deve ter se extraviado por ali, mas quando chegam à cabine do velho o pavilhão já se encontra em cima da sua cama!

Não se trata de um erro, e sim de um lapso na história. Quando Jean, depois de vestir as calças, sai da cabine para ir cuidar do Père Jules, Juliette fica sozinha, preocupada, enquanto lá em cima tem início violenta discussão entre os dois homens. Père Jules acaba juntando o pavilhão e se dirige para a cabine, onde carrega um revólver enorme. O bêbado volta para o convés proferindo ameaças, a arma no bolso. O revólver dispara, fazendo um furo em suas calças. Jean tira-lhe a arma e a joga na água. Juliette acorre, alertada pelo barulho. Père Jules olha para ela, rindo: "Ah! A patroa de camisola!" e, nesse ponto, entramos em algumas das versões existentes.

O trecho faltante devia estar acavalado entre duas bobinas e as extremidades delas se desgastam mais facilmente que o resto. No caso que nos interessa, porém, o desaparecimento desse trecho pode ser atribuído a outros motivos. Com efeito, se Vigo rodou essa parte tal como aparece em sua decupagem, deve ter percebido que ela não se ajustava ao conjunto. A discussão entre Père Jules e Jean, mesmo levando em conta a embriaguez do primeiro, contrastava demasiadamente com a personagem do velho e o caráter da sua relação com seu jovem comandante. Quando Jean lhe dizia que, se não estivesse contente, podia arrumar a mala, Père Jules respondia: "Vou, sim, vou arrumar a mala, vou-me embora. Mas não vou sozinho. Você também há de deixar esta barcaça com as canelas esticadas, está me ouvindo, com as canelas esticadas". Então resmungava, carregando o revólver: "E eu nunca errei nenhum deles! É uma pena sempre ter de acabar assim!".

As cenas do revólver, ou esses diálogos, teriam trazido um prejuízo bem mais sério ao filme do que a impressão de erro grosseiro causada pela inexplicável presença do pavilhão na cabine.

Não sabemos se a cena chegou a ser rodada, e posteriormente descartada, ou se Vigo simplesmente esperou uma oportunidade, que não se apresentou, de rodar algumas variantes. Sabemos, isso sim, que se Vigo se visse obrigado a escolher entre a unidade de estilo e a unidade de ação, não hesitaria em optar pela primeira.

O trecho de Jean às voltas com o velho bêbado permanece confuso, mas bem enquadrado pelo momento em que Père Jules zomba do comandante de camisão: "Oh! Que rapagão!" e a observação sobre a "patroa de camisola". O conjunto é dominado pela música, que continua:

> Ó Paris, Paris, cidade infame
> e maravilhosa
> querida pelos amantes
> e pelos bandidos,
> você é a grande
> feiticeira etc.

cantada por uma voz cada vez mais pastosa.

Já o pessoal da produção estava ficando bem impaciente: como se os responsáveis pelo atraso fossem os realizadores! A redução do ritmo de trabalho acarretara despesas extras e Vigo estava sendo pressionado para terminar o quanto antes. Na segunda metade de janeiro de 1934 ainda faltavam a sequência do roubo na estação e vários planos da estada de Juliette em Paris. Relutaram em dar a Vigo os recursos necessários para rodar a sequência do roubo e, se finalmente conseguiu rodá-la, foi submetendo-se a estritas exigências econômicas. Ele já não podia contar nem com o estúdio nem com uma figuração remunerada.

Vigo obtivera a autorização para filmar na Gare d'Austerlitz após a meia-noite: alguns amigos apareceram para fazer a figuração, mas não foram suficientes. Chavance saiu a prospectar os cafés de Montparnasse e Saint-Germain-des-Prés e trouxe, do Deux-Magots, Pierre e Jacques Prévert, Lutchimukov e vários outros companheiros do Groupe Octobre [Grupo Outubro]. Dasté, que andava aproveitando sua liberdade, foi chamado de volta. Goldblatt foi escolhido para representar o ladrão famélico. Os figurantes voluntários se divertiam para valer e foram logo, a começar pelos Prévert, tomados por um delírio encenado para o qual tentavam arrastar os policiais de plantão, a equipe e os passantes. Com muito esforço Vigo obtinha, de quando em quando, um mínimo de disciplina por parte de seus amigos arrebatados, e foi preciso trabalhar até o amanhecer.

No geral, o resultado ficou bom e o linchamento do ladrão magro, pelas bem alimentadas pessoas honestas, lembra curiosamente as ilustrações de temas sociais dos desenhistas anarquistas anteriores a 1914, como Steinlen, Grandjouan e Gassier.

Por motivo de economia, Vigo foi obrigado a fazer um pouco de documentário para poder expressar, modestamente, alguns sentimentos sociais. Assim, para as imagens de Juliette procurando trabalho em Paris conseguiu alguns planos, muito convincentes, com filas de desempregados de verdade patinhando na neve.

O combinado era que o filme seria socialmente neutro. Vigo, no entanto, não quis separar as dores de amor das dificuldades da vida: a situação de Jean corre o risco de se agravar devido a conflitos com seus empregadores. Estes tratam duramente "a arraia-miúda" como o marinheiro recebido na sede da companhia pouco antes de Jean e do Père Jules, e demitido pelo gerente. O mesmo poderia acontecer com Jean caso Père Jules não estivesse ali. Mas se o velho foi capaz de fazer funcionar o fonógrafo, como não conseguiria lidar com o gerente da companhia fluvial: "Ora, puxa vida, como é, veja só, é mesmo?".

Com os burgueses de Le Havre que, agrupados à volta de Jean, febril e titubeante, ficam dando lição de moral ("Mais um marinheiro bêbado, que nojo"), Père Jules age de outra maneira, assustando-os e pondo-os para correr.

A parte inteira de Le Havre é muito pouco conhecida. As versões correntes em 1945-50 só apresentam fragmentos. Sobram algumas belas imagens da chegada, o magnífico plano da corrida insana de Jean para o mar, mas, no conjunto, pouca coisa. Entre as sobras estão longos passeios de Jean pelo porto autônomo e um plano curioso: Jean, provavelmente sedento devido à febre, lambe um enorme pedaço de gelo. Sendo a imagem interessante, somos tentados a inseri-la na reconstituição ideal de *L'Atalante*, mas é bem possível que o próprio Vigo a tenha descartado por julgá-la rebuscada demais.

Examinamos quase todo o filme e estamos chegando ao final. Guinée deixou de existir e todos os laboriosos detalhes da estada de Juliette em Paris, entre os quais a igreja onde Père Jules deveria encontrá-la desfiando o terço, foram naturalmente escamoteados.

Na procura por Juliette, Vigo queria fazer alguns experimentos. Père Jules tinha tanta pressa de encontrar a patroa que tinha a ilusão de reconhecê-la a todo instante. Uma mulher, trepada num banquinho, lava o vidro de uma vitrine. Ela se vira um pouco: é Juliette. Ele se aproxima, ela se vira completamente: não é Juliette. Père Jules segue adiante e ouve uma mendiga pedindo esmola com a voz de Juliette; aproxima-se, preocupado: não é ela. Vigo não conseguiu rodar essas cenas, tendo de se contentar com um belo passeio do Père Jules procurando por Juliette para os lados do canal Saint-Martin e la Villette, passeio este que foi reduzido ao mínimo nas versões comercializadas.

Père Jules finalmente encontra Juliette e a tira da loja de discos onde ela estava trabalhando. Jean que, avisado pelo garoto, espreita a chegada de Juliette, ensaboa-se e faz a barba. Jean e Juliette, abraçados, rolam pelo chão.

A Atalante continua singrando os rios.

A maneira como examinamos o filme torna mais difícil uma boa visão do conjunto. Contudo, o trabalho realizado irá permitir que, listando cronologicamente em breves parágrafos os treze episódios do filme, possamos reconstituir sua arquitetura. Ao mesmo tempo, aludiremos aos poucos trechos que ainda não foram observados. Gostaríamos de indicar o número global de planos e sua distribuição nas treze partes; é impossível fazê-lo em se tratando de um filme do qual tivemos de fazer uma reconstituição abstrata com base nas diferentes versões que tivemos oportunidade de ver. Por meio de cálculos bastante imprecisos identificamos no filme cerca de trezentos planos. Estabelecemos um número de planos para cada episódio. Se considerarmos cada episódio separadamente, o número provavelmente vai estar errado, mas sua relação dá uma indicação das proporções do filme.

I. INTRODUÇÃO – 47 PLANOS Abertura sobre a barcaça. Père Jules e o grumete. O casamento. A partida.

II. 11 PLANOS: Primeira noite a bordo. Jean e Juliette perturbados pelos gatos. Jean arranhado.

III. 28 PLANOS: Manhã seguinte. Uma escala. Recepção de Juliette com cantoria e início da vida a bordo. "A fofinha teve filhotes." Juliette enfrenta o serviço doméstico: lavação da roupa. Père Jules vai ao turfe junto com o garoto e Rasputin. Mergulhar a cabeça na água para ver aquela que amamos. Embates de Jean e Juliette. Demonstração de luta greco-romana pelo Père Jules.

IV. 26 PLANOS: A barcaça navegando, à noite. Lapso de tempo. Como em muitas noites, Juliette está sozinha na cama e em vão chama Jean, que tem de ficar no timão. O tédio se anuncia, e no dia seguinte irrompe a primeira briga a propósito do rádio, que Juliette maneja desajeitadamente tentando sintonizar Paris. Mais tarde, a Atalante atraca em meio ao nevoeiro. Jean procura um bom tempo por Juliette, até encontrá-la, triste e imóvel, no convés. Jean, nervoso, fala rispidamente com Père Jules, que fica bravo e sai.

V. 11 PLANOS: Refeição, Père Jules chega atrasado, instaura-se a paz. A máquina de costura. As exibições de Père Jules.

VI. 8 PLANOS: Chegada a Paris.

VII. 30 PLANOS: Juliette na cabine do Père Jules. Chega Jean, que quebra vários objetos. Père Jules vai cortar o cabelo com um tosquiador de cães. Descobre, preocupado, um espelho quebrado. (Obra dos estivadores, entre as sobras.) (Jean, Père Jules e o garoto procuram por Juliette, que está com outra mulher numa barcaça vizinha. Alguns planos, entre as sobras.) Jean resolve levar Juliette à cidade, ela começa a se arrumar. Père Jules percebe que o seu colar-fetiche está quebrado e resolve consultar uma vidente. Jean e Juliette têm de ficar a bordo.

VIII. 18 PLANOS A cartomante. Retorno do Père Jules, bêbado.

IX. 21 PLANOS: O café dançante. O camelô vai até a barcaça.

X. 32 PLANOS: O casal está brigado. Juliette vai para Paris. Partida da Atalante. Roubo na estação.

XI. 35 PLANOS: O jogo de damas. O fonógrafo. O mergulho. Apresentação do fonógrafo. Apresentação paralela de Jean e Juliette. A insônia de ambos.

XII. 17 PLANOS: Le Havre. Escritório da Companhia. Père Jules resolve ir buscar Juliette.

XIII. 16 PLANOS: A busca do Père Jules, Juliette é encontrada. Jean se lava e faz a barba, chegada de Juliette. Conclusão com a barcaça singrando o rio.

Na maioria dos episódios, as diferentes dimensões dos planos se equilibram numa média. Há que observar, porém, que no número V os planos das exibições do Père Jules são particularmente longos.

Pensar em *L'Atalante* como um todo exige certo esforço. O que já é, por si só, uma indicação. É lícito pensar que já antes dos cortes as proporções do filme não eram muito equilibradas. Não é raro que filmes com uma unidade frágil fiquem bem encaixados entre uma introdução e uma conclusão coerentes. Em *L'Atalante*, há duas imagens, a primeira e a última, que poderiam se corresponder, mas não é o que acontece. Isso não teria muita importância se a parte central estivesse bem construída; mas aí é que está, o chamado que cada sequência faz à sequência seguinte é muitas vezes dos mais frágeis. Ora, o tipo de construção simples e eficaz que Vigo previa – e por isso é que ele recorrera a um montador acostumado ao trabalho corrente – exigiria sequências que se encadeassem facilmente dentro de um todo coerente.

Aqui se revela a contradição a que Vigo não tinha como escapar. Apesar de tudo, o roteiro medíocre de Guinée, com suas personagens inconsistentes, tinha unidade. Vigo remanejara profundamente o roteiro, mas pelo lado de dentro. Conseguira acrescentar muita coisa, mas não podia criar personagens totalmente novas ou modificar as linhas gerais da ação. Sua contribuição pessoal foi tamanha que até o esquema geral de Guinée se desfez; de modo que os trechos mais ricos de *L'Atalante* ficaram refratários a qualquer possibilidade de unidade real.

Nessas condições, o ritmo geral do filme acabou bastante prejudicado. Essa sensação que temos, às vezes, de um ritmo lento, nem sempre deve ser associada a um estilo, pois decorre das pausas geradas por uma ruptura na continuidade.

Quando há ritmo, ele está no interior das sequências, raramente em unidades mais extensas. Destacamos, contudo, o início, até a primeira manhã a bordo, e o trecho que vai do jogo de damas até a insônia.

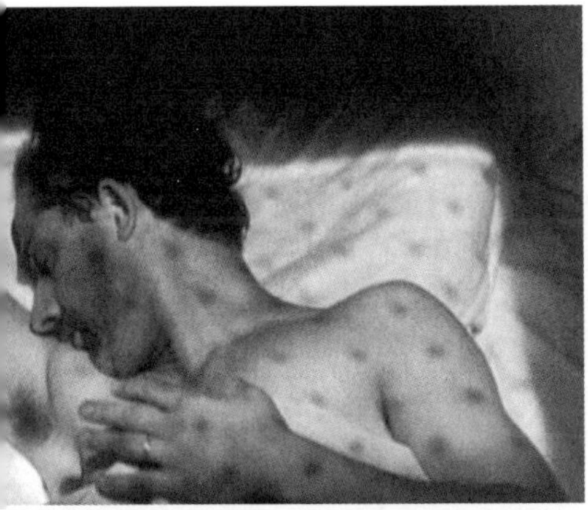

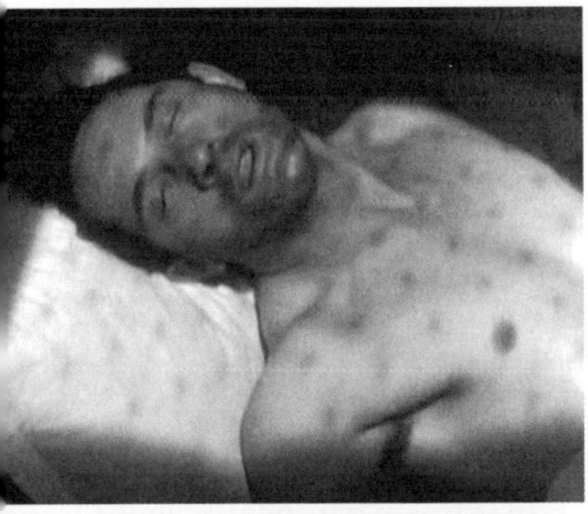
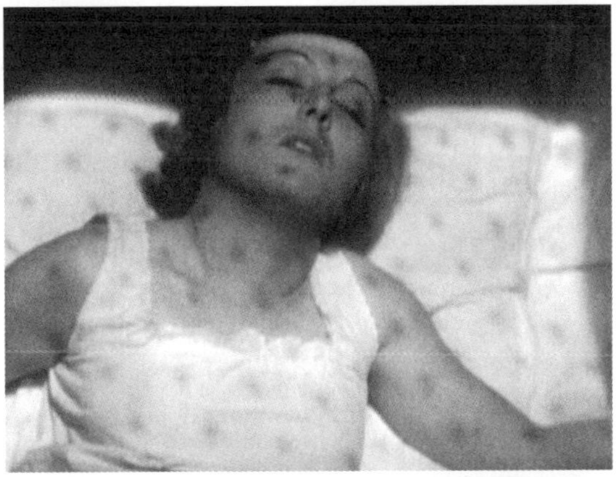

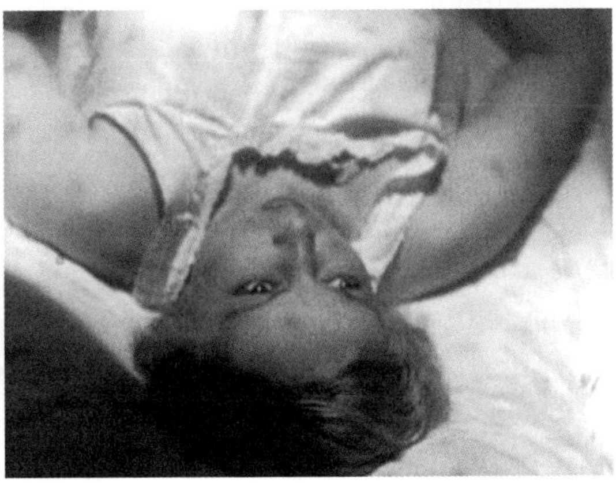

Este último contém as duas passagens do filme em que Vigo tentou escapar a um dos limites que lhe impunham. Não era só no plano social que exigiam de Vigo a neutralidade, mas também no plano formal. Ele sujeitou-se na maior parte do tempo. Para o mergulho, porém, recorreu à sobreposição submarina. Igualmente notável é a sequência situada logo após a apresentação do fonógrafo, para a qual Vigo deu à técnica da montagem em fusões um papel especial. Começa com uma montagem paralela de Jean na barcaça e Juliette em Paris: Jean olhando para a margem; Juliette encaminhando-se para um cais; com a barcaça andando, Jean vai se deitar e se despe; Juliette, no seu quarto, se despe; Jean deitado; Juliette deitada. Então intervém a fusão. O desalento e o desejo impedem Jean e Juliette de dormir e começa a agitação da insônia. Aos poucos, os movimentos dos dois vão se harmonizando, a sucessão de planos se acelera, a correspondência entre seus movimentos é tal que uma impressão de amor em tempo real se afirma claramente. E a última imagem do rosto sofrido de Jean, amassando o travesseiro com o queixo, combina com as imagens tensas do mergulho no mar.

Falamos bastante sobre as personagens de Vigo sem praticamente nos referirmos aos atores. Eram, na maioria, intérpretes medíocres, embora a artificialidade de sua representação em momento algum chegasse a comprometer os filmes; na obra de Vigo, as qualidades ou defeitos dos atores não têm um peso excessivo. As exigências de Vigo em relação ao ator eram maiores ou menores, conforme o caso, embora nada de essencial jamais dependesse disso.

Do universo mediano dos atores de Vigo, destacam-se dois extremos: o pequeno Louis Lefèvre e Michel Simon.

Vigo aprendera a reconhecer as aptidões, ou melhor, as inaptidões do primeiro em *Zéro de conduite*, e em *L'Atalante* o trabalho do diretor consistiu apenas em utilizar positivamente o desajeitamento natural e a timidez adolescente de Louis Lefèvre.

Já com Michel Simon, o problema era mais complexo. Michel Simon não era apenas um grande ator de caráter, era também um homem de enorme personalidade; tinha, não raro, dificuldade em sujeitar-se à disciplina dos diretores e, ocasionalmente, gostava de alterar o texto que lhe cabia dizer.

É bem possível que a dicção ruim de Michel Simon estivesse na origem do bom entendimento entre Vigo e o ator na criação da personagem do Père Jules.

Em *Zéro de conduite* Vigo já tivera de lidar com o problema dos atores com dicção ruim, agravado pelo som lamentável com que estava trabalhando. Em *L'Atalante*, o som não era para ser tão ruim, mas Vigo tinha lá suas dúvidas. Michel Simon tinha de falar bastante e suas réplicas mereciam ser bem ouvidas. Vigo aproveitou a ideia experimentada com os meninos de *Zéro de conduite*: a repetição de frases ou palavras por meio de diálogo ou monólogo. Acrescentou, à personagem do Père Jules, esse defeito corriqueiro que consiste em repetir, antes de responder, pelo menos o final da frase do interlocutor, e proferir mais de uma vez as palavras que se tem para dizer. O problema da dicção ruim de Michel Simon foi contornado, e esse traço veio enriquecer consideravelmente a personagem do Père Jules.

Mas não era só isso. Quando pedia ao ator que repetisse frases ou palavras de suas réplicas, Vigo lhe dava uma margem de liberdade em relação ao texto que recebera previamente para estudar. A própria insubordinação do ator era dirigida sem que ele percebesse, e toda vez que Michel Simon se desviava, fazia-o no sentido desejado por Vigo. Michel Simon nunca se sentira tão livre, embora estivesse sendo totalmente controlado.

Isso não teria sido possível, naturalmente, sem o preconceito extremamente favorável de Michel Simon. Ele gostou de Vigo, do Père Jules, dos gatos. Chegou a adotar o filhote que se aninhara no pavilhão do fonógrafo, para imensa alegria da senhora da Sociedade Protetora dos Animais.

No início de fevereiro de 1934, após quatro meses de esforço ininterrupto, durante os quais Vigo tivera de trabalhar mesmo estando doente a metade do tempo, as filmagens estavam praticamente concluídas – faltavam apenas os planos aéreos do final – e já fora efetuada uma primeira montagem.

A perspectiva de férias antes de enfrentar a montagem final devolvera a Vigo seu bom humor: convidado a almoçar em casa de Margaritis, e para divertir a mãe do seu colega, chegou de braços dados com Dasté, ambos vestidos de "mulheres trajando vestidos leves, braços de fora, pernas de fora, com um chapeuzinho caído para o lado, uma delas aparentemente em estado de gravidez adiantado...".[180]

Dias depois, Vigo foi para Villard-de-Lans com a família e mais uma turma: Genya, Margaritis, Chavance e Alphen. Enquanto seus amigos praticavam esportes de inverno, Vigo tentava recuperar suas forças. Mas a doença progredia e tão logo voltou para Paris teve de ficar de cama.

Kaufman filmou as imagens aéreas e Chavance teve de cuidar sozinho da montagem definitiva. A tarefa era fácil, uma vez que tudo já havia sido decidido com Vigo, e além do quê, sempre que surgia algum problema era possível ir conversar com o enfermo, cujo estado não parecia alarmante.

Vigo ainda chegou a sair duas vezes, uma para ver o trabalho de Chavance, e outra vez, a última, para visionar, com Nounez e seus associados, a montagem completa.

Nounez se declarou satisfeito, e segundo ele não havia nenhum corte a ser feito, mas seus associados estavam descontentes. Na opinião deles, o trabalho não prometia nada de bom e era preciso corrigir

---

180. Sra. Margaritis, texto inédito, arquivos Gilles Margaritis.

a situação com cortes maciços. Contudo, apoiado por Nounez e aconselhado por Chavance, Vigo afinal aceitou, a contragosto, uma única alteração importante: cortes consideráveis na sequência da procura de Juliette pelo Père Jules. Segundo Chavance, o objetivo era amenizar o final, pelo que se arrepende até hoje.

Beauvais e os demais funcionários da Gaumont ainda insistiram bastante, mas tiveram de ceder já que, afinal, fora Nounez quem investira o capital, e resolveram fazer a apresentação corporativa de *L'Atalante* com as modificações sugeridas por Chavance.

A sessão aconteceu em 25 de abril de 1934, às 10 horas da manhã, no Palais Rochechouart. A recepção do público corporativo, proprietários de salas em Paris e distribuidores para o interior, foi extremamente fria. Os sócios da Gaumont venceram e as pressões sobre Nounez recomeçaram com maior insistência.

Não obstante o fracasso da apresentação, surgiram algumas possibilidades de distribuição, rejeitadas, porém, por Beauvais. Provavelmente lhe pareceram demasiado modestas, mas é muito possível também que Beauvais, em acordo com seus colegas da Gaumont, estivesse sabotando provisoriamente a distribuição de *L'Atalante* a fim de forçar Nounez a aceitar modificações mais profundas.

Henri Beauvais, que conduzia o jogo, provavelmente não era pior que ninguém, mas era um comerciante chateado de ver preocupações de outra ordem se opondo ao que ele julgava ser, naquele momento, o melhor meio de alcançar o lucro esperado. Nounez devia parecer, para os seus sócios, um homem de negócios perturbado de vez em quando por considerações que a eles escapavam totalmente, e tinha de ser trazido de volta ao bom senso com argumentos concretos – no caso, a sabotagem da distribuição, que punha Nounez diante da perspectiva de um desastre financeiro.

O que Nounez ainda podia fazer para tentar convencer seus experientes parceiros? Mencionar as poucas reações da imprensa após a apresentação? Eram limitadas, já que o filme ainda não fora lançado, e as notas ou notícias na verdade não passavam de comunicados da assessoria de imprensa da produtora.

Ainda assim, nos poucos meses seguintes à sessão do Palais Rochechouart, saíram alguns artigos. Entre eles, um de Élie Faure. O jovem intelectual que, no início do século, junto com Léon Blum, ajudara a financiar a ida do libertário Almereyda para o Congresso de Amsterdã, tornara-se um dos maiores historiadores e críticos de arte do seu tempo e, entre estes, o primeiro, na França, a gostar de cinema. Élie Faure era o autor dos melhores ensaios sobre Chaplin, sendo desconhecido, porém, dos leitores de semanários cinematográficos. Quando tentou ajudar, com um artigo, "*L'Atalante* ameaçado", o periódico *Pour Vous*, que o publicou, precisou contornar o provável espanto dos leitores ante um estilo diferente explicando que o autor do artigo não só era historiador da arte como também filósofo. Ele perguntava:

> *Jean Vigo*? Um filme esquecido, porque inesperado. Um filme proibido, porque de ideias demasiado amargas, e subversivas. Um filme ainda não projetado. Por quê? *À propos de Nice*, *Zéro de conduite*, *L'Atalante*.
>
> *L'Atalante*? O lado humano. O lado humano das pessoas pobres. Que usam pulôver e colete. Nenhum cristal resplandecente sobre a mesa. Panos de prato pendurados. Panelas. Gamelas. Pão. Um litro de vinho. Humildes clarões na semiobscuridade agravada pelas névoas do rio. A sombra furtiva de Rembrandt que encontra, em meio aos móveis rugosos e divisórias de madeira, a sombra sorrateira de Goya, gatos sarnentos, grosseiras máscaras de dança, monstros empalhados, mãos decepadas dentro de um vidro, o estranho aroma de exotismo e poesia que todo velho marujo traz consigo junto com o bafo de rum e alcatrão, não sei que lampejo inesperado dos mares iluminados no mais humilde refúgio. Um palhaço burlesco com suas bugigangas de magia, demônio para uns pobres bugres ainda intocados pela

> tentação porque os barcos, pelos canais e rios, não passam a orla das cidades. Lembrei o tempo todo desses pincéis de luz levados para tão longe pela coroa giratória dos faróis, roçando ao acaso, na água escura, algum destroço, um cadáver, um maço de algas ou alguma cintilação na superfície do abismo.
>
> [...] Lembrei-me várias vezes de Corot ante essas paisagens de água, árvores, casinhas na margem calma e barcos andando com vagar à frente da esteira prateada, da sua composição impecável, sua força invisível, porque senhora de si, deste equilíbrio de todos os elementos do drama visual na carinhosa acolhida de uma total aceitação, na pérola e no ouro que encobrem, com seu véu transparente, a nitidez dos planos e firmeza da linha. E talvez eu tenha assim melhor apreciado o prazer de respirar, neste quadro tão preciso, tão perfeitamente isento de empastes e empolamentos, clássico em suma, o próprio espírito da obra de Jean Vigo, quase violento, em todo caso atormentado, febril, fervilhando de ideias e fantasia truculenta, de um romantismo virulento, demoníaco até, embora incessantemente humano.[181]

Jean Pascal, da Agence d'Informations Cinématographiques, escreveu:

> Filme confuso, incoerente, propositadamente esquisito, longo, tedioso, nem um pouco comercial, possui no entanto qualidades inegáveis: contém, aqui e ali, algumas belas cenas, muito humanas, perdidas numa confusão de inverossimilhanças e inutilidades. Nota-se uma opção pela feiura, pela vulgaridade, lado a lado com belos impulsos e uma tentativa muito interessante de lirismo.

---

181. Élie Faure, "Un cinéaste-né: Jean Vigo, l'auteur de *L'Atalante*" [Um cineasta nato: Jean Vigo, autor de *L'Atalante*], *Pour Vous*, n. 289, 31 mai. 1934.

"Nem um pouco comercial!", triunfaria Beauvais. O que Nounez podia responder? Citar o texto de Élie Faure? Certamente nem tentou. Lembrar o artigo elogioso de Jacques Brunius em *Regards*: "Não há uma imagem sequer que não contenha algum detalhe para ver e sentir... Vigo tem um estilo que não se parece com nenhum outro"?. Teriam retrucado que a revista *Regards* contava com Romain Rolland, Gide e Malraux em seu conselho editorial, e o que se buscava não era exatamente um sucesso de crítica entre os comunistas.

Em julho, *L'Atalante* foi escolhido para a seleção francesa enviada à Bienal de Veneza.[182] Hoje, esse fato por si só traria prestígio a uma obra. Na época, essa manifestação não tinha a importância publicitária que foi adquirindo mais tarde, e os próprios semanários cinematográficos, como *Pour Vous*, dedicavam-lhe apenas uma rubrica mínima nas últimas páginas.

Aqui e ali, em pequenos artigos ou notas, outros críticos se mostravam favoráveis a *L'Atalante*: Jean Marguet em *Le Petit Parisien*, Lucien Wahl em *L'Œuvre*, Germaine Decaris em *Les Hommes du Jour*; mas essas observações todas de Nounez iam se tornando, com o tempo, cada vez mais ociosas. A sabotagem da distribuição trouxera o resultado esperado. O milhão que Nounez adiantara para *L'Atalante* parecia destinado a acompanhar os 200 mil francos de *Zéro de conduite* no naufrágio definitivo. O homem de negócios sentiu-se abalar na sua estabilidade e capitulou.

---

182. A seleção francesa compreendia: *Le grand jeu* [*A última cartada*, 1934, Jacques Feyder], *Le paquebot tenacity* [1934, Julien Duvivier], *Le scandale* [1934, Marcel L'Herbier], *La porteuse de pain* [1934, René Sti], *Jeunesse* [1934, Georges Lacombe], *Bouboule, le roi nègre* [1933, Léon Mathot], *La croisière jaune* [1933, Léon Poirier e André Sauvage], *Amok* [1934, Fëdor Ozep], *L'Atalante*. Mantivemos a ordem dos títulos listados nas publicações da época. Por fim, foram projetados em Veneza somente os filmes de Feyder, Duvivier, Lacombe e Ozep.

O outro obstáculo já nem contava mais: um rapaz doente, cujo estado se agravava a cada dia e já não conseguia acompanhar as discussões, mesmo à distância.

Nessas condições, fizeram com o filme o que bem entenderam. Chegaram ao ponto de julgar que *L'Atalante*, mesmo com todos os cortes possíveis, não tinha as qualidades capazes de torná-lo um filme atrativo, e resolveram injetar-lhe essas qualidades.

Em 1934, uma música lançada na França por Lys Gauty vinha fazendo um imenso sucesso popular: *Le chaland qui passe* [*A chalana que passa*], composta por Cesare Andrea Bixio. Já que havia uma chalana em *L'Atalante*, rebatizaram o filme de *Le chaland qui passe* e, a fim de justificar o novo título, sacrificaram meio a esmo as composições de Jaubert, substituindo-as pela música de Bixio. Quanto aos cortes, a julgar por algumas cópias remanescentes da versão *Chaland qui passe*, a versão original foi literalmente vandalizada. Apenas duas ou três sequências se mantiveram intactas; a insônia desapareceu integralmente, assim como a apresentação do fonógrafo. E os despojos da obra de Vigo ficaram constantemente envenenados pela musiqueta de Bixio, que adquiria uma vulgaridade repulsiva ao lado das canções e valsas de Jaubert.

A transformação de *L'Atalante* em *Chaland qui passe* naturalmente não passou despercebida em Paris, e o departamento de publicidade se viu um tanto incomodado em suas tentativas de puxar para o filme um pouco do sucesso da música. Quando do lançamento exclusivo do filme no Colisée, em meados de setembro de 1934, os comunicados à imprensa eram discretos e limitavam-se a informar que "uma partitura de Maurice Jaubert, assim como a famosa melodia de Bixio, *Le chaland qui passe*, acompanham as cenas principais desta produção".[183]

---

183. *Le Matin*, 14 set. 1934.

Foto da fachada do cine Colisée, Paris, setembro de 1934

Em Marselha, a publicidade era mais fácil e a projeção do filme no Alhambra foi acompanhada por comunicados da imprensa cujo primeiro parágrafo era:

> Graças à famosa melodia de C. A. Bixio, tão admiravelmente cantada por Lys Gauty, é certo que *Le chaland qui passe*... não vai passar despercebido! Seus motivos pitorescos já se espalharam pelas ruas... Não seria surpresa se *Le chaland qui passe*, o filme, alcançasse um considerável sucesso.[184]

Em Alger, mais distante ainda de Paris, podiam escrever diretamente: "*Le chaland qui passe* é um filme inspirado na famosa melodia tão admiravelmente cantada por Lys Gauty".[185]

Le chaland qui passe foi um fracasso comercial. A exclusividade no Colisée durou duas semanas apenas. O público apreciador de melodramas que acorrera acreditando no título ficou decepcionado, e o público que não se furtou de vir por causa da música de Bixio, assim como a minoria atraída pelo nome de Vigo, ficou desorientado por uma obra mutilada até a incoerência. Nenhuma publicidade enganosa foi capaz de alterar a impressão negativa causada pelo desapontamento parisiense. A cada sessão do Colisée havia gente vaiando. A maioria queria simplesmente expressar sua insatisfação ante um filme que julgava ruim, outros, raros, criticavam o comportamento dos produtores.

A crítica, no conjunto, foi menos severa que o público. Fernand Desprès, que lia tudo o que saía sobre o filme do amigo, escreveu a Pierre de Saint-Prix, em 27 de setembro, dizendo que vira: "Uns vinte artigos

---

184. Recorte de jornal sem referência a nome ou data, arquivos Gilles Margaritis.
185. Id., ibid.

bastante elogiosos", mencionando uma série de quatro artigos de Lucien Wahl, e anunciava o de Alexandre Arnoux.

Os críticos profissionais, embora alertados (muitos haviam assistido ao *L'Atalante* na versão autorizada por Vigo), só dificilmente conseguiram identificar, tanto para elogiar como para criticar, o que restava do original na versão adulterada que lhes ofereciam.

Jean Laury, crítico do *Figaro*, nos fala de um filme que só reconhecemos com algum esforço:

> O filme é de uma tristeza tremenda: segue do começo ao fim sob o signo do infortúnio... O sr. Vigo recorre de preferência a fontes turvadas. *Le chaland qui passe* lembra certas produções alemãs que causaram muito entusiasmo durante algum tempo, embora fossem doentias – talvez por isso tenham causado entusiasmo! [...] O sr. Jean Vigo deforma instintivamente tudo aquilo que ilustra. Se fotografasse um raio de sol, a poeira levaria a melhor sobre a luz. Quando nos mostra uma panela, ela está furada... um cachorro, ele é manco... Destaca, em grande plano, um beijo, um sorriso, um abraço, mas o beijo vira mordida, o sorriso se acentua em careta, o braço que enlaça esboça um gesto homicida, essa mão num pescoço nu hesita entre acariciar ou machucar.[186]

Deparamos com o mesmo tom de todo um grupo de críticos perante *Zéro de conduite*. No artigo de René Jeanne reaparecem igualmente comentários que este filme suscitara:

---

186. Jean Laury, "Une suite d'images réalistes en gros plan. Ceci n'est pas un spectacle de famille" [Uma série de imagens realistas em grande plano. Este não é um espetáculo de família], *Le Figaro*, 22 set. 1934.

> O sr. Vigo sem dúvida exagerou no pitoresco (dos episódios) com uma complacência um tanto demasiada e, não raro, com um óbvio desejo de desconcertar e surpreender o espectador. Juventude, espírito experimental, fé na vanguarda, isto tudo está presente em *Le chaland qui passe...*[187]

Verhylle, em *Cinœdia*, lamenta em Vigo "uma preocupação excessiva com a originalidade e o realismo". Reclama Lucien Wahl:

> O sr. Jean Vigo não produziu nem realismo nem fantasia, e sim uma espécie de fantástico cotidiano que pode suscitar rangeres de dentes, mas não carece de interesse. Talvez tenhamos aí um filme avançado, que não obteve o sucesso que merecia, um digno descendente dos grandes precursores do cinema.[188]

Para Antoine, crítico do *Journal*, o filme

> passa a impressão de ser obra de um amador... A história é contada com falta de jeito, e o esperado pitoresco da direção não se realiza a contento. Deparamos com várias boas intenções mas, por falta de prática e ordenação, resulta fraco o interesse. Michel Simon faz um esforço enorme para incorporar um velho marinheiro aluado; suas características físicas, sua interpretação um tanto balbuciante lhe permitiram criar uma figura que tem pitoresco e colorido, mas estenderam-se demais na construção da sua personagem que, em suma, permanece alheia à ação, o que resulta em morosidades desconcertantes para o espectador.[189]

---

187. *Le Petit Journal*, 21 set. 1934.
188. *L'Œuvre*, 21 set. 1934.
189. *Le Journal*, 21 set. 1934.

Jean Marguet, do *Petit Parisien*, não tinha gostado de *Zéro de conduite*; *L'Atalante* do Palais Rochechouart o entusiasmara e ele mantém seu apreço pelo *Chaland qui passe*:

> É um filme inteligente, cuja intelectualidade não mata a sinceridade nem a emoção. Trata-se de uma crise de tédio, de fossa, para usar um termo da moda... Tudo nele é simples, mas tudo é cinema. Durante algum tempo, nada acontece, e está criado o ambiente. O diálogo é meramente secundário [...] As imagens de *Chaland qui passe* não são de vanguarda, são preciosas por nos trazerem algo novo, este novo de que andamos tão privados no cinema.[190]

É importante mencionar o artigo de um crítico renomado da época, Alexandre Arnoux:

> A realização de Jean Vigo, de uma honestidade e uma consciência que temos de proclamar e admirar, mesmo sem partilhar totalmente o entusiasmo absoluto de alguns fanáticos... Meticuloso, realista, lírico, são estes os traços que, acredito, definem o seu talento, com certa tendência a insistir no detalhe, a alçar os objetos ou certos indivíduos episódicos à condição de símbolo. Esta arte, de uma integridade exemplar, não está isenta de certas insistências e algum peso; visa antes a profundidade que a variedade. Mas a vida familiar da barcaça, que desliza em meio a paisagens de fábricas, chaminés e pontes de ferro, é retratada por mãos de mestre com um escrúpulo, um menosprezo pelo efeito convencional, pela poesia de cartão-postal e pelo pitoresco insosso que nos encantam. Obra de uma salubridade e reação necessárias.

---

190. *Le Petit Parisien*, 21 set. 1934.

A Jean Vigo, no entanto, nossos votos de que se despoje um pouco deste dogmatismo que lhe serve de couraça, que adquira uma certa rapidez elíptica com que não parece se importar no momento. Seja como for, está aí um rapaz de evidentes e magníficas qualidades, cujos próprios defeitos e excessos possuem uma virtude tônica e vivificante.[191]

O tom dos comentários nas publicações cinematográficas é igualmente favorável. Jean Vidal aproveita a oportunidade para lamentar que a censura tivesse censurado "o belo filme *Zéro de conduite*". Sendo ele, justamente, um dos redatores de *Pour Vous*, permite-nos observar essa etapa de conversão do semanário. Sobre o novo filme, escreve Vidal:

[...] Uma dessas obras em que o cinema se aproxima mais da poesia que do romance. Não acontece praticamente nada em *Le chaland qui passe*, mas cada imagem traz em si uma evocação, uma sensação nova. Um clima de angústia e desespero, criado com recursos muito simples, envolve cada quadro. Sente-se no filme sinceridade e piedade, talvez também uma espécie de surda revolta. Mas este não é, em absoluto, um filme espetacular. Deixa em todos nós uma sensação de mal-estar e, às vezes, desconcerta o espectador com seu descaso pelo estilo, pelas costumeiras convenções do cinema...

Le chaland qui passe lembra o livro de Céline, *Voyage au bout de la nuit*. Seja como for, nele se expressa um temperamento. O que é raro.[192]

---

191. *Les Nouvelles Littéraires*, n. 624, 29 set. 1934.
192. *Pour Vous*, n. 305, set. 1934.

Cinémonde vê

> um filme delicado e triste, cuja atmosfera encanta e surpreende, e no qual a historieta desaparece por detrás do cenário harmonioso e movente de uma paisagem de campos, céu e água...[193]

Em *Le Courrier Cinématographique*, assinado por R. F.:

> Realizaram-se recentemente diversos filmes sobre a vida errante e vagabunda dos condutores de chalana. Nenhum deles a refletiu tão intensamente e unindo mais verdade, poesia e vigor.

Este último excerto é citado conforme o número de *Mon Ciné* em que Raymond Berner procura pontuar a situação:

> Ora, meu Deus, não é uma obra-prima. Mas nem Chaplin, nem Lubitsch, nem Feyder realizaram uma obra-prima em seu terceiro filme ou, se preferirem, na sua primeira grande produção. E este é mesmo o drama dos jovens de hoje: eles não têm o direito de errar. Antigamente o público, menos educado, menos exigente, sabia se contentar com um mais ou menos: hoje, repleto de uma perfeição mais aparente que real, perfeição na mediocridade, já não admite certo ar de incoerência que às vezes não passa da expressão de um talento não totalmente maduro. *Le chaland qui passe*, já que temos de chamá-lo por seu novo nome, é um filme em que o talento explode a todo instante, de um jeito imprevisto, violento, desconcertante. O público fica desorientado por não encontrar ali a atmosfera fácil e perfumada na qual se move sem esforço. E vaia, tontamente...

---

193. *Cinémonde*, n. 309, set. 1934.

> Houve quem só quisesse enxergar as atrapalhações meio pesadas de algumas cenas, a falta de coesão do filme. Os defeitos existem, é incontestável, mas serão assim tão graves que tenhamos de condenar o todo sem apelação? O que mais incomoda neste trabalho é que os artistas parecem executar pequenos esquetes individuais sem se importarem com os parceiros. Daí esta falta de unidade, que incomoda um bocado... Com outros artistas, menos "independentes" da vontade do diretor, e também se se atenuasse um pouco o aspecto germano-romântico de certos trechos, *Le chaland qui passe* podia ter continuado a ser *L'Atalante* e ser considerado um ótimo filme.
>
> Esperemos que Jean Vigo filme em breve uma nova fita, na qual possa mostrar todas as suas qualidades, firmadas pela experiência.[194]

No dia seguinte à publicação deste artigo, em 5 de outubro de 1934, falecia Jean Vigo, poucos dias após o fim da exclusividade do *Chaland qui passe* no Colisée.

---

194. *Mon Ciné*, 4 out. 1934.

A MORTE DE VIGO

Tão logo Vigo caíra definitivamente de cama, cerca de sete meses antes, fora diagnosticada uma septicemia por estreptococos de origem reumática. Essa ainda era, na época, uma doença extremamente longa e extenuante ante a qual a medicina se via praticamente sem armas. A fraqueza de Vigo era tanta que os médicos evitavam recorrer ao soro, temendo um choque fatal. Tentaram transfusões de sangue, sem resultado e, enquanto esperavam que o organismo criasse seus próprios anticorpos, recorreram à homeopatia. Durante meses, o enfermo chegava a 40 graus de febre à noite e 37 pela manhã. Esses surtos de temperatura sempre eram acompanhados das dores mais variadas e de suadouros terríveis. Em julho, uma estomatite ainda veio agravar seu estado e, durante uns quinze dias, Vigo praticamente deixou de se alimentar e ficou assustadoramente magro. Seus amigos mais velhos, como Fernand Desprès, queriam que fosse chamado o velho dr. Philippe Neel, médico de Almereyda, na esperança de que, conhecendo a diátese familiar, pudesse encontrar um tratamento.

O moral de Vigo não esmoreceu em momento algum. Podia até confessar a Fernand Desprès que *L'Atalante* é que o derrubara, mas em seguida manifestava seu desejo de viver para realizar novos filmes. A pequena Luce fora deixada aos cuidados de amigos para que Lydu pudesse se dedicar integralmente à luta permanente contra a doença, e Vigo jamais deixou de animá-la com suas brincadeiras: descrevia o estreptococo como uma figurinha redonda com cartola. Certos dias, ria às gargalhadas na companhia de Dasté, ou soltava umas respostas espirituosas que encantavam Fernand Desprès. Acontecia até de ele fazer brincadeiras que exigiam esforço físico. Certa noite, sozinho em seu quarto, escutava no rádio a *Chanson du départ*. Num cômodo vizinho, alguns amigos conversavam sobre política. A discussão se acirrava, o tom de voz aumentava. Vigo então pôs o rádio a todo o volume sem, no entanto, conseguir abafar as vozes, e resolveu interromper a discussão de outra maneira.

> A porta entre os dois cômodos, que estava entreaberta, abre-se de par em par e surge Jean Vigo de camisão, braço erguido, indicando o compasso no ritmo da marcha militar... Lydu, apavorada, passa mal, e os amigos se perguntam se não terá enlouquecido... Vigo, então, ante a comoção causada por sua presença, em meio ao maior silêncio e muito sem graça, volta para a cama, feito criança de castigo, ao braço da enfermeira que acorrera para ampará-lo.[195]

Pelo final de agosto, início de setembro, os amigos de Jean Vigo já tinham perdido a esperança de vê-lo curado. O doente, já tão magro, enfraquecia dia após dia. Alimentara-se um pouco até então, por força de vontade, mas quando Fernand Desprès foi visitá-lo, em 26 de setembro, já não suportava nenhum alimento há vários dias e o seu coração vinha fraquejando. Enquanto o médico procurava reanimá-lo com injeções de óleo canforado, Jean Painlevé, Claude Aveline e Fernand Desprès esperavam na sala ao lado, entreolhando-se em silêncio. Puderam

---

195. Texto inédito da sra. Margaritis, fornecido por Gilles Margaritis.

A filha Luce, com os pais Vigo e Lydu, c. 1933

finalmente ver o amigo, sonolento a maior parte do tempo, e cuja voz já não passava de um sopro. "Olheiras imensas contornam suas pálpebras. Seus lábios estão descorados. Seu rosto, diminuído, é o rosto de um menino pequeno".[196]

Nos dias seguintes, com dificuldade deram-lhe de beber sucos de frutas, água mineral ou chá de tília mas, tendo vomitado bílis, Vigo se tornara cadavérico e se esperava pelo fim quando, de repente, em 30 de setembro, a febre que às dez horas da noite batia invariavelmente em torno dos 40 graus, caiu para 37.

No outro dia, estava sentado na cama, ajeitando ele próprio seu travesseiro, pedindo leite com chocolate e rejeitando a xícara porque não estava totalmente cheia. Depois de Lydu enchê-la até a borda, Vigo cortando um pão em pedacinhos e mergulhando-o no chocolate, recebia a sra. Margaritis que viera visitá-lo, dizendo-lhe, radiante: "Para me ver comer, são vinte tostões...". Lydu arregalava os olhos de espanto e ria, feliz. Foi imediatamente comprar-lhe um roupão.

No outro dia, a febre voltou e, dois dias depois, numa sexta-feira, falecia Jean Vigo pouco antes das nove da noite, quando se ouvia, do seu apartamento, *Le chaland qui passe*, tocado por um músico de rua na esquina da rua Gazan com a avenida Reille. Lydu, deitada ao lado dele, segurava-o nos braços e parecia não entender. Instantes depois, ela escapou dos amigos e se abalou, por um corredor comprido, até o quarto dos fundos. Quando a alcançaram, estava para se jogar pela janela.

Na segunda-feira 8 de outubro, às 15h30, Vigo foi enterrado no cemitério parisiense de Bagneux, ao lado de Miguel Almereyda. Entre os amigos, avistavam-se três mulheres de luto que só alguns velhos companheiros de Almereyda souberam reconhecer: Emily e duas meias-irmãs de Vigo. Não houve discurso nem cerimônia de pêsames. Após o

---

196. Carta de Fernand Desprès a Pierre de Saint-Prix, 27 set. 1934.

ruído seco das pazadas de terra no tampo de carvalho, o silêncio se fez absoluto e o cortejo se dispersou rapidamente.

Numa clínica da rua d'Alésia, Lydu delirava. Dizia que naquele ano os Vigo não tinham tido sorte, e acrescentava: "Eles precisam ser vigiados", com o tom do diretor de *Zéro de conduite*. Ela dava ordens. Queria, primeiro, falar com o estreptococo, que é redondinho e usa cartola. Depois, queria ter uma palavrinha com ele e matá-lo, um pouco. Em seguida, era para enrolarem *L'Atalante* em torno dos gordos e vermelhos produtores e tocar fogo em tudo. Lydu gritou várias vezes, imperiosamente: "Senhor Jean Vigo! Senhor Jean Vigo!". E então, suavemente: "Seu coração já não está batendo, está gelado, não faz mais barulho". Lydu pedia um lugar no jazigo, ao lado de Vigo: "Quero morrer para dormir com ele, que nem antes".[197]

Lydu escreveria alguns meses depois:

> Desde 5 de outubro eu já não vivo, fiquei feito um objeto que se esqueceram de levar. Estou como que cristalizada. Não compreendo. Sigo existindo e, para viver um dia depois do outro, digo a mim mesma que vou morrer amanhã, é o único jeito de viver. Não consigo conceber que Jean já não exista, pois se eu existo, e que isto é *verdade*. Às vezes, tenho a impressão de que sou nós dois, que Jean e Lydu morreram e que eu sou Lydu-Jean. Mas esses momentos são raros e ocorrem após um período de um sofrimento tão atroz que meu organismo já não aguenta sentir tanta dor e dentro de mim se produz uma sensação de irreal. O mundo se desintegrou e nada mais tem sentido. Penso demais e não choro o suficiente, verdade é que já chorei tanto durante a sua doença. Lutei pela vida dele com todas as minhas forças, e poucas me sobraram para lutar pela minha. A preocupação por minha filha me contém, mas quanto

---

197. Conforme anotações feitas por Storck, em 7 out. 1934.

tempo irei resistir? Não sei, veremos. Ele queria tanto viver, acreditava tanto na nossa vida. Você percebe, Henri querido, o que aconteceu com nós dois?[198]

Na noite do enterro realizou-se na sala Adyar, incluído nas projeções organizadas por Daniel Maybon, um Festival Michel Simon que se encerrou com a projeção do *Chaland qui passe*. Os amigos que tinham comparecido ao cemitério se encontravam no cinema, onde Dita Parlo evocou a memória de Vigo e sua luta pelo *L'Atalante*.

Tendo o término da exclusividade do Colisée sido quase imediatamente seguido pela morte de Vigo, o filme continuou sendo comentado, enquanto nos necrológios procurava-se retraçar a carreira e firmar a obra do falecido. Escreveu Jean Marguet, voltando atrás em suas restrições:

> A morte de Jean Vigo arrebata ao cinema francês um diretor de personalidade excepcional... *À propos de Nice*... uma ironia mesclada de sensibilidade que sempre voltaríamos a encontrar... *Zéro de conduite*, rico de surpreendentes achados visuais... nada tinha de chocante ou subversivo... *Le chaland qui passe*... que se restabeleça o título *L'Atalante*... uma mescla de cômico e trágico, de mágoa e doçura, expressa com vagar, uma realidade brutal subitamente entrecortada por vislumbres de sonho... Embora a obra suscitasse ásperas controvérsias, todos concordam em reconhecer que trazia para o cinema algo de novo... (Sua morte) tocará dolorosamente aqueles que repentinamente conheceram, pela originalidade de um filme, o nome de Jean Vigo. Foi breve a sua carreira, mas não há de ser esquecida.[199]

---

198. Carta a Henri Storck, de 22 jan. 1935.
199. Recorte de jornal fornecido por Gilles Margaritis.

Para Serge Berline:

> *À propos de Nice*, obra brutal, dura, de um realismo impressionante... *Zéro de conduite*, sátira impiedosa dos pequenos colégios do interior e do seu rigorismo, que era uma espécie de resposta francesa a *Emil und die Detektive* [*Émile et les détectives*, 1931, Gerhard Lamprecht]: pelo menos, é o que Jean Vigo um dia me afirmou... verdadeira pequena obra-prima da arte cinematográfica... julgada indecente... *Chaland qui passe*, obra estranha, doentia, extremamente bela, um pouco vagarosa, que refletia totalmente o espírito atormentado de Vigo [...] Um legítimo homem de cinema [...] magro, baixo, descabelado, ele era, no estúdio, um trabalhador aferrado, nunca satisfeito [...] Jean Vigo, se tivesse vivido, sem dúvida alcançaria a fama de um Von Stroheim, com cujo gênero curiosamente se aparentava. Não quis o Destino que ele nos desse, porém, a exata medida de suas possibilidades.[200]

Escreve Georges Charensol:

> Ele se revelou para nós alguns anos atrás, no Studio des Ursulines... *À propos de Nice*... já atestava os dons tão singulares do seu autor, mas foi em *Zéro de conduite* que eles encontraram sua livre expressão... O filme permanece inédito, mas os amigos de Jean Vigo sem dúvida saberão fazer com que o processo seja revisado. Também hão de pedir que se devolva ao *Chaland qui passe* seu título original, que anunciava à perfeição esta aliança entre a realidade e o sonho, esta mescla de bufonaria e trágico, que criava em torno do filme uma atmosfera shakespeariana. Pode-se dizer que desde os primeiros filmes de René Clair nada, na

---

200. "Jean Vigo tel qu'il était" [Jean Vigo como ele era], artigo de jornal fornecido por Gilles Margaritis.

França, nos propiciara tamanha sensação de novidade; uma personalidade extremamente forte aí se revelava, que no futuro teria se alçado ao primeiríssimo nível.

A sorte decidiu de outro modo.[201]

Para Frédéric Pottecher, Vigo

mal começava a nos dar provas do seu talento, não como diretor, mas como poeta das imagens vivas. Muito se debateu sobre o valor do seu último filme, *Le chaland qui passe*, filme estranho no qual se encontram o melhor e o pior.

Vigo era antes de tudo um poeta, um lírico. Via o que não enxerga o comum dos mortais, e não é de surpreender que o tenham tão pouco compreendido. Mas os que tiveram a sorte de se aproximar deste rapaz magro, de voz um tanto velada, de uma deliciosa delicadeza de ideias e maneiras, puderam apreciar os tesouros contidos nesta alma privilegiada, tesouros insubstituíveis que Vigo soube às vezes transmitir aos filmes que realizava...

Era um homem encantador, muito culto, refinado, terno e forte, sensível e direto, sabia nos tocar e dava para sentir que tudo o que ele dizia, tudo o que ele fazia brotava de sua alma pura como a de uma criança, e de seu coração bem temperado de artista sólido e sincero.[202]

L'Humanité:

Vigo sempre lutou veementemente contra o cinema capitalista. Primeiro, reunindo operários e intelectuais para projetar filmes soviéticos

---

201. *Intransigeant*, 8 out. 1934.
202. *Comœdia*, 7 out. 1934.

> proibidos pela censura, depois abordando em seus próprios filmes problemas que a censura e os magnatas do cinema não permitem sequer que se mencione.
>
> Aderente de primeira hora da Association des Écrivains et Artistes Révolutionnaires [Associação dos Escritores e Artistas Revolucionários], Vigo para ela levou diversos jovens cineastas convertidos por seu exemplo à causa revolucionária.
>
> [...] os trabalhadores revolucionários... hão de lembrar que Vigo foi um dos primeiros diretores a se posicionar sem restrições do lado deles, e colocar a seu serviço um talento que era imenso.[203]

Em *Pour Vous*, Claude Aveline denuncia a deformação do filme de seu amigo, que ele descreve como sendo "alternadamente duro e sensível ao extremo, para não dizer em excesso. Sempre implacavelmente escrupuloso. Uma forte personalidade". Aveline protesta contra a música adicionada: "Imaginem, no meio de uma apresentação de *Pelléas*, a orquestra se pondo de repente a executar: *Parlez-moi d'amour...*".[204]

É igualmente *Pour Vous* que publica a "Carta aberta ao senhor presidente da Comissão de Controle dos Filmes", de Claude Vermorel, na qual, depois de listar ironicamente as falhas apontadas em *Zéro de conduite*, escreve: "Ocorre, senhor presidente, que Jean Vigo está morto. Não irá mais debochar dos vice-prefeitos, dos eclesiásticos e dos diretores de escola. Entregue-nos o seu filme".[205] Tratava-se de um ensaio para uma campanha pela liberação do filme, mas não surtiu resultado.

---

203. *L'Humanité*, 7 out. 1934.
204. *Pour Vous*, 18 out. 1934.
205. *Pour Vous*, 22 nov. 1934.

Num texto inédito, redigido pouco depois da realização de *Zéro de conduite*, Henri Storck afirmara que "Vigo deixa a própria pele na película".[206] Depois de *L'Atalante*, acusa o cinema de ter matado o seu amigo, num artigo que, depois de passar sua vida em revista, conclui:

> O cinema francês perde com ele um artista de temperamento excepcional, um realizador que lhe trazia uma fé e um impulso extremamente raros, que tinha algo a dizer e o dizia, apesar da hipocrisia e mediocridade do mundo cinematográfico parisiense. Suas opiniões eram claras e generosas. Tomara, desde muito, o partido dos trabalhadores e dos explorados. Não haveria como arrancar-lhe a mínima concessão...
>
> [...] Ele percebia o cinema de modo admirável, e era, na França, um dos únicos capazes de enriquecer humana e artisticamente a produção, como fizeram René Clair, Grémillon, Feyder. Ele nos deixou antes de conseguir se afirmar, mas não sem deixar em torno de sua obra, demasiado breve, uma admiração não raro apaixonada.[207]

O artigo necrológico do veículo da juventude comunista belga não é escrito sob o ângulo de uma perspectiva social. O autor, que assina A. M., fala com melancolia sobre o *Chaland qui passe* assistido na sala Adyar, do Père Jules em sua cabine, este "inventor de sonhos" num "maravilhoso laboratório de devaneios" e sobre "Jean Vigo, espírito atormentado, que nos deixa um álbum de capa preta, repleto de violência, revolta e uma imensa compaixão".[208]

---

206. *Le jeune cinéma français*: "Jean Vigo ou l'intelligence au cinéma" [Jean Vigo ou a inteligência no cinema].
207. *Le Rouge et le Noir*, Bruxelas, 17 out. 1934.
208. *Avant-Garde*, Bruxelas, 29 out. 1934.

Assim como Bruxelas através do Club de L'Écran, Gand, graças ao seu cineclube, pudera acompanhar a carreira de Vigo e por ocasião de sua morte o fiel crítico do *Vooruit* lembrava nas colunas do jornal socialista[209] os três filmes de que gostara (*Taris*, principalmente), enquanto aguardava a projeção do quarto e último.

Le chaland qui passe só veio a ser distribuído na Bélgica em meados de 1935. Escreve Chr. Delpierre:

> Mediante o descarte de alguns fragmentos e a adição de uma música popular, o precioso legado de Jean Vigo pôde ser exibido ao público. No frigir dos ovos, mais vale que seja visto várias semanas por pessoas desavisadas, mas perfectíveis, do que ficar enrolado sobre si mesmo na versão integral. Algum vestígio haverá de deixar, mesmo nos ignorantes e simples.
>
> Em nós, ressuscitou uma capacidade de admiração há anos adormecida. Não fosse Jean Vigo ter morrido, estaríamos cheios de alegre esperança.[210]

Eram exatamente "o descarte de alguns fragmentos e a adição de uma música popular", além da mudança do título, que eram insuportáveis para os entusiastas do Club de L'Écran. Seu presidente, André Thirifays, pediu aos seus amigos de Paris que fizessem algumas pesquisas e, pouco depois, um prospecto do Clube anunciava, para o "dia 24 de outubro de 1935, na sala de Música de Câmara do Palais des Beaux-Arts, a apresentação de *L'Atalante* em sua versão *original* reconstituída". Depois de um breve histórico da transformação de *L'Atalante* em *Chaland qui passe*, lia-se:

---

209. *Vooruit*, 19 out. 1934.
210. *Les Beaux-Arts*, Bruxelas, 26 jul. 1935.

> Já não subsiste nenhuma versão original de seu filme. No entanto, com a ajuda de alguns amigos de Vigo, o *Club de L'Écran* conseguiu, graças a incansáveis esforços, juntar os cortes praticados na primeira versão e, apoiado em documentos precisos, reconstituir *exatamente a montagem* original. Só a música de Jaubert não pôde ser recuperada. Esta reconstituição não pôde se tornar definitiva com os parcos recursos do Clube. Será destruída após esta projeção. Convidamos, portanto, nossos membros e os verdadeiros amigos do cinema a não perderem *a oportunidade única* de assistir a *L'Atalante*, não só em memória de Jean Vigo como também para aplaudir uma das obras mais admiráveis que o cinema já nos deu.[211]

As promessas contidas no prospecto eram excessivas e, antes de mais nada, publicitárias. Certamente não se tratava de uma versão original cuja montagem exata fora reconstituída com o apoio de documentos precisos. A realidade era muito mais modesta. Soubera-se que a Gaumont conservava alguns trechos – entre quinze e vinte – que haviam sido cortados com os pontos de referência de inserção. Diante dos reiterados pedidos de Thirifays e Storck, o pessoal da Gaumont deixou que montassem esses cortes na cópia que seria projetada no Club de L'Écran. Ao mesmo tempo, alertavam para o fato de aquela medida não poder ser mantida nem repetida e que, para que o problema não mais se colocasse, os trechos em questão seriam posteriormente destruídos. Afirmavam também que já não existia nenhum negativo original com a música de Jaubert. Foi em vão que Thirifays pediu permissão para guardar os trechos fadados à fogueira – teve de mandá-los de volta a Paris junto com a cópia do filme. André Thirifays nos informa que

211. Documento fornecido por Henri Storck.

os cortes constituíam-se, em sua maioria, de fragmentos de cenas. O motivo que ditava essas mutilações era tão-somente a redução da metragem, dentro dos limites que melhor convinham, segundo aqueles senhores, à exploração comercial do filme. Uma cena, contudo, foi cortada por motivos 'morais': aquela em que Michel Simon coloca um cigarro no umbigo.[212]

Este excerto da carta nos remete em cheio às dificuldades colocadas pela reconstituição, mesmo teórica, de *L'Atalante*, cujos planos foram recuperados pelo menos em parte.

Grosso modo, houve em 1934 duas séries de cortes: a primeira, entre o dia em que Vigo visionou o filme na companhia de Nounez e sua apresentação no Palais Rochechouart. Estes cortes, feitos por Chavance, visavam diminuir algumas sequências, com o acordo, um tanto reticente, do realizador. As demais amputações, muito mais significativas (feitas por quem?), foram efetuadas quando da transformação de *L'Atalante* em *Chaland qui passe*. O objetivo também era uma diminuição, mas desta vez mexeram na estrutura geral do filme, que foi alterada, sem falar na substituição da música. Os trechos enviados ao Club de l'Écran em 1935 tinham origem aparentemente na primeira operação, já que é pouco provável que se tenham guardado, dos remanejos profundos e desordenados da segunda, "cerca de quinze trechos cuidadosamente classificados e conservados com os pontos de inserção".

Também é importante discutir o plano que, ao que dizem, teria sido cortado: o cigarro no umbigo.[213] Trata-se do "corte" mais famoso de *L'Atalante*. Faz parte da tradição, assim que o filme é mencionado,

---

212. Carta de 30 set. 1950.
213. Ver sequências na p. 235 desta edição.

evocar o cigarro no umbigo banido pela censura. Houve inclusive um tempo em que já não dava mais para saber no umbigo de quem estava enfiado o cigarro.

De acordo com algumas pessoas, entre as quais Henri Langlois, da Cinémathèque Française, era Jean quem, na sua cabine, desesperado com a ausência de Juliette, esmagava um cigarro (não se especificava se estava ou não aceso) no próprio umbigo. A maioria, porém, incluindo colaboradores tão próximos de Vigo como Louis Chavance, optava pelo umbigo de Michel Simon e o trecho, segundo este, achava-se na sequência de Juliette na cabine do Père Jules enquanto ele exibia as tatuagens. Lembramos que uma dessas tatuagens, a mais benfeita, representava uma cabeça cuja boca se desenhava em volta do umbigo. O Père Jules, diziam, nela enfiava um cigarro, sendo este o ponto alto da exibição das tatuagens.[214]

Em 1949,[215] foi publicada uma foto dessa "cena censurada" em Paris, e reproduzida em Londres em 1951.[216] Várias pessoas recordaram-se então de tê-la visto na tela. Os partidários do umbigo de Dasté passaram para o lado de Michel Simon, e admitiu-se que o trecho existira e havia sido cortado. O documento fotográfico em questão, porém, de maneira alguma resolve o problema, visto não se tratar de um fotograma, nem sequer de uma foto de cena: a superfície plana, provavelmente um refletor, situada atrás do Père Jules, evidentemente não está presente no cenário da cabine tal como o vemos na tela.[217]

---

214. A cena foi incluída na restauração de 1990. Mas diferentemente do que sugere Paulo Emílio, ela foi inserida na cabine do Père Jules, o que parece bem razoável. [N.O.]

215. *Ciné-Club*, n. 5, fev. 1949.

216. *New Index Series*, n. 4, British Film Institute, 1951.

217. Esta imagem faz parte das incontáveis fotos tiradas durante as filmagens pelos fotógrafos Parry e Tabard. Não podemos esquecer, aliás, que boa parte destas →

Voltando à suposta cópia original reconstituída, projetada em Bruxelas em 1935, há que acrescentar que, de resto, as informações fornecidas a Thirifays pela Gaumont eram falsas, pelo menos no que se refere à destruição da banda sonora contendo os trechos amputados da música de Jaubert.

Em 1940, com efeito, o filme voltou a circular com a música de Jaubert restaurada, também com o título original e alguns trechos adicionais. De novo, só é possível avaliar essa versão pelas cópias que dela derivam, as que foram amplamente difundidas a partir da Liberação e que apresentam consideráveis diferenças entre si. O que nos leva a uma derradeira tentativa de reconstituição. Esta foi empreendida com a colaboração do crítico florentino Panfilo Colaprete.

Foi em 1950. Nossas pesquisas entre as sobras do negativo nos levaram à escolha preliminar de cerca de trinta fragmentos. Escolhemos, além disso, duas cópias[218] de *L'Atalante* na versão de 1940, assim como uma cópia do *Chaland qui passe*. As condições do nosso trabalho foram das piores, em nenhum momento conseguimos ter acesso a uma moviola ou comparar as diferentes cópias numa sincronizadora, e tivemos de nos ater ao procedimento grosseiro das projeções sucessivas. Apesar de tudo, mediante a combinação dessas três cópias e a introdução de alguns dos planos selecionados, poderíamos ter chegado a uma versão de *L'Atalante* menos ruim do que as habituais. Não nos foi permitido acompanhar o trabalho de execução técnica da nova versão, que ficou aos cuidados da Cinémathèque Française, mas ao ver o resultado final, constata-se que não carece de interesse. Ainda assim,

---

→ fotos – como, por exemplo, uma série de Dasté nu, ou outras de Michel Simon confortavelmente acomodado num sofá do estúdio, sozinho ou acompanhado de belas mulheres – não se destinavam à publicidade, quer como fotos de trabalho, quer como fotos de cenas do filme. [N. O.]

218. N. 3 e 16 da numeração de 1950.

quando se comunicou à imprensa parisiense, por ocasião do Festival de Antibes de 1950, ou do Congresso da Federação Internacional dos Arquivos do Filme, em Cambridge, 1951, que fora reconstituída a versão original de *L'Atalante*, tratava-se, tal como em Bruxelas em 1934, de um exagero. Seja como for, embora seja difícil atualmente uma reconstituição da versão original, já houve um avanço e outros serão possíveis. O próprio fato de existir em Londres, já em 1934, uma cópia do filme com o título original, encheu de esperança os admiradores de Vigo.[219]

Essa data e esse local nos trazem de volta, depois desse desvio pelas tentativas de reconstituição de *L'Atalante*, à continuidade cronológica da nossa narrativa.

A obra de Vigo chegou à Inglaterra em 1934, com a projeção quase simultânea, em Londres – no outono daquele ano –, de *L'Atalante* num cinema comercial, e *Zéro de conduite* num cineclube. Do primeiro, não sabemos exatamente de que versão se tratava, embora as pistas que encontramos na imprensa cinematográfica britânica sejam um bom sinal: não se menciona o título *Chaland qui passe*, e sim, *L'Atalante*. É possível que a Gaumont, desacreditando do encanto da música de Bixio junto ao público inglês, tenha resolvido oferecer-lhe a versão do Palais de Rochechouart.

A única crítica inglesa da época que nos foi dado consultar parece também menos desnorteada (embora a única objeção se deva a uma incompreensão)[220] que as francesas. Seu autor é John Grierson, então

---

219. Em fevereiro de 1990, Jean-Louis Bompoint encontrou, no British Film Institute, uma cópia em nitrato de *L'Atalante*. Verificou-se que a cópia era a mais próxima possível da montagem de Louis Chavance, analisada por Vigo. A partir dessa cópia foi feita a restauração. [N.O.]

220. "A única crítica possível é que Vigo torna o reencontro mais sentimental do que seria necessário. A moça anda demasiadamente por portos desolados em busca da Atalante, quando qualquer operária teria tido o bom senso de pedir auxílio à polícia."

em plena luta em prol do documentário, e que vê o estilo de Vigo pela seguinte perspectiva:

> É um estilo emocionante. Na base, há um senso do realismo documentário que faz da barcaça uma barcaça de verdade, tão precisa em sua topografia que até poderíamos andar nela de olhos fechados em noite de vento. Isso é tão importante numa barcaça como num barco, o que os filmes sobre o mar nunca conseguem entender.
>
> É um jeito novo e fascinante de narrar uma história, e Vigo é definitivamente, na Europa, um dos jovens diretores com mais imaginação.[221]

L'Atalante aparentemente não teve ampla difusão na Inglaterra em 1934, mas o filme causou profunda impressão em alguns espectadores. Muito tempo depois, escrevia Roger Manvell: "Rever *L'Atalante*, apesar do som ruim e da continuidade eventualmente precária, é reviver a inesquecível impressão que deixou em minha imaginação".

Zéro de conduite foi exibido pela London Film Society em novembro de 1934. No programa, lia-se:

> Embora Jean Vigo nunca tenha sido acolhido nos círculos surrealistas, alguns trechos do filme, em especial o passeio e as cenas na sala do diretor e no dormitório, são considerados na França tão surrealistas como um poema de Éluard ou um quadro de Dalí.[222]

Alberto Cavalcanti que, se não redigiu, pelo menos inspirou essas observações do programa, escreveria mais tarde:

---

221. *Cinema Quarterly*, n. 5, out. 1934.
222. *Film Society Programme*, Londres, nov. 1934.

> A maioria dos críticos ingleses que assistiram ao filme na London Film Society não compreenderam absolutamente nada e confundiram-no com uma comédia. Escapou-lhes o tanto de poesia que o filme contém.[223]

Esta poesia também escapara à crítica francesa e belga, e se o artigo de Cavalcanti adquire importância para nós é por ser ele o primeiro a reconhecê-la. Mas não é somente a afirmação da poesia em *Zéro de conduite* que nos detém no texto de Cavalcanti. Ele foi igualmente o primeiro a assinalar a importância da personalidade de Miguel Almereyda na formação e na obra de Jean Vigo. Isso já demonstra o imenso mérito de Cavalcanti, apesar da abundância de erros geográficos e cronológicos que apresenta, e da sua insistência em situar o estilo de Vigo na órbita surrealista.

Muito tempo há de passar depois deste artigo até que surja na Inglaterra um novo interesse pelos filmes de Jean Vigo.

Por toda parte, mesmo na França, muito pouco se falaria sobre Vigo nos últimos anos que antecederam a Segunda Guerra Mundial. Naquela época, era possível viver em Paris, se interessar pelas coisas do cinema e ainda assim mal conhecer o nome de Vigo e nunca ter a oportunidade de assistir a nenhum dos seus filmes.

Os dois trabalhos dedicados à história geral do cinema, publicados em língua francesa entre a morte de Vigo e a guerra, trazem, contudo, algumas linhas sobre a sua obra. Tanto Maurice Bardèche e Robert Brasillach como Carl Vincent associam Vigo a Miguel Almereyda e à anarquia. O texto do crítico belga é mais completo, embora dê muitas vezes a impressão de basear-se no livro francês. Ambos lamentam a morte prematura de Vigo e o fim da esperança que ele representara. Quanto aos filmes, os três historiadores fazem uma síntese das

---

223. *Cinema Quarterly*, inverno de 1935.

impressões correntes. Vincent, ao falar em "poesia triste" a respeito de *Zéro de conduite*, pareceria estar à frente da crítica do seu tempo, não fosse ele utilizar essa expressão no livro com certa frequência e de maneira um tanto automática.

Bardèche e Brasillach, em sua *Histoire du cinéma* publicada em 1935,[224] escreviam:

> [...] *À propos de Nice*, repleto de uma magnífica crueldade análoga à de Stroheim, quando a câmera se detém nas matronas burguesas, nos grotescos, nas fichas do cassino, mas também no encanto daquela baía entregue ao capitalismo. *Zéro de conduite* [...] notável movimento de revolta, de juventude sarcástica, sufocada e gozadora [...] sinceridade cruel, recordações dolorosas. *L'Atalante*... Ele evidentemente não sabia narrar, sua trama é desajeitada [...] Mas desde a triste e caricatural festa de casamento do começo, já se encontra o mesmo tom sombrio, a gozação trágica, deste rapaz condenado desde o berço e que poderia, quem sabe, ter se tornado o Rimbaud ou o Céline do cinema francês.

Carl Vincent comenta, na sua *Histoire de l'art cinématographique* publicada em 1937,

> o tom desesperado, satírico, cruel e revolucionário dos seus filmes [...] *À propos de Nice* [...] mescla evocação romântica e um feroz retrato social. O sarcasmo segue lado a lado com a poesia, com o ridículo humano, com um generoso amor pela luz. E através de sua visão refinada e brutal se afirma um agudo senso do cinema. *Taris* não passa de um curto e puro documentário sobre a natação [...] *Zéro de conduite* [...] um anarquismo repleto de amargura. [...] 'fantasia' cruel, repleto de

---

224. M. Bardèche e R. Brasillach. *Histoire du cinéma*. Paris: André Martel, [1935] 1948. [N.O.]

> violência, ironia, ternura, compaixão e símbolos. Em suas imagens circulam um extraordinário vigor caricatural, dolorosas recordações de uma infância ultrajada e uma poesia triste cativante [...] *L'Atalante* [...] atmosfera estranha e pesada. O trágico mesclado com o cômico, o 'patético interior' com a caricatura. Esta mescla singular se afirma com profunda humanidade [...] trama desajeitadamente construída [...] No entanto, já nas primeiras imagens (um casamento repleto de observação caricatural e certa poesia triste), Vigo consegue prender o espectador. À força áspera das imagens soma-se em seguida uma profunda sensualidade, ou uma grande beleza plástica. Alguns episódios encerram uma força dramática por sua excessiva amargura, seu apelo às sensações obscuras...[225]

L'Académie du Film, coordenada, entre outros, por Germaine Dulac, havia sido criada na França em 1935. Tal como sua congênere americana, deveria distribuir prêmios. O que fez uma única vez. Entre os prêmios, estava o "Jean Vigo", destinado a coroar "uma obra corajosa, mesmo que irregular", atribuído em 1939 a Christian-Jacque por *Les disparus de Saint-Agil* [*O mistério do colégio*, 1938].

Naquele mesmo ano, Jean Painlevé chegou a projetar a criação de um "Clube dos Amigos de Jean Vigo", ideia que era do agrado de Lydu mas que nunca chegou a se concretizar. Lydu Jean Vigo (foi este o nome que ela adotou), enquanto se dedicava à filha Luce, preocupava-se também em salvaguardar a herança artística de Vigo e, estimulada por sua irmã Genya, que se tornara uma entusiástica militante, chegava a trabalhar vez ou outra em organismos de inspiração comunista como a "Sociedade dos Amigos da Nação Polonesa", criada em

---

225. C. Vincent. *Histoire de l'art cinématographique*, pref. Jacques Feyder. Bruxelas: Trident, 1937. [N.O.]

1936 em torno da personalidade de Paul Langevin. Isso tudo, porém, não lograva preencher o terrível vazio da sua vida. Em 24 de abril de 1939, aquele último desejo de seu delírio foi atendido. O corpo de Lydu foi sepultado no dia 26, e seus amigos – alguns pela terceira vez – percorreram o caminho que levava ao túmulo de Almereyda no cemitério de Bagneux.

Naquele mesmo ano, *L'Atalante* foi exibido no Festival da Basileia. Ficou dessa sessão um artigo de Siegfried Kracauer,[226] cuja tradução foi publicada nos Estados Unidos[227] e na Inglaterra.[228] O crítico alemão comenta o conjunto da obra de Vigo e faz um paralelo com René Clair. Segundo ele, Vigo não possui a "maravilhosa leveza de René Clair", mas supera-o por seu "profundo apego à verdade".

A primeira fase da carreira da obra de Vigo se encerra nos primeiros meses da Ocupação alemã, com o lançamento de *L'Atalante* que mencionamos acima ao tratar das várias tentativas de reconstituição do filme.

Entretanto, com exceção de *À propos de Nice* a obra de Vigo tornara-se propriedade de Henri Beauvais. Passadas as primeiras semanas da Ocupação, os cinemas reabriram suas portas. A interrupção das importações americanas, o número pouco significativo das remessas alemãs e a lentidão na retomada da produção francesa, enquanto prenunciavam uma penúria de filmes abriam amplas possibilidades às reprises. Beauvais, porém, pretendia dar às projeções do último filme de Vigo um ar de lançamento mais do que de reprise. Era encorajado e apoiado em seu propósito por Dita Parlo, cujo nome permanecia ligado à grande repercussão de *La grande illusion*. Fazia,

---

226. *National Zeitung*, Basileia, 1º fev. 1940.
227. *Hollywood Quarterly*, abr. 1947.
228. *New Index Series*, n. 4, British Film Institute, 1951.

nesse filme, o papel de uma camponesa alemã que, durante a Guerra de 1914-18, escondia dois oficiais franceses evadidos, sendo um deles judeu. Tornava-se amante do primeiro, o que não poderia ser do agrado da ideologia oficial do ocupante. É possível que o problema da vedete franco-alemã fosse então o de dissipar aquela impressão associando seu nome a outro filme. Dita Parlo via na última obra de Vigo um bom filme que não levantava questões passíveis de prejudicar sua carreira dentro da nova situação europeia. Tinha, portanto, o maior interesse em que o relançamento fosse um acontecimento importante e, como não tivesse o menor apreço pela versão do *Chaland qui passe*, deve ter achado que a reconstituição da obra original seria a condição primeira para o seu sucesso.

Beauvais, por sua vez, ficara decepcionado com a experiência comercial do *Chaland qui passe*. Incumbiu sabe-se lá quem de restaurar os trechos retirados da música de Jaubert e reinserir os fragmentos que haviam sido conservados, e então, jogando desta vez com o prestígio que o filme, apesar dos pesares, conquistara junto aos aficionados, rebatizou-o *L'Atalante* e lançou-o no Studio des Ursulines por ocasião de sua reabertura, em 30 de outubro de 1940.

Embora não seja fácil saber qual o exato conteúdo dessa versão, podemos perceber, pelas cópias posteriores à Liberação, que era claramente melhor que *Le chaland qui passe*, mesmo porque voltava a incluir, notadamente, a insônia e a apresentação do fonógrafo.

Ainda que não tenha de fato atingido o sucesso esperado, essa parcial ressurreição de *L'Atalante* ficou longe de passar despercebida. Na véspera do lançamento, *L'Œuvre* escrevia: "Será interessante observar como esta obra curiosa, cedo demais apresentada ao grande público, será recebida nesta sala, sobre a qual já se escreveu que era a mais compreensiva do mundo" e, dois dias depois, o mesmo jornal dedicava ao evento um artigo de duas colunas assinado G. D., prováveis iniciais de Germaine Decaris. Tratava-se de uma homenagem a Vigo e uma evocação de seus filmes, relacionadas a uma análise do problema da censura tal como se colocava naquele final de 1940.

O autor começava dizendo que, com a morte de Vigo, a censura cinematográfica tinha respirado aliviada, "pois Vigo escandalizava". Segue-se uma enumeração dos escândalos.

> *À propos de Nice*: 'Um panfleto nutrido – e bem nutrido – de verdades'; *Zéro de conduite*: 'filme de pesadelo, por isso mesmo mais próximo do real. Por este *Zéro* soprava o vento de todas as liberdades'; *L'Atalante*: 'Não só escandalizou, como apavorou. Pois então não mostrava – isso em 1934 – filas de desempregados transidos de frio, esfregando as mãos, vigiados por policiais? [...] Nos afirmaram, na época, que nada da sua obra se perdera, que todas as mutilações eram reparáveis [...] Alguns de nós, ao acompanhar o féretro de Jean Vigo, achávamos que já não teríamos outro testemunho de seus dons admiráveis e da sua coragem. *L'Atalante* pode, e deve, dizíamos então, nos ser restituído. Foram precisos seis anos de espera para rever este filme. O filme, hoje ressuscitado e cuja análise não nos cabe fazer aqui, fornece a prova da inacreditável tolice das 'mentes boas de 1934'.[229]

Alguns dias depois, era a vez de Jean Laffray, o crítico titular do jornal, falar sobre *L'Atalante* e a censura:

> Jean Vigo foi uma de suas vítimas, e uma censura que felizmente deixou de existir – será mesmo verdade que [o governo de] Vichy vem anunciando uma nova? – não hesitou em mutilar *L'Atalante*, seu último filme. Assistindo, hoje, à forma primeira desta obra, perguntamo-nos o

---

229. G. D., "Le cinéma mourra-t-il une seconde fois?" [O cinema morrerá uma segunda vez?], *L'Œuvre*, 31 out. 1940.

que os censores de então teriam visto de subversivo. Aliás, será mesmo de estranhar uma flagrante incompreensão se lembrarmos a composição do areópago que se reunia sob as abóbadas do Palais-Royal?[230] Mas esta já é outra história.

Esses dois artigos demonstram a plena aceitação de uma nova lenda: a de uma censura que teria mutilado *L'Atalante*. Nino Frank restabelecia a verdade sobre esse aspecto ao recordar a responsabilidade dos produtores em seu artigo publicado em *Les Nouveaux Temps*.[231] Seu texto é o mais importante dos que saíram nessa época e tem hoje, para nós, um interesse histórico indiscutível. Frank procura apresentar um panorama da obra de Vigo.[232] Seu artigo contém inúmeras observações precisas, que ressaltam seus estreitos limites. O caso de Nino Frank vem definitivamente nos convencer de que a incompreensão com que deparou a obra de Vigo em sua primeira fase não pode ser explicada pela mediocridade da crítica. Enquanto crítico de cinema, o autor não tem nada de um medíocre. Além disso, está imbuído de calorosa simpatia por Vigo e seus filmes, procura e consegue emitir um juízo pessoal; escreve, naturalmente, um artigo muito melhor do que a maioria dos que tinham até então sido publicados na França sem, contudo, escapar aos estreitos limites que são a regra da época. Como tantos outros antes e, infelizmente, depois dele, refere-se aos três filmes de Vigo como sendo "três obras iniciatórias, três ensaios antes da decolagem". Apesar de sua real sensibilidade para a poesia cinematográfica, Nino Frank só a reconhece em *L'Atalante*.

---

230. O prédio do Palais Royal, em Paris, abriga, entre outros, o Ministério da Cultura. [N.T.]

231. 8 nov. 1940.

232. Com exceção de *Taris*, que não é mencionado.

Em *Zéro de conduite* não faz mais que mal-e-mal pressenti-la. E faz a seguinte indagação: "O que faltou a Jean Vigo para que ele alcançasse, com seu primeiro filme longo, uma obra de qualidade?". Uma de suas respostas é: "O diálogo, em *L'Atalante*, é banal". O que lhe permite tecer longas considerações sobre o problema dos autores cinematográficos. A conclusão final nos esclarece acerca do seu real objetivo: ele quer que, para ser renovado, o cinema francês recorra ao trabalho de roteirista e dialoguista de Henri Jeanson. O eventual caráter pessoal e de amizade dessa proposta não deveria deter nosso interesse por esse fenômeno, pois nos permite voltar em cheio para o nosso assunto, esclarecendo alguns de seus aspectos. Não raro nos surpreendemos ao constatar a insensibilidade da crítica diante da qualidade dos diálogos de Vigo na primeira fase da carreira de suas obras. A má qualidade do som era uma das explicações sugeridas; mas temos agora outra, mais profunda. Alguns críticos, para quem o bom diálogo cinematográfico era o de filmes como *Entrée des artistes* [1938, Marc Allégret], *Hôtel du Nord* ou *Quai des brumes*, só poderiam rejeitar as falas de *Zéro de conduite* ou *L'Atalante*, mesmo e sobretudo sendo elas claramente audíveis.

O artigo de Nino Frank, assim como os de G. D. e Jean Laffray, pareciam sugerir que o clima da Terceira República fora, para Jean Vigo e sua obra, e até para o cinema francês em geral, muito mais desfavorável do que tinha necessariamente de ser o da Ocupação alemã. Essa ótica não é absolutamente um consenso, mesmo sem levar em conta os que estavam reduzidos ao silêncio e chocados, provavelmente, com aquela anexação de Vigo por parte de *L'Œuvre* de Marcel Déat ou *Les Nouveaux Temps* de Jean Luchaire. François Vinneuil, que fizera nome antes da guerra como crítico de cinema de *L'Action Française*, tinha uma reação diametralmente oposta à de seus colegas da imprensa colaboracionista que citamos anteriormente:

> Alguns trechos de *L'Atalante* revelam um vigor amargo que decerto teria encontrado melhor utilização tivesse Vigo vivido mais tempo. Mas, no conjunto, o filme é laborioso, de uma lentidão desesperante. Data de cinco anos apenas, e parece tão arcaico e fora de moda como os experimentos de 1920.
>
> Com seu estetismo confuso, sua atmosfera sórdida, é antes de mais nada uma amostra de arte 'degenerada'.
>
> *L'Atalante* ainda pôde deter um breve momento a atenção de alguns curiosos, alguns historiadores do cinema. Mas seu relançamento público não se impunha em absoluto.[233]

Os artigos sobre *L'Atalante* publicados pela imprensa colaboracionista não refletiam necessariamente os problemas da atualidade política. Não são sequer mencionados no artigo de *Aujourd'hui*, assinado A. F. O autor transborda de admiração por *L'Atalante*, ao passo que parece ser ele próprio um dos espectadores, de que fala o artigo, surpresos com a "excessiva riqueza do filme".[234]

L'Atalante permaneceu três semanas em cartaz no Ursulines, até 19 de novembro de 1940, sendo assistido, notadamente, pelos estudantes do primeiro início de ano letivo da Ocupação. Consta que, na sequência, o filme manteve uma honrosa carreira nos cinemas de bairro. Sobre as províncias ocupadas ou as regiões sob a autoridade do governo de Vichy, nada sabemos.

Assim se encerra a primeira fase da carreira da obra de Jean Vigo. Resumindo a posição das pessoas em relação a Vigo: existe um grande respeito por aquilo que ele poderia ter sido; lamenta-se que tenha apenas dado início à sua obra; dá-se muita importância aos defeitos

---

233. *Le Petit Parisien*, 6 nov. 1940.
234. *Aujourd'hui*, 10 nov. 1940.

de seus filmes, considerados de vanguarda. Fora da França, seus filmes puderam ser mais ou menos conhecidos na Bélgica, Holanda, Inglaterra e Suíça. Quase por toda parte, e por um bom tempo, as pessoas iriam tratar de outras coisas ou, simplesmente, de outros filmes, e somente em 1945 os filmes de Vigo retomariam a modesta e laboriosa conquista do público.

Apresentamos em apêndice a trajetória da nova carreira da obra. Só queremos lembrar aqui, para assim fechar um círculo, que toma corpo na imprensa de 1945 uma tendência a associar Vigo a Almereyda. Bardèche e Brasillach mencionavam o "filho de Almereyda", e seu livro, reeditado durante a Ocupação e após a Liberação, tornara-se a principal fonte de referência da maioria dos críticos e cronistas de cinema das novas gerações. No entanto, para Bardèche e Brasillach, assim como para François Vinneuil, oriundos de *L'Action Française*, citar Almereyda já dizia tudo, ao passo que para a maioria dos jovens jornalistas que deparavam com essa referência, esse nome já não evocava nada, de modo que precisavam obter rapidamente alguma vaga informação. Em suma, toda vez – e foi bastante frequente – que se falou em Almereyda a propósito de Jean Vigo a partir da Liberação, deixava-se de levar em conta a verdade histórica, com a única exceção de Francis Jourdain.

Quanto a Vigo, jamais deixara de recordar o pai e de tentar reabilitar seu nome. Apegara-se sobretudo à memória do jovem Almereyda do *Libertaire* e de *La Guerre Sociale.* Da confusão do *Bonnet Rouge* Vigo só guardava, além do Almereyda pacifista e defensor de Romain Rolland, a imagem de uma vítima covardemente assassinada. As pessoas próximas de Vigo só viram seu rosto transfigurado de ódio nas raríssimas ocasiões em que evocou a morte do pai. A influência de Almereyda sobre Vigo se exerceu num âmbito puramente sentimental.

O aspecto sentimental da influência de Jean de Saint-Prix sobre Vigo foi significativo mas, além dele, também houve nesse caso um considerável aporte intelectual. No período de leituras de Vigo, em Font-Romeu, as obras de Jean de Saint-Prix provavelmente ocuparam um lugar importante. Ele deve ter tido dificuldade na leitura das obras filosóficas do jovem escritor, mas encontrava compensação nas peças, contos, artigos e, sobretudo, no volume de correspondência, prefaciado por Romain Rolland. (Numa dessas cartas, Jean de Saint-Prix relatava o seu encontro com o pequeno Jean Vigo, em 1917.) Relendo hoje o prefácio de Romain Rolland, estabelecemos facilmente um parentesco entre o pensamento de Jean de Saint-Prix e a criação de Vigo:

> O espírito revolucionário não é, nem deve ser, mais que um desses múltiplos estímulos cuja reunião cria em nós esse impulso rumo a mais imensidão, rumo a uma *vita nuova* de sonho ou de realidade, que é o que há de melhor em cada criatura [...]
>
> Assim como a arte, a ciência e a caridade, as revoltas sociais contribuem para deificar nosso universo, sendo este o papel do homem neste mundo.[235]

Vigo releu várias vezes as *Lettres* [Cartas], e o pensamento de Jean de Saint-Prix o conduziu a longas meditações. Não podemos esquecer, além disso, que ele teria depois disso pouquíssimo tempo para ler e receber novas influências.

Vigo tinha apenas doze anos quando perdeu o pai e se encontrou com Jean de Saint-Prix pela primeira e última vez. Tinha, porém, um

---

235. Excertos de Jean de Saint-Prix citados por Romain Rolland no prefácio às *Lettres* de Jean de Saint-Prix, Rieder e Cie, 1924.

elo vivo com esses dois homens na pessoa de Fernand Desprès que, em parte por esse motivo, deve provavelmente ter exercido sobre Jean Vigo uma influência pessoal das mais poderosas.

Em Vigo, o homem de espírito libertário somava-se ao simpatizante da Terceira Internacional. A polêmica e a confusão reacionárias que, pelo final da guerra, colocavam no mesmo saco a postura do Almereyda de 1917 e as atividades de Lênin e Trotski[236] não lhe eram desagradáveis. Jean de Saint-Prix, que festejara a Revolução Bolchevique de 1917, tornara-se pouco antes de morrer, no início de 1919, um dos partidários da Terceira Internacional no grupo dos Estudantes Socialistas Revolucionários. Quanto a Fernand Desprès, a exemplo de muitos antigos amigos de Almereyda, havia aderido ao Partido Comunista quando de sua criação. Esses motivos todos contribuíram para fazer de Vigo um simpatizante do comunismo, mas não o suficiente para fazer dele um membro do partido. Vigo conhecia o Partido Comunista, primeiro, através de Fernand Desprès que, embora lhe permanecesse fiel até o fim,[237] nunca deixou de manter certa independência de espírito, prejudicial, decerto, à sua carreira de jornalista no *L'Humanité*. Seu apego aos princípios desse sindicalismo revolucionário a que dera tanto de si já em 1926 tornava-o uma figura retrógrada aos olhos dos jovens quadros ambiciosos do *L'Humanité*. Apesar do prestígio que lhe assegurava sua atitude internacionalista

---

236. O próprio Romain Rolland participou desse estado de espírito. A propósito da prisão, em Londres, do escritor político E. D. Morel, escrevia ele em 15 de agosto de 1917: "Estou convencido de que se trata, da parte de todos os Estados da *Entente*, de um plano geral de acusação e difamação contra os chefes do movimento pacifista. Depois de Lênin, Grimm, Almereyda, aproveitou-se a primeira oportunidade para pôr as garras em Morel...". *Journal des années de guerre, 1914-1918*. Paris: Albin Michel, 1952.

237. Fernand Desprès faleceu em Argel em 1949. [N.O.]

exemplar durante a guerra, e do afeto que nutriam por ele Gabriel Péri e Paul Vaillant-Couturier, não escapava às intrigas que se tramavam no jornal e no partido. Fernand Desprès queixava-se com os amigos desses "congressos doutrinários em que a menor interpretação não conforme as nuanças infinitamente mutáveis da ideologia pode fazer com que o qualifiquem de *pequeno-burguês* ou que o tachem de *desviacionista de esquerda*".[238]

Tudo isso só fazia crescer em Fernand Desprès uma nostalgia do movimento criado durante a guerra. Certo dia, num café, alguém lhe perguntou se não era um dos amigos de Jean de Saint-Prix, e ele imediatamente registrou numa carta como se sentira orgulhoso por ser associado, na mente do desconhecido, "àquele menino genial e combatente destemido".[239]

Fernand Desprès, contudo, fez o quanto pôde para não esmorecer em sua nova fé, e conseguiu:

> O fato é que temos de ser claramente a favor ou contra a Revolução Russa. Romain Rolland dá uma bela lição de clarividência política aos Martinet, Dubois, Istrati e demais detratores da Rússia vermelha quando escreve que, o que quer que se diga, a Rússia atual é *sagrada*, porque é a Revolução...[240]

Por fim, Fernand Desprès conquistou uma modesta estabilidade como redator da crônica dos tribunais durante vários anos. Nesse cargo, deve ter constatado o abandono, por parte do Partido Comunista, de outra tradição do movimento operário. Até então, a imprensa operária nunca

---

238. Carta a Pierre de Saint-Prix, de 20 ago. 1926.
239. Carta a Pierre de Saint-Prix, de 8 fev. 1927.
240. Carta a Pierre de Saint-Prix, de 3 fev. 1930.

tinha se utilizado jornalisticamente de crimes e outros *faits divers* para atrair seus leitores. Fernand Desprès capricha no seu texto, torna-o vivo, matizado, social, "luta de classes". "Não é aproveitado. Preferem simples *faits divers* à crônica dos tribunais, o que é um absurdo. No *Popu*,[241] isso se compreenderia."[242]

O estado de espírito global de Fernand Desprès e a franqueza, às vezes permeada de melancolia, com que discutia suas experiências com os amigos mais jovens não permitiam que atuasse no recrutamento para o partido. Seus horizontes humanos eram muito mais amplos que a perspectiva do militante e, para Vigo, além de ser testemunha de um passado que o tocava de perto, Fernand Desprès devia representar, antes de mais nada, o defensor dos valores revolucionários tradicionais.

Aos herdeiros de alguns desses valores é que Vigo manifestava a sua simpatia, na medida em que os percebia na Rússia soviética e no movimento comunista. Essa simpatia, porém, não era nada exclusiva e voltava-se igualmente para os outros movimentos de esquerda, do socialismo à anarquia. Quando estabeleceu a lista de imprensa para a apresentação de *Zéro de conduite*, Vigo não se esqueceu de nenhum desses jornais revolucionários, lidos por alguns poucos leitores, que sempre pululam em Paris.

A liberdade de espírito de Vigo não facilitava conversas políticas com os militantes comunistas da sua geração. À sua volta, eram representados por Genya, a irmã de Lydu, e seu companheiro Marek, com os quais Vigo tinha discussões acaloradas que seus amigos nunca esqueceram.

Como simpatizante, Vigo aceitou participar da Association des Écrivains et Artistes Révolutionnaires [Associação dos Escritores

---

241. *Le Populaire*, jornal socialista fundado em 1916. [N.T.]
242. Carta a Pierre de Saint-Prix, de 5 out. 1934.

e Artistas Revolucionários], fundada em 13 de dezembro de 1932 por Vaillant-Couturier, Barbusse, Léon Moussinac e Francis Jourdain.

O último posicionamento político de Vigo, alguns dias antes de cair de cama para morrer pouco depois, talvez sintetize a sua ideologia. Trata-se de um documento que ele assinou juntamente com outros artistas e intelectuais após a rebelião fascista de 6 de fevereiro de 1934.[243] Constitui um apelo à união de todas as forças operárias, endereçado em especial às seguintes organizações: Partido Comunista, Juventude Comunista, Confédération Générale du Travail Unitaire [CGTU], Federação Operária e Camponesa, Partido Socialista [SFIO], Juventude Socialista, Jovens Guardas Socialistas, Confédération Générale du Travail [CGT], Partido da Unidade Proletária, União Comunista, União Anarquista, Liga Comunista (trotskista), Círculo Comunista Democrático etc.[244]

O último ato de Vigo aproxima-o mais uma vez do jovem Almereyda que, em sua época, tanto trabalhara buscando reconciliar e unificar as forças revolucionárias. E completa-se a aproximação entre pai e filho quando encontramos no documento de 1934, ao lado do nome de Jean Vigo, os de Pierre Monatte e Élie Faure, dois nomes que aparecem bem no início da nossa crônica, o primeiro assinando com Almereyda um manifesto revolucionário em 1902 e o segundo enviando sua contribuição para a viagem de Almereyda a Amsterdã em 1904. O círculo se fecha, e chegamos ao fim da nossa crônica da vida e das obras de Eugène Bonaventure de Vigo, vulgo Miguel Almereyda, e de seu filho Jean Vigo. Nossas personagens não foram felizes. Almereyda, Vigo e Lydu morreram ainda jovens e estão juntos no cemitério parisiense de

---

243. Esse "Apelo à luta" foi lançado por iniciativa dos surrealistas e redigido por André Breton, Paul Éluard, Benjamin Péret e Louis Chavance.

244. O apelo foi publicado na revista belga *Documents 1934*, nova série, n. 1, jun. 1934.

Bagneux. Emily, no decorrer de nossa história, transformou-se numa sombra que muito sofreu.

A conclusão não é melancólica. Vigo não conseguiu realizar a reabilitação de Almereyda. Mas foi fiel ao melhor da vida de seu pai e o resultado final da sua presença neste mundo é representado por 4 mil metros de película que por muito tempo ainda irão difundir sua riqueza, e uma jovem feliz por usar o nome Vigo.

APÊNDICE: A CARREIRA DA OBRA

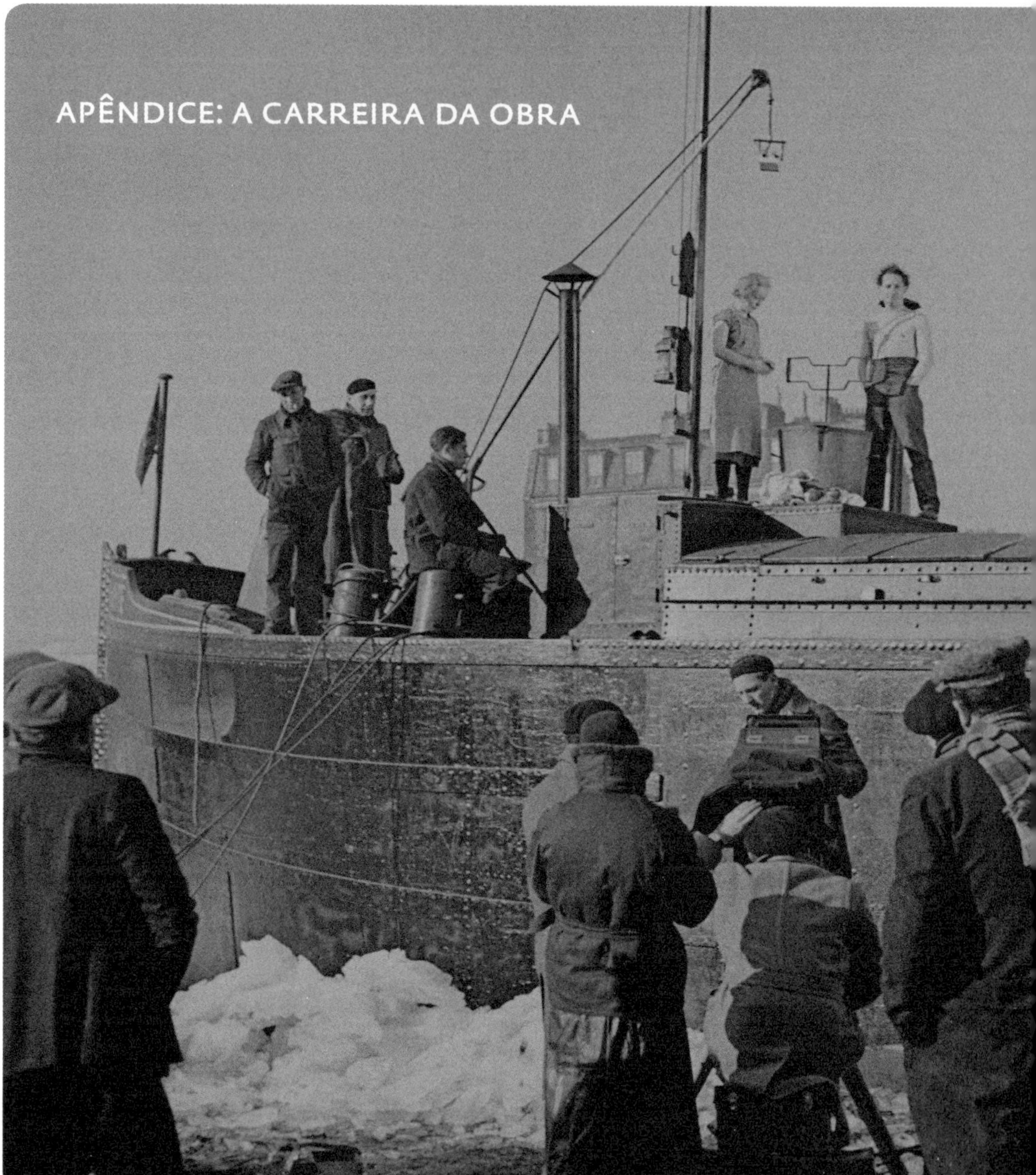

A euforia da Liberação possibilitou, em novembro de 1945, o lançamento de *Zéro de conduite* no cinema Panthéon, junto com *L'Espoir* [1937], de André Malraux.

Um semanário sensacionalista estampava, em 17 de novembro:

> *Após doze anos de censura, o filme de um morto decepciona seus admiradores*: Jean Vigo era filho do célebre Almereyda... Abandonou o nome do pai e fez renome no cinema de vanguarda filmando documentários. Seu primeiro filme longo era aguardado com impaciência. Infelizmente, é hoje exibido com tantos cortes que fica difícil julgá-lo.[245]

Poucos dias depois, uma réplica:

> Só há uma crítica a fazer ao *Samedi Soir*. Uma só. A de buscar deliberadamente o sensacionalismo em suas manchetes. E o 'filme de um morto' nos incomoda. Talvez por sermos um dos admiradores de Jean

245. *Samedi Soir*, 17 nov. 1945.

> Vigo e termos acabado de assistir a *Zéro de conduite*, e que *Zéro de conduite* não nos decepcionou tanto assim. Apesar dos cortes.[246]

Nesse mesmo dia, *L'Écran Français* se refere a uma "grande estreia", e acrescenta:

> De fato, desde sua apresentação *Zéro de conduite* estava proibido pela censura por vagos motivos: imoralidade, espírito antissocial. Na prática, é possível que motivos menos claros tenham tido seu peso, sendo Jean Vigo filho de Almereyda, o Almereyda do *Bonnet Rouge*...

Já podemos constatar que a lenda a respeito dos cortes se mantém. De fato, talvez estejam faltando alguns planos e pode ser também que o início da sequência do refeitório tenha sido alterado, mas no conjunto, e até onde é possível verificar, a versão de 1945 não difere essencialmente daquela de 1933.

Boa parte da crítica amigável mal disfarçava uma legítima decepção. No número seguinte do mesmo *Écran Français*, Pierre Bost escrevia na página nobre da revista, ilustrada com três fotogramas do filme:

> Finalmente apresentamos ao público *Zéro de conduite*, de Jean Vigo, filme famoso e desconhecido. A obra tem mais de dez anos, tendo sido proibida, já no berço, pela censura, e desde então os amigos de Jean Vigo e do cinema, que por acaso vinham a ser as mesmas pessoas, e também por acaso inimigas da censura, exibiam o filme às escondidas e muito falavam sobre ele.
>
> Está certo falar sobre ele. Agora, todos podem assistir a ele. Não vou dizer que a batalha esteja ganha, primeiro porque é tarde demais: Jean

246. *Spectateur*, 21 nov. 1945.

> Vigo morreu aos 29 anos, depois de uma carreira difícil, sustentada quase só pela amizade, o que em cinema não basta. Depois, porque não se pode julgar corretamente um filme de dez anos atrás (a cópia, ao que parece, é imperfeita e incompleta) e, principalmente, porque jamais saberemos o que Vigo teria feito posteriormente, que benefícios e lições teria tirado de sua própria vitória. Mas aí é que está, o que mais comove em *Zéro de conduite*, talvez até mais do que a obra em si, até mais do que esta descoberta de um passado, é a imagem de um futuro que não se realizou.[247]

Didier Daix nem tenta disfarçar sua decepção:

> *Zéro de conduite* foi finalmente liberado para exibição ao público. Já não era sem tempo. É, inclusive, tarde demais. Passaram-se os anos, o filme envelheceu e a dinamite que ele continha se dissipou. Não, a esperada revanche não irá acontecer. Não sei nem se, para a memória do querido e saudoso Jean Vigo, morto antes de poder realizar uma obra que se anunciava extraordinária, não teria sido melhor ficarmos na lembrança que tínhamos deste filme que fez estremecer, na época, a boa educação de dona Censura.
>
> Só resta, infelizmente, deste antigo petardo anarquizante, um esboço muitas vezes desnorteante, cuja técnica obsoleta beira o amadorismo e cujas ousadias já criaram juízo.[248]

Só citamos, até o momento, dos artigos de Pierre Bost e Didier Daix, os excertos que expressam um sentimento de melancolia e decepção. Outros trechos, no entanto, mostram que os dois críticos participam,

---

247. *L'Écran Français*, n. 22, 28 nov. 1945.
248. *Nouvelles du Matin*, 25 nov. 1945.

apesar de seu estado de espírito, da nova fase que se abre para a obra de Vigo, nova fase que se caracteriza pelo fato de que, doravante, as sensibilidades não irão mais reagir a um único aspecto de *Zéro de conduite*, como fora o caso em 1933.

Os críticos de 1933 reagiram somente ao conteúdo *noir* e, no tempo em que Vigo era vivo, foram insensíveis ao espírito poético, qualquer que fosse sua cor. Só a partir de 1945 é que emergiria o conteúdo poético de *Zéro de conduite*.

Na primeira parte do seu artigo, Pierre Bost ainda mantém o tom de 1933, quando se refere ao filme "pesado de amargura, de uma dureza destituída de ironia, de uma lucidez desanimada", mas na sequência se mostra sensível às novas riquezas reveladas por *Zéro de conduite*:

> Não julguem tratar-se de um filme *noir*. Pelo contrário, alegre, com *gags* formidáveis, uma incrível e fervilhante riqueza *criativa*, tão rara na França [...] e há que mencionar certo senso poético (a palavra tem se desgastado) que irrompe de súbito, e quase perturba [...] da revolta no dormitório.

Do mesmo modo, Didier Paix, depois das reflexões desencantadas que citamos, convidava seus leitores a assistirem *Zéro de conduite* "a fim de reencontrar o espírito, o não-conformismo e a poesia que enchiam o coração deste revolucionário do cinema".

Para a maioria dos recém-chegados ao amor pelo cinema, a revelação primeira de *Zéro de conduite* é essencialmente poética, e a expressão, totalmente ausente nos artigos de 1933, agora se encontra em toda parte: "intensa força poética";[249] "retrato a um só tempo poético

---

249. *Cosmos*, 30 nov. 1945.

e feroz";[250] "senso da *gag* poética";[251] "*gags* cuja intensa poesia";[252] "sátira deliciosamente poética";[253] "magnífico poema da infância... Vigo é quem possui a poesia, ele é o '*senhor, ele pode ir ao banheiro*' que pode parecer grosseiro"[254] etc...

Estamos longe da impressão de grosseria, ultraje e desespero que o filme passava doze anos antes. A evocação do nome de Céline, que ainda encontramos no livro de Bardèche e Brasillach, já não irá repercutir em lugar algum.

Um crítico de 1945 – num exagero oposto – se esforça para já não ver em *Zéro de conduite* nada além de uma amável fantasia:

> Por que as pessoas não são mais simples? Por que não se deixam conduzir, sem tentar entender, aos mundos maravilhosos dos diretores geniais? Um mundo em que os inspetores de colégio imitam Carlitos e plantam bananeira com uma mão só sobre a mesa durante a aula, mundo em que os habitantes de repente andam em câmera lenta sem atentar para isso, em que os desenhos se animam, os bombeiros usam barba e os professores, camisões muito curtos. Legítimo mundo do cinema onde (habitam)... Jean Vigo e René Clair, Méliès, Resnais e o autor de *Monsieur Coccinelle* [1938, Bernard Deschamps].[255]

A reação a essa tendência não se fez esperar:

> E os garotos se lavam, brincam, estudam, lutam com suas palavras e

---

250. *Opéra*, 28 nov. 1945.
251. *Paris-Presse*, 17 nov. 1945.
252. *Le Messager*, 22 nov. 1945.
253. *Le Parisien Libéré*, 23 nov. 1945.
254. *Marseillaise de Seine-et-Oise*, 19 jan. 1946.
255. *Cosmos* (interino), 30 nov. 1945.

> gestos de todo dia; mas estão nos enganando. Não é este o verdadeiro tema, o qual, sim, é *noir*. O que nos mostram é uma brincadeira de colegiais, um bedel amarrado em sua cama, escolares fumando charuto escondido, e há que ouvir o que, com ou sem razão, grita Vigo ao longo do filme todo: "Não se deixem enganar pelas aparências; nós, crianças, somos tremendamente solitárias, vocês nunca estão presentes, e quando estão é pior. Somos obrigados a considerá-los o mesmo que nada".[256]

No entanto, aqui e ali, pouco a pouco, começam a ser abordados com mais precisão os diversos elementos de *Zéro de conduite*. É identificada no filme a existência de dois universos, embora sua natureza exata e a fronteira entre eles não sejam compreendidas. Para George Marigny, existem

> entre as personagens, dois grupos: um é o do colarinho postiço, a tábua bem pintada mas corroída de cupins, a estupidez arbitrária: um bedel rabugento, um inspetor-chefe dissimulado, um diretor grotesco, e todos os bonecos do pimpampum que, no dia da festa da escola, ornam o fundo do palco.
>
> Do outro lado desta barreira fechada pelo regulamento, um bedel boa gente e namorador, fã de Carlitos (estamos na época de *Luzes da cidade* [1931, *City Lights*]), conduz um inesquecível bando de meninos.[257]

Outro crítico:

> Se comparados a esses meninos duros e determinados, os adultos vivem num estranho mundo de sonhos; por isso, o que quer que eles façam, sua

256. *Spectateur*, 15 dez. 1945.
257. *Cité Soir*, 20 dez. 1945.

ação é absurda, inexplicável, suas atitudes são irreais, seus elogios ou censuras, obscuros. O próprio diálogo, de uma crueza sem disfarce entre os meninos, torna-se elíptico entre os homens-feitos.[258]

Diz melhor o crítico que assina como Captain Blood:

> O tema do filme não reside em sua trama; desenvolve-se em outro nível, o que explica seu efeito perturbador. Ora, esta ambiguidade me parece resultar de um motivo, no fundo, muito simples: tudo o que se refere à infância é mostrado com um realismo de extraordinária crueza, que salta na tela; e, pelo contrário, tudo o que toca ao homem-feito, e apenas isso, apresenta-se constantemente deformado por uma ótica especial e sábia, mas não gratuita [...] O próprio diálogo, de uma espantosa precisão entre os meninos, torna-se entrecortado, misterioso, entre os adultos.[259]

Outro crítico ainda:

> É no internato que o menino experimenta pela primeira vez as injunções da vida social; e para ele, o mundo se divide em dois grupos, o dos bedéis e o dos oprimidos; Jean Vigo, o filho do anarquista, alinhou-se naturalmente ao lado dos oprimidos.[260]

"Verdade é que a escola não passa, para Vigo, de um substitutivo para a sociedade",[261] observara André Bazin. A sátira da sociedade, retoma Maurice Legay,

---

258. *Spectateur*, 19 dez. 1945.
259. *Dimanche-Pays*, 9 dez. 1945.
260. *République du Centre*, Orléans, 11 abr. 1946.
261. *Le Parisien Libéré*, 23 nov. 1945.

> é encontrada em Vigo, e não é nem amável, nem acerba; tem algo de insólito, inquietante, desnorteante, que causa uma espécie de mal-estar que indispôs a censura.[262]

Acompanhamos, assim, os rumos da nova crítica francesa desvendando *Zéro de conduite*.

O que, além disso, nos chama a atenção nesses artigos de 1945-46 é a tranquilidade com que os críticos, contrariamente aos de 1933, reconhecem a autenticidade de Vigo e a veracidade do seu testemunho:

> Esses meninos... são todos, a seu modo, uns pequeninos Vigo.[263]

> Vigo não está brincando. Tem uma obra a oferecer, fruto de uma certa visão, autenticamente sua, válida ou não, e ele a oferece... Quando vemos aquele menino abaixar a cabeça, calado sob as vaias endereçadas à sua mãe, como não lembrar que Vigo era o filho daquele Almereyda do *Bonnet Rouge*?[264]

> Assim, essa solidão que o habita, ele que foi filho de um fora-da-lei...[265]

Conhecer uns poucos fragmentos da biografia de Vigo não é o único método de os críticos se assegurarem da autenticidade de sua obra. *Zéro de conduite* tem outro jeito de mostrar sua verdade, obrigando os críticos a mergulhar nas recordações de sua própria infância:

---

262. *Patriote de Saint-Étienne* (Loire), 3 abr. 1946.
263. Louis Caro, *Volontés*, 5 dez. 1945.
264. *Dimanche-Pays*, 9 dez. 1945.
265. *Spectateur*, 19 dez. 1945.

Há que ter sido interno durante alguns anos, e em seguida *Le petit chose*,[266] para verificar quanto essa atmosfera absurda das 'gaiolas' ainda é autêntica.[267]

Jean Vigo soube dar um tom verdadeiro, por vezes alucinante, às cenas da vida estudantil, e reconhecemos, de passagem, silhuetas e sombras da nossa infância.[268]

Um tom de veracidade surpreendente.[269]

Jamais esqueceremos essas imagens da infância, que encontramos no filme e em nossa própria memória.[270]

Esses meninos somos nós.[271]

Personagens de funcionários com colarinho postiço engomado que são exatamente aqueles dos pátios de recreio.[272]

Quem manteve presentes as recordações da infância irá reconhecer a veracidade da 'gaiola' (e todas as 'gaiolas' se parecem) mostrada em *Zéro de conduite*.[273]

---

266. Alphonse Daudet. *Le petit chose* (1868). Paris: Hachette Jeunesse [Paris: Hetzel, 1878], 2000.
"Coisinha", personagem do romance bastante autobiográfico de A. Daudet, é um rapaz pobre que, em troca dos seus estudos num colégio interno, ocupa o cargo de bedel. [N.T.]
267. *Volontés*, 5 dez. 1945.
268. Jacques Loew, *Paris-Cinéma*, 28 nov. 1945.
269. *Opéra*, 28 nov. 1945.
270. P. F. Lacôme, *Gavroche*, 6 dez. 1945.
271. A. Diard, *Libération-Soir*, 5 dez. 1945.
272. André Tabet, *Le Messager*, 22 nov. 1945.
273. *République du Centre*, Orléans, 11 abr. 1946.

> Nem 'anjos de cara suja',[274] nem 'rouxinóis',[275] são criaturinhas tremendamente nítidas e verdadeiras.[276]

> *Emil und die Detektive* e *Zéro de conduite*, o mundo amável e falso, lado a lado com a verdade.[277]

Os dois últimos excertos apontam para um fenômeno frequente nos críticos que examinamos: eles tendem a comparar *Zéro de conduite* a outros filmes sobre crianças, sendo que estes empalidecem ante a impressão de veracidade que emana do filme de Vigo.

> Estamos longe dos internos bonitinhos dos filmes habituais e, por comparação, os alemãezinhos de *Emil und die Detektive* (que é um bom filme) ficam um tanto insossos e insignificantes...[278]

> Estamos longe de *Emil und die Detektive*, de *Nous les gosses* [1941, Louis Daquin], de *La cage aux rossignols* [*Juventude delinquente*, 1945, Jean Dréville]. Filmes encantadores, sem dúvida, mas bastante convencionais em que pesem suas tímidas ousadias...[279]

> Há, porém, uma sinceridade genuína em *Zéro de conduite*, que nada tem em comum com *Merlusse* [1935, Marcel Pagnol], *Les disparus de*

---

274. Referência a *Angels with Dirty Faces* [1938], de Michel Curtiz. [N.T.]
275. Referência ao *La cage aux rossignols* [1945, *Juventude delinquente*], a seguir mencionado. [N.T.]
276. *Spectateur*, 19 dez. 1945.
277. Pierre Kast, *Écran Français*, 31 out. 1945.
278. Laurence Rousseau, *Voix des Femmes*, Lyon, 24 mar. 1946.
279. Carlo Rim, *Courrier de Paris*, 4 dez. 1945.

Saint-Agil [*O mistério do colégio*, 1938, Christian-Jacque] ou *La cage aux rossignols*.[280]

> Vejam, por exemplo, *Les disparus de Saint-Agil*. É uma história poética narrada por um bom prosador. As imagens são anônimas; a câmera as enfileira mecanicamente para escrever um relato de que a criança é o objeto, não o sujeito. Pois que a visão infantil nunca intervém nessas imagens: a própria criança é uma coisa deste universo filmado, não a autora. As imagens só possuem, neste caso, mais ou menos a função de uma tipografia do cinema.[281]

Escreve um entusiasta,[282] como conclusão:

> Este morto (Vigo) está mais vivo que a maioria de seus colegas ainda na ativa. Esta sombra avança à frente deles, na vanguarda.

Pelo final de 1945, registra-se que *Zéro de conduite* suscita no cinema do Panthéon o entusiasmo de uma plateia constituída, em sua maioria, por universitários.[283] Alguns anos depois, em 1950, escrevia-se:

> Após quinze anos de interdição,[284] *Zéro de conduite* encontra o seu verdadeiro público. O filme de Jean Vigo não envelheceu, pelo contrário: permanece tão explosivo como em 1933.[285]

---

280. Bernard Zimmer, *Paris-Presse*, 17 nov. 1945.
281. Captain Blood, *Dimanche-Pays*, 9 dez. 1945.
282. Carlo Rim, artigo citado.
283. *Minerve*, 7 dez. 1945.
284. A ideia da interdição ficou de tal modo vinculada a *Zéro de conduite* que com frequência é esquecida a sua liberação em 1945. No final de 1951, *L'Observateur* e *L'Écran Français* falam de *Zéro de conduite* como de um filme ainda proibido.
285. *Franc-Tireur*, 17 mar. 1950.

Essa afirmação é exagerada. Mas o fato é que, no intervalo entre as datas desses dois excertos de jornal, 1945 e 1950, *Zéro de conduite* continuou deparando com obstáculos na trajetória de sua carreira. Em alguns momentos, tem-se a impressão de que o filme foi aceito na França (a não ser pela censura eclesiástica) pelo conjunto da opinião interessada, de um modo ou de outro, pelas coisas do cinema, quando um acontecimento vem mostrar que "a dinamite que ele continha" não está, como acreditava Didier Daix, completamente dissipada. Assim, em fevereiro de 1946, enquanto Jean Vigo, em parte graças à recente exibição de *Zéro de conduite*, ocupava amplo espaço nas exposições comemorativas dos cinquenta anos do cinema,[286] lia-se em Montpellier: "O sr. Spitzer, diretor da Cidade Universitária, proibiu a projeção de *Zéro de conduite*, de Jean Vigo, aos estudantes".[287] No inverno de 1949-50, a Universidade de Paris, por intermédio do Instituto Francês de Innsbrück, exibe *Zéro de conduite* aos jovens austríacos, alemães e italianos presentes nos Encontros Universitários de São Cristóvão de Arlberg, enquanto em Paris um deputado interpelava o governo acerca do decreto de um prefeito proibindo a projeção do filme num cineclube de província.

É principalmente nos cineclubes que, a partir de 1946, a carreira de *Zéro de conduite* prossegue através da França, e também, no que diz respeito a Paris, com as projeções em salas especializadas e a atividade do Musée du Cinéma. Essa carreira nada tem de triunfal. *Zéro de conduite* continua encontrando dificuldades para conquistar o seu público, mas o processo mantém um avanço constante, e é isso que importa. Escreve um cronista, a propósito de uma sessão de cineclube: "Confesso não perceber qual o interesse de *Zéro de conduite*. Diversão

286. Notadamente, na exposição: "Le Cinéma Français, 1895-1945", organizado na praça da Sorbonne pela União dos Estudantes de Artes e o Cineclube Universitário.

287. *Tigre*, Montpellier, 8 fev. 1946.

de escolar amargurado, sátira demasiado cruel para ser engraçada", e decerto está dizendo a verdade quando acrescenta: "E felizmente não sou o único".[288] É provável, inclusive, que a maior parte da plateia concordasse com ele. Não raro, nos cineclubes que costumavam, depois do debate, atribuir uma nota aos filmes projetados, obtinha-se um resultado como este de Boulogne-sur-Mer: "Quatro para *Zéro de conduite*, e dez para *L'Atalante*".[289] Também era frequente o organizador verificar "uma clara hostilidade do cineclube em relação a um filme no qual os raros espectadores não encontravam a imagem de uma coletividade".[290] Em Lyon, chama a atenção de J. P. Marquet "a espécie de animosidade ora surda, ora virulenta, provocada pelas duas sessões de cineclube em que se exibiram obras de Jean Vigo".[291] Os motivos dessa hostilidade variam, mas o fenômeno é constante, o que não impede que o cineclube torne a exibir *Zéro de conduite* na temporada seguinte, e então nos damos conta de que o tempo trabalha a favor do filme.

Às vezes, na base da incompreensão existe um mal-entendido. Assim, esse responsável por uma "Temporada de História do Cinema" em Casablanca que, induzido pelo manual de Bardèche e Brasillach, procura estabelecer um paralelo entre Vigo e Rimbaud, suscitando com isso veemente reação de Pierre Rosselot:

> [...] Contudo, parece-nos um tanto abusivo querer transformar esse jovem cineasta no 'Rimbaud do cinema'. Não basta ser ligeiramente anarquizante e amar a poesia para ser um Rimbaud, há que ter um desses fulgores de que o poeta ardenês detinha o segredo. Há que ser poeta.[292]

---

288. *Toutes les Nouvelles de Versailles*, 28 out. 1948.
289. *Journal du Pas-de-Calais*, 11 fev. 1948.
290. *Dauphiné Libéré*, Grenoble, 14 mar. 1950.
291. *Positif*, Lyon, jun. 1952.
292. *Afrique*, Casablanca, 10 mar. 1946.

A carreira de *Zéro de conduite* durou apenas alguns meses após o lançamento. Depois disso, tornaram a exibir *L'Atalante*, mais tarde *Taris* e, mais raramente, *À propos de Nice*. Com exceção deste último, doravante o conjunto da obra de Vigo é que seria oferecido aos espectadores, muitas vezes numa única sessão, sempre, em todo caso, no contexto de um ciclo de exibições.

Tendo em vista o lugar ocupado pela obra de Vigo no movimento da cultura cinematográfica na França e as eficientes reações da crítica francesa posterior a 1945, descobrimos com certa surpresa que, no exterior, não raro se tem a impressão de que não se dá a Jean Vigo, no seu país, a importância que ele merece.

Um crítico italiano escreve em 1947 "que os franceses o esqueceram",[293] e dizem alguns americanos, em 1951: "Jean Vigo é provavelmente o menos conhecido e mais negligenciado dos grandes diretores franceses".[294]

A explicação para esse modo de falar se encontra no fato de os comentadores estrangeiros terem tido de recorrer, para se documentar, à crítica "oficial" – a que se manifesta nos livros ou revistas importantes que viram instrumentos de trabalho acessíveis –, que pouco reflete as animadas reações do espectador francês ante a obra de Vigo. Pois já estamos agora em meio à segunda fase da carreira da obra de Vigo, e a crítica "oficial" surge antes como uma emanação tardia da primeira. Seus autores são contemporâneos adultos da criação da obra de Vigo, e isso acaba se tornando uma "deficiência". Observa-se que, a partir de 1945, os artigos que expressam uma reação totalmente favorável à obra de Vigo são escritos por jovens que a estão descobrindo. E percebemos

---

293. Glauco Viazzi, "Omaggio a Jean Vigo", *Rivista Ferrania*, Milão, abr. 1947.

294. Joseph and Harry Feldman, "Jean Vigo", *New Index Series*, n. 4, Londres, British Film Institute, 1951.

que os antigos e modernos diferem principalmente no seguinte: para os primeiros, Vigo poderia ter sido, para os segundos, Vigo é. Alguns antigos até podem (como observamos nos cineclubes e no museu), graças a uma assídua frequentação da obra, vê-la com outros olhos, mas estes quase nunca são críticos ou historiadores.

Para entender a decepção de um atual espectador de Vigo, ao procurar informações ou uma boa formulação de sua própria apreciação por parte de especialistas da área, basta passar em revista algumas amostras da crítica "oficial".

Através de reedições e traduções, os livros de Bardèche e Brasillach, tal como o de Vincent, ainda são hoje fontes muito procuradas. Já registramos em que modesta medida eles se interessaram por Vigo.

No *Panorama du Cinéma*, de Georges Charensol, publicado no início de 1930, era impossível que constasse Vigo. Mas ele o reeditou em 1947[295] numa versão "ampliada, ilustrada e atualizada por Lo Duca e Maurice Bessy". Temos, portanto, a contribuição de três críticos. É breve, e se limita a *L'Atalante*: "Por sua estranha atmosfera, pela mescla que oferece de cômico e trágico, é uma das obras mais curiosas que o cinema francês produziu".

Marcel Lapierre, depois de uma alusão a *À propos de Nice* e um resumo sucinto de *Zéro de conduite* e *L'Atalante*, com referência à simbologia das personagens deste último, comenta a morte de Vigo e conclui: "Acaba assim uma das melhores esperanças do cinema francês".

Georges Sadoul é bem menos sucinto que seus colegas citados acima. Às vezes, à medida que se deixa tocar pela poesia de Vigo, que, escreve ele sobre *Zéro de conduite*, "se mostra de uma rara qualidade na revolta do dormitório", Sadoul parece moderno. Mas logo em seguida revela-se o espectador adulto dos anos 1930 que posteriormente não

---

295. Paris: Éd. Jacques Melot.

estudou o tema Vigo.[296] Sobre *À propos de Nice*, escreve Sadoul: "A obra está hoje ultrapassada no seu esteticismo e no simbolismo sexual ingênuo de algumas imagens ou comparações". Se, como é provável, Sadoul refere-se às chaminés do final, o observador é que está ultrapassado quando só enxerga nessas chaminés um simbolismo sexual, perdendo de vista seu caráter essencial de chaminés propriamente ditas e seu aspecto complementar de canhões revolucionários.

A propósito de *Zéro de conduite*, Sadoul fornece algumas informações sobre Vigo, válidas enquanto são vagas ("Em *Zéro de conduite* Jean Vigo colocou lembranças de uma infância difícil"), incorretas quando precisas ("o anarquista Almereyda, estrangulado pela polícia de Clemenceau" ou "o jovem Vigo excluído pelos colegas, que o chamavam de *filho de traidor*").

Sadoul não se detém no conteúdo social de *Zéro de conduite*:

> A infância trágica explica a amargura de *Zéro de conduite*. Seu tema mais ou menos reproduz aquela canção dos escolares – *os livros todos para a fogueira, e o professor no meio...* – o filme é um apelo anarquizante ao triunfo das crianças sobre os adultos mas, sobretudo, sobre as lembranças quase escorchadas e os sonhos de um menino oprimido.

Sadoul acredita ser a obra influenciada por Chaplin e Buñuel, e percebe também uma influência surrealista em *L'Atalante*:

---

296. Tendo tornado pública essa impressão, recebemos de Sadoul a seguinte retificação: "Não assisti a nenhum dos filmes de Jean Vigo nos anos 1930 (nos seus últimos anos de vida) porque eu meio que deixara (entre 1926 e 1934) de me interessar pelo cinema. Devo provavelmente ter assistido a *Nice* e *Zéro de conduite* por volta de 1938 ou 1939 no Langlois [Cinemateca Francesa] (com muito atraso), mas guardo uma recordação muito mais vívida das minhas re-visões posteriores a 1945, que definiram muito mais meu julgamento do que minhas impressões do final dos anos 1930". (Carta de 1º jun. 1953)

> Alguns episódios são um pouco carregados. O 'número' do palhaço Margaritis num baile popular, as exibições de Michel Simon num pardieiro surrealista, com autômatos e mãos decepadas, os mergulhos do marinheiro que vislumbra na água do canal o rosto da esposa desaparecida...
>
> Vigo nos comove melhor quando, para além das modas literárias de 1933, descreve a realidade sem artifícios: as margens do canal percorridas pelo tocante e grotesco grupo de convidados de um casamento, uma paisagem de desolada periferia, a vida a bordo da barcaça, uma loja de fonógrafos...

Sadoul fala em fonógrafos, mas é à loja que se refere. E isso é mais grave que todo o resto.

Sua conclusão é uma expressão de lamento, e nisso Sadoul se aproxima dos seus colegas da crítica "oficial":

> Essas imensas realizações, oriundas do documentário de vanguarda, nos fazem deplorar Vigo ter falecido aos 29 anos, deixando a promessa de obras que teriam superado a dos seus mais ilustres contemporâneos.

Se passarmos agora para as revistas importantes, tanto as especificamente voltadas para os filmes como as revistas literárias que tratam, extensamente às vezes, das coisas do cinema, é impossível não encontrar nada na França que corresponda aos esforços de pesquisa ou compreensão que observamos, no mesmo período, em tal ou qual publicação italiana[297] ou inglesa.[298]

A Fédération Française des Ciné-Clubs, principal instância de difusão da obra de Vigo, consagrou-lhe um número do seu veículo *Ciné-*

---

297. *Bianco e Nero.*
298. *Penguin Film Book.*

Club.[299] Mesmo nessa ocasião, chama a atenção o silêncio da crítica francesa, ausente do sumário, do qual só constam amigos de Vigo: Claude Aveline, Francis Jourdain, Jean Painlevé, Boris Kaufman, embora no corpo do volume se encontre a primeira boa filmografia de Vigo.[300]

A coletânea possui as qualidades e os defeitos no mais das vezes inseparáveis desse gênero de depoimento. Contém inúmeros detalhes preciosos de primeira mão, sobre o homem ou a criação da obra, tendo sido esse número de *Ciné-Club*, de início, o nosso melhor guia na busca dos vestígios deixados pela vida de Miguel Almereyda e Jean Vigo. Finda a viagem, criticamos o guia e o superamos. Esclarecemos com outra luz os julgamentos relatados por Painlevé acerca do Almereyda de 1917, completamos as alusões de Claude Aveline à campanha do *L'Action Française*, interpretamos diferentemente de Francis Jourdain o estado de espírito do jovem Vigo. Mas, principalmente, certas formulações lapidares deixam de fazer sentido. Elas davam importância a elementos que, para nós, já não têm mais nenhuma. Assim, depois de examinar as linhas escritas por Vigo com vistas à apresentação de *À propos de Nice*, não podemos admitir que tenham "expressado, em poucos minutos, sobre o cinema e a sociedade, as verdades essenciais".[301] O apelo à noção de genialidade não nos comove, principalmente por vir acompanhado da tradicional expressão de pesar: "Ele (Vigo) esperava, mediante uma obra sem falhas [...] cujas premissas permanecem, e que premissas! Nelas identificamos todos os sinais da genialidade...".[302] A manifestação de pesar se torna aqui tão tocante porque é expressa por amigos que jamais se consolaram de ver a vida

299. Ano II, n. 5, fev. 1949.
300. Estabelecida por Claude Souef.
301. Claude Aveline.
302. Id.

de Vigo ser suspensa aos 29 anos. Como impedi-los de acreditar que também a obra fora suspensa em pleno impulso?

O artigo de Boris Kaufman também trata da genialidade de Vigo, mas nele o pesar tem, além disto, raízes alheias à amizade. Antes de trabalhar com Vigo, Kaufman rodara alguns filmes. Durante sua colaboração com Vigo, estava também trabalhando em outros filmes, o que continuou a fazer após a morte do amigo. Sempre foi um excelente técnico, mas guardou a saudade de um tempo em que se sentia um íntimo instrumento da criação. Quando recorda sua colaboração com Vigo, Kaufman tem o sentimento de ter perdido "um paraíso cinematográfico".

Entre as revistas menores dedicadas ao cinema que se multiplicam na França depois da guerra, *Raccords* e *Positif* publicaram textos sobre Vigo. Gilles Jacob, na primeira, reage contra o número de *Ciné-Club* e se insurge contra os amigos que fizeram de Vigo "um gênio morto cedo demais, antes de concluir sua obra". Para ser bem claro, Jacob começa expressando satisfação por Vigo ter morrido jovem:

> A força de Vigo está em caber inteiro no espaço de uma noite. O acaso achou por bem esconder cuidadosamente em sua obra grandes receitas de cinema; não que seja preciso cavar muito fundo, mas é preciso cavar em toda parte. E, depois de afirmar que Vigo não é um gênio, com o único intuito de não desgastar a palavra, vejamos como, em menos de vinte anos, o massacrador de ídolos, o revoltado, o insultador público número um, o anticonformista, o guilhotinador dos valores estabelecidos se tornou uma instituição nacional tão permanente quanto Louis Jouvet; como uma reprise de *L'Arlésienne* [1930, Jacques Baroncelli] no Odéon-Comédie Française não é mais rentável que uma sessão dedicada a este liliputiano da criação.

Aguardamos uma demonstração em regra e nos perguntamos de que maneira o autor irá nos provar que a carreira de Vigo nos cineclubes, estúdios e museus do cinema, sua presença no Festival de Biarritz e Antibes e suas poucas aparições na televisão bastaram para fazer de Vigo uma "instituição nacional permanente", sem que a crítica oficial tomasse consciência disto. Do mesmo modo, quando ele se indaga:

> O que já não foi dito sobre o documentário socialmente engajado, sobre este *À propos de Nice*?... Seria uma satisfação observar sua reação se lhe respondessem simplesmente: 'Pouquíssimas coisas, e quase sempre as mesmas'.

Em Gilles Jacob, porém, não existe nada parecido. Aliás, o título do seu artigo "Saint-Jean Vigo, patron des ciné-clubs" [São João Vigo, patrono dos cineclubes],[303] que indignou os jovens surrealistas admiradores de Vigo na [revista] *L'Âge du Cinéma*, já indicava suas intenções. Além disso, a epígrafe: "Senhor, ele pode ir ao banheiro? Está com dor de barriga" dava o tom do texto. Não se trata de um estudo, nem de um ensaio, nem de polêmica. É uma evocação por parte de um entusiasta dos cineclubes. E de imediato nos impressiona a sua intimidade com a obra de Vigo.

Gilles Jacob vê a obra como um conjunto, e passa de um filme para outro tal como Vigo, segundo ele, transpôs a barreira do falado "de modo imperceptível, desenvolto, milagroso, geralmente reservado aos atravessadores de paredes". Jacob aprecia o papel da música de Jaubert e por isso mesmo ficamos a ponto de nos aborrecermos quando ele afirma que "o fonógrafo da chalana não destila outra melodia" que não a *Canção dos marinheiros*, omitindo a valsa e calando o milagre... Mas logo nos reconciliamos, primeiro por não sabermos a que versões o autor se refere e, principalmente, porque Gilles Jacob demonstra

---

303. *Raccords*, n. 7, 1951.

em seguida a que ponto se deixou tocar pelo milagre que não ocorreu, quando o Père Jules passa o dedo pelo disco.

Para falar do que gosta, Jacob conta suas lembranças:

> Vigo utiliza o diálogo como um tambor-mor manipula sua baqueta: com segurança demais para deixá-lo cair. Lembro do tempo, nem tão distante, em que, com Sancerre, nunca nos encontrávamos sem um 'Senhor, ele pode ir ao banheiro? Está com dor de barriga' – um 'Que espirituoso' – um 'Pois eu, professor, lhe digo: merda!' – um 'É magnânimo, meu caro' – e um 'Vidro de cola, me passe o seu vidro de cola, seu vidro de cola...', proferidos com a entonação, o sotaque dos atores, e que nos alegravam a alma assim como nos enchiam de contentamento os famosos bordões de *À nous la liberté*.

Rodeado de riquezas, Jacob escolhe e dedica uma décima parte do seu texto à sequência de Tabard convocado na sala do diretor. Observa, depois de Mario Verdone, mas pela primeira vez na França, como Vigo gosta de revelar a pele. É o primeiro a ver em Jean Vigo "este maravilhoso intimista, talvez único no cinema". Como a tantas pessoas, *Zéro de conduite* faz Jacob mergulhar de volta ao seu passado infantil:

> Vigo se diverte enfim e, desta vez, com mais ternura, estendendo um olhar para as coxas nuas dos maus alunos sonâmbulos, e descobrindo de repente – brincadeira desgastada, como diz o outro, que ainda assim é o primeiro a achar graça – as bundinhas dos meninos que afinal 'foram lá'. Longe de atribuir a essas imagens um tom duvidoso, Vigo mergulha o espectador no seu passado, encerra a nossa emoção entre as grades do retorno aos tempos idos, diante de um espelho em que ninguém jamais penetra, e que se contenta em devolver, sem rugas, a querida imagem do mundo dos pequeninos. A única questão, no momento, é impressionar os colegas, os charutos só são fumados por serem proibidos e as mãos

> dessa gente miúda transitando para a adolescência só se estendem, por enquanto, para as bolas de borracha.

O artigo de Gilles Jacob é uma amostra francesa das novas posições da crítica na segunda fase da carreira da obra de Vigo: tendência a considerá-la acabada e como um todo coerente; percebem-se falhas, evidentemente, mas elas parecem ter perdido toda importância; a classificação "vanguarda" parece sufocante e Vigo é simplesmente situado entre os poucos criadores do cinema francês.

É forte na França, porém, o peso da crítica "oficial", e em 1952 ainda era possível assistir ao espetáculo da crítica jovem se libertando dela:

> Jean Vigo, ele sim, é um artista, talvez um dos maiores que já tenha tido o cinema francês. Certo, ele ainda não sabe, em *L'Atalante*, narrar perfeitamente uma história. Mas basta lembrar o longo tateamento de Renoir até alcançar a maestria para avaliar o tanto que perdemos com sua morte. Os filmes do autor de *À propos de Nice* eram, antes de mais nada, promessas. Sua morte, ao privar-nos do que viria depois, os transformou. Cá estão agora, obras-primas à revelia. Eram o esboço do rosto do artista, agora são sua imagem, na qual já não podemos mexer. Há nisso como uma trapaça da sorte que causa uma espécie de constrangimento. Para bani-lo totalmente, talvez precisemos de uma maior sensibilidade para a poesia, essa poesia que não raro emana de uma obra aparentemente inacabada, imperfeita, porém autêntica, mais que de uma obra excessivamente acabada.[304]

---

304. Jean-Paul Marquet, "D'un Duvivier à Jean Vigo" [De um Duvivier a Jean Vigo], *Positif*, n. 2, Lyon, jun. 1952.

Um ano depois, a revista *Positif*, que publicou esse artigo, editava um número especial dedicado a Jean Vigo.[305] Parece que, dessa vez, o salto foi mesmo dado.

Nessa mesma época, no exterior, a crítica se achava mais avançada. Aliás, é chegada a hora de deixar a França onde, no movimento da cultura cinematográfica, a presença de Vigo no pensamento escrito não corresponde à amplitude da sua plateia, e irmos até os países onde se observa, às vezes, o fenômeno oposto: os estudos e artigos consagrados a Vigo só fazem despertar nos espectadores uma curiosidade que permanece insatisfeita devido ao número extremamente reduzido das projeções.

Não é o caso da Bélgica. Lá, Vigo não fora esquecido e, em 1946, escrevia Paul Davay:

> Quem irá nos devolver essas obras frementes e mal-ajambradas – trabalhos de amador, sim, e além disso, atos revolucionários, e é isso que incomoda, não é verdade? – intituladas *Zéro de conduite*, *Atalante*...[306]

O jornalista teve imediatamente seu desejo atendido, já que a Cinémathèque de Belgique, fundada por André Thirifays, incluiu *Zéro de conduite* e *L'Atalante* nas primeiras aquisições de filmes destinados à sua coleção. Dali em diante, as duas fitas, além de *Taris*, circulariam periodicamente pelos cineclubes belgas. As projeções eram frequentemente precedidas de conferências, e em geral proferidas por Henri Storck e André Thirifays. Este último segue publicando artigos de divulgação sobre Vigo, enquanto as novas gerações começam a conhecer sua obra. No Festival do Filme Experimental e Poético de Knokke-le-Zoute, projetou-se *Taris*, na falta de *À propos de Nice*, para que Vigo não ficasse

---

305. *Positif*, n. 7, mai. 1953.
306. *Le Quotidien*, Bruxelas, 5 abr. 1946.

ausente. Até onde sabemos, as publicações belgas não estamparam artigos notáveis assinados por jovens, sua fonte de documentação ainda sendo os livros de Vincent e dos franceses.

Os ingleses também não se esqueceram de Vigo. Não possuindo os anglo-saxões o mesmo gosto dos continentais pelas histórias gerais do cinema, limitam-se, nesta área, à sua própria. Não temos, portanto, como examinar a contribuição histórica que Vigo, segundo os críticos ingleses, teria dado ao cinema. É possível, no entanto, notar o espaço que concedem a Jean Vigo no panorama que fazem do cinema mundial. É quando nos damos conta de que eles não conhecem *À propos de Nice* nem *Taris*, mas detêm, em compensação, uma boa versão de *L'Atalante*.

Na edição de novembro de 1946 de seu *Film*,[307] portanto, Roger Manvell cita apenas *Zéro de conduite* e *L'Atalante*, e chama a atenção o espaço que ele concede a Vigo toda vez que enumera nomes: "As possibilidades do cinema começaram a ser demonstradas por homens como Griffith, Chaplin, Pudovkin, Eisenstein, Lubitsch, Lang, Renoir, Vigo, Rotha, Ford, Welles e Capra". Ao falar sobre o cinema francês no fim do filme mudo e durante os anos 1930, o primeiro nome que lhe vem à pena é o de Vigo. Ao longo de todo o volume, a obra de Vigo, em especial *L'Atalante*, é muitas vezes evocada, a propósito dos riscos aceitos pelos grandes artistas do cinema ou do uso dramático da música no filme. Vigo continua a interessar Manvell, que não deixa de mencioná-lo em suas obras posteriores. Quando precisou ilustrar a tese de que as inovações técnicas só são artisticamente válidas quando correspondem a uma profunda necessidade de expressão, Manvell citou três exemplos: Griffith, Stroheim e Vigo.[308]

Contudo, apesar de todas essas provas de elevada consideração, quando se trata de formular acerca de Vigo um juízo sucinto e direto,

---

307. Penguin Books, Londres.

308. *Experiment in the Film*. Londres: The Grey Walls Press, s. d.

Manvell não raro se alinha a essa postura do lamento, para nós já tão familiar: "Talvez tenha sido o mais original dos diretores franceses, e o que mais prometia",[309] ou: "Ao morrer, Vigo ainda não era mais que uma promessa das telas".[310] Mas Manvell está longe de deixar de se ocupar com Vigo. Mandou publicar, em 1951, um extenso estudo descritivo sobre a realização de *Zéro de conduite*[311] e escreveu, no mesmo ano, para a série Revaluations de *Sight and Sound*,[312] um importante artigo sobre *L'Atalante*. Manvell ressalta o realismo do filme, que ele aponta como o precursor do realismo de *Ossessione* [1943, *Obsessão*], de Luchino Visconti, ou *Voleur de bicyclette* [*Ladri di biciclette*, 1948, *Ladrões de bicicletas*], de Vittorio De Sica, e ainda tenta, além disso, vincular Vigo a certo surrealismo. Tendo tido, porém, a oportunidade de rever o filme, Manvell experimentou alguma surpresa: "É curioso observar que os principais defeitos deste filme são, até certo ponto, elementos positivos", e é de se prever que o frequente contato com a obra de Vigo não iria cessar de enriquecer o crítico inglês.

Na obra de Ernest Lindgren,[313] também é *L'Atalante* que é citado como exemplo aqui e ali, ou a título de ilustração. No final do volume, Lindgren assinala qual é, a seu ver, a principal contribuição de Vigo para o cinema:

> Seria de supor, ante a evidência das desastrosas experiências realizadas, no passado, com a sobreposição de anjos alados e auréolas, 'balões de sonhos' e outras enganações, que pelo menos um tipo de experiência

---

309. *Film*, Pelican Books.
310. *Experiment in the Film*, op. cit.
311. Henri Storck e P. E. Sales Gomes, *Nought for Behavior*, em *Cinema 1951*, Pelican Books.
312. Fev. 1951.
313. *The Art of the Film: an Introduction to Film Appreciation*. Londres: George Allen & Unwin Limited, 1948.

> ficasse de fora das possibilidades do cinema, ou seja, o sonho e a visão; mas Jean Vigo e outros demonstraram de maneira convincente que, pela concentração, mais uma vez, na montagem, nas relações entre os planos sucessivos e na substituição da lógica cotidiana pela livre associação do estado onírico, é possível representá-lo com desconcertante veracidade.

O interesse suscitado por Vigo na Inglaterra resultou na edição, em 1951, de um número do *New Index Series*[314] dedicado a suas obras. O principal aporte dessa publicação reside na reimpressão de alguns textos americanos.

Nos Estados Unidos, os filmes de Jean Vigo só puderam ser conhecidos depois da guerra. O primeiro foi *Zéro de conduite*, exibido em 1946 graças à Film Library of the Museum of Modern Art. Integrava uma programação dedicada à vanguarda francesa que, depois de ser apresentada em Nova York, percorreu as universidades do país. Foi considerável o interesse suscitado por *Zéro de conduite*, sobretudo entre os estudantes, e Herman G. Weinberg conseguiu interessar um distribuidor pelos filmes de Vigo. Pelo final de junho de 1947, *Zéro de conduite* e *L'Atalante* foram lançados em Nova York no Fifth Avenue Playhouse. Depois disso, a programação foi repetida pelo menos em Chicago.

Nossas possibilidades de pesquisa não nos permitiram descobrir a reação dos cronistas da grande imprensa americana aos dois filmes de Vigo. George Barbarow, em *Politics*,[315] cita a opinião de A. W. sobre *Zéro de conduite* em *The New York Times*: "As cenas amorfas, ligadas por uma continuidade frágil, podem ser consideradas arte; são, porém, um

---

314. N. 4, compilado por Joseph e Harry Feldman, in Herman Weinberg (org.). Londres: British Film Institute, 1951.

315. Inverno de 1948.

bocado caóticas".[316] James Agee, em *The Nation*,[317] menciona os "críticos que escreveram, sobre a obra de Vigo, de modo tão desdenhoso". Em contrapartida, *Times Magazine* fala da projeção dos filmes de Vigo nos Estados Unidos como de um acontecimento de importância equivalente à exibição de *O gabinete do dr. Caligari* [*Das Kabinet Des Doktor Caligari*, 1919, Robert Wiene] depois da Primeira Guerra Mundial.

The Hollywood Quarterly publicou dois artigos sobre Vigo. O primeiro,[318] de autoria de Siegfried Kracauer, já havia sido publicado na Basileia em 1940. O segundo[319] era de Gyula Zilzer, que morou muito tempo na França e conheceu Vigo. Seu artigo assume a forma de recordações pessoais, mas ficamos chocados ao perceber até que ponto são calcadas – sem nenhuma referência – no texto de Cavalcanti publicado em Londres em 1935. Como Cavalcanti, situa Andorra no País Basco e afirma que Vigo aprendera a andar na época em que o levavam, durante a Primeira Guerra Mundial, para visitar seu pai prisioneiro, ou seja, quando o jovem Vigo estava com doze anos. Limita-se a incluir no texto de Cavalcanti as poucas modificações necessárias para torná-lo mais pessoal.

Zilzer não se atém a repetir todos os equívocos de Cavalcanti, chega a copiar, quase palavra por palavra, frases inteiras do artigo.[320] Vez ou outra,

---

316. Abe H. Weiler, 23 jun. 1947. [N.O.]
317. 5 jul. 1947.
318. Com introdução de Vladimir Pozner, abr. 1947.
319. Inverno de 1947.
320. Cavalcanti: "*Vigo inherited the strength and energy of these men. He belonged to the vigorous and carefree type of Pyrenean Mountains. He had the sense of scale, the feeling for the contrast between great and small which belongs to those who come from little isolated countrie*". "Vigo herdou a força e a energia desses homens. Ele fazia parte dos tipos vigorosos e despreocupados das montanhas dos Pireneus. Ele tinha a noção de escala, o sentimento do contraste entre grande e pequeno que pertence àqueles que vêm de pequenos países isolados." →

Zilzer oferece informações novas e inteiramente falsas: Jaurès seria o padrinho de Jean Vigo! Nessas condições, como levar a sério as poucas indicações que ela fornece sobre a realização de *À propos de Nice*?

Os demais periódicos e revistas americanos que, até onde sabemos, se interessaram por Jean Vigo, tiveram mais sorte que *Hollywood Quarterly*, mesmo quando é modesto o nível de suas observações, como é o caso de *Theatre Arts*.[321]

Já os artigos de James Agee, em *The Nation*,[322] e de George Barrow, em *Politics*,[323] têm outra qualidade. Como os ingleses, eles desconhecem *À propos de Nice* e *Taris*, mas, ao contrário de Manvell e Lindgren, entre *Zéro de conduite* e *L'Atalante* o primeiro é que mais chama sua atenção.

Os artigos de James Agee talvez sejam os primeiros a apresentar uma posição globalmente séria em relação à obra de Vigo, muito embora o autor ignore seus dois primeiros filmes, e apesar da má qualidade das cópias dos dois a que lhe foi dado assistir. Os limites de uma coluna de jornal não lhe ofereciam possibilidade de aprofundamento. O que não impede que Agee, apesar de uma falta total de informações a respeito de Vigo, aborde alguns pontos essenciais, não raro com surpreendente sagacidade. Assim, quando escreve: "*Zéro de conduite* parece ter sido puxado... do mais fundo dele mesmo; *L'Atalante*, no conjunto, parece construído a partir do mundo externo". A falta de preparação

---

→ Zilzer: "*Vigo inherited the strength and energy of his forefathers and the carefreeness of the mountaineers of the Pyrenees. He had a sense of the contrast between great and small, and the feeling of isolation and helpfulness that belongs to those who come from small isolated mountain communities*". "Vigo herdou a força e a energia de seus ancestrais e a despreocupação dos montanheses dos Pireneus. Ele tinha a noção de contraste entre grande e pequeno, e o sentimento de isolamento e desamparo que pretence àqueles que vêm de pequenas comunidades isoladas das montanhas".

321. Ago. 1947.

322. Reproduzidos no *New Index Series*, n. 4, British Film Institute, 5 e 12 jul. 1947.

323. Reproduzido no *New Index Series*, n. 4, British Film Institute, inverno de 1948.

e a abordagem direta dos dois filmes trazem aos artigos de Agee um frescor de impressões que já de saída o distinguem dos hábitos e convenções europeus. Agee foi o primeiro a se insurgir contra a insistência dos historiadores, críticos e instituições em querer reduzir Vigo aos estreitos limites da vanguarda histórica:

> Num dia de névoa, ou então sob a influência de algum preconceito, seria possível confundir sua obra com os lamentáveis exemplos correntes de vanguarda, como fizeram vários críticos, inclusive alguns que, em geral, contam com meu respeito; mas Vigo era tão pouco vanguardista quanto servil a Hollywood, era, isso sim, um dos primeiros espíritos realmente originais que já trabalharam no cinema.

George Barbarow procura penetrar nos dois filmes através, sobretudo, de um esforço de compreensão das personagens. Em *L'Atalante*, que ele pouco aprecia, só lhe interessa a personagem do camelô por ver nele uma espécie de desdobramento de Huguet que é, segundo ele, uma encarnação de Vigo e o elemento central de *Zéro de conduite*, que o toca profundamente. *L'Atalante* escapa completamente a Barbarow em vista do seu interesse exclusivo pelo camelô. No que diz respeito a *Zéro de conduite*, a importância primordial que ele atribui a Huguet só em parte falseia seu julgamento. Esse crítico é extremamente sensível ao tema da rebelião e captou, embora de modo limitado, a existência dos dois universos em *Zéro de conduite*. Mesmo que discordemos profundamente de Barbarow, às vezes – quando, por exemplo, ele tacha como erro o emprego da câmera rápida e lenta em *Zéro de conduite* –, o fato é que o essencial de suas reações nos leva a considerar seu artigo um momento importante da crítica à obra de Vigo.

Após o lançamento no Fifth Avenue Playhouse e a repercussão que ele suscitou, carecemos de informações sobre uma eventual carreira dos filmes de Vigo nos Estados Unidos. Carecemos igualmente de dados sobre o Canadá e o conjunto da América Latina, mas é bem possível que até meados de 1953 pouquíssimos espectadores desses países, com exceção do Uruguai, tenham tido oportunidade de assistir aos filmes de Vigo.

O mesmo se dá, provavelmente, na Ásia e na África não francesa.

Se voltarmos à Europa, constatamos que vastos territórios – URSS, democracias populares, Grécia, Espanha e Portugal – ainda não foram tocados pela obra de Vigo. Entretanto, ainda não nos detivemos no país que com mais paixão acolheu a obra de Vigo: a Itália.

Vigo era praticamente desconhecido na Itália até 1946. *La storia del cinema* de Pasinetti,[324] principal fonte de referências existente no país, ignorava Vigo.

Foi o cineasta Luigi Comencini quem primeiro tentou despertar o interesse pela obra de Vigo, com a publicação de um artigo: "Descoberta de um cineasta".[325] Comencini tivera a oportunidade de assistir ao *L'Atalante* (provavelmente na versão *Chaland qui passe*) no Festival da Basileia de 1939. Fora para ele uma revelação, mas, não tendo assistido ao filme desde então, começava a duvidar de sua memória, quando encontrou uma cópia com um ciclista de Genebra que, nas horas vagas, lidava com locação de filmes. Tornou a assistir várias vezes ao filme, convidando os amigos, e a "opinião unânime foi de que estávamos diante de uma obra-prima capaz de transfigurar a própria noção que o espectador comum possa ter do cinema".[326]

Comencini julgava ter assistido a uma versão "bastante completa" de *L'Atalante*. Tinha visto, em Paris, uma cópia de *Zéro de conduite* que

---

324. Francesco Pasinetti. *La storia del cinema dalle origini a oggi*. Roma: Edizioni di Bianco e Nero, 1939. [N.O.]

325. *Cinetempo*, Rassegna settimanale del Cinema, ano I, n. 13, 6 dez. 1945.

326. Luigi Comencini, artigo citado.

GAUMONT-FRANCO-FILM-AUBERT présente une production J.L. NOUNEZ
L'ATALANTE
au fil de l'eau point de serments,
ce n'est que sur terre qu'on ment!
MICHEL SIMON et DITA PARLO
DANS
LE
CHALAND QUI PASSE
GFFA
avec JEAN DASTÉ _ Réalisation de JEAN VIGO
Scénario de JEAN GUINÉE _ Musique de MAURICE JAUBERT
Enregistrement RADIO-CINÉMA
Et au cours du film la célèbre mélodie de C.A. BIXIO "LE CHALAND QUI PASSE"

ele acreditava ter sido "mutilada e remendada" pelo... puritanismo inglês! A cópia de *L'Atalante* a que Comencini assistira estava provavelmente muito mutilada e é bem possível que a de *Zéro de conduite* fosse uma das versões correntes mais próximas do original, os ingleses não tendo nada a ver com o assunto. A verdade é que Comencini ficou desnorteado com *Zéro de conduite*: "Neste filme, Vigo aparentemente se prendeu demais à crueldade da sátira... de modo a criar uma obra genial, sem dúvida, mas pouquíssimo convincente".

Em breve, *Zéro de conduite* voltaria a desnortear, em Milão. No exato dia em que se completavam treze anos da sua apresentação em Paris, foi projetado para os milaneses no Supercinema Alcione, em 7 de abril de 1946, no quadro do festival retrospectivo organizado pela Cineteca Italiana em comemoração ao cinquentenário do cinema.[327] A reação do público lembra a dos espectadores da apresentação parisiense em 1933. Escrevia Luigi Comencini:

> Um escândalo absoluto, exceto por uma minoria que aplaudiu com tenacidade. É mesmo uma pena que não possa ter sido apresentada a obra-prima deste excepcional cineasta: *L'Atalante*, filme equilibrado e sereno, ao passo que *Zéro de conduite* é uma sátira de uma violência e amargura que desconcertam o público acostumado a milhares de filmes cor-de-rosa e mentirosos [...] a indignação do público [...] muitos gritavam e assobiavam...[328]

Comenta um crítico:

---

327. "50 anni di Cinema: 1895-1945. Festival Cinematografico per il Primo Cinquantenario del Cinema, sotto l'Egida del Comune di Milano, a totale beneficio della 'Cineteca Italiana'." Supercinema Alcione, de 27 de março a 13 de abril de 1946. A apresentação de *L'Atalante* foi anunciada no mesmo programa de *Zéro de conduite*, mas a cópia não chegou a tempo.

328. Artigo de Luigi Comencini, *Riscatto*, Milão, 18 abr. 1946.

> É uma obra que encerra, a um só tempo, genialidade e diletantismo [...] Não existe narrativa linear: ele só pretende recriar uma atmosfera. Isso desconcertou parte do público, que protestou um bocado...[329]

Enquanto outro acrescenta: "Os críticos pareciam confusos".[330]

Já fica claro que não só o público, como também a crítica informada, sentiam-se desnorteados. A reação desta última se aproxima bastante da dos críticos franceses e belgas de 1933. Os críticos milaneses de 1946, porém, conheciam Vigo de reputação e, se estão decepcionados, mantêm-se cautelosos e continuam falando em genialidade mesmo em meio às maiores restrições:

> Sem querer faltar com o respeito à memória de um cineasta cujo nome é frequentemente citado pelos entendidos, *Zéro de conduite* parece um filme dirigido por um diletante genial que ainda não encontrou seu estilo próprio e que, querendo dizer muito, acaba dizendo-o de maneira confusa.[331]

É lamentada a ausência de *L'Atalante*, e os críticos temem emitir um julgamento sobre Vigo com base exclusivamente em *Zéro de conduite*:

> A obra é tão insólita em sua construção, tão alheia a todos os esquemas da narração cinematográfica, que assistir uma só vez não basta.[332]

A desaprovação de Rudi Berger é clara:

---

329. Artigo de Piero Gadda, *Lunedi del Popolo*, Milão, 15 abr. 1946.
330. *Film d'Oggi*, 15 mai. 1946.
331. Artigo assinado D. F., *La Libertà*, Milão, 9 abr. 1946.
332. Artigo assinado Vice, *Riscatto*, Milão, 11 abr. 1946.

> [...] espetáculo desconcertante para muitos [...] (Vigo) era um diretor de temperamento audacioso, que buscava caminhos árduos, um legítimo cineasta de vanguarda, mas este ensaio não era o mais indicado para a sua apresentação ao público [...] O erro talvez tenha sido apresentar o filme como uma sátira ao universo escolar. Ora, o que se espera da sátira é a denúncia de costumes, de certa mentalidade ou de uma categoria. Trata-se antes aqui de uma fantasia abstrata, sem uma ação verdadeira e própria, sem raízes em nenhuma experiência real, um arabesco para lá de qualquer verossimilhança [...] É uma experiência digna de respeito, mas que não abre novas possibilidades para o cinema....[333]

Glauco Viazzi responde parcialmente a Rudi Berger:

> *Zéro de conduite*, que por pouco não é um filme surrealista tendendo para o nível de um Buñuel ou de um Dalí, não fosse ele se fundamentar em uma intensa força satírica e um sentido concreto, ou até fisiológico, da realidade [...] Vigo extrai seu universo do próprio sofrimento [...] Vigo cuspia no rosto dessa sociedade com o brilho de um vasto protesto anárquico.[334]

Seria um crítico anarquista, Carlo Doglio, o primeiro na Itália a tentar chegar ao âmago de *Zéro de conduite* e ser sensível ao lirismo que se depreende do filme.[335] Mais tarde, Doglio quis ver em Vigo o protótipo do diretor anarquista.[336]

---

333. *L'Italia del Popolo*, Milão, 9 abr. 1946.
334. *Un Festival per il Cinquantenario del Cinema, Costume*, Milão, mar.-abr. 1946.
335. *La Verità*, Milão, ano II, n. 10, 22 abr. 1946.
336. Guido Cenni (pseudônimo de Doglio): "Un regista anarchico" [Um diretor anárquico], em *Gioventù Anarchica*, 20 jul. 1946, ano I, n. 1. Com um título diferente e outra introdução, trata-se do mesmo texto de *La Verità*.

Uma cópia do *Chaland qui passe* chegou a Milão no final de maio de 1946 e, no dia 28, foi enfim possível organizar uma noite Vigo com a apresentação de suas duas principais obras. "Aplausos incontestes acolheram, desta vez, a obra de Vigo", registra Luigi Comencini.[337] Começava então a carreira da obra de Vigo na Itália.[338] Ela só viria a adquirir sua verdadeira dimensão a partir de 1952, com a difusão de todos os seus filmes organizada pela Federazione Italiana dei Circoli del Cinema. Os críticos continuaram a escrever sobre Vigo, mas não nos foi possível acompanhá-los. Qualquer que seja seu interesse, contudo, é bem provável que a mais importante contribuição italiana para o estudo de Vigo esteja representada pelos textos de Glauco Viazzi. Citamos seu artigo em *Costume*, 1946, que prenuncia seus escritos posteriores. No ano seguinte, ele volta à carga com um trabalho já mais extenso,[339] mas no qual ainda constam, principalmente, expressões entusiastas:

> Quando morreu, já tinha realizado esses poucos filmes que lhe valeram não só uma eminente posição no cinema francês, no mesmo nível de René Clair e Jean Renoir, como também em toda a arte contemporânea [...] A descoberta de um poeta não é coisa que acontece todo dia, a revelação de um 'novo' homem não pode deixar ninguém indiferente... Este morto dominava, e ainda domina, o cinema francês; se os franceses o esqueceram, não é motivo para que também nós o esqueçamos, pelo contrário. É também em nome de todos os que amam o cinema, e principalmente, que amam a humanidade, que reivindicamos Jean Vigo e situamos os seus filmes entre as obras que não só honram a humanidade,

337. *L'Avanti*, Milão, 29 mai. 1946.
338. Para mais esclarecimentos, ver Panfilo Colaprete, *Jean Vigo*. Florença: Edição do Cineclube Controcampo, caderno n. 1, mai. 1952.
339. "Ommagio a Jean Vigo", *Rivista Ferrania*, Milão, n. 4, ano 1, abr. 1947.

como também contribuíram para mudar o mundo e tornar a vida do homem melhor, mais livre e feliz.

Viazzi, no entanto, não se limita a dispensar elogios meramente verbais. Além de ser o primeiro a decididamente colocar Vigo ao lado de René Clair e Renoir, considera os dois filmes a que teve oportunidade de assistir como dois movimentos sucessivos de uma mesma iniciativa poética e ideológica.

Ensaio de uma articulação entre *Zéro de conduite* e *L'Atalante*; tentativa de esclarecimento do seu conteúdo ideológico; polêmica com os anarquistas italianos que haviam reivindicado Vigo; tais são os temas do artigo de Viazzi. Tornaremos a encontrá-los no cerne do seu extenso estudo sobre Vigo, dois anos mais tarde, em *Bianco e Nero*.[340]

Estamos diante do primeiro verdadeiro "ensaio" consagrado a Vigo, o que já seria suficiente para examiná-lo mais detidamente.

Glauco Viazzi propõe, sobre a vida e obra de Vigo, uma interpretação marxista, ou pelo menos uma interpretação em que recorre amplamente aos esquemas e terminologia marxistas. Não nos cabe julgar se o método foi corretamente empregado.

Não é fácil resumir o pensamento de Viazzi, pois seu estudo não é muito ordenado, e sua riqueza verbal, excessiva. Tampouco podemos reproduzir seu texto na íntegra. Nem tanto por causa do seu tamanho, ou porque achamos não poder exigir dos nossos leitores a paciência que Viazzi exige dos seus, mas sobretudo porque seria preciso retomar, depois, o texto inteiro para comentá-lo. É mais sensato unir a exposição e a crítica numa mesma iniciativa.

Contemporâneo sensível da segunda fase da carreira da obra de Vigo, Viazzi dá início ao seu ensaio insurgindo-se contra a famosa

---

340. "A proposito di Jean Vigo", *Bianco e Nero*, ano I, n. 3, mar. 1949.

manifestação de pesar pela morte prematura do cineasta. Esta não representa, porém, para ele, uma mostra da incompreensão de todo um período, e sim de uma atitude mistificadora: com esta insistência no aspecto comemorativo e sentimental, o que está se tentando é encobrir a natureza social da revolta de Vigo e a dialética interna de sua obra. Portanto, para compreender por que a bibliografia sobre Vigo é tão insignificante, "quase inexistente, tão tendenciosa", é preciso examinar, sob a direção de Viazzi, as relações entre Vigo e a sociedade na qual ele viveu. Infelizmente, Viazzi está mal documentado e só tem da vida e da pessoa de Vigo uma ideia vaga e convencional. Após o fim de Almereyda, que Viazzi nos apresenta como "um anarquista condenado à morte por alta traição", descreve-nos um Jean Vigo reduzido a uma existência humilhada e isolado por ter sido moralmente banido pela sociedade francesa, especialmente a burguesia. Viazzi maneja a expressão burguesia como uma entidade com a qual Vigo, morto ou vivo (e também seus filmes), está sempre às voltas, tal como *Zéro de conduite* com a censura francesa.

Na verdade, o fenômeno da incompreensão da obra de Vigo nos anos 1930 não pode ser explicado a partir da imagem de uma burguesia, não só francesa, mas europeia, que não perdoa a Vigo sua violência, sua sátira e sua poesia.[341] A verdade é que os críticos da imprensa, seja ela burguesa, pequeno-burguesa ou operária, partilharam uma incompreensão fundamental situada além da aprovação ou do desacordo, e que não podia, portanto, encerrar qualquer conteúdo ideológico. Nos anos 1930, tanto os amigos como os inimigos de Vigo viam sua obra de uma maneira essencialmente distinta da de um Viazzi, um Agee, ou da nossa. Sabemos que, até 1940, não se atribuía aos filmes de Vigo uma importância

---

341. Nesta exposição do pensamento de Viazzi nos servimos, na medida do possível, de suas próprias palavras, mesmo que fora das citações entre aspas.

decisiva no conjunto da produção daquele período, enquanto hoje muito do interesse por esse período se dá em função de Vigo.

Quanto mais se conhece a real história de Vigo e dos seus filmes, melhor se percebe como o pano de fundo do artigo de Viazzi (a relação de Vigo com a burguesia do seu tempo) é retratado de modo convencional, arbitrário até. Assim, quando Viazzi se esforça em nos explicar por que a ala esnobe da alta burguesia francesa, que aceitava de bom grado *Le sang d'un poète* [*O sangue de um poeta*, 1930-32, Jean Cocteau] ou mesmo *L'Âge d'Or*, rejeitava os filmes de Vigo, está perdendo seu tempo, pois a situação que ele imagina (este público específico diante de *À propos de Nice*, *Zéro de conduite* e *L'Atalante*) jamais existiu.

Há que ressaltar a polêmica de Viazzi com os anarquistas; mesmo que nos pareça superficial, ela nos ajuda a compreender o desdobramento posterior do pensamento do autor:

> Vigo era anarquista de maneira consequente, sendo portanto, no sentido histórico do termo, um não-anarquista. A abstração ideológica, utópica e oportunista dos anarquistas históricos lhe era absolutamente estranha. Sua liberdade era uma liberdade perante o mundo, a sociedade, a natureza e as coisas; e, justamente, por nunca alhear-se é que ele, pelo contrário, incorporava suas leis concretas e profundas de existência e desenvolvimento dialético, descia até elas, sem nunca adotar essa atitude satisfeita e *gauche* da irreverência gratuita, exibida por prazer intelectual, que em quase todos os anarquistas impede a comunicação e o amor pelo mundo. Um anarquista, no sentido histórico do termo, teria parado, em *Zéro de conduite*, no momento em que o colegial humilhado e ameaçado se manifesta pela perturbação e irritação daquele 'Senhor diretor, o que lhe digo é: merda!'.

Podemos agora examinar o que constitui o cerne do estudo de Viazzi. Fiel à tríade dialética, Viazzi vê em Vigo três momentos fundamentais: "Origem burguesa, revolta anárquica, libertação pela solidariedade proletária". Cá estamos: a tese, a antítese e a síntese! É evidente que não se trata, para Viazzi, de três momentos congelados, nem sequer claramente delimitados no tempo, e sim de um movimento contínuo de passagem de um termo a outro, e em vários níveis simultâneos. Este processo, no entanto, se desdobra dentro de certo direcionamento e, mediante sucessivas superações, depreende-se uma linha que lhe permite oferecer *grosso modo*, como tese, Vigo tal como havia sido moldado por suas origens e formação social; como antítese, o Vigo de *Zéro de conduite*, e como síntese, o de *L'Atalante*. Tão logo vislumbramos o esboço dessa linha, porém, temos de apagá-la para deixar surgir outro aspecto do mesmo processo, desta vez tal como se desenrola dentro de cada termo. Ao que vamos proceder, eventualmente através da crítica, de modo a tentar compreender a exposição de Viazzi.

No primeiro termo, a tese, a origem burguesa de Vigo (ou pequeno-burguesa, como é afirmado no final do ensaio), Viazzi pouco se detém. Não é fácil decidir a que classe social pertencia Vigo pelas suas origens e formação. Nascido da união livre entre militantes revolucionários numa água-furtada da rua Polonceau, segunda infância de "menino rico" em Saint-Cloud, com o pai "novo-rico", súbita anexação ao modesto lar de um fotógrafo de província e rebaixamento ao nível medíocre do colégio de Millau, a seguir o final da adolescência dividido entre o internato do liceu de Chartres e o lar parisiense de sua mãe e um obscuro jornalista esportivo, o sanatório, o casamento com a filha de um industrial israelita de Lodz e um emprego modesto num estúdio de Nice etc. Será acertado tentar condensar tudo isto em fórmulas como origem pequeno-burguesa ou burguesa, e será útil para a compreensão de Vigo? Afora a alusão à morte do pai, Viazzi não reconstitui nenhuma das etapas da formação de Vigo, e já não dá mais para entender o que o autor quer dizer com: "Em suma, para Vigo, a questão era rebelar-se, usando toda a herança que ele devia à sua educação e à sua 'razão social'". O que nos permite passar ao segundo termo.

A antítese, a "revolta anárquica", corresponde essencialmente a *Zéro de conduite*.[342] É o momento da crítica às experiências vividas,

> de esgotar as experiências intelectuais e espirituais de toda uma cultura, engajando-se a fundo de modo a poder neutralizá-la com o auxílio dos elementos positivos que ela continha, e conseguir assim criar uma nova.

É o momento da revolta contra o mundo burguês e pequeno-burguês por parte de um indivíduo que, sob vários aspectos, ainda faz parte dele. É o momento de *Zéro de conduite* com seus

> resíduos intelectualistas e dejetos vanguardistas, suas deformações agravadas e surdas, suas saídas para o irreal, na fantasia austera e cinematográfica...

Vigo estaria então sob a influência

> das escolas, dos cenáculos, do aprendizado da técnica, das influências estilísticas, das intrusões literárias, das complacências 'artísticas' [...] mas, ao mesmo tempo, está presente a revolta que cresce e cujo desenvolvimento irá causar a falência dos próprios termos formulados pela narrativa.

---

342. Viazzi não conhecia *À propos de Nice,* do qual só fala, muito pouco por sinal, baseado nos depoimentos críticos. Sua impressão, justificada no conjunto, é de que o filme pertence à mesma linha de movimento que conduziria a *Zéro de conduite* e *L'Atalante*. Quanto a *Taris*, Viazzi só conhecia a sequência final e, por falta de um mínimo de informações, via-se impedido de falar sobre ele. Mas, também aqui, sua impressão é acertada quando fala neste pequeno filme como de um *intermezzo* dentro da obra de Vigo.

De fato, "Vigo perpetuou o movimento para além da conclusão da revolta...". Concluída a revolta, esgota-se a antítese e podemos passar para a síntese.

A síntese é o Vigo de *L'Atalante*: "Tudo se apazigua e se funde no repouso...". Já não há polêmica, e sim "um canto puro", "no qual se prolonga a revolta pela escolha do amor, pela exclusão total de um mundo, o mundo burguês, em benefício de outro, o mundo popular e proletário". Libertado, Vigo pôde descobrir a beleza e a violência da realidade, pôde amar "os operários e os camponeses, as paisagens suaves, cinzentas e prateadas do norte da França...". Vigo alcançou um "realismo lírico e concreto". É o mundo do "amor pleno e extremamente doce de Juliette e Jean [...] Na vida coletiva de Jean, Juliette, Père Jules e o grumete na barcaça, não existem solidão nem instância de conflito".

E é assim que, depois de mostrar Vigo "na posição bem delicada de um homem de origem pequeno-burguesa que, vivendo na sociedade burguesa, dela se afasta pela rebelião", Viazzi procura estabelecer uma articulação dialética entre *Zéro de conduite* e *L'Atalante*. O autor procura nos impor seu esquema, repetindo-o, sem se dar ao esforço da necessária demonstração. Podemos inclusive afirmar que, mesmo depois de acompanhar fielmente Viazzi na análise dialética interna de cada um dos termos da trilogia, estamos longe de nos deixarmos convencer de que "é da dialética interna de *Zéro de conduite* que nasce *L'Atalante*".

A busca de uma sequência dialética no conjunto da obra de Vigo não satisfaz todos os propósitos de Viazzi. Para alimentar sua polêmica, ele exige da obra uma lógica mais tradicional. A conclusão anarquista de *Zéro de conduite* não lhe agrada, e neste ponto ele pede a *L'Atalante*, já não a simples sequência dialética do desenvolvimento de Vigo, mas o prolongamento lógico, numa direção que ele aprove, da ação das personagens de *Zéro de conduite*:

> Não por acaso tornamos a encontrar no segundo filme, como grumete, um garoto do primeiro que estava entre os revoltosos. Eis o que acontece com os garotos de Vigo que fogem pelos telhados: eles simplesmente vão trabalhar.

Na verdade, o motivo da transformação de Caussat em grumete é o mesmo que fez de Huguet um comandante de chalana, e de um dos bombeiros, o pai da noiva e Rasputin, alternadamente: a fidelidade de Vigo a uma parte da equipe envolvida em *Zéro de conduite*. Não seria razoável procurar mais além.

Chegamos às páginas finais com a crítica do ensaio de Viazzi. O valor da sua contribuição nos convida a seguir esta linha. Ao que nos consta, "A proposito di Jean Vigo" é o que de mais notável se publicou sobre a questão. Esperamos ter conseguido, graças a novas pesquisas, nos acercar de Jean Vigo mais seguramente que Viazzi. Cabe-nos, portanto, neste momento de fechar nossas conclusões, vinculá-las a novas negações e à superação da sua contribuição.

Glauco Viazzi se torna vítima do seu esquema dialético. Em vez de considerá-lo uma hipótese de trabalho passível de ser posteriormente rejeitada em prol de mais extensas pesquisas mas, de qualquer modo, útil por algum tempo, ele atribui-lhe um valor absoluto. Tem a ilusão de ter encontrado uma chave mágica que lhe permite chegar de imediato à compreensão de Vigo e sua obra. A partir daí, é ao seu esquema que ele se mantém fiel. A realidade o interessa cada vez menos e, se for o caso, não hesita em deformá-la. Essa atitude é particularmente óbvia em *L'Atalante*, que Viazzi prefere a *Zéro de conduite*, sendo a síntese, para ele, na hierarquia dialética, um momento superior à antítese. A bem da harmonia e solidez da construção de Viazzi, Vigo só poderia ter filmado o que viesse do mais fundo de si mesmo; mais ainda, nosso autor precisava que fosse o momento de *L'Atalante* precisamente aquele em que Vigo estivesse mais livre. Ora, sabemos perfeitamente que não foi nada disso, e um crítico como James Agee, embora carecesse de documentação, soube percebê-lo. Viazzi detinha muito mais informações que Agee. O crítico italiano teve acesso ao número especial de *Ciné-Club*[343] e, no artigo de Claude Aveline, às poucas indicações relativas às exatas condições de realização de *L'Atalante*. Mas assim que aparece, num depoimento, alguma indicação passível de atrapalhar o seu esquema, Viazzi o ignora. Do mesmo modo, nosso autor precisa manter uma vigilância permanente para que os dados concretos de *L'Atalante* não causem o esfacelamento da fôrma em que ele quer encerrar a obra de Vigo.

A dialética de Viazzi exige que *L'Atalante* seja um "canto puro" em que reinem a paz e o repouso. O autor percebe que isso está longe de ser óbvio, já que sente a necessidade de muito explicá-lo, embora dando ares de enfrentar corajosamente eventuais objeções. Afirma que, do filme, não se depreende nenhuma polêmica, nem mesmo nas partes que mais naturalmente se prestam a ela: a festa de casamento, Juliette procurando trabalho, o roubo da bolsa, Jean convocado pela companhia.

Vejamos o casamento. Depois de separar claramente os noivos dos convidados, Vigo trata a estes sem a menor simpatia. Embora poupando um pouco os pais de Juliette, ele põe em relevo, à saída da igreja, a mesquinharia e vulgaridade das conversas e comportamento daqueles camponeses endomingados. No trajeto, o longo espaço que separa o casal silencioso, banhado de luz e felicidade, do rebanho escuro dos convidados tagarelas permite a Vigo apontar nitidamente os beneficiários do seu carinho e aqueles a quem dirige sua hostilidade. Na hora

---

343. Nisto estávamos enganados. O crítico italiano ainda não lera o número de *Ciné-Club* quando escreveu seu ensaio. A esses trechos referentes a Glauco Viazzi, tendo sido publicados em forma de artigo, o autor de "A proposito di Jean Vigo" respondeu com "Ancora a proposito di Jean Vigo", *Rivista del Cinema Italiano*, n. 9, set. 1953.

do embarque, completa seu julgamento deixando na margem o grupo compacto de camponeses calados, hostis e imóveis que não respondem aos adeuses ruidosos de Jean.

Viazzi até percebe "o forte sentido caricatural que vibra naqueles homens pesados, rígidos e vestidos de preto", mas quando acrescenta que este sentido caricatural é "temperado pela doçura do amor", já não aponta este abrandamento na sequência do filme, e sim, na ideologia decorrente do seu esquema. Pois é ponto pacífico da doutrina de Viazzi que Vigo amou muito particularmente "o norte da França, a um só tempo industrial e rural, e os homens que lá vivem e trabalham", e que todas as suas experiências o levavam "a poder amar os operários e camponeses... do norte da França".

Viazzi não se limita a tentar forçar Vigo a amar os camponeses da aldeia de Juliette. Para não perturbar o "canto pacificado" de *L'Atalante*, Viazzi precisa abafar os poucos gritos de polêmica social que Vigo tanto prezava e fizera o possível para deixar transparecer apesar das coibições que lhe impunham. Viazzi bem sabe quando brotam esses gritos, já que cita suas sequências: a de Le Havre e a de Juliette em Paris. Para conseguir afirmar que não transmitem nenhuma polêmica, Viazzi não se detém para analisar essas sequências e passa batido por seus momentos decisivos. Nem uma palavra sobre o magro e lamentável ladrão espancado atrás das grades por pessoas robustas e levado pela polícia! Nem uma palavra sobre os burgueses de Le Havre que cercam o desesperado Jean e a quem Père Jules ameaça quebrar a cara! Quanto às filas de desempregados avistadas por Juliette, Viazzi as menciona, mas em outro ponto do texto, seguindo um método de deslocamento que o leva a diluir o conteúdo social da imagem. Quanto aos policiais que vigiam os desempregados à entrada das fábricas, Viazzi simplesmente os esquece.

Estamos muito longe de concluir o exame dos exercícios a que Viazzi se vê forçado por fidelidade ao seu esquema. Mas registremos um último caso. Em *L'Atalante*, dentre outros caminhos livres que lhe restavam, Vigo enveredara pelo aprofundamento psicológico das personagens. Isso não convém a Viazzi, para quem é essencial que "a barcaça seja um microcosmo preferencial... onde não há sequer uma subdivisão em zonas e paredes estanques". Como já observamos, Viazzi ousa afirmar que "na vida coletiva de Jean, Juliette, Père Jules e o grumete na barcaça, não existe solidão nem instância de conflito". Para fazer face às previsíveis objeções por parte dos leitores que tivessem assistido a *L'Atalante*, Viazzi limita-se a explicar, com a maior seriedade, que a cena violenta de Jean para Juliette, na cabine do Père Jules, nada tem a ver com a noção de ciúme da psicologia burguesa, pois que se insere em outra realidade, ligada a certos aspectos – que ele não esclarece – da vida popular.

Não por acaso a personagem de Jean é precisamente a única cuja psicologia interessa a Viazzi, que evita cuidadosamente aprofundar a análise das personagens muitíssimo mais ricas de Juliette e do Père Jules. É que a riqueza destas últimas é inseparável da complexidade e, portanto, da ambiguidade; Viazzi se nega a percebê-lo, temendo ver maculada "uma sociedade popular não contaminada pela barbárie".

Que não se suponha que "A proposito di Jean Vigo" contenha apenas absurdos. Viazzi fez uma melhor leitura de *Zéro de conduite* do que de *L'Atalante*, foi sensível às virtudes poéticas de Vigo e ao valor plástico das imagens de Kaufman dirigidos por Vigo. Já ressaltamos a importância desse texto, irremediavelmente comprometido pela salada ideológica do autor.

Permanece o fato de que *À propos de Nice*, *Zéro de conduite* e *L'Atalante* correspondem a três momentos distintos de um mesmo processo criador. *Taris* nele se insere no plano das experiências formais (o movimento do corpo e da cabeça do homem vistos dentro d'água) retomadas posteriormente com um conteúdo poético e dramático (o mergulho de Jean procurando a imagem de Juliette dentro d'água), mas enquanto criação este pequeno filme constitui um parêntese dentro da obra de Vigo. Por outro lado, *Taris* é o único filme de Vigo que ainda é possível, com o recuo do tempo, situar como obra de vanguarda, com todo o aspecto limitante e desbotado que isso implica.

Os três maiores críticos o evitam deliberadamente. Se, após a análise direta, histórica e estética de cada um dos filmes, a conveniência didática nos leva a tentar uma classificação, limitamo-nos a tomar de empréstimo a nomenclatura dos estilos tradicionais de nossa cultura. Dissemos anteriormente que *À propos de Nice*, com seu elemento dominante de descoberta inicial e ingenuidade, nos dá a impressão de ser antes de mais nada um primitivo. *Zéro de conduite* cada vez mais nos parece ser um clássico, com sua unidade de estilo e o rigor da sua dosagem poética. Quanto a *L'Atalante*, com Élie Faure surgiu a suspeita do seu romantismo, e aceitamos essa sugestão. O vigor vindo substituir o rigor, a desordem individual vindo substituir a desordem social, a aristocratização dos animais e objetos mais simples (a eminente importância do fonógrafo) destituída de qualquer simbolismo, a explosão incontrolada da poesia, tais são os principais aspectos da obra romântica de Vigo.

Percebe-se o que dá ao conjunto da obra de Vigo esse aspecto de perfeito acabamento. Com exceção do instante experimental de *Taris*, o movimento de sua criação cobriu ininterrupta e cronologicamente três estilos fundamentais. A mera sucessão de três estilos não seria, porém, suficiente. Este feliz resultado não seria imaginável sem a constância dos temas e sentimentos ao longo dos vários filmes. Em cada um deles deparamos com a mesma poesia, a mesma compaixão, a mesma revolta, as mesmas inclinações.

A poesia permanece idêntica, quer venha da sátira de *À propos de Nice*, quer se faça íntima ou ousada (o dormitório, o cortejo de archotes) em *Zéro de conduite*, quer ainda transborde em *L'Atalante*. Compaixão pela criança de mãos mutiladas pela lepra ou pelo fogo, pela criança que chora porque não consegue defender a mãe ou pela degradação do boneco-maestro, a compaixão é sempre a mesma. Quanto à polêmica social, virulenta em *À propos de Nice*, amplamente exposta em *Zéro de conduite*, logrando transparecer em *L'Atalante*, esta não se altera qualitativamente. O gosto de Vigo, erótico ou não, pela pele humana aparece em toda parte, inclusive rebentando o parêntese em que havíamos situado *Taris*.

É considerável o espaço ocupado por Vigo dentro do cinema francês. A lista dos cineastas franceses cujas obras, excluído o seu significado momentâneo ou interesse histórico, trouxeram por seu valor permanente uma contribuição à cultura cinematográfica (Méliès, Cohl, Linder, Gance, Clair, Renoir e Vigo)[344] é pequena e, a rigor, ainda poderia ser reduzida. Se, numa mostra de exagerado rigor, reduzíssemos a lista a quatro nomes, o de Vigo não seria apagado. A obra principal de Vigo, inserida no tempo entre *Le million* [1931, *O milhão*] e *La règle du jeu* [1939, *A regra do jogo*] domina, com a de Clair e Renoir, o cinema francês moderno, ou seja, dos anos 1930.

Foi possível observar, ao longo do nosso relato, a maneira como os críticos e historiadores do cinema determinaram, um tanto ao acaso, as influências de outros filmes em *Zéro de conduite* e *L'Atalante*. No mais das vezes, suas afirmações são vagas e sequer procuram fundamentá-las: nada é esclarecido e nenhum ponto é definido. Em relação a *Zéro de conduite*, para além das alusões à influência surrealista, sempre são

---

344. Para esta avaliação, detivemo-nos em 1939. Ainda não temos, quanto à produção no período de Ocupação e a contemporânea imediata, o recuo necessário para julgar seus valores permanentes. A desvalorização da obra dos anos 1930 num Carné, ou mesmo um Feyder, para não falar em Duvivier, convida à maior cautela. O fato de que a maioria dos filmes de Gance e boa parte dos de Renoir não têm o menor valor (sempre pela perspectiva dos valores permanentes) não impede com certeza que os autores dos grandes momentos de *Napoléon* ou *La règle du jeu*, notadamente, integrem uma lista exemplar. Por outro lado, não é impossível que certos autores, cujo nome nem se cogita lembrar, tenham produzido um filme que mereça atenção especial, como por exemplo, *Angèle* [1934, Marcel Pagnol].

mencionados Clair e Chaplin. No que diz respeito a este último, isso aparentemente se deve à citação que Vigo faz de *Easy Street* [*Rua da Paz*, 1917], com o bedel Huguet imitando Carlitos no pátio do colégio. Uma personagem de *Zéro de conduite* imitando Carlitos foi o que bastou para os críticos determinarem que Chaplin influenciava Vigo. É curioso observar, a esse respeito, que nenhum deles jamais ressaltou o caráter de citação desse trecho. No que toca René Clair, o resultado não é maior. Uma única cena nos detém: a bofetada que Colin recebe de Mãe Feijão. Não só porque na obra de Clair (como na França) abundam as crianças que levam bofetadas dos pais, mas principalmente porque deparamos aí com um tema caro a Clair: o modo como descarregamos no mais fraco a pressão ou a violência a que o mais forte nos submete.

Isso tudo não tem grande consistência, mas constatamos que é possível encontrar em *Zéro de conduite* elementos em que se pode pelo menos fundamentar as hipóteses de filiação. O mesmo não se dá com *L'Atalante*.

Resta o problema da influência surrealista. Lembramos que Vigo ficara impressionado com *Un chien andalou*. Por outro lado, sem nunca ter integrado o grupo surrealista, Vigo sofreu sua influência, como todos os jovens de seu tempo entusiasmados com o modernismo. Pudemos constatar, porém, que não encontramos em *Zéro de conduite* ou *L'Atalante* nenhuma influência do surrealismo enquanto tal e tampouco da obra de Buñuel. Há que continuar pesquisando quais foram as reais influências cinematográficas nos dois grandes filmes de Vigo. No momento, não temos mais que uma hipótese a propor. Junto com *Un chien andalou*, a impressão cinematográfica mais forte experimentada por Vigo foi *Telle est la vie*, de Junghans. Nunca tive oportunidade de assistir a este filme, mas me surpreenderia que ele tenha marcado diretamente a obra de Vigo. Em compensação, não seria de surpreender se descobríssemos, entre as raízes do estilo cinematográfico original de Vigo, uma influência combinada de Junghans e Buñuel.

Já quanto à influência que Vigo, por sua vez, teria exercido sobre outros filmes, constatamos que as asserções a esse respeito não são fundamentadas. Enquanto se apegam a generalidades, não deixam de ter alguma justificação. Assim Sadoul, quando declara que na obra realizada entre 1935 e 1939 por Feyder, Renoir, Carré e Duvivier, identificam-se entre outras coisas alguns ensinamentos de Vigo.[345] Poderíamos até responder: "Sim, por que não?". Mas isso não nos leva muito longe. Em compensação, assim que tentam se acercar da questão mais de perto, já não funcionam. Assim Henri Langlois, ao escrever em 1948 que "*À propos de Nice* influenciou muitíssimo as produções recentes, especialmente a da incipiente escola ascendente do documentário italiano".[346]

Talvez seja ocioso procurar uma influência das obras de Vigo em outros filmes. As virtudes destas obras não residem em questões técnicas ou de linguagem, ou em estilos de representação que podem, tanto umas como outros, ser transmitidos ou imitados. Quando Eisenstein assistia ao *Intolerance* [1916, D. W. Griffith], enriquecia sua sensibilidade e aprendia coisas específicas que deveria utilizar mais adiante. Quando De Sica assistia ao *L'Atalante*, só podia sair enriquecido. E ao investir estas riquezas nos seus próprios filmes, tudo o que talvez devesse a Vigo já estava tão totalmente assimilado que já não há como identificar seus vestígios.

Paris, 1949-52

---

345. Georges Sadoul, *Histoire d'un art: le cinéma des origines à nos jours*, op. cit., p. 266.
346. *New Index Series*, n. 4. Londres: British Film Institute, 1951.

CARTAS DE PAULO EMÍLIO

Monsieur Bonnerot
Bibliothèque de la Sorbonne
Rue de la Sorbonne
PARIS (5e)

Paris 20 avril 1950

Cher Monsieur

Il y a déjà trois ans vous avez eu l'obligeance, à une époque où je commençais à m'intéresser par l'"Affaire du Bonnet Rouge" et par la personne de Almereyda, de m'envoyer par l'intermédiaire de notre ami Gerard Duchêne une petite brochure de Maurice Fournié "Miguel Almereyda. L'Affaire du Bonnet Rouge,"(1) et un gros volume relié de la publication "Les Procès Célèbres" (je crois).

J'ai continué à m'intéresser ~~par~~ à la vie et à l'oeuvre du cinéaste Jean Vigo (fils d'Almereyda) et depuis quelques mois j'y travaille activement puisque ~~j'ai~~ trouvé un éditeur. Il n'y a aucun doute que la vie et le souvenir du père ont eu pour le jeune artiste une importance fondamentale et je continue à être fort peu documenté là dessus. Il me faut consulter les collections de la "Guerre sociale" de 1910 et du "Bonnet Rouge" de 1916-1917. Pourriez vous avoir l'obligeance de me donner une lettre d'introduction pour les services compétents de la Nationale?

De plus, malgré tout le temps que j'ai gardé les documents que vous m'avez confiés (j'en suis encore honteux), je me rends compte que les notes que j'ai pris à l'époque sont insuffisantes, et j'aimerai les consulter encore une fois. ~~Je vous demanderais de me renseigner~~ Pourriez vous m'indiquer dans quelle bibliothèque ils se trouvent?

Si vous ne me trouvez pas trop importun je me permettrai de vous téléphoner samedi prochain, le 22, à 11 heures pour vous demander un rendez-vous.

Je vous prie de me rappeler au souvenir de Mme Bonnerot et de vos enfants et de croire à l'assurance de mes sentiments respectueux

P.E. SALES GOMES

(1) Mémoire imprimé par Lang, Blanchong & Cie. Imprimeurs à Paris, 7. Rue Rochechouart pour M. Maurice Fournié. 14, rue Drouot, à Paris en septembre 1917.

[...] paciente como um explorador, metódico como um egiptólogo, desconfiado como um detetive e sutil como ele mesmo.[1]

As cartas aqui reproduzidas dão uma ideia do esforço de pesquisa de Paulo Emílio em Paris, 1950. Ele acabava de decidir-se pela empreitada de escrever a monografia *Vigo*. E precisava documentar-se. Retomava contatos anteriores, solicitava encontros, mal escondia a excitação de poder conhecer pessoalmente Francis Jourdain, em quem admira o afeto e a dedicação permanente pelo jovem Jean.

Surpreendente é a carta a Henri Langlois, o diretor idiossincrático da Cinemateca Francesa. No texto, Paulo Emílio deixa entrever uma disputa entre eles pela autoria da reconstituição da versão original de *L'Atalante*. E nosso autor, irritado com a desorganização pessoal – e institucional – de Langlois, pede-lhe carta branca. Procura demonstrar grande intimidade com o processo técnico do restauro e com o material da prospecção. O que não é plenamente reconhecido por Langlois.

---

1. Orelha da 1ª edição, in P. E. Sales Gomes, *Jean Vigo*. Paris: Seuil, 1957.

Langlois não era fácil. Sua intransigência à modernização levou o ministro da Cultura de De Gaulle, ninguém menos que André Malraux, a afastá-lo da direção da Cinemateca Francesa em 1968, com as consequências que todos conhecemos. Protesto dos cineastas, boicote ao Festival de Cannes e os estudantes nas ruas em confronto generalizado com a polícia. Por Langlois, as barricadas estavam de volta às ruas de Paris. E o mundo quase pegava fogo.

Paulo Emílio não afrontou Langlois, mas foi com um crítico italiano – Panfilo Colaprete – vigotista como ele, que remontou *L'Atalante* para exibir no Festival du Film de Demain (Festival do Filme do Futuro), de Antibes, em agosto-setembro de 1950. Assim Paulo Emílio reconstituiu esse episódio:

> Nossas pesquisas entre as sobras do negativo nos levaram à escolha preliminar de cerca de trinta fragmentos. Escolhemos, além disso, duas cópias de *L'Atalante* na versão de 1940, assim como uma cópia do *Chaland qui passe*. As condições do nosso trabalho foram das piores, em nenhum momento conseguimos ter acesso a uma moviola ou comparar as diferentes cópias numa sincronizadora, e tivemos de nos ater ao procedimento grosseiro das projeções sucessivas. Apesar de tudo, mediante a combinação dessas três cópias e a introdução de alguns dos planos selecionados, poderíamos ter chegado a uma versão de *L'Atalante* menos ruim do que as habituais. Não nos foi permitido acompanhar o trabalho de execução técnica da nova versão, que ficou aos cuidados da Cinémathèque Française, mas ao ver o resultado final, constata-se que não carece de interesse.

A versão que hoje circula de *L'Atalante*, restaurada pela Gaumont, muito deve à paciência de Paulo Emílio, ao seu método de comparações sucessivas, à sua desconfiança de que uma cópia original ficara na Inglaterra. Sua sutileza só foi abandonada por um instante, para chamar Langlois às suas responsabilidades.

Sr. André Thirifays
Cinemateca da Bélgica
Palácio de Belas-Artes
Bruxelas

Paris, 19 de abril de 1950.

Meu caro André,

Não sei se você já sabe que venho preparando um livro sobre Jean Vigo. Encontrei uma série de pequenos problemas, mas estou convencido de que alguns deles podem ser facilmente resolvidos por você e por nossos amigos da Cinemateca da Bélgica. Ei-los:

A) Em uma carta de Bruxelas, datada de 14 de outubro de 1933, você confirmou a Vigo o convite feito pelo telefone para que ele fosse apresentar *Zéro de conduite* no Club de L'Écran e lhe pediu algumas fotos do filme. Esta sessão aconteceu em 17 de outubro, às 18 horas (e às 21 horas), no Studio du Carrefour e, a partir deste dia, *Zéro de conduite* foi apresentado com exclusividade nesta sala. Está certo?

Eu gostaria de saber:

1) Se ele lhe enviou as fotos e se você ainda as tem.
2) O que era o Studio du Carrefour e quais eram as suas relações com o Club de L'Écran.
3) Quanto tempo durou a exclusividade e se depois *Zéro de conduite* foi distribuído normalmente em outros cinemas de Bruxelas e em outras cidades da Bélgica ou se foi mostrado principalmente nos cineclubes.
4) A apresentação de Vigo começava assim: "Fico um pouco surpreso por me encontrar sozinho nesta estrada", e terminava com: "Tenho me desculpado muito, como numa brincadeira de mau gosto entre amigos"?

B) Em carta de 19 de abril de 1933, o sr. René Jauniaux, da Centrale Socialiste du Cinéma [Central Socialista do Cinema], mostrava-se interessado em distribuir *Zéro de conduite* no circuito de salas dessa Centrale.

1) O que era a Centrale Socialiste du Cinéma?
2) Tal plano teve êxito?

c) A Federação dos Cineclubes da Bélgica publicou a revista *Sésame*:
  1) Quais textos de Vigo foram nela publicados?
  2) Quais artigos sobre Vigo foram publicados?

d) O *Vooruit* (Gand), de 27 de outubro de 1933, publicou duas fotos de *Zéro de conduite*: a) o anão Delphin; e b) Tabard encostado a uma árvore no pátio do colégio.
  1) Você teria essas fotos? Seria possível pedi-las ao jornal?

e) O *Het Niews van den Dag* (Bruxelas), de 27 de outubro de 1933, publicou uma foto de *Zéro de conduite* (em primeiro plano, o general vigia com as mãos cruzadas, segurando o chapéu).
  1) Idem.

f) O *XXe Siècle* (Bruxelas), de 27 de outubro, publicou uma foto de trabalho de Vigo rodando *Zéro de conduite*; em segundo plano, Storck e Riéra.
  1) Idem.

g) *Le Carrefour, périodique du cinéma* (Bruxelas) publicou, em 17 de outubro de 1933, um longo artigo anônimo sobre *Zéro de conduite*.
  1) Você conhece o autor deste artigo?

h) O Club de L'Écran apresentou *L'Atalante* em 24 de outubro de 1935 no Palais des Beaux-Arts. Em um impresso distribuído pelo Club lê-se particularmente: "No entanto, com a ajuda de alguns amigos de Vigo, o 'Club de L'Écran' pôde, através de incansáveis esforços, reunir os cortes praticados na primeira versão e, com a ajuda de documentos precisos, reconstituir a *montagem exata* do original. Apenas a música de Jaubert não pôde ser retomada. Os poucos recursos do Club não podem tornar esta reconstituição definitiva. *Ela será destruída após esta projeção*".
  1) Onde você encontrou os trechos que foram cortados? Na Gaumont?
  2) Quais os *documentos precisos*, com a ajuda dos quais você pôde reconstituir a *montagem exata* do original?
  3) Além de você e de Storck, quem mais participou do trabalho?
  4) Esta cópia reconstituída foi mesmo destruída após a projeção?
  5) Onde foram mostrados os trechos cortados?

6) Você se lembra das principais diferenças entre a cópia original e a versão Chavance?

I) Graças ao arquivo de Henri Storck pude encontrar muitos artigos publicados pela imprensa belga sobre *Zéro de conduite*. Mas apenas em órgãos de esquerda e do centro.

1) Você soube de alguma reação da imprensa católica?

J) Além destas questões precisas, é evidente que tudo o que diz respeito a Vigo e que estiver nos arquivos da Cinemateca ou nos seus arquivos pessoais me interessa, sobretudo suas recordações pessoais. Quando você viu pela primeira vez um de seus filmes? Quando o encontrou pela primeira vez? Você o via frequentemente? Tomou nota das entrevistas com ele? Publicou artigos sobre ele?

Coitado de você. Não tenho escrúpulos de sobrecarregá-lo, você e nossos amigos da Cinemateca, com um trabalho tão pesado. Se me atrevo a fazê-lo, é porque sei que acredita que Vigo vale a pena e, também porque em vista de nossa amizade, talvez você não me considere completamente abusado.

Meus cumprimentos à sua mulher. Saudações a Ledoux. Sou muito grato aos dois pelo que puderem fazer.

Muito cordialmente,
P. E. Sales Gomes
190 Bld. Saint Germain
Paris 7ème

Monsieur Bonnerot
Bibliothèque de La Sorbonne
Rue de la Sorbonne
Paris 5ème

Paris, 20 de abril de 1950.

Prezado senhor,

Há três anos, na época em que comecei a me interessar pelo *Affaire du Bonnet Rouge* e pela pessoa de Almereyda, o senhor teve a bondade de me enviar, por intermédio de seu amigo Gérard Duchêne, uma pequena brochura de Maurice Fournié, intitulada *Miguel Almereyda. L'Affaire du Bonnet Rouge*[2] e um grosso volume encadernado da publicação *Les procès célèbres* (é a minha impressão).

Continuei a me interessar pela vida e a obra do cineasta Jean Vigo (filho de Almereyda) e já há alguns meses trabalho intensamente nisso, pois acredito ter encontrado um editor. Não há nenhuma dúvida de que a vida e as lembranças do pai tiveram uma importância fundamental para o jovem artista, no entanto, continuo sem documentação sobre o assunto. Preciso consultar as coleções de *La Guerre Sociale*, de 1910, e de *Le Bonnet Rouge*, de 1916-17. O senhor poderia fazer a gentileza de me conceder uma carta de apresentação, dirigida aos setores competentes da Biblioteca Nacional?

Além disso, apesar de todo o tempo em que guardei os documentos que o senhor me confiou (me penitencio também por isso), percebi que as notas que tomei na época são insuficientes e, por isso, adoraria consultá-los mais uma vez. O senhor poderia me indicar em que biblioteca eles se encontram?

Se não for muito inoportuno, eu gostaria de lhe telefonar no próximo sábado, dia 22, às 13 horas, para marcarmos um encontro.

Com minhas lembranças à sua senhora e também aos seus filhos, despeço-me,

Respeitosamente,
P. E. Sales Gomes

---

2. Relatório publicado por Lang, Blanchon et Cie. (imprimeurs), Paris, rua Rochechouart, para Maurice Fournié, rua Drouot, 14, Paris, em setembro de 1917.

Sr. Francis Jourdain
26, rue Vavin,
Paris 6ème

Paris, 20 de abril de 1950.

Prezado senhor,

Eu lhe telefonei há uns dez dias e o senhor não estava. Eis do que se trata. Neste momento preparo um livro sobre a vida e a obra de Jean Vigo para um Museu de Arte brasileiro. O artigo que o senhor publicou sobre a infância de Vigo já me ajudou muito. Eu precisaria agora da mais completa documentação possível sobre Vigo. O senhor é um dos poucos que acompanharam essa vida breve do começo até o final, já que seu nome se encontra nos créditos de *L'Atalante*. Poderíamos marcar uma entrevista para que me fale de Jean Vigo e de seu trabalho como cenógrafo de *L'Atalante*? Além da considerável ajuda que suas preciosas lembranças representarão ao meu trabalho, não omito que é com grande alegria que imagino a ocasião em que o conhecerei pessoalmente.

Se não for muito inoportuno, pretendo lhe telefonar no número Danton 63-98, sábado, dia 22, ao meio-dia, para marcarmos um encontro.

Muito cordialmente,
P. E. Sales Gomes

190, Bld. St. Germain
Paris 7ème

14 de agosto de 1950.

Meu caro Langlois,

Eu queria ter falado com você nesta tarde, mas estava muito ocupado e, além disso, nem sempre é fácil falar com você.

Você está convencido de que a melhor cópia para servir de base para a reconstituição de *L'Atalante* é aquela do *Chaland*. Me dei conta de que você assumiu pessoalmente essa tarefa e acredita que serão necessários ao menos dois meses para fazer um trabalho adequado. Trata-se, portanto, de um trabalho para mais tarde.

Segundo Antibes, você pedirá a cópia de Bruxelas e a ela acrescentará trechos das cópias que tem em casa, além de uma seleção de cortes de montagem. Se, assim como você acredita, a cópia de Bruxelas foi feita por Beauvais há mais ou menos seis meses, ela deve ser sensivelmente igual à cópia n. 16 que você tem na Cinemateca. Voltamos, então, ao nosso primeiro método de trabalho: tomar a cópia n. 16 (se esta for igual à de Bruxelas) como base e fazer contratipos dos trechos da cópia n. 3 e da cópia do *Chaland*.

Eis em linhas gerais, o que será preciso retirar da cópia n. 3:

1º ROLO

A) O comentário de uma velha durante o casamento.

B) Jean, depois de ser ferido pelos seus gatos, é acariciado longamente (?) por Juliette, que ele carrega nos braços.

2º ROLO

A) Jean ajuda Juliette a arrumar a roupa suja em frente ao armário. Ele se ajoelha: "Então, vou te ajudar" (Juliette lhe dá um agasalho: "Vista isto, é quente"). Jean beija demoradamente Juliette e eles se deitam abraçados, num movimento de casal que está prestes a fazer amor, aproximam-se da câmera e cobrem todo o campo de visão com os seus corpos. Nota: somente o momento entre parênteses existe na cópia n. 16.

B) Père Jules fala com Rasputin, que está na beira do rio. Père Jules e o garoto vão embora com ele.

3º ROLO

A) Verificar bem a chegada a Paris. Além do som e da imagem que são incomparavelmente melhores, podemos dizer que na cópia n. 3 a montagem é mais precisa.

4º ROLO

A) Aqui, a música que o Père Jules toca no acordeom é *Le chant des mariniers* [*A canção dos marinheiros*].

Final 5º ROLO e início do 6º

A) Verificar bem a chegada do camelô ao barco onde Juliette está sozinha, e cenas seguintes.

7º ROLO

A) Père Jules enxuga Jean e lhe conta a história dos dois surdos até o sorriso de Jean, sobre a ponte, em frente ao gramofone que toca.

B) A montagem que se segue (?), a verificar.

C) Jean e Juliette, cada um em sua cama.

8º ROLO

A) Verificar Père Jules à procura de Juliette.

Em relação a *Chaland* teríamos também o que aproveitar, como por exemplo, no primeiro rolo, a entrada do casal no interior do mato que é muito rápida na cópia n. 16. Há também o garoto que pega alguma coisa do chão enquanto assovia. Ao final do rolo, depois que Jean encontra Juliette e resmunga com Père Jules, este desce e o vemos andar no cais. No 5º rolo Jean está à frente do timão e fala com Juliette da Torre Eiffel, *antes* a câmera percorre a ponte onde tem um monte de coisas.

No *Chaland* há alguns planos de Juliette que ouve a música feita por Margaritis e mesmo planos deste último, que não existe mais em lugar algum. (Fim do 5º rolo). Ver também no último rolo a procura de Juliette.

Evidentemente, tudo isso está posto de modo geral. Será necessário comparar as cópias na sincronizadora. A propósito, Charlot fixou bem esse aparelho na mesa do fotógrafo, mas ainda falta o segundo núcleo para a enroladeira. O operador bem que procurou em seus armários, mas nada encontrou.

Ao receber a cópia de Bruxelas, e precisando de alguma coisa sobre a qual você acha que posso ajudar, por favor, me avise.

Quando for necessário recolocar os trechos cortados, provavelmente vai precisar da cópia do roteiro que está comigo. Como você sabe, me comprometi a nunca me separar dele, mas toda vez que precisar, me avise que eu o emprestarei.

Se estiver muito ocupado com outros trabalhos nos quais está envolvido, e decidir me atribuir novamente o trabalho de *L'Atalante*, peço imediatamente que faça o necessário para que:

A) Decidamos, de uma única vez, qual caminho seguir e que, depois, você não mude mais de opinião.
B) Realmente me seja fornecida toda ajuda técnica, como equipe, local de trabalho e material dos quais vou precisar.

Como você está sobrecarregado com tantos assuntos e preocupações, muitas vezes não se dá conta do que se passa. Já há algum tempo, cada vez que vou à Cinemateca para tentar trabalhar, não faço absolutamente nada e perco várias horas.

Acredito que o melhor a fazer é lhe dizer isso clara, e cordialmente.

[não assinada]

Resposta de Henri Langlois, de 18 de agosto de 1950

Caro Sales,

De onde você tirou a ideia de achar que eu iria de Antibes montar telefonicamente um filme do qual não tenho nenhum elemento?

E por outro lado como você poderia imaginar que se possa montar *L'Atalante* sem roteiro?

Ao contrário, assim como Beauvais, me dei conta de que é absolutamente indispensável que um profissional execute esse trabalho, e a prova é que o mal-entendido surgiu unicamente por você não ter familiaridade com a linguagem técnica.

Conto com você como antes.
Cordialmente,

H. Langlois
Cinemateca Francesa
Secretário-geral

FORTUNA CRÍTICA

JEAN VIGO

Œuvre de Cinéma

Préface de François Truffaut

La Cinémathèque Française
LHERMINIER

DEDICATÓRIA A PAULO EMÍLIO Pierre Lherminier

Dedico este trabalho à memória de P. E. Sales Gomes, cujo *Jean Vigo* (Éditions du Seuil, 1957) continua sendo o modelo a não ser perdido de vista para quem queira estudar Vigo e sua obra. O historiador ou o exegeta que têm a sorte de trabalhar depois dele podem flagrá-lo errando em um ou outro detalhe menor, mas nada os impede de errar também, mais gravemente, sem a atenuante do pioneirismo no desbravamento do continente Vigo. E que desbravamento! O que Sales Gomes realizou permanece um exemplo para toda a pesquisa relacionada ao conhecimento do cinema. E se hoje amamos Jean Vigo, é também pelo seu livro, e graças a ele.

[*Jean Vigo, Œuvre de cinéma,* Paris, Cinémathèque Française/ P. Lherminier (ed.), 1985]

SÁBADO, 26 DE JUNHO François Truffaut

Passou por minhas mãos o manuscrito do mais belo livro de cinema que já li. Trata-se de um livro monumental sobre Jean Vigo, sua vida, sua obra. Em oitenta páginas datilografadas, o autor P. E. Sales Gomes reconstituiu, dia após dia, a filmagem de *Zéro de conduite*. Cem páginas são consagradas a *L'Atalante*. Como não ficar transtornado com o relato da morte de Vigo? Seria lamentável que essa obra não encontrasse editor, ainda mais visto que sempre há unanimidade a respeito do autor de *L'Atalante*. Estou convencido de que com a publicação desse livro – teria de ser uma publicação integral – não será mais possível escrever dez linhas sobre Jean Vigo sem fazer referência a ele.

["Petit journal intime du Cinéma", *Cahiers du Cinéma*, t. VII, n. 37, Paris, jul. 1954]

SUTIL COMO ELE MESMO[1]

A prova mais decisiva da profunda *verdade* de um ser é a sua lenda. As lendas abundam em torno de Vigo: se seu nome, se *Zéro de conduite*, *L'Atalante*, *À propos de Nice*, os títulos de seus filmes, são conhecidos por toda uma geração, se através de três filmes "malditos" – um curta-metragem de debutante, um filme proibido e um filme mutilado – ele definiu um estilo e um ponto de vista sobre o mundo que se tornaram as próprias referências da pureza cinematográfica, sua morte em plena juventude, a lenda de seu pai, o anarquista

1. Orelha da 1ª edição (1957), título atribuído pelo organizador.

Almereyda, a falta de informação sobre o seu trabalho e a dificuldade de consegui-la, a paixão que animava seus amigos e seus detratores e a irrupção da guerra acabaram por definir um Vigo imaginário. Para colocar em ordem esses conhecimentos e esclarecer esses enigmas, para enfim trazer Vigo para perto de nós e, portanto, ainda mais digno de nossa amizade, foi preciso que P. E. Sales Gomes se fizesse paciente como um explorador, metódico como um egiptólogo, desconfiado como um detetive e sutil como ele mesmo.

[Orelha de *Jean Vigo*, Paris, Seuil, 1957]

UM RETRATO COMOVENTE DE JEAN VIGO G. A. [Georges Altman]

Ele morreu no dia 5 de outubro de 1934, aos 29 anos. Teve apenas o tempo de nos deixar quatro filmes: um documentário satírico e poético; um curta-metragem sobre o nadador Taris (1930); *Zéro de conduite* (1933), que fez escândalo à época e foi proibido, severo testemunho de uma infância mal-amada, prisioneira e perseguida; e enfim *L'Atalante* (1934), drama sobre uma barcaça toda feita de sonhos e claros-escuros, julgada muito pouco comercial pelos produtores e transformada, cortada e deformada sob o título *Le chaland qui passe*, em referência a uma música comercial da época.

Não teve sorte nem na vida nem na obra. No entanto, desde que morreu, eis que Jean Vigo, que foi precocemente arrancado da admiração e do afeto dos amigos, tornou-se um clássico do cinema francês; seus filmes não param de passar nos cineclubes na França e no exterior; descobrimos nessa obra tão breve o acento novo, a poesia, o sopro de cortar o coração que poucos contemporâneos distinguiam na época.

Hoje, um jovem e sutil crítico de cinema, originário da América do Sul, P. E. Sales Gomes, consagra (em uma dessas excelentes coleções da Éditions du Seuil que tratam de todos os aspectos da vida moderna) um livro[2] que não apenas reúne tudo o que é necessário saber sobre Jean Vigo, mas prolonga de maneira duradoura em nós a pena de não podermos mais perpetuar sua memória senão assistindo aos seus filmes ou nos reunindo regularmente em torno de Claude Aveline para conceder o prêmio de cinema independente que traz seu nome.

Que trágica infância, a de Jean Vigo! Sales Gomes lembra, para aqueles que o ignoram, que ele é filho do estranho e impetuoso Miguel Almereyda; lembra o caso do *Bonnet Rouge* e a morte misteriosa de Almereyda na prisão; a infância frágil e tumultuada do pequeno Jean nesse meio de revolucionários e anarquistas de um tempo que parece tão longínquo; Jean Vigo padeceu durante muito tempo, talvez o tempo todo, desse início de vida; guarda daí uma revolta, um não-conformismo cheio de altivez que se exprime tanto em seu comportamento quanto em sua obra. O primeiro capítulo da biografia de Jean Vigo, por P. E. Sales Gomes, que restitui o clima de miséria, desespero, aventura e lutas políticas ferozes e misteriosas, em que viveu o pequeno Vigo, é arrebatador como um romance e está muito próximo da verdade, com todo o tato necessário.

A verdadeira família de Jean Vigo são seus amigos dos meios anarquistas e socialistas da época, Claude Aveline será seu melhor confidente, guardião de seus trabalhos e padrinho da filha que Vigo deixará. Graças a esses amigos, ele encontrará os meios de se realizar trazendo, ao lado dos surrealistas e sem imitá-los, o sopro insólito da poesia e da revolta à arte francesa do cinema.

Todos os filmes de Vigo, em seu aspecto inacabado, ofegante, crispado, têm, por isso mesmo, um tom que não se parece com nenhum outro, que marca o talento original que o tempo não deixou desabrochar.

É louvável que essa primeira e completa biografia seja um verdadeiro ato de fé, cheio de inteligência e afeto vigoroso por um jovem cuja curta

---

2. P. E. Sales Gomes, *Jean Vigo*. Paris: Seuil, col. Cinémathèque, 1957.

existência foi marcada do início ao fim por uma espécie de heroísmo doloroso, em luta contra o mal do mundo, o mal de viver, a doença e a morte prematura. Fica mais claro com esse livro o quanto o rosto e o sorriso de Jean Vigo guardam para aqueles que o conheceram sua presença, e por que seus filmes pertencem doravante à história do cinema.

[*Franc Tireur*, Livres de cinéma, 11 jun. 1957]

P. E. SALES GOMES DESPE JEAN VIGO DE SUA CARAPAÇA DE LENDAS E OFERECE À HISTÓRIA DO CINEMA PÁGINAS CAPITAIS Paul Oury

Escreveu-se e ainda se escreverá muito sobre assuntos cuja temática é o cinema. E se não podemos sempre, por falta de espaço, consagrar aos livros de cinema uma rubrica contínua, temos a obrigação de indicar aos nossos leitores o livro que Paulo Emílio Sales Gomes acaba de publicar pela Éditions du Seuil: *Jean Vigo*.

Além da importância do assunto – doravante, não é mais possível conceber uma história do cinema sem reservar um lugar importante para Jean Vigo – é preciso insistir no caráter de perfeição, no rigor, na profundidade da obra de P. E. Sales Gomes.

Este último compreendeu, de fato, e demonstra com inteligência, o quanto a obra do cineasta decorre de seu caráter, de sua formação íntima. O quanto a obra e o ser estão interligados. Como e por que *À propos de Nice*, *Zéro de conduite* e *L'Atalante* adquiriram a notoriedade das grandes obras artísticas. Jean Vigo deu tudo à sua arte. Sua personalidade, seu espírito, até sua vida.

Não saberíamos exagerar no elogio ao autor por ter entendido esse aspecto do artista e por ter sabido ir além da própria vida do criador, buscando em seu pai, o anarquista Miguel Almereyda, as grandes tendências passionais que moldariam o jovem Jean Vigo e em seguida sua obra.

P. E. Sales Gomes, além da grande humanidade que trouxe para a redação de seu livro, fez um trabalho de historiador. Soube extrair da lenda a personalidade de Vigo. Ele o descreve como foi: um jovem rapaz atormentado, moldado por uma infância instável, sofrendo por um drama terrível (a morte misteriosa de seu pai na prisão), sofrendo também pela falta de amor materno que tanto marcou *Zéro de conduite*. Soube buscar nas profundezas da vida do cineasta as raízes íntimas de sua obra. Ele nos explica isso como historiador, como psicólogo e também como técnico.

Nada é artificial nesse livro. As anedotas mencionadas não são salpicadas ao acaso pelas páginas para dar-lhes um perfume de fantasia. Essas anedotas têm sua importância, fundamentando um ou outro evento capital da vida de Vigo.

É preciso também falar do autor, da história desse livro que nasceu, em um inverno de 1938, diante de uma mesa do Dupont Latin. P. E. Sales Gomes, jovem rapaz, acabava de chegar de seu Brasil natal, ávido por conhecer a capital da Arte que era para ele Paris. Ali encontrou Jean-Claude Merle (atual animador da Cinémathèque), que lhe falou de um certo Vigo que seu tio Eugène Merle e seu primo Pierre Merle haviam conhecido. É dessa conversa que nasceu esse livro. Com um interesse sempre crescente, P. E. Sales Gomes procurou aqueles que haviam conhecido o autor de *L'Atalante*. Ele investigou, reuniu os testemunhos. Tendo precisado retornar ao Brasil durante a guerra, ele voltou a Paris depois da Liberação, para continuar sua obra, que aumentava. Essa obra agora reflete os inumeráveis esforços que suscitou.

Atualmente, P. E. Sales Gomes está em São Paulo, onde dirige a Cinemateca Brasileira do Museu de Arte Moderna. No momento em que seu livro ia ser publicado na França, um incêndio devastava os arquivos dessa Cinemateca. Um terço dos filmes conservados (em torno de 500 mil metros), livros, fotos, cartazes e aparelhos foram destruídos. O resultado de dez anos de trabalho árduo! Ele se pôs novamente ao trabalho com a perseverança que o animou quando escreveu seu livro.

Quando era jovem, P. E. Sales Gomes sonhava em ser escritor. Foi também crítico de cinema, mas ele tinha sempre coisas demais a dizer sobre os filmes, e o espaço a que eram restritos seus artigos o sufocava.

Ele pôde enfim escrever dezenas de páginas sobre um filme. Páginas que permanecerão clássicas na história do cinema.

Sem saber, P. E. Sales Gomes também se tornou escritor.

[*France Film International*, n. 12, 20 jun. 1957]

QUATRO LIVROS SOBRE CINEMA José Augusto França

[...] Realizador "maldito", Jean Vigo, muitos anos depois da sua morte precoce, vem crescendo em celebridade e entrando no plano lendário. Em Paris raramente se veem os seus filmes, que só um acaso de cineclube proporciona, e o nome do autor abstractizou-se para além da obra, tal como aconteceu a Eric von Stroheim. O grande austríaco, porém, viveu até os setenta anos, e a sua existência foi sendo uma acusação muda juntando à lembrança do nome uma presença física de actor, garantia, parcial embora, do seu génio criador. Vigo, morto em 1934, desapareceu e tornou-se apenas citação e fraco eco acusatório de um cinema que tem outros comércios mais lucrativos a fazer...

O livro que, finalmente, o crítico brasileiro Paulo Emílio Sales Gomes acaba de publicar, na Éditions du Seuil, em Paris, tem o primeiro mérito de ser antimitológico. O lendário jovem que deu uma das maiores obras ao cinema francês, o *Zéro de conduite*, ao longo deste livro minucioso é trazido ao plano do quotidiano, e acompanhado passo a passo nas suas diligências incansáveis, das suas esperanças e do seu malogro, é analisado, criticado, tratado como um autor ao qual apenas cabe o privilégio intrínseco do talento, ou do génio, e não outro, que em sua volta se crie, da mitologia.

E, todavia, tanta e tão estudada minúcia (que vai até a investigações cuidadosas sobre o passado de seu pai, o célebre catalão Almereyda, anarquista que enfim conseguiram assassinar na prisão) de modo algum diminui a estatura de Jean Vigo. Os pormenores, as análises apresentam-se como sombras projectadas por um génio criador, por uma figura que, existindo realmente, manterá, para toda a eternidade do cinema, com o seu alto valor de poeta inconformista, um papel lendário e exemplar. Exactamente porque acredita em Vigo nesse plano é que Sales Gomes pôde estudá-lo tão eficientemente noutro – precisamente porque participa da sua mitologia é que pôde escrever um estudo aparentemente antimitólogico...

Poeta maldito, como os outros que o foram, Jean Vigo, com o seu lirismo sem perdão, a sua crueldade para com as falsidades do mundo, e o seu amor às verdades infantis da vida, teve o estudo que merecia – a par do qual pôde ficar ressoando aquela lembrança que do realizador teve Gracq, ao escrever sobre Lautréamont.

[*Seara Nova,* Cinema, Lisboa, ano XXXVI, jul. 1957]

JEAN VIGO Patrice

O cinema é uma arte do real – não uma arte realista, Deus do céu, não me façam dizer abominações! – uma arte em que as coisas significam por elas mesmas... Nem mesmo uma arte concreta. O cinema é uma arte em que as coisas têm seu peso próprio, simples assim, sua presença dissimulada, insistente, sua vida, sua cor, sua atmosfera, sua duração. Essas existências humanas serpenteando por esses cenários, essas névoas, esses ruídos de palavras, esses pequenos risos abafados. As imagens, como as palavras, são 'signos': mas no caso do cinema como no do romance, esses signos não remetem a ideias, nem a conceitos, nem

> a julgamentos mas a alguma coisa que flui naturalmente, que não precisa de ninguém para valorizá-la e ajudá-la a viver – e muito menos de um Stendhal.

É provavelmente por responder a essa definição do cinema proposta por Alexandre Astruc que *L'Atalante* de Jean Vigo se mostra, dezessete anos depois de ter sido filmado, uma obra capital que não se pode ver e rever sem admirar profundamente. Mutilado, modificado em sua montagem, desfigurado pela inserção de uma música, pré e pós-censurado, *L'Atalante* traz ao espectador "o pesado encanto de um mundo inteiro revelado".

Com essa frase – o pesado encanto de um mundo inteiro revelado – P. E. Sales Gomes, que acaba de publicar na nova coleção[3] da Éditions du Seuil uma obra sobre Jean Vigo da qual o *Cahiers du Cinéma*[4] nos havia dado uma pequena apresentação, une-se a Astruc em sua compreensão do cinema cujas imagens significam ideias e não são significadas por elas.

Jean Vigo é o filho do anarquista Almereyda, morto na prisão em 1917, que veio ao cinema como um homem vai em direção ao instrumento de sua expressão total.

Essa expressão, os cinéfilos a conhecem por terem assistido nos cineclubes a *À propos de Nice*, *Zéro de conduite* e *L'Atalante*. No momento em que o cinema francês se perde nos meandros de uma produção sem interesse, que seus mestres se repetem, que sua jovem geração de novos diretores – Astruc e Vadim mais especificamente – é considerada com desconfiança por querer compor uma obra moderna e não mais anacrônica, Jean Vigo aparece como o exemplo mesmo a ser seguido por motivos que, com frequência, hoje em dia se revelam apenas isoladamente nos filmes que nos são oferecidos: audácia, unidade, direção de ator, julgamento moral, atitude social, relações das personagens, intenções e estilo etc...

---

3. P. E. Sales Gomes, op. cit.
4. *Cahiers du Cinéma*, n. 50, ago-set. 1955.

Quando *L'Atalante* foi projetado, Jean Vigo, que tinha acabado de morrer, entrava para a lenda, aquela dos gênios malditos em torno dos quais se constroem poemas desnaturados e complacentes que emocionam as boas almas a partir do momento em que elas não se sentem mais ameaçadas em seu conforto pelo olhar vivo e esclarecido que lia em seu âmago.

Essa lenda é afastada por P. E. Sales Gomes para que Jean Vigo seja circunscrito e descrito do jeito que foi, do jeito que quis ser durante o curto tempo (1905-34) que lhe foi concedido. Isso confere todo o valor ao seu livro que revela, quanto à obra, o que o autor chama de os "três momentos de um mesmo processo criativo", *Taris* sendo considerado uma experiência e um parêntese e constituindo "o único filme de Vigo que possamos, com o recuo do tempo, situar ainda como uma obra de vanguarda, com todo o aspecto limitativo e envelhecido que isso implica".

Sales Gomes circunscreve Vigo quando escreve:

> Discernimos aquilo que dá ao conjunto da obra de Vigo esse aspecto de acabamento perfeito. À exceção do ponto experimental de *Taris*, o movimento de sua criação cobriu ininterrupta e cronologicamente três estilos fundamentais. Entretanto, essa gradação de três estilos não teria sido suficiente. Esse sucesso não seria imaginável sem a constante de temas e de sentimentos nos diversos filmes. Em cada um deles, encontramos a mesma poesia, a mesma compaixão, a mesma revolta, as mesmas tendências.

Jean Vigo terá tido a consciência lúcida dos homens, de sua condição e de sua individualidade. Na idade da maturidade, a morte apagou esse olhar. Mas os filmes que Vigo assinou, que são justamente como a projeção do olhar que ele concedeu à Terra, bastam à nossa sede e ansiedade. Na indolência e na mentira, no conformismo e na cegueira em que se comprazem tantos fazedores, é recomendável ir a essa fonte pura que Jean Vigo nunca deixará de ser.

[*L'Alsace,* Livros sobre a sétima arte, n. 169/ 3.805, 23 jul. 1957]

PRESENÇA DE JEAN VIGO André Bazin

Sob o título acima, o jornal parisiense *France Observateur*, de 22/08/57, publicou artigo assinado por André Bazin – um dos mais conceituados críticos de cinema do mundo – que transcrevemos na íntegra:

> A publicação – junto com a tradução do *Eisenstein* de Marie Seton – do *Jean Vigo*, de Paulo Emílio Sales Gomes, constitui um acontecimento duplamente auspicioso. Em primeiro lugar, certamente, devido ao valor do conteúdo, mas também por testemunhar o progresso das edições francesas sobre cinematografia. Não nos devemos esquecer que uma edição como esta teria sido impossível há apenas três ou quatro anos atrás. A França continuava e continua, a despeito do número de livros publicados (aliás, com muito pouco discernimento por parte dos editores), em grande atraso com relação à bibliografia existente em língua inglesa e italiana no que diz respeito a obras 'sérias' (salvo talvez no domínio histórico, o que se deve sobretudo a Georges Sadoul). *Film Form* e *Film Sense*, para citar exemplos, ainda não foram nem traduzidos nem editados. De dois anos para cá, no entanto, a situação se modificou bastante, o que é comprovado de uma maneira significativa pela coleção Cinémathèque da Éditions du Seuil.
>
> UMA VIDA CURTA E UMA OBRA IMPORTANTE
>
> Com um carinho que só pode ser comparado com a paciência e a erudição que constituem qualidades de Paulo Emílio Sales Gomes, conservador da Cinemateca de São Paulo que escreveu sobre Jean Vigo, um trabalho que eu classificaria de modelar. De qualquer maneira trata-se, sem dúvida, do primeiro exemplo de um trabalho exaustivo a respeito de um cineasta e da sua obra. É verdade que sua vida foi curta e sua obra, reduzida a apenas quatro títulos dos quais dois de curta e um de média-metragem. Uma pesquisa equivalente sobre a obra de um Jean Renoir, por exemplo, exigiria vários grossos volumes.

No trabalho, Jean Vigo é situado com minúcia e precisão no ambiente em que se criou, em particular com relação ao seu pai, Almereyda, cuja lembrança e culto desempenharam função tão importante na sua vida. Mas, seguramente, em primeiro lugar, devido às qualidades de coração e de espírito de Sales Gomes e, em segundo, pela novidade constituída por seu procedimento no campo da cinematografia, esta descoberta conscienciosa e quase científica da verdadeira personalidade de Jean Vigo adquire um valor emocional que possivelmente não possuiria se se tratasse de uma biografia literária ou musical. Talvez Sales Gomes pudesse ter, com vantagem, escrito com maior síntese, resumindo em alguns parágrafos a documentação que procura nos apresentar ao largo de várias páginas, mas sentimos nesta insistente paixão pela objetividade uma poesia dos fatos que se relaciona muito bem com a personalidade que pretende ressuscitar.

Concebido já há três ou quatro anos, este extraordinário trabalho histórico e crítico comprova a importância adquirida após a guerra para a obra de Jean Vigo, apesar de ser tão breve e apesar dessa importância não ter sido pressentida nem mesmo pelos seus admiradores e amigos. O exame feito por Sales Gomes das reações críticas na França e no estrangeiro diante de *Zéro de Conduite* e de *L'Atalante*, antes e depois da guerra, demonstra claramente que, ao se transferir das mãos da crítica dos anos 1930 para a dos anos 1950, a estrela de Jean Vigo adquiriu novo brilho. Para os primeiros, Jean Vigo é um cineasta de magníficas qualidades, mesmo genial para alguns, impedido, porém, por sua morte prematura, aos 29 anos, de se realizar integralmente. Para a jovem crítica contemporânea, *À propos de Nice*, *Taris*, *Zéro de Conduite* e *L'Atalante* fornecem provas suficientes para transformar Jean Vigo num dos maiores, e de qualquer maneira, no mais puro dos poetas do cinema.

Que sentido há nas queixas de que Vigo não teve tempo de realizar, quando o conteúdo de sua obra nos satisfaz tão plenamente? Sem dúvida não podemos pensar sem grande amargura que o autor de *L'Atalante* teria hoje mais ou menos a idade de um Jacques Becker; mas podemos também agradecer aos céus por ter possibilitado a um jovem de 29 anos deixar-nos tal mensagem. Provavelmente, se tivesse vivido mais tempo, Jean Vigo teria realizado outras obras-primas, mais acabadas talvez que *Atalante*, mas duvidamos que esses 'filmes' mais perfeitos nos pudessem ter ensinado algo mais do que já podemos extrair das pequenas maravilhas que ele nos legou.

[*France Observateur*, 22 ago. 1957. Republicado in P. E. Sales Gomes, *O Estado de S. Paulo*, 1º set. 1957]

JEAN VIGO Jean Leirens

Há algumas semanas, indicamos o admirável livro que Marie Seton consagrou ao grande cineasta russo Sergei Mikhailovitch Eisenstein. Na mesma coleção (Éditions du Seuil), foi publicada uma obra sobre Jean Vigo, de P. E. Sales Gomes. A personalidade de Jean Vigo, esse jovem cineasta francês que morreu antes do tempo, é uma das mais interessantes que há. Jean Vigo só teve o tempo de realizar dois grandes filmes de ficção, mas são daqueles que contam na história do cinema: *Zéro de conduite* e *L'Atalante*. Acrescente-se a estes um documentário perspicaz, *À propos de Nice*, e um ou dois curtas-metragens.[5]

A obra de Jean Vigo é fortemente marcada pela infância desse ser sensível que era o filho de um anarquista muito célebre que se autodenominava Almereyda. A vida desse Almereyda, personagem bastante excêntrica na verdade, constitui um dos capítulos – e não o menos interessante – do livro de Sales Gomes. Almereyda, acusado, de maneira muito provavelmente injusta, de espionagem a serviço da Alemanha durante a Primeira Guerra Mundial, morreu assassinado em um calabouço e esse crime, perpetrado em circunstâncias bastante inquietantes, foi abafado. Toda a infância de Jean Vigo foi

5. Apenas *Taris ou a natação* [1931]. [N.O.]

envenenada por esse drama. Esse pai que ele adorava e admirava acima de tudo era objeto do opróbrio geral. Ele tinha de esconder suas origens para não ser alvo da perseguição de seus coleguinhas, se não da excomunhão pelos pais bem pensantes dos mesmos.

P. E. Sales Gomes faz reviver diante de nossos olhos essa infância penosa, evoca o grande amor da vida de Jean Vigo (aliás, amor magnificamente correspondido), nos faz assistir a todas as decepções às quais sua vida de cineasta o expõe.

Podemos fazer, a propósito da obra de Jean Vigo, a pergunta que sempre fazemos quando um grande artista ou um artista de gênio morre jovem. Qual teria sido a evolução de Masaccio, de Mozart, de Rafael, de Büchner, se tivessem vivido até o limiar da velhice? Essa pergunta é particularmente aguda no caso de um Jean Vigo, em razão, primeiro, da imperfeição – no plano formal – da obra e, segundo, dos sentimentos violentos que exprime. Melhor dizendo, a obra de Jean Vigo está perfeitamente acabada, ou exigia um amadurecimento do pensamento? Tudo aquilo que podemos dizer sobre isso é vão, pois nunca será nada mais que uma opinião, que, de resto, parecerá completamente pueril àqueles que pensam que a liberdade não é apenas uma palavra; que é impossível prejulgar a evolução de um homem, de seu pensamento ou de sua sensibilidade. É, portanto, uma pergunta que só tem sentido se a deixarmos em suspenso.

O autor não tenta fazer uma crítica exaustiva da obra de Jean Vigo. Ele se limita (o que não é pouco) a penetrar essa obra por dentro e a nos mostrar Jean Vigo quase ao vivo no trabalho. Por outro lado, ele trata de tudo que foi escrito sobre essa obra para chegar à constatação singular de que foi preciso esperar o fim da Segunda Guerra Mundial para que nos déssemos conta das suas grandes qualidades poéticas. Isso se deve sem dúvida ao fato de que as primeiras críticas foram sobretudo sensíveis ao poder de choque desses filmes de Jean Vigo. Isso também é sinal de que essa obra é extraordinariamente rica apesar de suas imperfeições. Com efeito, seria preciso ser cego e surdo para não sentir palpitar nos filmes a sensibilidade de um homem profundamente ferido pela vida. Jean Vigo é desses que a sociedade triturou mas não sem que essa vítima tenha tido o tempo de estabelecer um ato de acusação que parece ainda mais implacável porquanto penetramos no interior dessa obra. Um requisitório, sim, mas cheio de generosidade, de compaixão e de sopros líricos.

[*Bibliographie*, sem outras referências, s. d.]

JEAN VIGO Roy Edwards

Este estudo de Jean Vigo realizado pelo crítico brasileiro P. E. Sales Gomes e programado originalmente pela Editora Arcanes, em 1953, foi enfim publicado dentro da mesma coleção que a edição francesa do *Eisenstein*, de Marie Seton.

Há certos filmes que, por causa do diretor, da estrela ou do gênero, podem assumir em algumas mentes, para o bem ou para o mal, proporções de obsessão ou culto. Sales Gomes, obviamente (e "para o bem"), criou para si próprio um culto a Vigo. A publicidade do livro fala dele como sendo "*méthodique comme un égyptologue, méfiant comme un détective*";[6] um detetive que possui a inventividade e a personalidade de um Sherlock Holmes, além do equipamento de uma atualizada Scotland Yard. Suas investigações o levaram às relações, amigos e atores de Vigo, assim como a inúmeras sessões em cinemas e cineclubes.

Sales Gomes apresenta os resultados de sua pesquisa numa trama cronológica que ele estende aos resultados da redescoberta de *Zéro de conduite*, em 1945. Ele começa pela história do pai de Vigo, Eugène Bonaventure de Vigo, mais conhecido por seus envolvimentos políticos como o legendário

6. Em francês no original: "metódico como um egiptólogo, desconfiado como um detetive." [N.T.]

anarquista Almereyda, figura exótica cujo "purismo" revolucionário inicial fora eclipsado, ao que parece, em anos posteriores, quando ele aparentemente sucumbiu, pelo menos no que diz respeito a automóveis e amantes, ao "canto de sereia" do mundo. A mãe de Vigo, Emily Cléro, era uma "companheira" do anarquista. Almereyda morreu, ou mais provavelmente foi morto, na prisão de Fresnes, quando Jean tinha apenas doze anos.

Este pai extraordinário, por seu anarquismo e sua lenda, assombrou Vigo e o influenciou profundamente: na adolescência, ele fez da recuperação da aura alquebrada do pai a principal razão de sua própria existência. Esta história do período inicial da vida de Vigo nos fornece, igualmente, uma "história de bolso" do anarquismo francês no início do século XX – o que nos dá a impressão de que a infância de Vigo teria sido improvisada, passada em uma série de acampamentos ciganos anarcopolíticos.

A abordagem necessariamente biográfica que Sales Gomes aplica aos primeiros anos de Vigo alarga-se, à medida que o interesse do artista pelo cinema surgia e crescia, para incluir "biografias" e críticas de seus filmes: *À propos de Nice* (financiado, em grande parte, graças a seu sogro); *Taris*, um curta sobre o campeão de natação, realizado para o cinejornal da Gaumont *Journal Vivant*; longos trechos sobre *Zéro de conduite* (uma versão deste capítulo, escrito com Henri Storck, foi publicada pela Pelican em *Cinema 1951*)[7] e *L'Atalante*.

Ele também conta a história do roteiro de um outro curta proposto por Vigo ao *Journal Vivant*. Este enfocaria o campeão de tênis Cochet e também faria amplo uso de crianças, possibilitando assim lampejos de uma mitologia pessoal associada ao recente *Zéro de conduite*. No último instante, entretanto, a Gaumont teria abandonado a ideia. Este é somente um exemplo dos vários roteiros e projetos que Vigo concebera; mas de todos eles, apenas

7. P. E. Sales Gomes e Henri Storck, "Nought for behaviour", *Cinema 1951*. Londres: Pelican Books, 1951. [N.O.]

os quatro citados acima foram registrados em celuloide – permitindo que eles flutuassem como o carregamento de um navio de sonhos a ser resgatado e apreciado, qual um tesouro, vinte anos após seu naufrágio. De certo modo, percebe-se que apesar da devoção de seus amigos e de sua esposa, Lydu, não apenas a infância de Vigo, mas toda a sua vida fora uma espécie de improvisação; que os filmes que ele acabou por realizar teriam sido arrancados de uma areia movediça de enfermidade, pobreza e falta de compreensão por uma mão habilidosa, inspirada pela Décima Musa.

Embora o celuloide seja um material particularmente frágil para se depositar alguma chance de imortalidade e embora *Zéro de conduite* tenha sido banido por quinze anos e *L'Atalante*, com a doença de seu autor, tenha sido mutilado e violado pela balada deprimente de Bixio, *Le chaland qui passe*,[8] a lenda de Vigo sobreviveu e talvez tenha mesmo sido fortalecida por todos esses percalços.

Poucos anos após a redescoberta de 1945, ainda era possível dizer de Vigo: "Conhece-se muito pouco de sua vida". Tudo o que se podia saber foi agora solucionado, organizado num formato erudito e iluminado por fotos de cena e imagens extremamente atmosféricas e nostálgicas. Muito embora histórias a respeito de reações individuais a seus filmes possam ainda ser escritas, Sales Gomes produziu o guia definitivo do trabalho e da lenda de Jean Vigo.

[*Sight and Sound* v. 27, n. 2, outono de 1957]

---

8. Literalmente, *A chalana que passa*, adaptação francesa da canção popular *Parlami d'amore, Mariù*, composta pelo napolitano Cesare Andrea Bixio para o filme de Mario Camerini, *Gli Uomini, che mascalzoni!* (1932), no qual é interpretada por Vittorio de Sica. O filme de Vigo, remontado à revelia pelos produtores, receberá variações sobre o tema de Bixio, substituindo sete vezes a música original de Maurice Jaubert e, em duas ocasiões, o silêncio ou o som direto. *Atalante* foi lançado em Paris no dia 13 de setembro de 1934, no cinema Colisée, com o título da canção *Le chaland qui passe*, ficando em cartaz apenas duas semanas; recuperará seu título e partição originais somente em seu segundo lançamento, no dia 30 de outubro de 1940, no Studio des Ursulines. [N.T.]

SR. SALES GOMES: PRÊMIO TALLIER[9]

Para honrar a memória de seu presidente honorário, Armand Tallier, falecido no dia 1 de março último, os membros da Association Française des Cinémas d'Art et d'Essai [AFCAE] haviam decidido recentemente criar um prêmio que teria o nome do falecido.

Esse prêmio, destinado a coroar "uma obra literária que trate do cineasta em seu aspecto mais elevado, ou seja, artístico ou cultural" foi concedido, ontem, pela primeira vez, sob os lambris discretamente iluminados de um restaurante da região de Étoile.

Por unanimidade dos votos, o júri presidido por Abel Gance coroou um livro de P. E. Sales Gomes, consagrado à vida e obra de Jean Vigo, diretor de *Zéro de conduite*.

O laureado, diretor da Cinemateca de São Paulo, receberá sua recompensa – cinquenta mil francos – mais tarde. Por enquanto, com efeito, ele está viajando pelo Chile e ninguém sabe de seu paradeiro por lá...

O PRÊMIO ARMAND TALLIER PARA O LIVRO DE P. E. SALES GOMES SOBRE JEAN VIGO[10]

Sob a iniciativa de seu secretário geral Jeander, a Association Française des Cinémas d'Art et d'Essai [AFCAE] constituiu, alguns meses atrás, um júri encarregado de conceder anualmente um prêmio literário ao melhor livro

---

9. Sem indicação de autor. [N. O.]
10. Sem indicação de autor. [N. O.]

consagrado ao cinema. Esse prêmio, ao qual foi dado o nome de Armand Tallier, acaba de ser concedido, pela primeira vez, ao *Jean Vigo* de P. E. Sales Gomes, publicado pela Éditions du Seuil na coleção Cinémathèque. Eis uma escolha particularmente feliz, já que o livro é de fato o mais sério, mais útil e ao mesmo tempo o mais arrebatador há muito consagrado ao cinema. Seu autor é o diretor da Cinemateca de São Paulo, no Brasil. Contudo, escreveu seu livro diretamente em francês – um francês excelente, aliás – depois de ter consagrado dez anos às pesquisas que ele julgava necessárias para reunir uma documentação sem falha.

Resultado: um livro muito bem documentado; rico em detalhes, anedotas e testemunhos; tão interessante para a história da França da III República quanto para a história de seu cinema; um livro que é o retrato de um homem, de um autor de filmes que estão entre os maiores, e, ao mesmo tempo, o retrato de uma época. Ou seja, esse livro não interessa somente aos especialistas, mas ainda a todos os espíritos curiosos. Esta não é precisamente uma boa definição para "o melhor livro de cinema"?

ESPRIT FALA DE *JEAN VIGO*, DE SALES GOMES André Bazin

O número de outubro da revista *Esprit* publica, na seção de Livros, comentários assinados por André Bazin sobre o ensaio que Paulo Emílio Sales Gomes, conservador da Cinemateca Brasileira e colaborador do Suplemento Literário de *O Estado de S. Paulo*, escreveu sobre o cineasta francês Jean Vigo (Éditions du Seuil). O crítico de *Esprit* afirma em seu artigo:

> Não é frequente comentar-se em *Esprit* livros de cinema, mas o momento é oportuno para fazer uma exceção, em benefício de dois livros que constituem, por suas qualidades quase opostas, obras-primas não somente da crítica

cinematográfica, mas da crítica em si; refiro-me a *Jean Vigo*, de Sales Gomes, e *Hitchcock*, escrito por Eric Rohmer e Claude Chabrol.

O livro de Sales Gomes, publicado na coleção Cinémathèque, foi lançado há mais de um ano, mas, tendo-lhe sido conferido o prêmio Armand Tallier, é justificável que se volte hoje a falar dele. É um livro que não corre o risco de envelhecer, não apenas por ter sido a obra de Vigo infelizmente encerrada pelo tempo há mais de um quarto de século, como também porque o trabalho de beneditino realizado por Sales Gomes é aparentemente também definitivo. A beleza deste livro, seu encanto mesmo, reside no fato de tudo nos dizer. O ponto de partida de Sales Gomes é simples: trata-se de recriar Vigo, seguindo-o passo a passo e quase dia a dia, desde antes mesmo de seu nascimento até sua morte com leucemia, aos 29 anos. O trabalho de Sales Gomes é admirável e exemplar. Fundamenta-se na humildade, na honestidade, na paciência e no amor. Mas esse caminhar discreto e tenaz nos conduz ao próprio coração da obra curta e brilhante de Vigo. Poucos cineastas, levando-se em conta o pequeno número de fitas que realizou, deram oportunidade a tantos comentários internacionais. O trabalho de Sales Gomes os torna todos inúteis. Toda reflexão de *L'Atalante* agora partirá deste livro. O verdadeiro conhecimento de Vigo começa.

[*Esprit,* out. 1958. Republicado in *O Estado de S. Paulo,* 16 nov. 1958]

JEAN VIGO POR P. E. SALES GOMES Philippe Esnault

A publicação tardia do notável manuscrito de Sales Gomes nos parece o feliz presságio do renascimento das edições sobre cinema. Acrescente-se ao nosso prazer a alegria de ver enfim reposto em seu devido lugar um dos cineastas mais estranhos que o cinema jamais enterrou. Podemos ficar ao mesmo tempo orgulhosos e confusos com essa homenagem feita por um amigo estrangeiro, na nossa língua, a uma das figuras mais puras de nosso cinema nacional.

Deixemos o ditirambo...

> Gostamos de Jean Vigo com uma amizade que não se contenta com palavras vãs. Eis aí, sem dúvida, um dos poucos nomes sobre os quais pode haver unanimidade dos cinéfilos. E, no entanto, a obra saqueada desse revoltado, que morreu aos 29 anos, cabe em uma só noite: *À propos de Nice*, *Taris*, *Zéro de conduite* e *L'Atalante* (1934). A que se deve, portanto, essa unanimidade recente? Em primeiro lugar, à profunda verdade do homem e do testemunho que nos deixa. Em seguida, ao fato de ele simbolizar, para os fervorosos dos cineclubes, a juventude com todas as suas maravilhosas faculdades, e a liberdade, até a bandeira negra. Acontece, além disso, que estamos lidando com um gênio, um dos raros gênios do cinema francês, cujos talentos nos cansam. Foi assim que ele pôde sobreviver à vida, à morte e ao esquecimento; criar uma obra inesperada e que continua a escapar às regras. Vejo uma última razão para a unanimidade em torno de Vigo, razão que é importante denunciar: alguns, de fato, vieram apenas pela herança. Ainda bem que a obra de Vigo, esclarecida por seu destino singular, não dá margem aos usurpadores. É preciso agradecer ao sr. Gomes por ter posto os pingos nos *is* acerca dessas tentativas de anexação ou, como se diz, de interpretação, particularmente no que diz respeito às teses recentes dos meios cristãos ou marxistas. Eu mesmo, como Gomes, acharia abusivo classificar Vigo entre os anarquistas: é um libertário, por certo, mas desligado da ideologia paterna; é um individualista. A admirável ambivalência entre o revoltado e o revolucionário pode ser encontrada sempre em uma obra que se situa, como foi dito, 'entre o realismo e a poesia pura'.

O valor excepcional desse livro é o de fixar, de maneira quase definitiva, a documentação relativa ao homem e à obra. A investigação minuciosa do autor (não há outra palavra para qualificar sua pesquisa) o levou a estabelecer um dossiê Vigo exato, preciso e completo, cuja riqueza pareceria até excessiva se a curiosidade e amizade do leitor não o incitassem a saber cada vez mais sobre esse ser único, ainda que depois tenha de separar a verdade da lenda.

Assim, o livro vale por suas qualidades raras: rigor da informação, clareza da exposição, sentido de análise. Qualquer trabalho posterior sobre o mesmo assunto só terá valia se complementar esse livro de base. Aliás, é previsível que algum trabalho apareça, pois o sr. Gomes não soube arrematar sua obra. Será por falta de personalidade ou por escrúpulo? Não ousa se engajar com o entusiasmo que o assunto requer... Será que não tem espírito de síntese? Esperamos em vão um último capítulo em que, utilizando seus conhecimentos como materiais de construção, ele tentaria DEFINIR a ética e a estética de Jean Vigo. Esse esforço para revelar o essencial o teria levado, tenho certeza, a preencher uma lacuna que ele deixa subsistir: o estudo da sexualidade na obra de Vigo ainda não foi abordado; e no entanto tem importância primordial.

Só lamento, portanto, que Sales Gomes tenha por vezes deixado a seus sucessores o cuidado de tirar as conclusões de seu próprio trabalho... A menos que ele mesmo um dia decida rever seu livro para fazer dele a obra definitiva que poderia ser.

[*Cinéma 57*, n. 22, nov. 1957]

JEAN VIGO, UM ENIGMA DECIFRADO Walter da Silveira

Os franceses são absorventes. Não lhes basta ter uma das mais tradicionais culturas do mundo. Não lhes basta a expansão histórica e mesmo contemporânea dessa cultura. Atraem, envolvem, absorvem representantes de outras culturas que, sentindo-se próximos da francesa, dela se acercam e por ela se enamoram. Tem sido assim na literatura e em várias artes: em nosso tempo, Picasso é o exemplo mais famoso, tanto quanto, no século XIX, um Cesar Frank. (Paradoxalmente, e numa espécie de reação do individual contra o coletivo, do estrangeiro absorvido contra o meio absorvedor, esses artistas determinaram uma profunda renovação de estilo francês na pintura e na música, tornando-se chefes de movimentos estéticos incorporados à história das artes na França.)

Por que não haveria de acontecer idêntica singularidade no cinema?

Recordemos, apenas, duas versões do fenômeno no campo do filme: a de um teórico e a de um realizador, a do italiano Riccioto Canudo e a do brasileiro Alberto Cavalcanti.

Se a estética cinematográfica, se a crítica da obra de arte que é o filme nasceu na França, nos anos 1910, seu iniciador indiscutível foi o peninsular Canudo, que, vivendo em Paris, escrevia em francês, era um escritor francês. Além de fundar o primeiro cineclube do mundo, o Club Septième Art, esse romancista e ensaísta, amigo de Rodin, Picasso, Ravel, Dufy, D'Annunzio, previu o futuro do cinema numa época em que era tão terrivelmente negado em suas possibilidades de ser arte, e a importância de sua obra polêmica e precursora pôde ser constatada quando, já morto, reuniram, em 1927, o que fragmentara através das revistas e dos jornais, num livro hoje raro: *L'Usine aux images*.[11]

Decerto que Cavalcanti não teve, no movimento vanguardista francês, nos anos 1920, uma relevância igual à de Canudo. Afora não haver participado de sua criação, outros nomes, alguns até mais famosos do que o seu: René Clair, Jean Epstein, Louis Delluc, Germaine Dulac, evidentemente aparecem como os dos mestres da *avant-garde*. Os filmes de Cavalcanti, todavia, realizados nesse período fundamental da história do cinema francês e mundial, são referidos sempre como das obras mais definitivas da escola, particularmente

---

11. Ricciotto Canudo, *L'Usine aux images*. Paris: Séguier Éditions, [1927] 1995. [N.O.]

En rade [1927] e *Rien que les heures* [1926]. Se formos, porém, investigar entre os historiadores a nacionalidade de Cavalcanti, a sua origem, raros são os que admitem e reconhecem fosse e seja brasileiro quem, na realidade, elaborou filmes tão tipicamente franceses. Assim é que, se Georges Sadoul e Marcel Lapierre sabem que Cavalcanti nasceu no Brasil, Maurice Bardèche e Robert Brasillach ignoram esse nascimento quando o chamam de *metteur en scène* francês que fora contribuir para a formação da escola documentarista britânica. Os demais, a exemplo de René Jeanne e Charles Ford, preferem um silêncio total.

Essas breves considerações vêm a propósito da publicação, na França, de um livro do crítico de cinema paulista Paulo Emílio Sales Gomes.

Fascinado pela cultura francesa, Sales Gomes viveu em Paris longos anos, em contato com os que, estudando, escrevendo, realizando, mais seriamente têm colaborado, ali, para a valorização intelectual do cinema. E, voltando à pátria há uns cinco anos, lá deixou um ensaio biográfico, pesquisado e acabado entre 1949 e 1952, porém somente editado em 1957, que o torna, embora, em seu caso, ironicamente à distância, também um homem do cinema francês, um escritor francês.

Esse ensaio, que raros conhecem no Brasil e sobre o qual não têm surgido pronunciamentos na imprensa brasileira, situando, por conseguinte, Sales Gomes como um autor fora da nossa literatura, conquistou um êxito enorme na França, pelo que se deduz de várias manifestações críticas em seus periódicos e, sobretudo, pelo prêmio que lhe foi conferido em 1958, o prêmio Armand Tallier, então votado, pela primeira vez, por um júri sob a presidência de Abel Gance.

Aliás, a significação do interesse e, mesmo, da simpatia causada pelo livro de Sales Gomes é tanto maior se se considera, com Phillipe Esnault (*Cinéma 57*, número de novembro), que o ensaio colocava, enfim, no devido lugar um dos cineastas mais estranhos que se conhecera, prestava homenagem a uma das mais puras personalidades do cinema francês: Jean Vigo.

Realmente era para deixar os franceses entre comovidos e confusos: nenhum de seus críticos, nenhum de seus historiadores do cinema – e ali os há dos melhores – até então quisera ou pudera estudar o fascinante mistério de Jean Vigo como o estrangeiro Sales Gomes afinal quis e pôde: como um ato de compreensão integral.

Entretanto, o desafio à interpretação da vida e da obra de Vigo sempre fora posto à crítica francesa, a julgar pela admiração que transparece em cada autor, desde Georges Sadoul a Charles Ford, do grupo mais antigo de *La Revue du Cinéma* ao mais jovem de *Positif* e *Télé-Ciné*. Um erro, contudo, marcava, continuadamente, essa admiração, nos adverte Sales Gomes. Todos lamentavam que Vigo, morrendo aos 29 anos, não tivesse podido cumprir as promessas que se adivinhavam em seus quatro únicos filmes – só um deles de longa-metragem –, como se estes, apesar do inacabado da filmografia de Vigo, não dessem para se avaliar o seu poder criador, não constituíssem, num breve conjunto, a obra de um cineasta. É, particularmente, contra essa falsa posição que Sales Gomes constrói o seu ensaio: com um senso de pesquisa e de exegese às vezes com exageradas minúcias, porém frequentemente brilhante, demonstra-nos que tal critério de julgamento da obra de Jean Vigo equivaleria, por exemplo, a de também julgar-se a obra poética de Rimbaud pelo que ainda poderia escrever, se não a esgotasse aos dezenove anos, entregando-se, depois, a uma vida de aventuras, malgrado, por si só, justifique a glória que ninguém discute.

Devemos entender mesmo que o livro de Sales Gomes vai muito adiante dessa denúncia dos próprios críticos franceses, na subestimação de um homem que lhes devia ser tão caro. A convicção que resta, quando plenamente conhecida a carreira de Vigo, é a de que *À propos de Nice, Zéro de conduite* e *L'Atalante* fizeram mais do que renovar o que já era um gasto *poncif* da *avant-garde* cinematográfica: conduziram esse movimento para um outro sentido, muito mais amplo e profundo – *Vers un cinéma social*, como ele dizia –, e atribuíram a Vigo menos a condição, talvez, de um gênio torturado e rebelado do que a de um consciente da própria responsabilidade artística, manifestando-se contra os espectadores "que vêm ao cinema para digerir". Apenas, ficamos em dúvida se o crítico brasileiro terá ido ao exagero ao concluir que o lugar de Vigo, dentro da cultura cinematográfica francesa, é tão alto que somente se nivela ao de Georges Méliès, Émile Cohl, Max Linder, Abel Gance, René Clair e Jean Renoir, isto, é, ao daqueles que constituem os fundamentos históricos do cinema na França. Acaso, o amor de Sales Gomes pelo atormentado filho do anarquista Almereyda corresponderá, como uma recíproca, à relativa desafeição com que sua obra fora até agora encarada: é certo, porém, que, em nenhum instante, se percebe, no biógrafo, uma tentativa de valorização fácil da obra pela vida difícil do criador. Para ele pouco importa a extrema pobreza da infância, da juventude e da mocidade de Vigo, ou seja: de toda a existência de Vigo. Nem importa que sua saúde fosse precária. Nem os seus desajustamentos sociais em consequência do processo político contra o pai e o misterioso assassinato deste na cadeia. Nem o escasso tempo que teve para estudar, pensar e agir, as enormes dificuldades havidas à realização de seus filmes. Nem ainda que, vencendo o direito moral do autor à integridade artística de sua criação, os produtores de *L'Atalante* hajam deformado a plenitude de seu estilo com adições e supressões. Para Sales Gomes, importa exclusivamente a filmografia de Vigo tal como é ou existe: porquanto em seu juízo basta para autorizar a concepção de sua grandeza, não havendo necessidade de buscar-se na censura que incidiu sobre *Zéro de conduite* – em virtude de sua força satírica – ou na improvisação que cercou a execução dos outros filmes nenhuma justificativa.

Tendo morrido em 1934, quando, na França, iria se abrir um período brilhante de valorização temática, e tendo realizado a sua obra a partir de 1930, quando se encerrara um outro período brilhante, de valorização formal, Jean Vigo, um cineasta entre duas gerações artísticas, se converteu num enigma que tem requerido dos mais lúcidos teóricos e críticos italianos, ingleses e americanos, como Glauco Viazzi, Roger Manvell e James Agee, diferentes interpretações.

É, contudo, ao brasileiro Sales Gomes que vem a se dever, afinal, essa definitiva compreensão daquele que, tendo vivido sob o signo da memória do pai, e porventura influenciado em seu pensamento artístico pelo pensamento político deste, compôs um cinema feito de poesia, de piedade e de revolta, um cinema que, em virtude de sua essência e de sua forma, talvez se devesse chamar, um tanto paradoxalmente decerto, de realista romântico.

Lamentável, entretanto, para nós, patrícios de Sales Gomes, fica a circunstância de que poucos saberão que o desvendador do enigma não foi um francês, mas um brasileiro, porquanto, se a editora não se refere, no livro, por nenhum meio, à nacionalidade do autor, na capa faz cair dois acentos agudos sobre o nome de Paulo Emílio, transformando-o, pelo afrancesamento, em Salés Gomés. Pois a tanto vão os patrícios de Jean Vigo na absorção dos representantes de outras culturas quando estimam e admiram deles...

[*Walter da Silveira, o eterno e o efêmero,* in José Humberto Dias (org. e notas), cap. 29, "Diário de Notícias (1959/60)", 4 v. Salvador, Secretaria da Cultura do Estado da Bahia/ Funcultura/ Ed. Oiti, 2006]

VIGO, CINEASTA DESCONHECIDO (ANTES DO LIVRO DE SALES GOMES)[12]

Há quinze anos foi editado na França *Jean Vigo*, livro de Paulo Emílio Sales Gomes. Desde essa época, Paulo Emílio ouve promessas de editores brasileiros, que garantem a publicação do livro no Brasil. Agora a obra foi lançada, em duas edições diferentes, na Inglaterra[13] e nos Estados Unidos.[14] Aqui, as promessas continuam.

---

12. Sem indicação de autor. [N.O.]
13. Londres: Faber and Faber Ltd. [Secker and Warburg Ltd., 1972], 1998. [N.O.]
14. Berkeley/ Los Angeles: University of California Press, 1971. [N.O.]

O livro foi considerado pela crítica "o primeiro e definitivo estudo feito sobre a vida e a obra do quase desconhecido cineasta francês". Recebeu na França o prêmio Armand Tallier, distribuído a cada dois anos para obras sobre cinema, e na Inglaterra conseguiu quatro estrelas na revista *Time Out*.

Paulo Emílio Sales Gomes, professor da Escola de Comunicações e da Faculdade de Filosofia da USP e conservador da Cinemateca de São Paulo, escreveu o livro "quase sem querer":

> Eu tinha um grande interesse em Vigo e pesquisava pensando numa provável tese de doutoramento. Quando o projeto da tese foi abandonado senti que havia na Europa, onde estava na época (1949), uma preocupação de rever e reestudar os cineastas de antes da guerra. E Vigo era um desconhecido. Sua obra pequena, apenas quatro filmes – *À propos de Nice*, *Taris*, *Zéro de Conduite* e *L'Atalante* – tinha sido deturpada por frequentes cortes da censura. Resolvi transformar a tese em livro.
>
> Vigo era perseguido pela censura por ser filho de anarquistas e por mostrar em seus filmes admiração pelo comportamento dos pais. Em 1917, o pai foi estrangulado na prisão. Jean tinha doze anos. Dos doze anos seguintes, passou sete em internatos e três num sanatório para tuberculosos. Em 1929, casado com uma companheira de sanatório, começou a filmar. Em quatro invernos fez quatro filmes. Em 1934 morreu.

Seus filmes, turbulentos, políticos, atacando a moral da época, sob certo ponto de vista mal-acabados, são para Sales Gomes "uma antologia de erros e defeitos, de coisas que um cineasta não pode e não deve fazer. Mas, sua paixão, sua luta, superam as limitações formais e Vigo, até hoje, cumpre a missão de nos desconcertar e conquistar".

[*Jornal da Tarde*, São Paulo, 15 dez. 1972]

Acaba de ser publicada na Itália, passados 22 anos da primeira edição, a monumental biografia de Jean Vigo, escrita por Paulo Emílio Sales Gomes,[15] hoje diretor da Cinemateca Brasileira.[16] Graças ao minucioso trabalho de pesquisa de Paulo Emílio temos este livro fundamental sobre a vida e a obra de um diretor desconhecido em vários aspectos, texto imprescindível para se conhecer de forma completa as condições nas quais Vigo viveu e trabalhou.

Paulo Emílio reconstrói com uma documentação de primeira mão, dia após dia quase, a vida de Jean Vigo: da morte do pai, o lendário militante anarquista Miguel Almereyda (protagonista do "caso Malvy" e "suicidado" na prisão em 1917, "turbulento ano" para a França, como o definiu Poincaré), até sua morte por septicemia aguda em 5 de outubro de 1934, aos 29 anos. Jean Vigo ficou doente sete meses antes, durante as últimas tomadas de *L'Atalante*, filme que foi literalmente macerado e remontado pelos produtores e distribuidores com o título *Le chaland qui passe* (canção francesa muito em voga na época, que não era outra senão a nossa *Parlami d'amore Mariù*, lançada por Vittorio de Sica).

A vida de Jean Vigo esteve demasiadamente envolvida numa aura lendária, e soterrada por uma avalanche de testemunhos, lembranças, retratos mais ou menos fiéis, contribuições críticas etc., para não apreciarmos a obra de Paulo Emílio, que é uma das poucas a trabalhar em cima de dados concretos, por vezes de forma impiedosa. De outro lado, não se pode deixar de notar que esta biografia aparenta ser mais uma obra de *fisiologia* que de filologia. Não poucas vezes, algumas fórmulas que se tornaram canônicas na literatura sobre Vigo me deixam perplexo (poesia-revolta-anarquismo),

---

15. P. E. Sales Gomes, *Jean Vigo*. Milão: Feltrinelli, 1979. [N.O.]
16. Paulo Emílio já havia falecido nessa época. [N.O.]

como deixou-me a retomada delas no descarado subtítulo da edição italiana: "vida e obra do grande diretor anarquista", e na resenha equivocada da quarta capa. Os termos "poesia", "revolta", "anarquismo" não dizem absolutamente nada sobre a vida e a obra de Vigo, a não ser pelo apelo superficial às condições psicológicas, pelo fato de ter sido considerado por um período não muito breve de sua vida "o filho do traidor" – tanto que Jean pensou seriamente em dedicar todas as suas forças para reabilitar o nome do pai.

Apesar da massa de informações que existem a respeito de sua história, Vigo ainda é um autor desconhecido, sobretudo como autor, em especial no que diz respeito à sua obra. Poucas vezes a crítica que conta (a francesa e a italiana) conseguiu falar de seus filmes (*À propos de Nice*, *Zéro de conduite*, *L'Atalante*) sem ir e vir, como uma bobina, da "revolta" à "poesia", do "anarquismo" ao "amor pela vida" etc.; como se esses termos vagos pudessem dar uma ideia da *atmosfera* profunda que Vigo soube criar entre o cinema e a lembrança da segregação infantil (*Zéro de conduite*).

Isso foi possível graças à maneira vigoniana de ver o mundo com a lente de uma câmera e com a sensibilidade de quem não faz do cinema um "ofício" ou uma "profissão"; ficando à margem da indústria cinematográfica, por não ter renunciado à afirmação do estilo, que também se traduzia pela coragem de viver e de atuar *na* doença e *com a* doença, nas e com as dificuldades de todo gênero, sem ceder.

[*Paese Sera*, Roma, 4 mar. 1979]

PAULO EMÍLIO SALES GOMES: *JEAN VIGO* Ismail Xavier

Quem conheceu Paulo Emílio nos anos 1970 tomou contato com o intelectual jacobino das campanhas nacionalistas, arguto analista das questões do cinema brasileiro, estudioso de Humberto Mauro, soma de ficcionista e crítico da cultura que nos ajudou a formar uma nova percepção do país e dos caminhos da invenção no subdesenvolvimento. Depois de sua morte, em 1977, a edição de suas obras tem revelado, principalmente aos mais jovens, outras faces do mestre. Os dois volumes do "Suplemento Literário",[17] reunindo críticas publicadas entre 1956 e 1963, deixaram clara a sua dimensão de erudito esperto, articulista dotado do raro senso de adequação entre texto e contexto, capaz de conduzir o leitor pela história do cinema, discutir estética e economia sem tropeçar em jargões.

Jean Vigo não ganhou destaque nas páginas do suplemento e o ensaísta comportou-se como quem jamais tivesse publicado, em Paris, a sua pesquisa pioneira sobre o cineasta. Paulo Emílio tinha a elegância de não citar a si próprio, não bater na tecla de seus escritos anteriores. Isso contribuiu para que só agora, invertendo a cronologia de sua produção, o brasileiro possa ler *Jean Vigo*. O português não é a primeira língua para a qual se traduz este clássico cujo original francês foi escrito entre 1949 e 1952, e publicado em 1957.

Estudo impecável de vida e obra, *Jean Vigo* é um gesto de adesão afetiva, intelectual, política. Ao mesmo tempo, passeio cuidadoso do investigador que desce ao detalhe para compreender o conjunto, seguindo o percurso de Vigo entre Nice, Paris e os colégios no interior da França. Na raiz desse gesto, a dedicação de Paulo Emílio a Almereyda, pai de Jean, líder político

---

17. P. E. Sales Gomes, *Crítica de cinema no Suplemento Literário*, 2 v. Rio de Janeiro: Embrafilme/ Paz e Terra, 1981.

anarquista, jornalista militante, peça fundamental na aproximação do estudioso ao cineasta. Com estilo próprio, mas afinado às ideias do pai, Jean Vigo abraçou o cinema como um cineasta-autor, independente, exemplo de coerência e invenção na escassez de recursos, na doença que trouxe a morte prematura. Na virada do cinema mudo ao sonoro, ele é o jovem que resolveu muito bem a transição entre estes dois universos: ligado às discussões estéticas da vanguarda e ao espírito cineclubista dos anos 1920, é também o cineasta que já nos faz mergulhar na atmosfera poética de um cinema realista francês dos anos 1930.

Na década de 1950, Paulo Emílio resgatou o legado de Jean Vigo para os franceses. Esta edição o devolve ao processo cultural brasileiro. É indispensável conhecer o poeta. Melhor guia, seria pedir demais.

[Orelha de *Jean Vigo*, Rio de Janeiro, Paz e Terra, 1984, revista pelo autor em 2008]

JEAN VIGO: O FANTASMA NA VANGUARDA Paul Ryan

La beauté sera CONVULSIVE *ou ne sera pas.*
André Breton, *Nadja*[18]

Nos quarenta anos que sucederam a primeira aparição desta biografia, Jean Vigo passou a ocupar uma posição singular no cinema mundial. Tentativas de situá-lo nas tradições estabelecidas provaram-se infrutíferas, pois ele está, como sempre foi, além de qualquer classificação – um poeta cinemático, cujo imaginário sensual e comprometimento social garantem a seus

18. No original, em francês: "A beleza será CONVULSIVA, ou não será". André Breton, *Nadja*, trad. Ivo Barroso. São Paulo: Cosac Naify, 2007, p. 146. [N.T.]

filmes um lirismo selvagem. François Truffaut escreveu, em 1967, a respeito da "grande sorte de ter descoberto todos os filmes de Jean Vigo numa única sessão". Ele reconheceu que esta era a maneira ideal para ver esses filmes, que totalizam pouco mais de três horas de projeção. De fato, se fosse possível legislar sobre tais assuntos, eu estabeleceria uma regra segundo a qual todos os filmes de Vigo seriam mostrados sempre e somente formando um programa completo: dos fogos de artifício e vistas aéreas que abrem *À propos de Nice* ao plano dolorosamente terno que conclui *L'Atalante*, somos mergulhados em um universo que é absolutamente pessoal e, ao contrário do que se poderia esperar, gloriosamente estruturado. Quatro filmes em quatro anos, quatro filmes que mapeiam uma viagem – impulsionada por uma mente nervosa e um coração caloroso – levando do ardor juvenil à paixão madura.

Insistir na brevidade da carreira de Vigo e especular sobre o que ele teria feito se tivesse vivido mais tempo é ignorar a dimensão de sua realização. Sua morte, aos 29 anos, representou uma perda profunda para sua família e amigos, sendo portanto compreensível que eles tenham guardado o luto por tanto tempo. Mas seria um ato de extrema ingratidão, da parte do cinema, seguir lamentando sua morte. Pois ele recebeu de Vigo um presente admirável: o mais coeso conjunto de obras de sua história. Eis a razão pela qual sua reputação perdura e sua obra deve ser vista pelo que é: um todo sem emendas. Henri Storck disse-me, uma vez, que o talento de Vigo consistia em "pegar a realidade e forçá-la até seus limites – para, em seguida, forçá-la para além de seus limites". Com *À propos de Nice*, Vigo e Boris Kaufman já começaram como pretendiam continuar: levando o *cinema* até seus limites. Eles viviam e respiravam esse meio de expressão e nunca duvidaram, nem por um momento sequer, que essa era uma forma de arte que se aproximava mais da música que do teatro e, de modo algum, da literatura. Os filmes de Vigo não são textos, mas se combinam para compor uma sinfonia em quatro movimentos com temas e variações que são apresentados, reiterados e resolvidos numa harmonia de imagem e som.

Vigo não é apenas um dos maiores artistas do cinema, ele é um dos maiores artistas do século XX, entre todos os meios de expressão. Não consigo mais olhar para uma bela imagem do interior de uma casa em Nice, pintada por Matisse, sem imaginar Vigo e Kaufman do outro lado da janela, sob as palmeiras, criticando o cerne de uma sociedade complacente. (Matisse, que tinha uma verdadeira admiração pelo cinema, deve ter se deliciado com as imagens da lânguida jovem no terraço, "mudando" suas roupas elegantes cinco vezes, antes de tornar-se um nu sentado – um nu de Matisse, *en plein air*.)[19] *Taris*, esse pobre órfão, o menos apreciado dos trabalhos de Vigo, é uma pequena obra-prima cômica de vanguarda que nos prepara para as maravilhas de *Zéro de conduite* que, por outro lado, nos ensina o que todo anarquista já sabe: que a obediência é a mais desprezível das virtudes. Quanto a *L'Atalante*, há tantas maneiras de amá-lo quantas há de amar. Posso apenas complementar dizendo que a hora em que Dita Parlo, sozinha e revirando-se em sua cama de hotel, desliza sua mão por dentro da camisola, passando-a sobre o peito, acaba tornando-se o instante mais singularmente erótico que conheço em todo o cinema – perco o fôlego cada vez que o vejo.

Jean Vigo era um visionário (e isso, mais que sua morte prematura, é o que justifica as frequentes comparações com Rimbaud); ele era um anarquista tão militante quanto seu falecido pai, mas encontrara uma forma visual para expressar seu anarquismo; era um cineasta político, na medida em que tudo o que é social é também político e em que cada metro de filme que ele rodou era assumidamente social; era um humorista que temperava seu humor com paixão, em vez de sentimentalismo; era um realista que nunca confundiu realismo com simples naturalismo; e era um artista exigente consigo mesmo e com a forma de arte que escolhera. Mas, apesar de sua admissão no seleto grupo dos *autores*, era alguém com total consciência do caráter coletivo dessa arte, tendo promovido algumas das mais intensas e criativas

19. No original, em francês: "ao ar livre". [N.T.]

colaborações da história do cinema. O sucesso dessas colaborações, aliado à aguçada visão pessoal de Vigo, dava a seu trabalho uma coerência essencial.

A maioria de seus colaboradores está morta agora, *la bande à Vigo*.[20] Boris Kaufman morreu, deixando para trás um legado de filmes (*On the Waterfront, Twelve Angry Men, Long Day's Journey into Night* e *The Pawnbroker*)[21] que contêm algumas das mais refinadas fotografias em preto-e-branco da história do cinema. Também falecido está o produtor Jacques-Louis Nounez, por cuja fé em Vigo seremos eternamente gratos. As estrelas também se foram: Dita Parlo, Michel Simon e, mais recentemente, Jean Dasté. Maurice Jaubert morreu há muito tempo e Charles Goldblatt, cujas letras adaptaram-se tão graciosamente à música de Jaubert, há pouco. Igualmente falecidos estão muitos dos queridos amigos e colaboradores: Gilles Margaritis, Jacques e Pierre Prévert, Albert Riéra e o escritor Claude Aveline, que criou a filha de Vigo, Luce, após a morte de Lydu. Os únicos sobreviventes agora são Pierre Merle (filho do velho parceiro de Almereyda, Eugène Merle, e portanto último laço com o universo do pai de Vigo) e Henri Storck, cujos documentários austeros e exigentes ainda permanecem muito pouco conhecidos fora de sua Bélgica natal. Em certa medida, o nome de Jean Vigo forma uma espécie de palimpsesto através do qual se pode ler estes outros nomes, cuja contribuição foi tão vital para sua arte.

Um dia perguntei a Henri Storck se ele poderia apontar um momento, em qualquer filme de Vigo, que pudesse servir como um autorretrato do artista. Ele mencionou imediatamente a cena de *Zéro de conduite*, na qual Caussat encontra-se sentado com os olhos vendados, na casa de um amigo da família, enquanto uma garotinha balança diante de seu rosto um aquário

---

20. No original, em francês: "a turma de Vigo". [N.T.] Alusão ao Bando Bonnot. [N.O.]
21. Filmes dirigidos por: Elia Kazan, *Sindicato de ladrões* [1964], e Sidney Lumet, *Doze homens e uma sentença* [1957], *Longa jornada noite adentro* [1962] e *O homem do prego* [1964]. [N.O.]

suspenso por um arame; ela retira em seguida a venda, o que provoca em Caussat um indisfarçável deleite. Sales Gomes cita o discurso de introdução ao filme, feito pelo próprio Vigo, que contém sua recordação em primeira pessoa de um incidente semelhante. Significativamente, Vigo também escreveu uma nota no roteiro explicando que "esta cena de grande pureza revela que Caussat é um ser sensível e delicado". Storck também mencionou a cena de *L' Atalante* na qual o Père Jules dança com a saia de Juliette:

> Isto é coisa de Jean, o comediante, pois é exatamente o que ele inventaria só para fazer as pessoas rirem. Ele era um ator maravilhoso e adorava interpretar números cômicos. Ele ligaria para uma amiga dizendo ser alguém da companhia telefônica checando as diferentes tonalidades do telefone: 'Por favor, sente-se numa cadeira', ele diria, 'ou se você tiver uma cômoda, sente-se nela agora e fale um pouco. Bom. Agora, coloque o telefone atrás de você e peide'. Claro que neste ponto ela percebia que era o Jean.

Storck comentou que nunca encontrara ninguém que tivesse vivido com tanta intensidade quanto Vigo, nem ninguém tomado de uma curiosidade e uma espontaneidade tão vorazes. Isso garantiu-lhe um dom excepcional para a amizade e para colaborações produtivas. Storck recordou:

> Na época de *Zéro de conduite*, ele convidava todo mundo, eu, Pierre Merle, Jean Painlevé, para contar histórias de nossos tempos de escola, as quais seriam incorporadas ao roteiro. Quando estávamos filmando, as restrições de orçamento nos permitiam contar com apenas duas tapadeiras[22] para criar a cena do escritório do diretor da escola. Para outra cena, não tínhamos tapadeira alguma. Qualquer outro cineasta teria reclamado com o produtor, mas não Jean. Ele apenas virava para o Kaufman e dizia: 'B' – ele sempre chamava Kaufman de 'B', nunca

22. Painel de madeira ou trainel de pano usado em cenografia de cinema ou de TV. [N.O.]

> de 'Boris' – 'B, não temos nenhuma parede nesta cena, vire-se'. E Kaufman adaptava a câmera à nova situação.

Este dom para o improviso, para o trabalho dentro de limitações impostas por circunstâncias externas, é o que dá ao trabalho de Vigo tanta vitalidade e explica um pouco sua aparente crueza – o que também lembra a frase que ele escreveu no roteiro original de *Zéro de conduite*: "Se temos que ser prisioneiros, ao menos deixem-nos escolher nossa prisão, deixem-nos ser felizes e nos divertirmos, para que queiramos ficar nela para o resto de nossas vidas".

Em 1964, Jacques Rozier fez um filme sobre Jean Vigo para a televisão francesa, dentro da série *Cinéastes de notre temps*.[23] Muitos dos colaboradores de Vigo ainda vivos participaram, dentre eles Jacques-Louis Nounez, que falou do período em que era produtor de Vigo, como sendo

> uma das memórias mais bonitas de minha vida e uma de minhas maiores satisfações. Estou muito feliz por ter sido capaz de ajudar um homem que [...] possuía uma qualidade excepcional e uma espiritualidade ilimitada, a exprimir seus pensamentos e ideias. [...] Os amigos que trabalharam com Vigo tinham verdadeira fé nele, oriunda de uma espiritualidade comum. [...] Eles não somente eram seus amigos, como o amavam com um sentimento muito mais profundo que o da mera amizade.

Outra a contribuir com o programa foi Dita Parlo, que lembrou pensar em Vigo como uma

> vela queimando com um imenso brilho, pouco antes de dissipar-se. Eu percebia que ele já não estava mais ali. [...] Ele não era um daqueles diretores que entram em picuinhas intelectuais neste ou naquele ponto, de jeito nenhum.

---

23. *Cineastas de nosso tempo* (dois episódios): "Jean Vigo" e "Luis Buñuel". [N.O.]

> Ele tinha uma atmosfera em torno dele que não era exatamente fácil, mas era muito natural. Eu tinha a impressão de que ele se permitia ser surpreendido pela própria vida, pela maneira como as cenas tomavam forma, pelos atores, pelo texto, pela luz e pelo que ele via.

Ela o comparou ao mais "despótico" Jean Renoir, que a dirigiu em *La grande illusion* [*A grande ilusão*, 1937]: "Vigo tinha tanta estima, tanta devoção pelo ser humano [...] que nos sentíamos totalmente livres, ainda que olhássemos sempre para ele a fim de ver se o que fazíamos estava bom".

Jean Dasté – que seguiu uma longa e distinta carreira no teatro após trabalhar com Vigo – disse a Rozier o quanto Vigo o atacava por ser "demasiado teatral": "'Não me venha com Copeau!', dizia ele. 'Seja mais simples! Seja mais direto!'". A homenagem partiu igualmente de Michel Simon, famoso por menosprezar os diretores com as palavras: "Ninguém dirige Michel Simon!", que elogiou Vigo pela liberdade que este oferecia a seus atores e por sua disposição em absorver sugestões. "Detesto fazer a mesma cena duas vezes", disse Simon, "e há pouquíssimos diretores (Vigo, Renoir, Sacha Guitry) que compreendem que a segunda tomada é sempre uma mentira." Um dos momentos mais tocantes do filme de Rozier é quando cada um dá o seu testemunho sobre como recebeu a notícia da morte de Vigo: mesmo trinta anos depois, a sensação de choque e perda é quase palpável.

Talvez a única anomalia séria na biografia de Sales Gomes seja a ausência de detalhes fortes sobre o passado de Boris Kaufman, o mais íntimo e constante colaborador de Vigo. O autor apenas menciona que Kaufman teria um "possível" parentesco com o documentarista soviético Dziga Vertov.[24] Uma ambiguidade que se repetiu mais recentemente, em 1995, na monografia de Marina

---

24. Paulo Emílio se refere ao possível parentesco de Kaufman, como sendo o irmão caçula de Dziga Vertov. Ver nesta edição, p. 76. [N.O.]

Warner[25] para o British Film Institute [BFI][26] sobre *L'Atalante*. Na verdade, os dois eram inquestionavelmente irmãos (o verdadeiro nome de Vertov era Denis Kaufman) e juntamente com um terceiro irmão, o diretor e operador de câmera Mikhail Kaufman, compunham uma das mais talentosas famílias do cinema.

Enquanto realizava a pesquisa para seu livro, entre 1949 e 1952, Sales Gomes efetivamente tentou (sem sucesso) contatar Kaufman que, na época, estabelecia carreira nos Estados Unidos. Pode ser que Kaufman – o qual, segundo contam, era um indivíduo receoso e taciturno – tenha se recusado a falar de seu passado a partir de um bem fundado receio de que, numa época em que a Guerra Fria atingia uma fase crítica e o "Temor Vermelho" varria os Estados Unidos, ele não estaria fazendo nenhum favor a si mesmo ao revelar sua relação com o principal filme de propaganda da União Soviética. Somente em meados dos anos 1970, Kaufman aceitou falar sobre seus irmãos ao historiador de documentários Erik Barnouw. Ele contou, entre outras coisas, como Mikhail ensinou-lhe direção de fotografia por correspondência.

Kaufman e Vertov reencontraram-se pela primeira vez, desde a Revolução, em 1929, quando este último visitou Paris com o recém-finalizado *Man with a Movie Camera* [*Cheloveks Kino-apparatom/ O homem da câmera*]. Segundo Michel Kehler, que era às vezes assistente de Boris (mais tarde, um célebre operador de câmera francês e, aliás, irmão de Coco Goldstein-Kehler, que interpreta Bruel, um dos meninos de *Zéro de conduite*), tanto Kaufman quanto Vigo ficaram enormemente impressionados com o filme e fizeram *À propos de Nice* sob sua influência direta. Na verdade, seria razoável afirmar que o estilo enérgico e anárquico de Vertov, particularmente em termos de montagem, tenha sido a maior influência cinematográfica sobre a obra de Vigo. A propósito, Kelber também lembra

25. Marina Warner, *L'Atalante*, trad. Lúcia Olinto. Rio de Janeiro: Rocco, 1996. [N.O.]
26. Instituto que também edita livros e DVDs. [N.T.]

que foi graças à intervenção de Vertov que Kaufman obteve sua primeira câmera de cinema do Estado soviético – a mesma câmera utilizada nas filmagens de *À propos de Nice*.

"Talvez", escreveu Sales Gomes, "seja descabido procurar a influência de Vigo sobre outros cineastas." Ele estava escrevendo antes do surgimento, na França, da *nouvelle vague* e antes do breve florescimento, na Inglaterra, do *free cinema*. A inspiração de Vigo ficou largamente visível em ambos os movimentos. O "Manifesto" do *free cinema*, redigido por Lindsay Anderson, continha declarações do tipo "Nenhum filme pode ser pessoal demais" ou "Um estilo é uma atitude. Uma atitude é um estilo" – o que não pareceria nem um pouco fora de lugar nos próprios escritos de Vigo. Um dos primeiros documentários de Anderson, *Dreamland* [1953], um olhar satírico sobre o parque de diversões de Margate,[27] foi um filme totalmente independente feito, ele me disse uma vez, "à maneira como alguém se senta para escrever um poema". Ele possui algo do humor cruel de *À propos de Nice*. Evidentemente, o amor de Anderson por Vigo é bem conhecido e não seria portanto descabido procurar a influência de Vigo sobre *If...* [*Se...*, 1968], que ganhou a Palma de Ouro no Festival de Cannes em 1969. Este filme, apesar de possuir sua própria identidade, graças à personalidade bastante singular de Anderson, contém várias correspondências com *Zéro de conduite* – e não apenas na cena que marca seu clímax: a rebelião dos estudantes no telhado do colégio. Lindsay Anderson ficava mais que feliz em assumir a influência de Vigo:

> Quando David Sherwin e eu estávamos começando o roteiro, projetamos *Zéro de conduite*, não para roubar seu espírito anárquico (já tínhamos o suficiente), mas para aprender com sua estrutura 'épica'. Como Vigo, pretendíamos fazer um filme cujo tema fosse a própria narrativa.

---

27. Cidade litorânea da costa inglesa. [N.T.]

Numa entrevista para o repórter da BBC David Thompson, em 1990, Anderson declarou, a respeito da primeira vez em que vira *Zéro de conduite*: "Achei maravilhoso e não entendi absolutamente nada". Finalmente, Anderson acabou entendendo o que ele chamou de "método poético de Vigo, episódico, fragmentado e carregado" melhor que a maioria das pessoas, mas isso se devia à sua natureza genuinamente anárquica e a um espírito em sintonia com as intenções de Vigo. Seu trabalho é repleto de referências – algumas das quais, ele insiste, não foram intencionais – a Vigo: o diminuto personagem de *Britannia Hospital* [*Hospital dos Malucos*, 1982] e as fileiras de bonecos de *The White Bus* [1982] sendo apenas dois exemplos inequívocos.

Na França, dois dos primeiros filmes da *nouvelle vague*, *Le beau serge* [*Nas garras do vício*,1959], de Claude Chabrol, e *À bout de souffle* [*Acossado*,1960], de Jean-Luc Godard, ganharam o prêmio Jean Vigo (criado por Claude Aveline, em 1951, para destacar os primeiros filmes que demonstrassem a liberdade de espírito e o comprometimento social associados a Vigo). Era um sinal de que a nova geração de cineastas franceses identificava-se com Vigo. Truffaut, embora nunca tenha recebido o prêmio Jean Vigo, escalou Jean Dasté para dois de seus filmes, *L'Enfant sauvage* [*O garoto selvagem*, 1970] e *La chambre verte* [*O quarto verde*, 1978], e uma vez escreveu-lhe perguntando se eles poderiam assistir juntos a uma projeção de *L'Atalante*, a fim de discutir o filme. Assim, em outro lugar, Vigo estava também sendo redescoberto.

O diretor italiano Bernardo Bertolucci criou uma cena em seu segundo filme, *Before the Revolution* [*Prima della Rivoluzione/ Antes da Revolução*, 1964], que parece ser diretamente inspirada na cena dos amantes separados em *L'Atalante*. Ele disse a David Thompson que viu o filme de Vigo pela primeira vez somente quando estava filmando *Before the Revolution*: "Quando o filme acabou", disse ele, "caí de joelhos e fiz uma louvação à tela". Mais tarde, ele inseriu uma *homenagem* direta a Vigo em *Last Tango in Paris* [*O último tango em Paris*, 1972]. No Canal Saint-Martin, uma das locações de *L'Atalante*, Jean-Pierre Léaud coloca um salva-vidas em torno do pescoço de Maria Schneider – sobre o qual se lê: "Atalante". Ele o tira dela e o lança ao canal, onde afunda. Outro tributo declarado foi prestado pelo filme de Leos Carax, *Les amants du Pont-Neuf* [*Os amantes da Pont-Neuf*, 1991] quando os amantes, interpretados por Denis Lavant e Juliette Binoche, são resgatados do Sena por um velho capitão de cargueiro e sua esposa – talvez Jean e Juliette, já idosos. Mas, na verdade, é nas bruscas sequências de abertura de *Les amants du Pont-Neuf* que Carax mais se aproxima de Vigo.

Em 1995, a divisão de filmes do canal de televisão francês La Sept encomendou a um certo número de diretores uma continuação para *À propos de Nice*. O resultado foi chamado *À propos de Nice* (*la Suite*) e contava com sete contribuições bastante diferentes de talentos tão diversos quanto Raul Ruiz, Costa-Gavras, Claire Denis e Catherine Breillat. O único episódio a fazer referência direta a Vigo foi o primeiro, *Repérages*, de Abbas Kiarostami e Parvis Kimiavi. Ele apresentava Kimiavi (de certa forma, aparentando-se a um Jean Dasté de meia-idade) como um diretor de cinema seguindo os passos de Vigo e encontrando uma mulher que teria ou não sido uma das dançarinas do *À propos de Nice* original. A mulher – uma excêntrica *patronne*[28] de um bar local – que acaba guardando por Vigo um certo ressentimento, por ter sido maltratada por ele, como diz finalmente, expulsa Kimiavi, esbravejando: "Jean Vigo? C'est zéro de conduite!".[29] Esta anedota trivial termina com Kimiavi descobrindo Luce Vigo sentada na praia, em Nice. O uso de imagens de arquivo do filme de Vigo apenas serve para relembrar ao espectador o quão melhor era o original e o quão absurdo, embora bem-intencionado, acaba sendo esse exercício.

Inevitavelmente, a vida de Vigo tornou-se tema de uma biografia fílmica, mas feita por um diretor britânico, em vez de francês. Ainda mais inesperado: a maioria das pessoas nunca associou esse diretor a Vigo. Julien Temple é conhecido por uma série de filmes pop – como *The Great Rock 'n' Roll*

---

28. No original, em francês: "proprietária". [N.T.]
29. No original, em francês: "Jean Vigo? É zero em comportamento". [N.T.]

Swindle [1980] (apresentando os Sex Pistols), *Absolute Beginners* [1986] e *Earth Girls are Easy* [*Meu amante é de outro mundo*, 1988]. Mas ele insiste que foi Vigo quem primeiro o inspirou a tornar-se um cineasta e que seu filme *Vigo*: *Passion for Life* [*Vigo*: *paixão pela vida*], lançado em 1998, foi a forma que ele encontrou de pagar uma dívida de honra. Rodado em inglês, ele apresenta James Frain como Jean Vigo e a jovem atriz francesa Romaine Bohringer no papel de Lydu. Como estou escrevendo este texto antes que o filme venha a público, direi apenas que sua sinceridade inquestionável poderá surpreender os que conhecem os filmes precedentes de Temple, sendo este provavelmente o seu filme mais pessoal.

A fortuna dos próprios filmes de Vigo vem se aprimorando dramaticamente nos últimos tempos, corrigindo vários anos de severa negligência. Em seu estudo perspicaz sobre a recepção crítica da obra de Vigo, nos anos imediatamente posteriores à guerra, Sales Gomes declara: "A lista de cineastas franceses que contribuíram para a arte cinematográfica com uma obra de valor duradouro, para além de qualquer interesse efêmero ou histórico, é breve: Méliès, Cohl, Linder, Gance, Clair, Renoir e Vigo". Destes, apenas Renoir e Vigo são largamente conhecidos, hoje em dia, no mundo de língua inglesa. As animações pioneiras de Emile Cohl e a elegância cômica de Max Linder são ainda mais raramente projetadas que os trabalhos de mágica do grande Méliès. Com exceção da magnífica reconstituição que Kevin Brownlow fez do *Napoléon* [1927, *Napoleão*], a obra de Abel Gance permanece pouquíssimo conhecida. Quanto a René Clair, ele parece ter saído definitivamente de moda. O mesmo havia acontecido com Vigo, embora isso tenha sido causado, em grande parte, pela falta de cópias e pela baixa qualidade das que se encontravam em circulação. Na primeira edição de seu *Biographical Dictionary of the Cinema* (1975),[30] o crítico David Thompson comentou a "reputação

---

30. D. Thompson, *Biographical Dictionary of the Cinema*. Londres: Secker & Warburg, [1975] 1980.

aparentemente decadente de Jean Vigo", evidenciada por sua fraquíssima presença na lista de 1972 dos "dez melhores filmes de todos os tempos", da revista *Sight and Sound*. Foi também em 1972 que David Francis, então na BBC, convidou David Meeker, do National Film Archive,[31] para compilar uma "trilha", a partir de discos de jazz, para uma exibição televisiva de *À propos de Nice*. Nenhuma cópia britânica do filme continha o plano final da celebrada sequência de fusões da jovem sentada no terraço que termina com ela em um estado de nudez quase completa. Para compensar essa ausência, Francis pegou uma foto da mulher nua, filmou-a numa truca de animação e inseriu-a no lugar apropriado. O resultado, lembra Meeker, "era bastante tosco, mas dava uma ideia de como era a sequência originalmente".

Somente em 1989, a distribuidora britânica Artificial Eye adquiriu uma cópia de *L'Atalante* com a intenção de relançá-lo, mas descobriu que a famosa sequência erótica – com Jean e Juliette desejando um ao outro, em suas camas separadas – estava faltando. Ela começou então a procurar uma cópia mais completa e suas buscas coincidiram com o passo que a Gaumont dava a fim de "reparar as injustiças e erros do passado", financiando uma restauração completa do filme. O trabalho seria levado a cabo sob a direção de dois especialistas e entusiastas, Pierre Philippe e Jean-Louis Bompoint, que possuíam uma clara vantagem sobre aqueles que teriam tentado restaurações anteriores (incluindo o próprio Sales Gomes). O copião e as tomadas não aproveitadas de *L'Atalante* haviam sido conservados, desde os anos 1930, pelo antigo diretor de distribuição da Gaumont, Henri Beauvais, que mais tarde abriu sua própria companhia, levando consigo todo o material. Em 1940, Beauvais tinha feito sua própria restauração modesta de *L'Atalante*, que ficaria circulando até 1950, quando Sales Gomes, na direção da Cinemateca Brasileira, assumiu o desafio de criar, com a colaboração de Panfilo Colaprete, uma versão mais completa do filme. Trabalhando sem moviolas, restringindo-se

---

31. A Cinemateca Britânica. [N.T.]

portanto a comparar cópias apenas através de projeções sucessivas, Sales Gomes e Colaprete reconheceram suas limitações técnicas, e o empreendimento foi então repassado a Henri Langlois e à Cinemateca Francesa, onde o filme seria apresentado mais tarde, nesse mesmo ano. Em 1985, a Gaumont comprou a companhia de Beauvais, a Franfilmdis, que conservava os direitos sobre o copião e os cortes alternativos de *L'Atalante*, e todo esse material foi colocado à disposição de Philippe e Bompoint.

Sales Gomes (que morreu em 1977) escreveu uma frase bastante profética no capítulo sobre a morte de Vigo: "A existência de uma cópia de [*L'Atalante*] em Londres, em 1934, é motivo de esperança para os admiradores de Jean Vigo". De fato, a cópia pertencera à London Film Society, que a teria armazenado nos depósitos de Aston Clinton do National Film Archive, durante a Segunda Guerra Mundial. Ela permaneceu lá, intocada, até 1990, quando David Meeker, em resposta à Artificial Eye e à Gaumont, decidiu examiná-la. Observando a data da cópia, sabendo que a London Film Society tendia a rejeitar cópias legendadas ("seus membros, como Bernard Shaw, ou falavam outras línguas ou fingiam que falavam") e encontrando uma cópia vários metros maior que qualquer outra na Grã-Bretanha, Meeker percebeu que esta deveria ser em nitrato, sem legendas, tirada do negativo original, antes de os cortes serem impostos. Esta descoberta, juntamente com a de uma excelente cópia do *Le chaland qui passe*[32] na Cinemateca Belga, deram a Philippe e Bompoint a chance de construir uma valiosa cópia de referência. Ironicamente, eles acharam que aquela do *Le chaland qui passe* estava, em certos trechos, mais completa que algumas das últimas versões "reconstruídas" do filme de Vigo, incluindo a restauração de Beauvais de 1940.

---

32. Literalmente, *A chalana que passa*. (O filme de Vigo, remontado à revelia pelos distribuidores, recebeu esse título da versão francesa de uma canção popular italiana, cujas variações substituem sete vezes a música original de Maurice Jaubert e em duas ocasiões o silêncio ou o som direto. Para detalhes, ver Fortuna crítica, nota 8, p. 391. [N. O.]

Um bom número dos colaboradores de Vigo ainda se encontravam vivos, em 1990, e eram portanto capazes de auxiliar os restauradores em sua pesquisa: Claude Aveline, testamenteiro de Vigo, Charles Goldblatt, Jean-Paul Alphen, único operador de câmera ainda vivo, Pierre Merle e Henri Storck. Eles também redescobriram a continuísta, Jacqueline Morland, cujo nome havia ficado de fora dos créditos do filme, bem como puderam encontrar e discutir seus achados com o único astro sobrevivente, Jean Dasté. Com o negativo original há muito perdido, era necessário limpar as cópias encontradas a fim de minimizar os danos causados pela umidade (embora parte dela seja impossível de ser removida) e remasterizar a trilha sonora utilizando novas técnicas digitais. Além de recuperarem várias cenas que haviam sido cortadas – inclusive o plano de Michel Simon com um cigarro em seu umbigo que, como Sales Gomes apontou, tinha adquirido uma mitologia própria –, os restauradores ainda adicionaram três elementos inteiramente novos: recriaram os créditos iniciais tendo como fundo o primeiro fotograma do filme; remasterizaram a cena da "luta greco-romana" do Père Jules, com dupla exposição, aparentemente de acordo com as intenções originais de Vigo; e, mais controverso ainda, eles "estabilizaram" o plano aéreo final, através de uma dupla copiagem da imagem – muitos consideram que isso sacrificou o dinamismo rítmico do original.

L'Atalante restaurado estreou no Festival de Cannes de 1990 e foi lançado logo em seguida, no mesmo ano, com aclamação geral. Ele chamou a atenção de uma nova geração de cinéfilos para o nome de Vigo e, a despeito de possíveis reservas, os entusiastas de longa data desse cineasta reservaram-lhe uma calorosa acolhida. Quando a *Sight and Sound* anunciou sua lista de 1992, *L'Atalante* havia ficado em quinta posição entre os "dez melhores filmes de todos os tempos". Uma cópia restaurada de *Zéro de conduite* foi lançada logo após e, mais ou menos ao mesmo tempo, David Meeker descobriu que a filha de Vigo, Luce, possuía os direitos de *À propos de Nice* e aceitaria vender uma nova cópia ao British Archive. Lembrando-se do nu improvisado da versão da BBC, Meeker encantou-se ao encontrar a sequência de fusões completamente intacta: "E lá estava ela, uma mulher viva e respirando". *À propos de Nice* não é apenas seu filme preferido de Jean Vigo, mas seu filme preferido de todos os tempos – e eu imagino que ele seja o único a conhecer o filme melhor que Luce Vigo. *À propos de Nice* figura, hoje, entre os Tesouros do National Film Archive e é projetado no National Film Theatre[33] numa dobradinha, bastante apropriada, com *Man with a Movie Camera* [*O homem da câmera*], de Dziga Vertov.

Há um epílogo para a história da restauração de *L'Atalante*. A nova cópia carrega uma dedicatória "à memória de Antoine Sand". Antoine Sand era o filho de Luce Vigo que morrera, como seu avô, cruelmente jovem. Pouco depois de sua morte, Luce assistia a uma projeção de *À propos de Nice* quando, na sequência em câmera lenta com as garotas dançando e levantando as pernas no ar, ela identificou uma figura familiar de chapéu no fundo do quadro – seu filho, Antoine. Ela levou algum tempo para perceber que não estava vendo seu filho, mas que pela primeira vez reconhecia seu pai fazendo uma aparição-relâmpago no próprio filme. Embora Luce tenha visto o filme inúmeras vezes, a perda de seu filho levou-a a encontrar seu pai. Este foi um momento poeticamente acidental, totalmente em harmonia com a arte de Vigo.

A cópia restaurada pela Gaumont de *L'Atalante* é agora a mais completa em circulação, mas ainda há estudiosos de cinema e entusiastas de Vigo que consideram as intervenções estilísticas de Philippe e Bompoint – apesar de teoricamente em sintonia com as intenções de Vigo – um pouco excessivas. No Nederlands Filmmuseum,[34] em Amsterdã, a restauração da Gaumont é vista com grande interesse, mas o curador da coleção de filmes, Mark-Paul Meyer, enfatiza a importância de se ter "uma nova duplicação análoga, mas à moda antiga" disponível, a fim de que "o material possa ser preservado na forma mais próxima do original". O resultado é que a NFM planeja realizar

---

33. O equivalente, em Londres, da Sala Cinemateca, em São Paulo. [N.T.]
34. A Cinemateca Holandesa (NFM). [N.T.]

sua própria restauração, satisfazendo assim todos os que continuam a queixar-se das "inovações" Gaumont.

André Breton concluiu seu romance de 1928, *Nadja*, com as seguintes palavras: "A beleza será CONVULSIVA ou não será". Mais tarde, ele prosseguiria, em *L'Amour fou* [1937, *O amor louco*]: "[...] A beleza convulsiva será erótico-velada, explosivo-fixada, mágico-circunstancial, ou não será". Vigo, admirador do surrealista Buñuel, teria compreendido perfeitamente esses sentimentos. Seu trabalho é carregado de uma beleza convulsiva que ultrapassa todos os limites para tornar-se, ao mesmo tempo, um poema épico e um ato revolucionário. Continua com a razão o crítico que, em 1945, escreveu a respeito de Vigo: "Esse homem morto tem mais vida que a maioria de seus colegas vivos. Seu fantasma marcha na frente deles, na vanguarda". O fantasma de Vigo segue marchando na vanguarda, ao lado do espírito de Almereyda, com sua paixão vingada e sua velocidade irrestrita. Eles esperam apenas que apertemos nosso passo.

A Luce e Émile, com todo o carinho.

[Posfácio à edição inglesa, *Jean Vigo*, Londres, Faber and Faber, 1998]

POSFÁCIO

ESCREVER IMAGEM

> *Vigo finalmente encontrou um uso para a experiência adquirida com o pequeno filme sobre Taris e à sobreimpressão feérica de Juliette respondem as vistas submarinas de Jean, cabelos eriçados pela água, expressão febril e devastada pela angústia de quem é impedido de chorar pela água, esta água que envolve, com a valsa, o pungente diálogo entre as duas imagens.*[1]

O trecho acima ilustra todo o projeto de Paulo Emílio em *Jean Vigo*. Comentando a sequência de *L'Atalante* em que Jean, o marinheiro, para provar a veracidade mágica de seu amor, mergulha no rio à procura da imagem de sua mulher, Paulo Emílio apresenta sua visada crítica na principal página de seu estudo sobre o desconhecido Jean Vigo. Vemos nesta cena o reconhecimento da transformação de um procedimento puramente técnico em elemento estético

1. Cf. p. 243, desta edição.

de grande rendimento. A passagem do curta-metragem *Taris ou a natação* (1931) para *L'Atalante* (1934) encerra uma rápida evolução estilística que o uso da sobreimpressão capta bem. A investigação histórica e a erudição já seriam um tento crítico, mas elas se realizam ao contribuir para o engendramento de uma atmosfera, que só à imaginação é possível apresentar. Esta "expressão febril e devastada pela angústia de quem é impedido de chorar" reúne em si toda a disposição crítica de Paulo Emílio, ao narrar a imagem ao mesmo tempo que sugere uma interpretação. Num exemplo de sensibilidade poética, o crítico desvela a força incontida de um plano e o rigor de sua composição.

Jean Vigo é um ponto central na obra de Paulo Emílio, momento de cristalização de procedimentos críticos e afirmação de um estilo. Foi na investigação do cineasta francês que a análise interna dos filmes se ampliou, amalgamando-se a elementos históricobiográficos, numa investigação das mediações extracinematográficas e sua continuidade artística. Uma predisposição ensaística que desponta nos primeiros escritos, ganha corpo na revista *Clima*, até chegar à consolidação em *Jean Vigo*. Desde os escritos de juventude há a vontade de criar um estilo próprio. Ímpeto que perpassa os pequenos textos políticos anti-integralistas e que nos textos da revista *Clima* se amplia na análise do cinema moderno. Com um referencial teórico originário do cinema mudo, os textos da revista apresentam um esforço de compreensão do cinema moderno amparado na vontade de experimentar abordagens. A inovação desses ensaios está na maneira como tateiam o objeto, sem a pretensão de exauri-lo, sem querer chegar a um fim definitivo; apenas se deseja criar uma forma de abordar o filme em análise partindo de seus próprios elementos. Em *Jean Vigo*, o ensaio é radicalizado para a recuperação de um cineasta, e a prosa do crítico alcança valores estéticos quando, em determinados momentos, consegue traduzir em linguagem escrita o que o cineasta fez servindo-se da imagem. A narração da abertura e as cenas no dormitório de *Zéro de conduite*, o milagre do gramofone e o mergulho do marinheiro em *L'Atalante* são exemplos claros desse tipo de análise e de crítica criadora desenvolvidos por Paulo Emílio.

Neste livro, escrito entre 1949 e 1952, mas só publicado em 1957, estamos diante de uma análise que flagra o instante da ação e da criação, reunindo diversos materiais históricobiográficos que auxiliam na análise dos filmes. O Vigo de Paulo Emílio é a história da constituição de uma sensibilidade, uma inteligência, uma ação que se expressa pelo cinema. Não interessa a influência da obra, sua função social ou a evolução de um gênero. É a vida de um jovem órfão de pai, negligenciado pela mãe e hostilizado por colegas na infância que encontra expressão no cinema. O delineamento de Almereyda, a construção da infância do cineasta e a descrição pormenorizada do cotidiano das filmagens servem para a penetração no ambiente dos filmes, como se a busca pelo estilo do cineasta inspirasse toda a investigação.

Jean Vigo é um livro fronteiriço entre o ensaísmo intuitivo do decênio 1920-30 e a reformulação teórica de 1945. Mais do que fronteiriço, é um livro de continuidade entre dois momentos fundamentais do discurso cinematográfico. A crença dos teóricos da vanguarda na regeneração do mundo contrasta com a reformulação teórica proposta por André Bazin, que procurou descartar o plano como a unidade sintática e semântica do cinema, valorizando o plano-sequência (apresentação da cena sem cortes, numa única tomada) e sua capacidade de reter a realidade na duração. Em sua teoria do cinema moderno, o crítico francês definiu dois tipos de cineastas: os da imagem, voltados para o *décor* e a montagem – tida por ele como pura retórica – e os da realidade, interessados no despojamento da representação para captar o real em sua duração. O livro de Paulo Emílio lança uma ponte entre os teóricos do cinema mudo na sua atenção à plasticidade da imagem e a especialização da análise do cinema, advinda no pós-guerra. A escrita de *Jean Vigo*, sem tentar justificar um lugar para o cinema no panteão das artes, nos lembra os ensaios do decênio 1920-30, ao se debruçar sobre o desenvolvimento espiritual do indivíduo criativo, com uma liberdade expositiva peculiar. Porém, há um esforço de incorporação dos procedimentos lançados pela nova crítica ao trafegar por diferentes fronteiras intelectuais e, sobretudo ao se deter numa análise interna rigorosa dos filmes, levando em consideração os materiais utilizados pelo cineasta, a história particular da cópia do filme em análise e a recepção da obra com todos os seus limites. Essa mistura de *avant-garde* e realismo, ensaio e rigor científico, investigação e imaginação, resulta em *Jean Vigo* num texto de profunda síntese histórica, com um método discreto e bem definido, cujo amálgama é uma prosa inteiramente compromissada em expor literariamente o alcance da obra do cineasta. Para o crítico brasileiro a compreensão mais objetiva do material necessita de grande carga intuitiva, já que o verdadeiro em estado bruto é mais falso do que o falso.

Para a investigação, Paulo Emílio se serviu das próprias afinidades políticas e da formação cinematográfica adquirida nas incontáveis sessões da Cinemateca de Langlois. O crítico recorreu aos mais diversos documentos (diário, caderno de filmagem, roteiro, biografia, correspondência, depoimentos, além dos próprios filmes e suas sobras) para apresentar o indivíduo em ação e o processo de criação dos filmes. O estudo biográfico minucioso, a descrição da realização dos filmes e a análise formalizada das obras permitem uma interpretação total. A erudição cinematográfica do crítico reconhece os materiais utilizados pelo cineasta e sua inclusão precisa no cinema francês, entre René Clair e Jean Renoir. Paulo Emílio percebe a criatividade de Vigo ao realizar *travellings* sucessivos em sentidos contrários, para que a duração se dilate e amplie o gesto de humilhação da infância. O mergulho no universo Vigo leva a conclusões que estão além da investigação documental, como a algumas conjecturas sobre planos que teriam sido excluídos pelo cineasta por não afirmarem seu estilo. A especulação não é gratuita, pois se trata de um cineasta que realizou sua obra a partir de limites estabelecidos de formato (*Zéro de conduite*) e de estilo (*L'Atalante*). Debruçar-se sobre esses pequenos vestígios de sala de montagem resulta em dados reveladores para a análise. Jean Vigo é um cineasta do plano, um cineasta que acredita na imagem e na realidade. A maneira como teve que sacrificar a unidade de ação em prol do estilo exigiu grande elaboração de cada plano, para que a fragmentação lírica superasse a fábula.

A investigação rigorosa e a imaginação crítica de Paulo Emílio se apresentam inteiras na análise de *L'Atalante*. Crítico e cineasta se encontram para apresentar um estilo, em que a fluidez narrativa conjuga com a fragmentação lírica. Entretanto, para chegar até o filme foi preciso desvendar um enigma. O filme encomendado, com roteiro de segunda mão, foi sutilmente absorvido por Vigo que o transfigurou completamente. O caráter prosaico do roteiro original de Jean Guinée dá lugar às diferenças sociais da cidade, ao anarquismo da personagem – plena de experiência – de Michel Simon e ao lirismo do casal que, em instantes, transforma a atmosfera. Esses elementos que a pena do crítico revela na comparação filme-roteiro, apresentam o núcleo do estilo de Vigo. Mas resta ainda decifrar as diferentes versões do filme. Terminado, ele foi entregue ao jogo comercial dos distribuidores associados, que o submeteram a uma remontagem (ou desmontagem) e incluíram uma canção de sucesso e um título; em 1940 surge uma nova versão e em 1950, o próprio Paulo Emílio faz uma reconstituição do filme para a Cinemateca Francesa. Para análise de *L'Atalante*, o trabalho do crítico foi conceber uma reconstituição ideal que se aproximasse ao máximo do filme de Vigo. Para tanto, recorreu aos fotogramas espalhados em algumas cinematecas europeias e realizou uma pesquisa histórica que apontou para uma possível cópia na Inglaterra que seria mais próxima da montada por Vigo e Chavance; a mesma cópia que possibilitaria a restauração de 1990, feita pela Gaumont. A comparação das diferentes versões, a reunião dos materiais depositados na Cinemateca Francesa e os resultados das pesquisas capacitaram Paulo Emílio para uma interpretação em profundidade do filme. O desvendar do palimpsesto permitiu o reconhecimento das qualidades de Vigo e evitou aproximações injustificadas. Uma delas – ainda hoje recorrente – é o parentesco de Vigo com o surrealismo e a *avant-garde*. Se em *À propos de Nice* há o gosto formalista, isso não se confirma no desenvolvimento da obra. Os experimentos da vanguarda dos anos 1920 em filmes como *Entr'acte* ou *Le ballet méchanique* são desenvolvimentos, por meio da câmera, de pesquisas do movimento já trabalhadas pelas artes plásticas e pela fotografia. Na obra de Jean Vigo, o que temos é uma guinada em sentido oposto, uma busca pela verdade, em que o recurso à sátira e à técnica é inteiramente motivado pela necessidade poética. Os filmes da vanguarda se apresentam num espaço pictural, onde há a composição do quadro na superfície da tela, enquanto que em Vigo temos o espaço fílmico, um espaço virtual reconstituído, onde a *mise-en-scène* é determinante. A presença dos corpos, pela própria exiguidade espacial do interior da barcaça (exiguidade preservada em estúdio), será explorada de maneira a ressaltar o contato direto da objetiva, dando à pele novos significados no cinema. Outro elemento importante apresentado pelo crítico é o papel decisivo dos "diálogos" no filme. *Atalante* é também um filme sobre a palavra, e por isso mesmo o termo diálogo é impreciso. No filme – e na França – fala-se por princípio, mais por manifestação de si mesmo do que propriamente visando a comunicação. Em *Atalante*, a palavra também afirma a descontinuidade e cada personagem se exprime e expõe sua particularidade. Nunca Michel Simon ficou tão à vontade para exprimir seu sotaque suíço (da região do Vaux), nem Dita Parlo com seu francês levemente germanizado. Cada personagem tem seu momento discursivo que ressalta a existência de mundos diferentes na embarcação. A unidade estilística encerrada em *Atalante*, ao possibilitar a invasão do elemento mágico na realidade banal da vida fluvial, eleva o cinema a um novo nível expressivo.

A valorização de Vigo no início na década de 1950, a harmonia entre fluência e suspensão, o elogio à fala coloquial, o erotismo dos corpos, tudo isso estava na contramão da tradição do cinema francês dominante no período. O "cinema de qualidade" se caracterizava por seu esmero técnico, configurado nas adaptações de obras literárias canonizadas, na decupagem clássica e nos diálogos literários. A maneira como Paulo Emílio revela um estilo, com uma prosa de artista, foi bem percebida pelos interessados na renovação do cinema. Os traços biográficos e a indignação frente ao desrespeito dos adultos pela infância tornam Vigo uma fonte de inspiração para Truffaut, e o livro de Paulo Emílio será o "mais belo livro de cinema que já li".[2] Para Godard, o inconformismo do jovem cineasta inspirará *Les carabiniers* [*Tempo de guerra,* 1962], *Éloge de l'amour* [*Elogio ao amor,* 1999] e surgirá num momento emblemático de *Histoires du cinéma* [1989]: após a má recepção do primeiro, o cineasta redigiu um texto, revertendo em análise as diatribes da imprensa. Curiosamente, o texto se inicia com uma citação espertamente colhida em *Jean Vigo*.[3] Outros renovadores do cinema também se serviram do Vigo pela mediação de Paulo Emílio, como Lindsay Anderson (*If...*, 1968), interessado em realizar o prefácio da tradução inglesa de *Jean Vigo*, e Glauber Rocha na sua particular política de autor, *Revisão crítica do cinema brasileiro*.[4]

Atento à renovação crítica em pleno desenvolvimento, com um estilo formado e uma análise rica pelo que observa nos filmes e pelos elementos históricos, extra-artísticos, que incorpora, adensando a interpretação e propondo formas livres de se pensar o cinema, é este o Paulo Emílio que, em 1954, retorna ao Brasil para transformar a cultura cinematográfica local, tendo em mente os projetos de uma cinemateca fortalecida, uma crítica contemporânea do cinema moderno em processo, sem descuidar do comentário aos grandes mestres, tudo isso sempre de um ponto de vista não provinciano.

Adilson Inácio Mendes

---

2. Cf. Fortuna crítica, p. 376.
3. Cf. Jean-Luc Godard, "Feu sur les carabiniers", in *Cahiers du cinéma*, 146, ago.1963. Em seu conjunto o artigo ressalta aspectos negativos e positivos, mas a frase "pas commercial pour un sou" serviu de argumento definitivo para que Henri Beauvais, o produtor associado da Gaumont, impusesse a versão *Le chaland qui passe*.
4. Glauber Rocha, *Revisão crítica do cinema brasileiro*. São Paulo: Cosac Naify, 2003.

VIGO E EU

VIGO E EU Manoel de Oliveira

Jean Vigo e Jean Renoir são, entre os realizadores franceses, os dois diretores mais irreverentes do cinema francês, ainda que de um modo distinto entre si. Com efeito, *À propos de Nice* [1930], de Jean Vigo, seguido do agressivo *Taris* [1931], a visão de um jovem campeão de natação e posteriormente *Zéro de conduite* [1933], seguido de *L'Atalante* [1934], este último com o actor Michel Simon que, só por si, já faz excepção e irreverência, qual foi também o actor de *Boudu sauvé des eaux* [1932], de Jean Renoir. Nessas suas interpretações, vinque-se sabor irreverente, como convinha a estes realizadores.

Na idade, como na história do início da nossa actividade cinematográfica, há qualquer coisa de comum. Jean Vigo nasceu em 1905 e eu em 1908. Também nos proxima a iniciação como realizadores cinematográficos: *À propos de Nice* é de 1930, o *Douro faina fluvial* é de 1931, mas não só. Jean Vigo começara com a ajuda económica do seu sogro e eu com a de meu pai. Ele teve a sorte de ter um excelente *cameraman*, que era Boris Kaufman, irmão do realizador soviético Dziga Vertov. Eu tive a sorte de ter como *cameraman* um velho amigo, o António Mendes, que era um fotógrafo emérito, com vários

Filmagem de *À propos de Nice,* jan.-mar. 1930

prémios internacionais em fotografia, e que fez, pela primeira vez, de *cameraman,* enquanto eu me estreei na realização com o documentário *Douro faina fluvial.* Essa era uma época forte no processo de *montagem rápida* pela primeira vez expressa, *ad hoc*, por Abel Gance numa certa parte do seu filme *La roue,* de 1923.

Alguns anos antes, em 1917, já na Rússia soviética, Dziga Vertov no seu *laboratório do olho* experimenta *música e ruídos,* bem como montagens de fotogramas e de palavras. Em 1923 Kaufman trabalhou o *cine-espelho* com seu irmão Dziga Vertov dando este último início ao processo cinematográfico com base na montagem de imagens retiradas das actualidades. Kaufman, mais tarde, viria a trabalhar com Jean Vigo. Este lapso de tempo é extremamente importante para formalizar um conceito justo da função e exercício da montagem, quer na solução para a ordem da disposição das cenas, quer nos tempos de aceleração na sucessão das imagens.

Por sua vez, Eisenstein principiou pelo teatro, aliás como Pudovkin, pedindo até a Vertov, a fim de lhe fazer um certo filme, obviamente curto, para incluir numa peça de teatro. Vertov, por não dispor de tempo ou por qualquer outra razão, não o pôde fazer, o que, em boa hora, levou o próprio Eisenstein à realização do seu primeiro filme, do qual veio a resultar mais tarde, entre outros, esse magnífico *O encouraçado Potemkin* [*Bronenosets Potymkin*, 1925] onde, em certo momento, se figura o pescador de almas. E assim, interessado pelo cinema, foi ele o primeiro teórico da montagem, que pelo final dos anos 1920 (anos 20, anos de ouro do cinema mudo) aliciava os realizadores e lhes dava uma nova visão deste processo. E disso beneficiou essa época e, por conseguinte, *À propos de Nice* e *Douro faina fluvial.*

Para além de ter visto filmes em continuidade desde os meus seis anos de idade, a minha formação cinematográfica, aí pelos meus 29 anos, então de um modo mais responsável e consciente, completava-se com certos intelectuais, ainda estudantes universitários em românicas, com quem partilhava leituras de revistas e certos livros mais avançados. Lembro-me de um que falava do documentário *Chuva* [1929, *Regen*] de Joris Ivens e de uma conferência de Jean Vigo, defendendo o filme de Luis Buñuel *Un chien andalou,*[1] conferência muito contestada, porque ao tempo era difícil para muitos aceitar o surrealismo. Nessa altura, Jean Vigo preparava o seu *À propos de Nice.* Também conheci o muito curioso filme que ele realizou sobre um campeão de natação, *Taris,* que fora o seu segundo documentário. Vi ainda *Zéro de conduite* e *L'Atalante,* mas já depois de ter realizado o meu primeiro documentário *Douro faina fluvial* numa posterior viagem, aliás a primeira que fiz a Paris, em que pude ver dele todos esses filmes que só conhecia por leituras, na Cinemateca, graças a Madame Merson, assim como filmes de outros realizadores, impossíveis de serem vistos em Portugal, naquela época.

Essa época, porém, passou e hoje os filmes caracterizados pelo processo da montagem são muito raros. Não obstante, mesmo com os critérios agora dominantes, essas teorias deram muita força a todas as novas concepções, sendo reflexo disso o primeiro filme de Jean Vigo, *À propos de Nice.*

Porto, maio de 2008

---

1. O texto de Vigo não é exclusivamente sobre o filme de Buñuel. Trata de *À propos de Nice,* o mesmo *Ponto de vista documentado,* no qual cita várias vezes o filme do cineasta espanhol. [N.O.]

FILMOGRAFIA

FILMES

À propos de Nice [1929, *A propósito de Nice*]

PRODUÇÃO, DIREÇÃO, ROTEIRO e MONTAGEM Jean Vigo
DIREÇÃO DE FOTOGRAFIA Boris Kaufman
SOM Mudo
P&B, 16 mm, 23 min
LOCAÇÕES Nice (FR)
EXIBIÇÃO Primeira: Paris, 28 mai. 1930.

La natation par Jean Taris, champion de France [1931, *Taris ou a natação*]

DIREÇÃO, ROTEIRO e MONTAGEM Jean Vigo
ASSISTENTE DE DIREÇÃO Ary Sadoul
DIREÇÃO DE FOTOGRAFIA Boris Kaufman
COMPANHIA PRODUTORA Gaumont-Franco-Film Aubert
PRODUTOR EXECUTIVO C. Morskoï
P&B, 35 mm, 9 min
LOCAÇÕES Piscina do Automobile Club de France e estúdios da Gaumont, Paris.

Zéro de conduite [1933, *Zero em comportamento*]

DIREÇÃO, ROTEIRO E MONTAGEM Jean Vigo

ASSISTENTES DE DIREÇÃO Albert Riéra, Henri Storck e Pierre Merle

DIREÇÃO DE FOTOGRAFIA Boris Kaufman

ASSISTENTE DE CÂMERA Louis Berger

DIREÇÃO DE ARTE Jean Vigo, Henri Storck e Boris Kaufman

MÚSICA Maurice Jaubert

CANÇÕES Maurice Jaubert e Charles Goldblatt

SOM Royne e Bocquel

LOCAÇÕES Estúdios da Gaumont (Paris), Saint-Cloud e na estação ferroviária de Belleville-la-Villette, entre 24 dez. 1932-22 jan. 1933.

COMPANHIA PRODUTORA Argui-Films

PRODUTOR EXECUTIVO Jacques-Louis Nounez

P&B, 35 mm, 42 min

ELENCO Louis Lefèvre (Caussat), Gilbert Pluchon (Colin), Gérard de Bédarieux (Tabard), Constantin Goldstein-Kehler (Bruel), Jean Dasté (Huguet), Robert Le Flon (M.Parrain, apelidado de Pète-Sec), Delphin (diretor), Du Verron (M. Santt, apelidado de Bec-de-Gaz), Léon Larive (professor de química), Georges Berger (tutor), Louis de Gonzague-Frick (chefe de polícia), Henri Storck (padre), Michèle Fagard (filha do tutor), Félix Labisse, Georges Patin, Raphaël Diligent e Georges Vakalo (bombeiros), Mme. Émile (Mãe Feijão), Albert Riéra (vigilante), Georges Belmer, Natale Bencini, Leonello Bencini, Emile Boulez, Maurice Cariel, Jean-Pierre Dumesnil, Igor Goldfarb, Lucien Lincks, Charles Michiels, Roger Porte, Jacques Poulin, Pierre Regnoux, Ali Ronchy, Georges Rougette, André Thille, Pierre Tridon e Paul Vilhem (meninos).

EXIBIÇÃO Primeira: Paris, 7 abr. 1933; proibido na França; primeira comercial: Paris, nov. 1945.

L'Atalante [1934, *Atalante*]

DIREÇÃO Jean Vigo

ASSISTENTES DE DIREÇÃO Albert Riéra, Charles Goldblatt e Pierre Merle

ROTEIRO Jean Vigo e Albert Riéra, baseado em roteiro original de Jean Guinée (R. de Guichen)
DIREÇÃO DE FOTOGRAFIA Boris Kaufman
ASSISTENTES DE CÂMERA Louis Berger e Jean-Paul Alphen
MONTAGEM Louis Chavance
DIREÇÃO DE ARTE Francis Jourdain
MÚSICA Maurice Jaubert
CANÇÕES Maurice Jaubert e Charles Goldblatt
LOCAÇÕES Estúdios da Gaumont (Paris), Conflans-Saint-Honorine, Maurecourt, Paris e em diversos canais, entre 15 nov. 1933 e final fev. 1934.
COMPANHIA PRODUTORA Argui-Films
PRODUTOR EXECUTIVO Jacques-Louis Nounez
P&B, 35 mm, 85 min
ELENCO Michel Simon (Père Jules), Jean Dasté (Jean), Dita Parlo (Juliette), Gilles Margaritis (camelô), Louis Lefèvre (grumete), Fanny Clar (mãe de Juliette), Raphaël Diligent (pai de Juliette), Charles Goldblatt (ladrão), René Bleck (pajem), Gen Paul (convidado manco), Jacques Prévert, Pierre Prévert e Loutchimoukov.
EXIBIÇÃO Primeira: Paris, 25 abr. 1934; primeira comercial, na versão *Le chaland qui passe*, 13 set. 1934; primeira comercial, como *L'Atalante*, Paris, 30 out. 1940.

DVDS

"L'Intégrale Jean Vigo: *À propos de Nice, La natation par Jean Taris, champion de France, Zéro de conduite, L'Atalante*".
2 DVDs, com libreto. Contém, entre outros: "Jean Vigo, cinéaste de notre temps", documentário TV de Jacques Rozier (Produção ORTF, 1964); "De *L'Atalante* à *L'Atalante*", de Pierre Philippe (1990); "Les voyages de *L'Atalante*", de Bernard Eisenschitz (2001); "Nice à propos de Jean Vigo", de Manoel de Oliveira (ext.); "Truffaut, Langlois, Iosseliani et *L'Atalante* (entrevistas). Fotos e documentos. Éditions Gaumont Columbia TristarHome Vídeo, 2001.

"Jean Vigo Integral" Duração: 162 min (filmes)

Direitos autorais dos filmes pertencentes à Gaumont (Paris).

Direitos no Brasil no formato DVD: Versátil Home Vídeo.

DISCO 1 filme em francês com legendas opcionais em português:

A propósito de Nice (*À propos de Nice*/ França/ 1930); curta-metragem, P&B, 23 min.

Taris ou a natação (*La natation par Jean Taris, champion de France*/ França/ 1930); curta-metragem, P&B, 9 min.

Zero em comportamento (*Zéro de conduite*/ França/ 1933); média-metragem, P&B, 42 min.

Extras: Biografias.

Paulo Emílio Sales Gomes & Jean Vigo. Perfil biográfico, bibliografia e opiniões sobre Paulo Emílio Sales Gomes, e dados biográficos e filmografia de Jean Vigo.

Depoimentos de: Antonio Candido (crítico literário), 29:30 min.

Carlos Augusto Calil (prof. de cinema – USP), 14 min.

Ismail Xavier (prof. de cinema – USP), 16:33 min.

Lygia Fagundes Telles (escritora), 6 min.

Galeria de imagens: slide show com fotos de cena e de bastidores dos filmes *A propósito de Nice* e *Zero em comportamento*, pertencentes à coleção do Museu Gaumont.

DISCO 2 filme em francês com legendas opcionais em português:

Atalante (*L'Atalante*/ França/ 1934); longa-metragem, P&B, 85 min.

"*Cineastas de nosso tempo: Jean Vigo*" [*Cinéastes de notre tempes*, 1964], longa-metragem, P&B, 95 min.

O diretor Jacques Rozier entrevista vários amigos e colaboradores de Jean Vigo, reconstruindo a vida e a obra do cineasta francês.

Extras: "Rohmer entrevista Truffaut".

O cineasta Eric Rohmer entrevista o também cineasta François Truffaut acerca de *Atalante*, de Jean Vigo (17:30 min).

Galeria de imagens: slide show com pôsteres, fotos de cena e de bastidores do filme *Atalante*, pertencentes à coleção do Museu Gaumont.

ROTEIROS E PROJETOS DE FILMES[1]

Lourdes [1931]; *Au café*; *Lignes de la main*; *Chauvinisme*; *Le métro*.

Estes roteiros escritos por Jean Vigo são apenas sinopses ou simples anotações, não se constituindo realmente no objeto de um projeto preciso de realização.

Cochet ou *Le tennis*

ROTEIRO Jean Vigo e Charles Golblatt

PRODUÇÃO Gaumont-Franco-Film-Aubert

Curta-metragem

EQUIPE TÉCNICA Charles Golblatt (assistente de direção); Michel Kelber (fotografia); Walter Wottitz (*cameraman*)

ELENCO Henri Cochet (campeão de tênis).

La Camargue

ROTEIRO Jean Vigo e Albert Riéra, baseado numa ideia de Jacques-Louis Nounez

PRODUÇÃO Jacques-Louis Nounez

EQUIPE TÉCNICA Albert Riéra (assistente de direção); Boris Kaufman (fotografia); Louis Berger (*cameraman*).

---

1. A partir deste item, as informações apresentadas foram obtidas, fundamentalmente, de Pierre Lherminier, *Jean Vigo: un cinéma singulier*. Paris: Ramsay Poche Cinéma, 2007. [N.E.]

L'Évadé du bagne ou *Le bagne*

ROTEIRO Jules Dupont (pseudônimo de Jean Vigo?) e Eugène Dieudonné, baseado nos artigos e livros de Albert Londres sobre o caso Dieudonné

ELENCO Eugène Dieudonné e Gaby Morlay.

Les contrabandiers [1933]

ROTEIRO Blaise Cendrars, a pedido de Jean Vigo

ELENCO Jean Dasté.

IDEIAS E PROJETOS DIVERSOS

Roteiros originais de outros autores

Anneaux de fiançailles ou *La dot du gendre*, Serge Choubine e Henri Poulaille, e adaptação de Jean Vigo

Le timide qui a pris feu, Claude Aveline

La double mort de Frédéric Belot, Claude Aveline

La revanche des eaux, Georges Charensol

La Déesse, Félix Labisse

Monsieur Évariste, Georges de la Fouchardière

Le Café du Bon-Accueil, Jean Painlevé

Le pensionnat sur le toit, Henri-Pierre Roché

Le coeur volé, Philippe Soupault

Si on pariait, Jules Supervielle

L'Honnête homme, Jacques Louis-Nounez

L'Inventeur, Albert Riéra e René Lefèvre.

Projetos de adaptação

L'Éxecution de Marinèche, Claude Aveline (coautoria de Jean Vigo), baseado num episódio de seu romance *Le point du jour*

Le grand Meaulnes, Alain Fournier
Crainquebille, Anatole France
La faim, Knut Hamsun
L'Affaire Peau de Balle, Georges de la Fouchardière
Clown par amour, Georges de la Fouchardière
La guerre des boutons, Louis Pergaud
L'Affaire Saint-Fiacre, Georges Simenon.

ADAPTAÇÕES CINEMATOGRÁFICAS SOBRE A VIDA E OBRA DE JEAN VIGO

Nice... à propos de Jean Vigo [1984]
DIREÇÃO Manoel de Oliveira
PRODUÇÃO France 3 Télévision / INA
Documentário, 16 mm, 58 min
APRESENTAÇÃO: FR3, 7 out. 1984.

À propos de Nice (La suite) [França, 1995]
DIREÇÃO Catherine Breillat, Costa-Gavras, Claire Denis, Raymond Depardon, Parvis Kimiavi, Abbas Kiarostami, Raul Ruiz, Pavel Lounguine
PRODUÇÃO François Margolin para Margo Films.

Vigo, Passion for Life [Inglaterra, 1997]
DIREÇÃO Julian Temple.

BIBLIOGRAFIA

A bibliografia aqui apresentada contempla as obras, periódicos e arquivos usados por Paulo Emílio ao escrever *Jean Vigo*. Além das fontes originais, agora atualizadas, acrescentamos a bibliografia referente a Jean Vigo, pautada em Pierre Lherminier, *Jean Vigo: un cinéma singulier* [Paris: Éditions Ramsay, 2007], considerada uma das mais completas sobre o cineasta.

BIBLIOGRAFIA UTILIZADA POR PAULO EMÍLIO SALES GOMES

AVELINE, Claude. "Le lys rouge: revue de la Societé". *Anatole France*. Paris: s. e., abr. 1939.

BARDÈCHE, Maurice e BRASILLACH, Robert. *Histoire du cinéma*. Paris: André Martel, 1948.

BERLINE, Serge. *Jean Vigo tel qu'il était*. Sem referência.

CAVALCANTI, Alberto. *Cinema Quartely*, inverno 1934.

CENI, Guido. "Un regista anarchico". *Gioventù Anarchica*, 20 jul.1946.

CHARENSOL, Georges. *Panorama du Cinéma*. Edição ampliada, ilustrada e atualizada por Lo Duca e Maurice Bessy. Paris: Jacques Melot, [1930] 1947.

COLAPRETE, Panfilo. *Jean Vigo*. Florença: Edição do cineclube Contracampo, caderno I, mai.1952.

COMENCINI, Luigi. "Découverte d'un réalisateur". *Cinetempo*, Rassegna settimanale del cinema. Ano 1, n. 13, 6 dez. 1945.

DABAT, B. e P. *Souvenirs d'un directeur de prison.* Paris: P. Bossuet, 1929.

DECARIS, Germaine. "Le cinéma mourra-t-il une seconde fois?". Paris: *L'Oeuvre*, 31 out. 1940.

DUMUR, Louis. *Les défaitistes.* Paris: Albin Michel, 1923.

FAURE, Élie. "Un cinéaste-né: Jean Vigo, l'auteur de *L'Atalante.* Paris, *Pour Vous*, n. 289, 31 mai. 1934.

FELDMAN, Joseph e Harry. "Jean Vigo", *New Index Series*, n. 4. Londres: British Film Institute, 1951.

FOURNIÉ, Maurice. *Miguel Almereyda: l'affaire du* Bonnet Rouge. Paris: Lang, Blanchong & Cie, 1917.

GADDA, Piero C. *Lunedì del Popolo.* Milão: 15 abr. 1946.

HERVÉ, Gustave. *Mes crimes.* Paris: Éditions La Guerre Sociale, 1912.

JOURDAIN, Francis. "Une enfance". *Ciné-Club*, n. 5. Paris: fev. 1949.

KOSMA, Joseph. *Maurice Jaubert. L'Écran Français.* Paris: 19 jun. 1950.

LAPIERRE, Marcel. *Les cent visages du cinéma.* Paris: Bernard Grasset, 1948.

LAURY, Jean. "Une suite d'images réalistes en gros plan. Ceci n'est pas un spectacle de famille". Paris: *Le Figaro*, 22 set. 1934.

LINDGREN, Ernst. *The Art of the Film: an Introduction to Film Appreciation.* Londres: George Allen e Unwin Limited, 1948.

MANVELL, Roger. *Experiment in the film.* Londres: The Grey Walls Press, s. d.

MARQUET, Jean-Paul. "D'un Duvivier à Jean Vigo". *Positif*, n. 2, jun. 1952.

MARTET, Jean. *Le Tigre.* Paris: Albin Michel, 1930.

MÉRIC, Victor. *À travers la jungle politique et littéraire.* Paris: Librarie Valois, 1930.

MONNIOT, Albert. *Le mystère de Fresnes.* Paris: Pierre Tequi, libraire-éditeur, 1919.

NÉGIS, André. *Ciné-Monde,* n. 224. Paris: 2 fev. 1933.

PASINETTI, Francesco. *La storia del cinema dalle origini a oggi.* Roma: Edizioni di Bianco e Nero, 1939.

PECKER, Alexandra. *Comœdia*, Paris: 19 nov. 1933.

POINCARÉ, Raymond. *Au service de la patrie.* 9 v. Paris: Plon, 1932.

ROLLAND, Romain. *Journal des années de guerre, 1914-1918*. Paris: Albin Michel, 1952.

SADOUL, Georges. *Histoire générale du cinéma*. 6 v. Paris: Denoël, 1948.

____. *Histoire d'un art: le cinéma des origines à nos jours*. Paris: Flammarion, 1949.

SAINT-PRIX, Pierre de. *Lettres (1917-1919)*. Paris: F. Rieder & Cie., 1924.

____. "Quelques lettres inédites de Jean Vigo". *Les cahiers du ciné-club de Valence-sur- Rhône*. s. d.

SALES GOMES, Paulo Emílio e STORCK, Henri. "Nought for behaviour". *Cinema 1951*. Londres: Pelican Books, 1951.

SERGE, Victor. *Mémoires d'un révolutionnaire (de 1901 à 1941)*. Paris: Club des Éditeurs, [Seuil, 1951] 1957 [ed. bras.: *Memórias de um revolucionário*, trad. Denise Bottmann. São Paulo: Companhia das Letras, 1987].

SETON, Marie. *Eisenstein*. Paris: Seuil, 1957.

STORCK, Henri. "Le jeune cinéma français: Jean Vigo ou l'intelligence au cinéma". Mimeo.

TRIGUEIRINHO NETO. "Anticonformismo sem revolução". *Progresso Italo-Brasileiro*, São Paulo, 1957.

VIAZZI, Glauco. "Omaggio a Jean Vigo". *Rivista Ferrania*. Milão: abr. 1947.

____. "A proposito di Jean Vigo". *Bianco e Nero*, ano X, n. 3, mar. 1949.

____. "Ancora a proposito di Jean Vigo". *Rivista del Cinema Italiano*, n. 9, set. 1953.

VIGO, Jean. "Présentation de *Zéro de Conduite*". *Positif*, n. 7, mai. 1953.

VINCENT, Carl. *Histoire de l'art cinématographique*, pref. Jacques Feyder. Bruxelas: Trident, 1937.

PERIÓDICOS

Afrique (Casablanca)
Aujourd'hui
Bianco e Nero
Ciné-Club
Cinema Quartely
Cinémagazine
Ciné-Monde
Cinetempo (Roma)

Cité Soir
Close-up
Comœdia
Cosmos
Costume (Milão)
Courier de Paris
Dauphiné Liberé
Dimanche-Pays
Document 1934 (Bruxelas)
Film d'Oggi
Film Society Programme (Londres, nov. 1934)
Franc-Tireur
Gavroche
Hollywood Quartely (Los Angeles)
Intransigeant (Paris)
Journal du Pas-de-Calais
L'Assiete au Beurre (Paris)
L'Avanti
L'Écran Français
L'Écho de Paris (Paris)
L'Humanité (Paris)
L'Italia del Popolo (Milão)
L'Observateur
L'Œuvre
La Libre Belgique
La Revue des Causes Célèbres
La Verità (Milão)
Le Bonnet Rouge (Paris)
Le Carrefour (Bruxelas)
Le Huron
Le Journal
Le Libertaire (Paris)
Le Matin
Le Messager
Le Parisien Liberé
Le Petit Journal
Le Petit Parisien
Le Quotidien
Le Soir (Paris)
Le Spectateur Bellevillois
Les Beaux-Arts
Les Lettres Nouvelles (n. 1, 1953)
Les Nouvelles Littéraires (Paris)
Libération-Soir
Marianne
Minerve
Mon Ciné
National Zeitung
New Index Series (Londres, BFI)
Nieuws van den Dag
Nouvelles du Matin
Opéra
Paris-Cinéma (Paris)
Paris-Presse (Paris)
Patriote de Saint-Étienne
Penguin Film Book
Positif (Lyon)
Pour Vous
Raccords
Rádio-Cinéma, Paris, 16 jul. 1950

Republique du Centre, Orléans, 11 abr. 1946
Riscatto (Milão)
Samedi Soir
Spectateur
Toutes les Nouvelles de Versailles
Voix des Femmes (Lyon)
Volontés
Vooruit (27 out. 1933)
XXe *Siècle* (20 out. 1933)

ARQUIVOS CONSULTADOS

Claude Aveline
Gilles Margaritis
Henri Storck
Jean Vigo

DE JEAN VIGO

I. ESCRITOS, CONFERÊNCIAS E ENTREVISTAS DE JEAN VIGO

OBRA COMPLETA

Jean Vigo – Œuvre de cinéma, edição revista e estabelecida, anotada e apresentada por Pierre Lherminier: artigos e textos de apresentação. Roteiros de filmes não realizados, sinopses, história dos filmes, documentos, filmografia, sequências iconográficas. Paris: Cinémathèque Française/ P. Lherminier (ed.), 1985.

CENÁRIOS E IDEIAS DE FILMES

Zéro de conduite, texto estabelecido após a montagem definitiva. *Scène Cinéma,* n. 21, dez. 1962.
Lourdes; Au café; Chauvinisme; Lignes de la main: textos publicados em *Positif* n. 7, Lyon, mai 1953, e *Premier Plan* n. 19, Lyon, nov. 1961.

L'Exécution de Marinèche, em colaboração com Claude Aveline, após o seu romance *Le point du jour*; texto publicado em *Jean* Vigo, doc. n. 4. Lausanne: Cinémathèque Suisse, 1962.

Anneaux, adaptação de Jean Vigo, baseada no roteiro de Serge Choubine e Henri Poulaille, edição em fac-símile para A. S. Labarthe, Filigranes Éd., 2003.

Com exceção deste último, reencontrado posteriormente, os demais constam de *Œuvre de cinéma.*

ESCRITOS PESSOAIS E CORRESPONDÊNCIA

"Deux lettres" [a Pierre de Saint-Prix], apresentadas por André Bazin. Paris: *L'Écran Français,* n. 120, 14 out. 1947.

"Journal d'enfant", trechos em *Positif,* n. 7, Lyon, mai. 1953; e mais reduzidos em *Premier Plan,* n. 19, Lyon, nov. 1961. "Journal nîmois", in Bernard Bastide e Jacques Olivier Durand (org.), *Dictionnaire biographique du cinéma dans le Gard.* Nîmes: Presses du Languedoc, 1999.

Lettres diverses (a Francis Jourdain e Henri Storck), *Positif* n. 7 e *Premier Plan* n. 9.

Lettres à Mme. de Saint-Prix e à Pierre de Saint-Prix (trechos), in Pierre de Saint-Prix, "L'insolite, le pur, le tendre Jean Vigo", *Cinéma* 55, n. 4, mar. 1955.

Lettres à Henri Storck. Publicadas em seu texto original por Centrofilm, n. 18-19, especial Vigo, Turim, fev.-mar. 1961.

ARTIGOS

"Telle est la vie", apresentação do filme de Carl Junghans, Ciné-Club de Nice (1931).

"Sensibilité de pellicule", *Sésame,* Bruxelas, 1º dez. 1932.

CONFERÊNCIAS

"Vers un cinéma social", apresentação de *À propos de Nice,* pronunciada no cinema do Vieux-Colombier, em 14 jun. 1930.

"Présentation de *Zéro de conduite*", pronunciada no Club de L'Écran, em Bruxelas, 17 out. 1933.

ENTREVISTAS

André Négis. "On tourne *Zéro de conduite*", *Cinémonde*, n. 224, 2 fev. 1933. Publicado em *Premier Plan*, número citado.

L.P. [Ludo Patris]. "Un vrai jeune: Jean Vigo", *La Libre Belgique*, Bruxelas, 27 out. 1933.

II. SOBRE JEAN VIGO

PRINCIPAIS FONTES

ALBERT, Pierre. *La Presse française de 1871 à 1940*, in Claude Bellanger, Jacques Godechot, Pierre Guiral et Fernand Terrou (org.), *Histoire générale de la presse française*, t. III. Paris: Presses Universitaires de France, 1972.

HUMBERT, Jeanne. "Jean Vigo, cinéaste d'avant-garde", *Les Cahiers de contre-courant*, Paris, nov. 1957; reedição em tiragem à parte para o Centre International de Recherche sur L'Anarchisme (CIRA), Lausanne, fev. 2006.

JOURDAIN, Francis. *Sans remords ni rancune*. Paris: Corréa (éd.), 1953.

MONNIOT, Albert. *Le mystère de Fresnes*. Paris: Pierre Tequi (éd.), 1919.

SALES GOMES, Paulo Emílio. *Jean Vigo*. Paris: Seuil, 1957; e Ramsay Poche-Cinéma, 1988. *Jean Vigo*. Berkeley/ Los Angeles: University of California Press, 1971. *Jean Vigo*. Nova York: Praeger Publishers Inc., 1972. *Jean Vigo*. Londres: Secker and Warburg, 1972. *Jean Vigo: vita e opere del grande regista anarchico*, trad. Daniela Garavini. Milão: Feltrinelli, 1979. *Jean Vigo*. Londres: Faber and Faber, 1998. *Jean Vigo*, trad. Juan Abeleira. Barcelona: Circe, 1999. *Jean Vigo*, trad. Elisabeth Almeida. Rio de Janeiro: Paz e Terra, 1984. *Vigo, vulgo Almereyda*, org. Carlos Augusto Calil, trad. Lúcia Nagib. São Paulo: Companhia das Letras/ Edusp/ Cinemateca Brasileira, 1991. *Vigo, vulgo Almereyda*, trad. Dorothée de Bruchard. Organização de Carlos Augusto Calil, fortuna crítica, posfácio de Adilson Inácio Mendes, notas de apoio, bibliografia e índice onomástico. São Paulo: Cosac Naify, 2009. *Jean Vigo*, trad. Dorothée de Bruchard. Organização de Carlos Augusto Calil, cartas de Paulo Emílio, fortuna crítica, posfácio de Adilson Inácio Mendes, texto inédito de Manoel de Oliveira, filmografia, bibliografia, índices de filmes e onomástico.

VIGO, Luce. *Jean Vigo. Une vie engagée dans le cinéma*. Paris: Cahiers du Cinéma-CNDP, 2002.

MONOGRAFIAS

MARTIN, Marcel. *Jean Vigo*. Paris: Éd. de L'Avant-Scène, 1966. Texto incluído no volume *Anthologie du cinéma*, t. II, 1967.

SMITH, John M. *Jean Vigo*. Nova York: Praeger Film Library, 1972.

SIMON, William G. *The Films of Jean Vigo*. Michigan: UMI Research Press/ Ann Arbor, 1974-1981.

ROCHA, Luis Filipe. *Jean Vigo*. Porto: Afrontamenta, 1981.

LHERMINIER, Pierre. *Jean Vigo*. Paris: Seghers, 1976. Reedição, Lherminier, 1984.

BERTELLI, Pino. *Jean Vigo 1905-1934. Cinema della Rivolta*. Ragusa: La Fiaccola, 1995.

VIGO, Luce. *Jean Vigo*. Paris: Cahiers du Cinéma-CNDP, 2002.

BALENT, André. *La Cerdagne du XVIIe au XIXe siècle. La famille Vigo, casa, frontières, pouvoirs*. Perpignan: Trabucaire éd., Canet [66] 2003.

TEMPLE, Michael. *Jean Vigo*. Manchester: Manchester University Press, 2005.

COLETÂNEAS E NÚMEROS ESPECIAIS

Ciné-Club, 2º ano, n. 5, fev. 1949. Número dedicado a Jean Vigo. Textos: "Vers un cinéma social", de Jean Vigo e de Claude Aveline, Francis Jourdain, Boris Kaufman, Jean Painlevé. Biofilmografia.

Jean Vigo, New Index Series, n. 4, Herman G. Weinberg (org.).Textos de James Agee, George Barbarow, Joseph e Harry Feldman, Siegfried Kracauer, Gyula Zilzer. Filmografia comentada. Londres: British Film Institute, 1951.

Jean Vigo, in Corrado Terzi (org.). Textos: análises de *À propos de Nice,* notas sobre *Zéro de conduite* e *L'Atalante,* dados filmográficos e bibliográficos. Bergamo: Federazione Italiana dei Cineclubs/ Cineclub La Cittadella, abr. 1952.

Jean Vigo, in Panfilo Colaprete (org.). Trechos de "Vers un cinéma social", de Jean Vigo. Textos de P. Colaprete. Dados biográficos, filmográficos e bibliográficos. Florença: Cineclub Controcampo, mai. 1952.

Positif, n. 7, Lyon, mai. 1953. Número especial sobre Jean Vigo, com organização de Bernard Chardère e colaboração de Guy Jacob e Michel Subiela. Textos críticos e depoimentos de Barthélemy Amengual, Claude Autant-Lara, Bernard Chardère, Jean Colin, Jean Dasté, Charles Goldblatt, Marthe Jaubert, Francis Jourdain, Boris Kaufman, Jean Painlevé, Jacques Prévert, Albert Riéra, P. E. Sales Gomes, Philippe Sand, Henri Storck, Claude Vermorel, M. H. Winters. Trechos do "Journal d'enfant" de Jean Vigo. Roteiros: *Chauvinisme; Au café; Lignes de la main; Lourdes.* Textos de apresentação de *À propos de Nice* ("Vers un cinéma social") e *Zéro de conduite.*

Premier Plan, n. 19, Lyon, nov. 1961. Número "Jean Vigo", com organização de Bernard Chardère. Inclui o conteúdo de *Positif,* n. 7, salvo os textos de Marthe Jaubert, Jacques Prévert, M. H. Winters; a canção de Ch. Goldblatt e os trechos de "Journal d'enfant". Textos críticos e depoimentos adicionais de James Agee, Claude Aveline, Pierre Bost, Louis Chavance, François Chevassu, Philippe d'Hugues, Gilles Jacob, Siegfried Kracauer, Cyprien Lloansi, Jean-Paul Marquet, Pierre Merle, André Négis, Glauco Viazzi, Bruno Voglino. Filmografia.

Centrofilm, n. 18-19, Turim, fev.-mar. 1961. Número "Jean Vigo", com organização de Gianni Rondolino. Textos de Jean Vigo e Bruno Voglino. Cartas de Jean Vigo a Henri Storck, 1931-32 (em francês). Biografia, filmografia, bibliografia.

Documents de cinéma, n. 4, caderno "especial Vigo". Textos e depoimentos recolhidos por Freddy Buache com a colaboração de Vinicio Beretta e Franco Vercelotti. Roteiros de *L'Exécution de Marinèche* (Cl. Aveline e Jean Vigo),

Le timide qui a pris feu (Cl. Aveline), *Le cœur volé* (Ph. Soupault). Textos críticos e depoimentos de Henri Agel, J.-F. Aranda, Raymond Borde, Bernard Chardère, Louis Chavance, Jean Dasté, Lotte Eisner, Paul Gilson, Henri Langlois, Paul Leutrat, Marcel Martin, Edgar Morin, P. E. Sales Gomes, André Thirifays. Prefácio de Freddy Buache. Lausanne: Cinémathèque Suisse, 1962.

L'Avant-Scène Cinéma, n. 21, 15 dez. 1962: *Zéro de conduite,* decupagem após montagem definitiva e diálogos *in extenso.* Precedido de "Vigo: ce que nous avons de meilleur en nous", de François Chevassu.

Jeune Cinéma, n. 15, mai. 1966. Textos de Bernard Chardère, Jean Chiocchetti, Luce Vigo-Sand. Cartas inéditas de Jean Vigo.

Cinékinomovies, n. 1, mar. 1966. Número "especial Vigo", com a organização de Michel Rosier e Michel Salmon. Textos: "Vers un cinéma social", de Jean Vigo (trechos). Textos de Claude Aveline, Boris Kaufman, Michel Rosier, Luce Vigo. Biofilmografia, bibliografia.

Études cinématographiques, n. 51-52, éd. Minard, 1966. Número "Jean Vigo", com a organização de Georges Albert Astre e Michel Estève. Textos de Barthélemy Amengual, Michel Estève, Jean A. Gili, Claude Perrin, Alain Virmaux, Christian Zimmer. Cronologia biográfica, filmografia, bibliografia por Vincent Pinel.

Archives, n. 90-91. "De *L'Atalante* à Jean Vigo". Textos de Barthélemy Amengual, André Baient, José Baldizzone, Bernard Bastide, Michel Boudaud, Jacques Choukroun, Georges Gaudu, Karim Ghiyati, François de la Bretèque, Samuel Lachize, Marion Poirson, François Porcile, François Truffaut, Luce Vigo. Perpignan: Institut Jean-Vigo, mar. 2002.

Jean Vigo d'hier à aujourd'hui, realização dos alunos do liceu Jean Vigo de Millau (Aveyron). As origens familiares. Vigo em Millau. A obra. Leitura de *Zéro de conduite* e de *L'Atalante.* Vigo hoje. Liceu Jean Vigo, Academia de Toulouse, 1994.

Jean Vigo, número especial de *Zéro de conduite,* com a organização de Luce Vigo. Revista de L'Union Française du Film pour l'Enfance et la Jeunesse (UFFEJ), n. 60, inverno 2005-06.

DEPOIMENTOS

AURIOL, Jean-Georges. "Un jeune metteur en scène au travail: Jean Vigo", *Pour vous,* 16 fev. 1933.

AUTANT-LARA, Claude. "Les débuts de Jean Vigo", *Positif,* n. *7, e Premier Plan,* n. 19.

AVELINE, Claude. "Un film déformé: *L'Atalante*", *Pour vous*, 18 out. 1934 (após a morte de Vigo); "Présentation de Jean Vigo", *Ciné-Club,* n. 5, fev. 1949, e *Premier Plan,* n. 19, nov. 1961; "Aujourd'hui Jean Vigo", *Cinékinomovies*, n. 1, mar. 1966*; "Ouverture" de Œuvre de cinéma* de Jean Vigo. Textos incluídos em *Chroniques d'un cinéphile 1931-1939*, Séguier, 1994.

BRUNIUS, Jacques Bernard. "Jean Vigo" in *En marge du cinéma français*, Éditions Arcanes, 1954 (depois Éditions du Terrain vague); reedição por Jean-Pierre Pagliano, Lausanne: L'Âge d'homme, 1987.

CHAVANCE, Louis. "On tourne *L'Atalante*", Documents 34, n. 10, fev. 1934, e *Premier Plan,* n. 19, nov. 1961; "Encore un mot sur *L'Atalante*", *Cahiers du cinéma*, n. 53, dez. 1955; "La gaieté de Vigo", in *Jean Vigo, documents de cinéma de la Cinémathèque de Lausanne*, 1962.

CLAR, Fanny. "Les découvertes de Nono", in "Choses du village", *Le Bonnet Rouge,* 15 mai. 1914.

COLIN, Jean. "Jean Vigo au lycée de Chartres", *Positif,* n. 7, e *Premier Plan,* n. 19.

DASTÉ, Jean. "En tournant *L'Atalante*", *Positif,* n. 7, mai. 1953, e *Premier Plan,* n. 19; "Portrait bref", in *Jean Vigo*, Cinémathèque de Lausanne, 1962; "Avec Vigo", in Jean Dasté. *Qui êtes-vous?*. Lyon: La Manufacture, 1987.

EISNER, Lotte H. "Un souvenir", in *Jean Vigo*, Cinémathèque de Lausanne, 1962.

GILSON, Paul. "Pour un compagnon de la nuit", in *Jean Vigo*, Cinémathèque de Lausanne, 1962.

HUMBERT, Jeanne. "Jean Vigo, cinéaste d'avant-garde ", *Les Cahiers de contre-courant,* nov. 1957. Reedição, Lausanne: CIRA, 2006.

JAUBERT, Marthe. "Jaubert et Vigo", *Positif,* n. 7.

JOURDAIN, Francis. "Une enfance", *Ciné-Club,* n. 5, fev. 1949, e trechos in *Premier Plan,* n. 19; "Le père de Jean Vigo", *Lettres nouvelles,* n. 1, mar. 1953;

trecho de uma carta a Jean Vigo, *Positif,* n. 7; recordações de Almereyda e Vigo, in *Sans remords ni rancune*, Corréa, 1953.

KAUFMAN, Boris. "Un génie lucide", *Ciné-Club,* n. 5 fev. 1949, *Premier Plan,* n. 19, e *Cinékinomovies,* n. 1; carta a Jean Vigo, in *Positif,* n. 7; "An interview with Boris Kaufman", por E. de Laurot e J. Mekas, *Film Culture,* Nova York, verão 1955.

LLOANSI, Cyprien. "Mon ami de Font-Romeu", *Tramontane,* n. 375, Perpignan, 1955; *Cinéma* 55, n. 4, mar. 1955, e *Premier Plan,* n. 19.

MERLE, Pierre. "Souvenirs", *Premier Plan,* n. 19.

NÉGIS, André. "On tourne *Zero de conduite*", Cinemonde, n. 224, 2 fev. 1933, e *Premier Plan,* n. 19.

PAINLEVÉ, Jean. "Rencontre avec Jean Vigo", *Ciné-Club,* n. 5, fev. 1949, e particularmente *Premier Plan,* n. 19; carta a Jean Vigo", *Positif,* n. 7.

RIÉRA, Albert. "L'improvisation chez Jean Vigo", *Positif*, n. 7, e *Premier Plan,* n. 19.

SAINT-PRIX, Pierre de. "L'Insolite, le pur, le tendre Jean Vigo", *Cinéma* 55, n. 4, com trechos de cartas de Vigo.

STORCK, Henri. "Jean Vigo", *Le rouge et le noir,* Bruxelas, 17 out. 1934; "Nought for behaviour. A study of the making of Jean Vigo's film *Zéro de conduite*", in R. Manwell e R. K. Neilson Baxter (org.), *The Cinema 1951*, Harsmondsworth (Grã-Bretanha): Penguin Books, 1951; "Naissance de *Zéro de conduite*", trechos do anterior in *Premier Plan,* n. 19, 1961; "À Nice avec Vigo", in *Ciné-Club Méditerranée,* nova série, n. 1, Béziers, outono 1966; publicado in *Jean Vigo,* por Pierre Lherminier.

VERMOREL, Claude. "Quand Jean Vigo tourne *L'Atalante*", *Pour vous,* 30 nov. 1933; "Lettre ouverte à m. le président de la Commission de contrôle des films", *Pour vous,* 22 nov. 1934; "Images de Jean Vigo", *Positif,* n. 7, e *Premier Plan,* n. 19.

TEXTOS CRÍTICOS E BIOGRÁFICOS

AGEE, James. "*Zéro de conduite* and *L'Atalante*", The Nation, Nova York, 5-12 jul. 1947; publicado in *New Index Series,* n. 4, Londres, 1951, e na coletânea *Agee on film*, tradução francesa *Sur le cinéma.* Paris: Éd. de l'Étoile/ Cahiers du Cinéma, [Nova York: Universal Library, 1976] 1991. Trecho em *Premier Plan,* n. 19.

AGEL, Henri. "Jean Vigo", in *Les Grands Cinéastes,* Paris/ Bruxelas: Éd. Universitaires, 1959; "Au cœur de l'insolite: Jean Vigo", in *Miroirs de l'insolite dans le cinéma français.* Paris: Éd. du Cerf, 1958; "Jean Vigo", in *Les grands cinéastes que je propose.* Paris: Éd. du Cerf, 1967.

AMENGUAL, Barthélemy. "Sur Jean Vigo", *Travail et Culture,* Alger, 1951; texto ampliado e incluído in "Essai pour situer Jean Vigo", *Positif,* n. 7; trecho do mesmo texto in *Premier Plan,* n. 19; "Monde et vision du monde dans l'oeuvre de Vigo", *Études cinématographiques,* n. 51-52, especial Vigo, Éditions Minard, 1966; incluído também in *Du réalisme au cinéma,* antologia estabelecida e apresentada por Suzanne Liandrat-Guigues, Nathan, 1997.

BARBAROW, George. "The Work of Jean Vigo", *Politics,* Nova York, inverno 1948; texto publicado in *New Index Series,* n. 4, Londres, 1951.

BAZIN, André. "Présence de Jean Vigo", *France-Observateur,* 22 ago. 1957. Publicado in *Le Cinéma français de la Libération à la Nouvelle Vague (1945-1958).* Paris: Cahiers du Cinéma/ Éd. de l'Étoile, 1983.

BILLARD, Pierre. "Vers un cinéma social: la fusée Vigo", in *L'Âge classique du cinéma français. Du cinéma parlant à la Nouvelle Vague.* Paris: Flammarion, 1995.

BUACHE, Freddy. "Sensibilité au génie de Vigo", in *Michel Simon.* Bienne (Suíça): Éd. du Panorama, 1962.

CAMPASSI, Oswaldo. "Jean Vigo e compagni", in *Dieci anni di cinema francese,* v. I. Milão: Ed. Poligono, 1949.

CAVALCANTI, Alberto. "Jean Vigo", *Cinema Quarterly,* Londres, inverno 1935.

CHARDÈRE, Bernard. "Jean Vigo parmi nous", *Positif,* n. 7; "Présentation de Vigo", *Premier Plan,* n. 19; com Jacques Demeure, "Jean Vigo et ses films", *Cinéma 55,* n. 4; *Jeune Cinéma,* n. 15.

CHARENSOL, Georges. "Jean Vigo est mort", *L'Intransigeant,* 8 out. 1934.

CHEVASSU, François. "Dossier Vigo", *Image et son,* n. 138, fev. 1961; "Jean Vigo: ce que nous avons de meilleur en nous", *L'Avant-Scène Cinéma,* n. 21, dez. 1962.

CHION, Michel. "Vigo: la matière et l'idéal". *Un art sonore, le cinéma, histoire, esthétique, poétique.* Paris: Cahiers du Cinéma, 2003.

COMENCINI, Luigi. "Scoperta di un regista: Jean Vigo", *Cinetempo,* Roma, 6 dez. 1945.

DAILLY, Roland [Jean Queval]. "L'Étrange Jean Vigo", *Radio, cinéma, télévision,* n. 391, 14 jul. 1957.

D'HUGUES, Philippe. "La Fièvre de Jean Vigo", *Cahiers du Cinéma,* n. 101, nov. 1959; trechos em *Premier Plan,* n. 19.

FERRARA, Giuseppe. "Jean Vigo", *Filmcritica,* n. 26, Roma, 1953; "Una polemica su Ivens e Vigo" (Viazzi-Ferrara), *Filmcritica,* n. 57-58, abr.-mai. 1956; "Ancora su Ivens e Vigo. Ricerche figurative e soluzioni poetiche", *Filmcritica,* n. 72-73, nov.-dez. 1957.

GRANDE, Maurizio. *Jean Vigo.* Milão: Il Castoro, [1979] 2004.

GRIERSON, John. "Jean Vigo", *Cinema Quarterly,* n. 5, Londres, outono 1934.

GRISOLIA, Michel. "Jean Vigo", in Dossiers du cinéma. Cinéastes III, Paris: Tournai/ Casterman, 1974.

JACOB, Gilles. "Saint Jean Vigo, patron des ciné-clubs", *Raccords,* n. 7, primavera 1951, e *Premier Plan,* n. 19; "Jean Vigo" (texto anterior modificado) in *Le cinéma moderne.* Lyon: SERDOC, 1962.

JEANCOLAS, Jean-Pierre. "André Sauvage et Jean Vigo", in *15 ans d'années trente. Le cinéma des Français 1929-1944,* Stock, 1983.

KRACAUER, Siegfried. "Jean Vigo", *National Zeitung,* Bâle (Suíça), 1º fev. 1940; publicado in *Hollywood Quarterly,* abr. 1947; in *Film 1948,* Nova York, jan. 1948; e in *New Index Series,* n. 19, nov. 1961. Trecho em francês, "L'objectivité de Vigo", in *Premier Plan,* n. 19.

KYROU, Ado. "Jean Vigo", in *Le Surréalisme au cinéma.* Éditions Arcanes, 1953; Éditions du Terrain vague, 1963; Ramsay, 2005; "Jean Vigo", in *Amour, érotisme et cinéma,* Terrain vague, 1957 e 1967.

LANGLOIS, Henri. "Jean Vigo. Portrait-souvenir" (1956), in *Trois cents ans de cinéma,* Cahiers du Cinéma/ Cinémathèque Française/ Fémis, 1986.

MARINONE, Isabelle. "Anarchisme et cinéma. Panoramique sur une histoire du 7ème art français virée au noir". Tese orientada por Jean A. Gili e Nicole Brenez, Université Paris I Panthéon-Sorbonne, 2004 (inédito); "Jean Vigo: un cineasta impregnado de anarquismo", Valencia (EP) IVAC: *Archivos de la Filmoteca,* n. 52, fev. 2006.

MARQUET, Jean-Pierre. "D'un Duvivier à Jean Vigo", *Positif,* n. 2, Lyon, jun.1952; trecho em *Premier Plan,* n. 19.

PERRIN, Claude. "Jean Vigo ou la beauté de l'informe ", *Études cinématographiques,* especial Vigo, n. 51-52, Minard, 1966.

PORCILE, François. "Hommage à Jean Vigo", *Cinéma-textes,* n. 6, dez. 1962; *Maurice Jaubert, musicien populaire ou maudit?,* Paris: Éd. Français Réunis, 1971.

POTTECHER, H. Frédéric. "Jean Vigo est mort", *Comœdia,* 7 out. 1934.

PRÉDAL, René. "Une période dramatique et féconde de la vie de Jean Vigo: son séjour à Nice (dez. 1928-jun. 1932)", *Ciné-club Méditerranée,* nova série, n. 1-2, Béziers, outono 1966-inverno 1967.

ROSENBAUM, Jonathan. "Jean Vigo's secret: *L'Atalante*", in *Placing movies: the practice of film criticism.* California: University California Press, 1995.

ROSIER, Michel. "Vigo trente ans après", *Cinékinomovies,* n. 1, mar. 1966.

SADOUL, Georges. "Jean Vigo", in *Le Cinéma français.* Paris: Flammarion, 1962; e *Dictionnaire des cinéastes,* Paris: Seuil, 1965.

SAND, Philippe. "La vie de Jean Vigo", *Positif,* n. 7; e *Premier Plan,* n. 19.

SICLIER, Jacques. "Jean Vigo, cinéaste maudit et précurseur", *Télérama,* n. 594, 4 jun. 1961.

TERZI, Corrado. "Scoperta di Jean Vigo", *La Citadella,* Bergamo (Itália), 5 out. 1946; "Vigo, sfortunato regista", *Film rivista,* Roma, 15 fev. 1947; *Jean Vigo,* plaquete da Federazione Italiana dei Cineclubs, em colaboração com o Cineclub La Cittadella, Bergamo, 1952; "Jean Vigo e la critica" e "Elementi per una bibliografia di Jean Vigo", *Rivista del Cinema Italiano,* Roma, set. 1953.

THIRIFAYS, André. "Dans les granges du rêve", *Le Soir,* Bruxelas, 1954.

TRANCHANT, François. "Dossier Jean Vigo", *Image et son,* n. 115, out. 1958.

VERDONE, Mario. "Note sur Jean Vigo et filmographie", *Bianco e Nero,* ano X, n. 3, Roma, mar. 1949; "Jean Vigo e i cineclub", *Progressa d'Italia,* Roma,

20 mar. 1949; "Jean Vigo" in programa do Premier Festival Rétrospectif du Cinéma, edição organizada por Gaetano Carancini. Milão: Cineteca Italiana, mai. 1949.

VIAZZI, Glauco. "Omaggio a Jean Vigo", *Ferrania*, n. 4, Roma, mar. 1947; "A proposito di Jean Vigo", *Bianco e Nero*, Roma, mar. 1949; "Ancora a proposito di Jean Vigo", *Rivista del cinema italiano*, Roma, set. 1953; "Una polemica su Ivens e Vigo", *Filmcritica*, n. 57-58, Roma, abr.-mai. 1956 (Viazzi-Ferrara); "Ancora su Ivens e Vigo", *Filmcritica*, n. 71 e 72-73, out.-nov.-dez. 1957.

VIGO, Luce. "Jean Vigo", *Bulletin du Centre culturel français de Casablanca*, 1964; publicado in *Jeune Cinéma*, n. 15, fev. 1965, e *Cinékinomovies*, n. 1.

WEINBERG, Herman G. "Jean Vigo", *Cinema*, Hollywood, 1948.

ZILZER, Gyula. "Remembrances of Jean Vigo", *Hollywood Quarterly*, inverno 1947-48; publicado in *New Index Series*, n. 4, Londres, 1951.

CRÍTICA DOS FILMES

À propos de Nice [*A propósito de Nice*]

Le Soir, 31 mai. 1930 (Fanny Clar); *L'Écho de Paris*, 30 mai. 1930 (Luc Anri); *Le Soir*, 20 (?) jun. 1930 (Charles Goldblatt); *L'Humanité*, 22 jun. 1930 (Léon Moussinac); *Close-Up*, Londres, 2 jul. 1930 (Maurice Bessy); *La Revue du Cinéma*, dez. 1930 (Jean-Georges Auriol).

Il Nuovo Corriere, Roma, 25 e 27 abr. 1952 (Panfilo Colaprete); *Cinema*, Milão, 15 jun. 1952 (Glauco Viazzi); *Rivista del Cinema Italiano*, Roma, set. 1953 (Corrado Terzi).

Jeune Cinéma, n. 15, mai. 1966 (Jean Delmas, Jean Chiocchetti).

Vers une cinémathèque idéale, de Claude Beylie, éd. Henri Veyrier, 1982.

Zéro de conduite [*Zero em comportamento*]

Na apresentação do filme (1933): *La cinématographie française*, 15 avril; *Marianne*, 19 abr. (Pierre Ogouz); *Pour vous*, 20 abr. (Lucien Wahl); *Le Huron*, 20 abr.; *Le Petit Bara*, 22 abr. (Fanny Clar); *L'Illustration*, 29 abr. (Robert de Beauplan); *Ciné Roman Film*, 30 mai. (Jean Muntcho).

Bélgica (1933): *Le Carrefour,* 17 out.; *La Libre Belgique,* 20 out. ; XXᵉ *Siècle,* 20 out. (Paul Werrie); *Le Rouge et le Noir,* 25 out. (Gaston Derycke); *Documents 33,* nov. (Michel A. Mirowitsch).

No lançamento do filme (1945): *Le Parisien Libéré,* 23 nov. (André Bazin); *L'Écran Français,* 28 nov. (Pierre Bost), publicado in *Premier Plan*; Paris-Cinéma, 28 nov. (Jacques Loew); *Le Courrier de Paris,* 4 dez. (Carlo Rim); *Spectateur,* 15 dez.

Análise cinematográfica (Jacques Chevalier), in *Regards neufs sur le cinéma*, Seuil, 1953 e 1963; ficha cultural *Image et son,* n. 70, mar. 1954.

Ficha cinematográfica (Jean-Jacques Lebel), IDHEC, n. 181.

L'Atalante [*Atalante*]

No lançamento do filme, primeira versão de 1934: *Comœdia,* 23 abr.; *Pour vous,* 31 mai. (Élie Faure); *Le Petit Journal,* 21 set. (René Jeanne); *Pour vous,* 20 set. (Jean Vidal); *Cinémonde,* n. 309, 20 set. (Lucie Derain); *Le Petit Parisien,* 21 set. (Jean Marguet); *L'Œuvre,* 21 set. (Lucien Wahl); *Nouvelles littéraires,* 29 set. (Alexandre Arnoux); *Les Hommes du jour* (Germaine Decaris), no final de set.; *Mon Ciné,* 4 out. (Raymond Berner); *L'Intransigeant,* 8 out. (Georges Charensol); *Pour vous,* 18 out. (Claude Aveline); *Esprit,* n. 26, 1º nov. (Valéry Jahier).

Sobre a versão de 1940: *L'Œuvre,* 31 out. (Germaine Decaris); *Nouveaux Temps,* 8 nov. (Nino Frank).

Sobre as versões restauradas de 1990-2002: *Cahiers du cinéma,* n. 434, jul.-ago. 1990 (Antoine de Baecque); *Trafic,* n. 2, primavera 1992 (Jean-Claude Biette); *Cahiers du cinéma,* n. 565, fev. 2002 (Joël Magny, Charles Tesson).

Em outros países: *Les Beaux-Arts,* Bruxelas, 26 jul. 1935 (Ch. Delpierre); *Sight and Sound,* Londres, fev. 1951 (Roger Manvell); *Il Nuovo Corriere,* Roma, 1º mai. 1952 (Panfilo Colaprete).

III. BIBLIOGRAFIA GERAL COMPLEMENTAR

ALBERA, François. *Albatros: des russes à Paris 1919-1929*. Paris: Cinémathèque Française, 1995.

___. *Eisenstein en Suisse: premiers matériaux*. Lausanne: *Travelling*, n. 48, inverno 1976.

___. e GILI, Jean. "Dictionnaire du cinéma français des années vingt", in *1895*, n. 33, jun. 2001.

ANDREW, Dudley. *André Bazin*. Paris: Cahiers du Cinéma/Cinémathèque Française, 1983.

BIFI: BIBLIOTHÈQUE DU FILM. www.bifi.fr [consultado em agosto de 2008]

BOURGEOIS, Nathalie et. al. (org.). *L'Atalante. Un film de Jean Vigo*. Paris: Éd. Cinémathèque Française/ Pôle Méditerranéen d'Éducation Cinématographique, 2000.

BRETEQUE, François de la. "Historia y arqueologia del cine: por una genética del texto filmico. El caso de *L'Atalante*". Madri: *Archivos de la Filmoteca*, n. 10, out.-dez. 1991.

CATALÀ, Joseph Maria. "Vigo en las ciudades: la construcción de un punto de vista moral". Madri: *Archivos de la Filmoteca*, n. 52. fev. 2006.

CHION, Michel. "Vigo: la matière et l'idéal". *Un art sonore, le cinéma , histoire, esthétique, poétique*. Paris: Cahiers du Cinéma, 2003.

CINEMATECA BRASILEIRA. www.cinematecabrasileira.com.br [consultado em agosto de 2008].

EISENSCHITZ, Bernard. "Los Atalante". Madri: *Archivos de la Filmoteca*, n. 52, fev. 2006.

FELDMAN, Joseph e Harry (org.). *Jean Vigo*. Londres: New Index Series, n. 4, 1951.

GHALLI, Noureddine. *L'Avant-garde cinématographique dans les années vingt: idées, conceptions, théories*. Paris: Paris Expérimental, 1995.

GIAMMATTEO, Fernaldo. *Dizionario universale del cinema: tecnica, generi, istituzioni, autori*, 2 v. Roma: Editori Riuniti, [1985] 1990.

LE FORESTIER, Laurent. "L'Œuvre de Vigo à l'époque de sa reproduction numérique". *1895*, n. 42, fev. 2004.

LHERMINIER, Pierre. *Jean Vigo, un cinéma singulier*. Paris: Ramsay Poche Cinéma, 2007.

___. *Jean Vigo, un cinéma particulier*. Paris: Ramsay Poche Cinéma, 2007.

MERINO, Imma. "'Je vous dis merde': a propósito de la influencia de la película libre *Zéro de conduite*". Madri: *Archivos de la Filmoteca*, n. 52, fev. 2006.

Prix Jean-Vigo 1951-1991. Júris. Prêmios. Filmografia. Pontos de vista críticos. Textos d'Agnès Varda, Henri Langlois, Claude Chabrol, François Truffaut, Michel Marie. Ramsay. Prix Jean-Vigo 1991. (Lherminier)

QUINTANA, Ángel. "La inevitable influencia de Jean Vigo". Madri: *Archivos de la Filmoteca*, n. 52, fev. 2006.

SALES GOMES, Paulo Emílio. "A ação de Grierson", in *Crítica de cinema no Suplemento Literário*, v. 1. Rio de Janeiro: Paz e Terra, 1981.

THE INTERNET MOVIE DATABASE [IMDb]. www.imdb.com [consultado em agosto de 2008].

TOULLET, Emmanuelle. "Léon Moussinac et le cinéma: un intellectuel s'adresse aux intellectuels", in *Cahiers de la Cinémathèque*, n. 70, 1999.

TULARD, Jean. *Dictionnaire du cinéma: les réalisateurs*, v. 1. Paris: Laffont, 1983. [ed. bras.: *Dicionário de cinema: os diretores*, trad. Moacyr Gomes. Porto Alegre: L&PM, 1996.]

VIGO, Luce. *Jean Vigo*. Paris: Cahiers du Cinéma [Les Petits Cahiers/ Scérén-CNDP], 2001.

____. "Cómo resiste la obra de Jean Vigo ao paso del tiempo". Madri: *Archivos de la Filmoteca*, n. 52, fev. 2006.

WARNER, Marina. *L'Atalante*. Londres: British Film Institute, 1993. [ed. bras.: *L'Atalante*, trad. Lúcia Olinto. Rio de Janeiro: Rocco, 1996].

ZIMMER, Jacques e CIMENT, Michel. *La critique de cinéma en France*. Paris: Ramsay, 1997.

ÍNDICE DE FILMES

ÍNDICE ONOMÁSTICO

AGRADECIMENTOS

Boris Schnaiderman
Cinemateca Brasileira
Luce Vigo
Olga Toshiko Futemma
Versátil Home Vídeo

CRÉDITO DOS TEXTOS

CRÉDITO DAS IMAGENS

IMAGENS DE CAPA, PP. ABERTURA, SEGUNDA GUARDA
Filmagem de *L'Atalante* [*Atalante*], Boris Kaufman (à esquerda) e Jean Vigo (à direita), nov. 1933
pp. 8 Miguel Almereyda, c. 1912
16 Vigo em Sète, 1910, Montpellier, c. 1918, e com sua mãe, set. 1919.
18 Desenho de A. Delannoy, Almereyda e companheiros presos. *L'Assiette au Beurre*, 1908
44 Jean Vigo. Foto dedicada à sua mãe, Colégio de Millau, 21 fev. 1919
57 Jean Vigo com Jean Colin, liceu de Chartres, 1924, e com Paul Mercier, Tillières-sur-Avre, 1924
68 Jean Vigo e Lydu, Font-Romeu, 1928
77 Vigo e Kaufman filmando *À propos de Nice* [*A propósito de Nice*], jan.-mar. 1930
99 Vigo e Lydu, em frente ao Panthéon, Paris, c. 1932
142 Filmagem de *Zéro de conduite* [*Zero em comportamento*], dez. 1932 jan. 1933
153 Vigo com Henri Storck em Nice e Paris, 1931-32
266 Foto da fachada do cine Colisée, Paris, setembro de 1934
274 Jean Vigo e Lydu, c. 1933
277 A filha Luce, com os pais Vigo e Lydu, c. 1933
308 Filmagem de *L'Atalante* [*Atalante*], nov. 1933
339 Exibição da versão *Le chaland qui passe* [*L'Atalante*]
436 Filmagem de *À propos de Nice* [*A propósito de Nice*], jan. - mar. 1930
Archives Luce Vigo

pp.102 Exibição de *À propos de Nice* [*A propósito de Nice*], 28 mai. 1930
214 Filmagem de *L'Atalante* [*Atalante*], nov. 1933
360 Manuscrito de Paulo Emílio, 1950
426 Paulo Emílio, Paris, c. 1950
Acervo Cinemateca Brasileira

pp. 374 Capa de *Jean Vigo*: *Œuvre de cinéma*, Pierre Lherminier (org.). Paris: Cinémathèque Française/ P.Lherminier, 1985

pp. 80, 84, 92, 423 *À propos de Nice* [*A propósito de Nice*]
122 *La natation par Jean Taris, champion de France* [*Taris ou a natação*]
149, 166, 169, 174, 182 *Zéro de conduite* [*Zero em comportamento*]
235, 237, 242, 246, 257 *L'Atalante* [*Atalante*]
Reprodução de fotogramas © Versátil Home Vídeo/ Gaumont

SERVIÇO SOCIAL DO COMÉRCIO – SESC SÃO PAULO
Administração Regional no Estado de São Paulo

Presidente do Conselho Regional ABRAM SZAJMAN
Diretor Regional DANILO SANTOS DE MIRANDA

Superintendentes
Comunicação Social IVAN GIANNINI
Técnico-social JOEL NAIMAYER PADULA
Administração LUIZ DEOCLÉCIO MASSARO GALINA
Assessoria Técnica e de Planejamento SÉRGIO JOSÉ BATTISTELLI

Edições SESC SP
Gerente MARCOS LEPISCOPO
Gerente adjunto WALTER MACEDO FILHO
Coordenação editorial CLÍVIA RAMIRO
Produção editorial JULIANA GARDIM

Colaboradores
MARTA COLABONE

SESC São Paulo
Edicões SESC SP
Av. Álvaro Ramos, 991
03331-000 São Paulo SP
Tel [55 11] 2607 8000
edições@sescsp.org.br

Obras completas de Paulo Emílio
Coordenação editorial AUGUSTO MASSI e CARLOS AUGUSTO CALIL
Edição MARIA HELENA ARRIGUCCI
Pesquisa e posfácio ADILSON INÁCIO MENDES
Pesquisa iconográfica LUCE VIGO e MATEUS ARAÚJO SILVA
Tradução da fortuna crítica CRISTIAN BORGES (inglês), EUGENIO VINCI (italiano), TINA MONTENEGRO (francês)
Cartas de Paulo Emílio FLAVIA DO LAGO e CARLOS AUGUSTO CALIL
Projeto gráfico LUCIANA FACCHINI
Preparação EMILIO FRAIA
Composição GUSTAVO MARCHETTI e JUSSARA FINO
Revisão RAUL DREWNICK, LAURA RIVAS GAGLIARDI e ISABEL JORGE CURY
Nesta obra, respeitou-se o novo Acordo Ortográfico da Língua Portuguesa

Dados Internacionais de Catalogação na Publicação (CIP)
(Câmara Brasileira do Livro, SP, Brasil)

Gomes, Paulo Emílio Sales [1916-1977]
Jean Vigo: Paulo Emílio Sales Gomes
Organização: Carlos Augusto Calil
Posfácio: Adilson Inácio Mendes
Tradução: Dorothée de Bruchard
São Paulo: Cosac Naify, 2009 / Edições SESC SP, 2009
504 pp., 99 ils.

Obras completas de Paulo Emílio ISBN 978-85-7503-543-6
ISBN 978-85-7503-741-6 v.5 (Cosac Naify)
ISBN 978-85-98112-92-3 (Edições SESC SP)

1. Cineastas – França 2. Cineastas – França História
3. Vigo, Jean, 1905-1934 – Crítica e interpretação
I. Calil, Carlos Augusto. II. Mendes, Adilson Inácio.
III. Título. IV. Série.

08-10734 CDD-791.4309436

Índices para catálogo sistemático:
1. Cineastas franceses: Apreciação crítica 791.4309436

COSAC NAIFY
Rua General Jardim, 770, 2º andar
01223-010 São Paulo SP
Tel [55 11] 3218 1444
www.cosacnaify.com.br

Atendimento ao professor
[55 11] 3218 1473

OBRAS COMPLETAS DE PAULO EMÍLIO

Três mulheres de três PPPês
Cemitério
Capitu (com Lygia Fagundes Telles)
Vigo, vulgo Almereyda
Jean Vigo

TIPOLOGIA Documenta e Berber
PAPEL Paperfect 90 g/m²
IMPRESSÃO RR Donnelley
TIRAGEM 5000